Юлия Латынина

Издательская группа АСТ
представляет
книги Юлии Латыниной

- Джаханнам, или До встречи в аду
- Промзона
- Охота на изюбря
- Инсайдер
- Земля войны
- Ниязбек
- **Не время для славы**
- Колдуны и министры
- Стальной король
- Только голуби летают бесплатно
- Ничья
- Нелюдь
- Дело о лазоревом письме
- Повесть о государыне Касии и др.

Юлия Латынина

Не время для славы

АСТ • Астрель
Москва

УДК 821.161.1-31
ББК 84(2Рос=Рус)6-44
Л27

Оформление обложки
А. Коротич

Фото автора на обложке
Л. Латынин

Подписано в печать с готовых диапозитивов заказчика 11.01.09 г.
Формат 84×108[1]/[32]. Бумага газетная. Печать высокая с ФПФ.
Усл. печ. л. 28,56. Тираж 20 000 экз. Заказ 220.

Общероссийский классификатор продукции
ОК-005-93, том 2, 953000 – книги, брошюры

Санитарно-эпидемиологическое заключение
№ 77.99.60.953.Д.009937.09.08 от 15.09.2008 г.

Латытина, Ю.

Л27 Не время для славы/ Юлия Латынина. – М.: Астрель: АСТ, 2009. – 541, [3] с.

ISBN 978-5-17-058306-5(АСТ) (ПС)
ISBN 978-5-271-23238-1 (Астрель)

Джамалудин Кемиров правит республикой железной рукой. Его портреты – на майках его охранников и на стенах построенных им школ. Его слово значит больше, чем законы России. Он может все: возвысить и уничтожить, помиловать и стереть в пыль. Он не может только одного: умерить аппетиты тех, кто готов объявить его мятежником и террористом, если он не поделится половиной гигантского газового проекта, осуществляемого в республике западной компанией с новейшими технологиями.

УДК 821.161.1-31
ББК 84(2Рос=Рус)6-44

ISBN 978-985-16-6776-1
(ООО «Харвест»)

Суд истории, единственный для государей, кроме суда небесного, не извиняет и самого счастливого злодейства, ибо от человека зависит только дело, а следствие — от бога.

Н.М. Карамзин.
«История государства российского»

Мальчишка умирал.

«Хаттабка», которой он хотел подорваться, взорвалась в его правой руке, оторвав кисть и половину штанов. Он лежал на свежем снегу перевала, навзничь, как опрокинувшаяся на спину черепаха, и время от времени шевелил куском руки. Сначала все думали, что у него есть еще, но он все не взрывался и не взрывался, а только перекатывался и дергал обрывком руки. Клочки мяса болтались на его окровавленной ступне, из клочков торчала белая снежная кость.

Ему крикнули, чтобы он сдавался, и он закричал «сдаюсь». Бойцы не хотели подходить, думали, что он взорвется, но он кое-как отпихнул от себя автомат, и было ясно, что второй «хаттабки» у него нет. К нему подошли, сначала один боец, потом второй, а потом третий наклонился над ним и стал снимать его на мобильный.

Потом подошел еще один, казавшийся очень высоким из-за худобы. Длинные сильные его ноги были затянуты в высокие черные берцы со шнуровкой, и из-за этих высоких ботинок и куртки, увешанной карманчиками с оружием, силуэт его напоминал цаплю. У того, кто подошел, было смуглое неправильное лицо с перебитым носом и черные, с багровой подсветкой, глаза.

Он присел на корточки над обрывками человека и что-то спросил.

Раненый засмеялся. Командир в черных берцах приставил к его голове пистолет и повторил вопрос. Раненый подобрал с земли свой палец, протянул его командиру и сказал:

— Видишь мой палец? Он уже в раю.

Командир не стал нажимать на курок, потому что смысла не было. Раненый умирал. Лицо его было чистым, почти детским, борода у него еще не отросла, и на этом по-девичьи гладком лице застыло выражение дикого, неописуемого блаженства.

Он умер минуты через две. Ногти его левой, целой руки от боли впились глубоко в землю, но на лице было все то же счастливое выражение человека, душа которого улетает зеленой птицей в рай.

Похожий на цаплю встал, отшвырнул носком ботинка искромсанный палец и сказал:

— И помер-то как собака. Пощады просил. Вот еще загоним Булавди, и тишь да благодать будет по всем моим горам.

Часть первая

ИНВЕСТОР

Движущей пружиной современной трагедии является политика.

Наполеон

ГЛАВА ПЕРВАЯ

Возвращение

Конференц-зал располагался на тридцатом этаже голубовато-дымчатого многогранника, и из его панорамных окон открывался великолепный вид на стальные скалы Сити и черную Темзу, перечеркнутую штрихкодом мостов и снующими под ними коробочками машин.

Был уже октябрь, но снега еще нигде не было: над серыми сухими тротуарами возносилось выцветшее небо. Кирилл никогда не понимал, почему англичане ругают свою погоду. В Москве четыре часа назад шел косой мокрый снег, тут же превращавшийся на бетоне в кашу цвета прелой селедки. Кирилл промочил ноги по щиколотку ровно за те два шага, которые он сделал от двери корпоративного «мерседеса» до трапа корпоративного «челленджера».

Потом, в самолете, стали пить водку, и так как самолет был не его, Кириллу пришлось выпить полстакана. Он не знал, что придется ехать сразу в Сити и надеялся, что водка будет не очень заметна. Он чувствовал себя не очень удобно из-за водки, неприятно обсохших носков и тяжелого зимнего пальто: он скинул его в приемной после возвращения из Москвы, как десантник — бронежилет после завершившейся операции.

Две последние сделки, которые он закрыл, были одна в Болгарии, а другая в Польше. Кирилл был рад, что работа требует все меньше присутствия в Москве. Последнее время ему казалось, что даже когда в Москве лето, в ней все равно зима.

Уже взявшись за ручку двери, Кирилл оглянулся. У человека, глядевшего на него из длинного, до пола, зеркала, было холодное усталое лицо, и высокий лоб, собравшийся в складки над голубовато-зелеными, как горное озеро, глазами. Короткие, редеющие на лбу волосы были тщательно зачесаны назад, открывая непропорционально большую голову, сидящую на худощавом теле с маленькими изящными руками и крепкими запястьями. Из-за поврежденного позвоночника, удерживаемого только специальными упражнениями и кольцами накачанных мускулов, Кирилл стоял чересчур прямо, и темно-бордовый, в тон костюму галстук удобно свернулся под накрахмаленным воротничком чуть розоватой рубашки.

Женщины одеваются дорого, чтобы быть заметными. Партнеры «Бергстром и Бергстром» одеваются дорого, чтобы быть незаметными.

Человек, отражавшийся в зеркале, был корректен и незаметен, и Кирилл не любил оставаться с ним наедине.

Кирилл отвернулся, толкнул дверь и вошел.

Первое, что бросилось Кириллу в глаза, был красивый глянцевый снимок газодобывающей платформы, — с буровой вышкой, серебряными ягодами сепараторов и выдвинутой вперед, как у авианосца, железной челюстью вертолетной площадки. Платформа была огромна — сто пятнадцать метров в длину, шестьдесят пять в ширину, — это Кирилл вспомнил совершенно точно, потому что, присмотревшись, Кирилл ее узнал.

Эту платформу начали строить в Норвегии, а потом по частям перетащили по Волге в Каспий, где компания «Навалис» провела для Ирана разведочное бурение и открыла богатое шельфовое месторождение. Только сама платформа должна была обойтись «Навалис» в два миллиарда долларов, — ибо была больше, чем любая ядерная подводная лодка, и куда сложней по устройству, — но собственно платформа составляла меньше десятой части стоимости проекта.

Остальной проект висел тут же — рисунки гигантских реакторов, обвитых, как новый Лаокоон, серебряными змеями труб, и нарисованная от руки схема. Схема изобиловала словами более или менее понятными широкой публике, вроде «полипропилен», «фосген», «бензол», «капрон», и словами совершенно для непосвященных загадочными, — «изоцианаты», «ММА» «ГДМА», «НАК», «АБС-пластики», и пр. от слов друг к другу шли стрелочки и квадратики, и все они перепутывались между собой, сплетались и расплетались снова, и выходили в конечном итоге из двух больших квадратов, на одном из которых было написано «метанол», а на другом — «аммиак», а эти два больших квадрата, в свою очередь, вытекали из огромного квадрата с двумя буквами «ПГ», или — природный газ.

Это была схема берегового химзавода.

Первая очередь завода — мощности по производству метанола — занимала пятьдесят гектаров, стоила два с половиной миллиарда долларов, строилась год, и должна была окупиться за три года. Вторая очередь, предусматривавшая производство полипропилена и полиэтилена уже из метанола, занимала двадцать гектаров, стоила семьсот миллионов долларов, строилась полгода, а окупалась уже за восемь месяцев. Третья очередь давала еще большее разнообразие продуктов: бензол, фосген, азотную кислоту, толуол; окупались они уже за три-четыре месяца.

Всего завод занимал двести гектаров, и устроен был так, что с каждым новым уровнем передела доля стоимости исходного сырья в конечном продукте падала, а окупаемость росла. Первый уровень окупался за три года. Производство изоцианатов из фосгена, — цепочка пятого уровня передела, — окупалось за два месяца, ибо производило безумно дорогой продукт, используя уже имеющуюся инфраструктуру: хранилища, коммуникации, подъездные пути, продуктопроводы.

Проект рухнул, когда против Ирана ввели санкции. «Навалис», и без того ведшая довольно рискованную, по мнению Кирилла, политику экспансии в Юго-Восточной Азии и Восточной Европе, была вынуждена выбирать: либо Иран, либо весь остальной земной шар, и, разумеется, выбрала последнее.

Завод остался в чертежах. Недостроенная платформа болталась на мелководье в Баку, и «Навалис» вела переговоры о продаже ее туркменам, которые хотели построить в море кое-что посовременней «табуреток»; договариваться с туркменами было даже сложней, чем с казахами, и так это дело и зависло.

И вот теперь президент «Навалис», сэр Мартин Метьюз, сидел в Bergstrome&Bergstrome, и рядом с ним сидел химик по фамилии Баллантайн, которого Кирилл помнил по словацкой сделке, и еще пара человек, которых Кирилл не знал. А в центре картины сидел японец, возглавлявший в «Бергстром и Бергстром» emerging markets, и президент компании, Рональдо Мартинес.

— А, вот и он! — радушно сказал Рональдо, вставая с кресла при виде вошедшего. — Господа, позвольте вам представить — Кирилл Водров, руководитель нашего подразделения в Восточной Европе.

Но сэр Мартин уже тряс Кириллу руку. От него пахло дорогим одеколоном, удачей и закрытыми клубами. Он был жесток и богат.

— Hello, Cyril, — сказал Баллантайн.

Человека рядом с Баллантайном ззали Петер Штрассмайер. Оказалось, что он недавно перешел к сэру Метьюзу из *Texaco*.

— Спасибо, что вы так быстро приехали, — сказал сэр Метьюз, — дело вот в чем, Кирилл, — скажите, какого вы мнения о российской республике Северная Авария-Дарго и ее новом президенте? Zaur Kemirov, я правильно произношу фамилию?

Свет, казалось, мигнул и поблек, и конференц-зал покачнулся под Кириллом. В позвоночнике тревожно заныло, и когда Кирилл сделал шаг вперед, его хромота была чуть более заметна, чем обычно.

— Все республики Северного Кавказа, — услышал Кирилл свой собственный голос, — несут серьезные инвестиционные риски. В них не вкладывают деньги не только русские, но и местные уроженцы, проживающие в Москве. Впрочем, Заур Кемиров сумел стабилизировать ситуацию и добиться впечатляющих результатов.

Позвоночник пронзило раскаленной иглой. Газовые плафоны сияли, как алюминиевая пудра во взрывающемся «Шмеле». Интересно, сколько человек видело взрыв «Шмеля» вблизи и осталось в живых?

— Президент Кемиров, — сказал сэр Метьюз, — продает промышленную лицензию на разработку прикаспийского шельфа в районах Чираг-Геран и Андах. Глубина дна в этом районе — девять метров, а по объему природного газа месторождения втрое превосходят свои азербайджанские аналоги. Мы возвращаемся к нашему иранскому проекту, но на Северном Каспии, и хотим, чтобы «Бергстром» был нашим консультантом. Говорят, у вас, Кирилл, прекрасные отношения с президентом Кемировым?

«Улыбайся, — подумал Кирилл, — черт побери, только не переставай улыбаться, как будто у тебя все в порядке, и ты только что выиграл партию в гольф, и твоя единственная проблема — это непорядки в двигателе твоей новой стометровой яхты».

— Мы знакомы, — сказал Кирилл, — я э..э... не уверен.

Сэр Метьюз расхохотался и дружески хлопнул Кирилла по плечу.

— Не скромничайте, мой друг, — сказал он, — я говорил с президентом Кемировым. В Лос-Анджелесе. И когда я сказал, что словацкую сделку консультировал «Бергстром», он сам назвал ваше имя. Он ждет вашего приезда.

Кирилл молчал.

— Строительство подобного мегакомплекса на Северном Кавказе влечет за собой определенный риск, — повторил Кирилл.

Сэр Метьюз пожал плечами. От него веяло успехом — успехом у банков, правительств и женщин.

— Я видел президента Кемирова, — сказал сэр Метьюз. — Он хочет вытащить свою республику из средневековья. Это прекрасный человек, и я всю жизнь инвестировал в прекрасных людей. Это самое доходное вложение.

Этот прекрасный человек лично застрелил вице-премьера России. А когда я последний раз видел его брата, его брат шел по ковру из трупов и приставлял пистолет ко лбам мертвых людей. «У него же дыра поперек лба», — сказал ему полковник Аргунов, а брат ответил: «Если у него дыра поперек, прострели его вдоль».

«Плюньте на Северную Аварию и валите из России, пока не вляпались, — хотелось сказать Кириллу, — Кавказ хорош только на фотографиях».

Но он уже понимал, что ничего подобного не скажет.

Прикаспийский проект принесет «Бергстром и Бергстром» несколько десятков миллионов. И сэр Мартин явственно давал понять, что в этой сделке его интересует не «Бергстром». Его интересует Кирилл Водров, личный друг президента Заура Кемирова. Если Кирилл проведет эту сделку через все ущелья и пропасти Кавказских гор — перед ним открываются безграничные возможности. Если Кирилл откажется от сделки, его вышвырнут вон. И хуже того — пойдут слухи.

Кириллу совершенно не хотелось, чтобы кто-нибудь в Сити вдруг заинтересовался подлинными обстоятельствами, при которых Кирилл Водров, директор восточноевропейского филиала «Бергстром и Бергстром», преуспевающий менеджер, бывший спецпредставитель России в ООН, член совета директоров болгарской TeleEast, член наблюдательного совета словацкой GasIP, кавалер Ордена Мужества — получил этот самый орден и пулю в позвоночник.

— Ты вылетаешь завтра, — сообщил Рон.

— Конечно, — улыбнулся как можно шире Кирилл.

* * *

Платформа, на которую они прилетели, была куда меньше бакинской. «Аварнефтегаз» взял ее в аренду, и сейчас она бурила скважину на мелководье в семидесяти километрах от Торби-калы.

Это была маленькая разведочная платформа, когда-то купленная в Японии, настоящий крошечный сад камней, в котором, как на ладони, уместилось все — огромная буровая вышка со сверкающей желтой креветкой топ-драйва, жилой блок, вертолетная площадка, затянутая мелкой сеткой, и три семидесятиметровых громадных ноги, которые платформа во время буксировки загоняла наверх, в красные решетчатые фермы, а придя на место, она становилась на ноги, и вонзала свой тонкий хобот в пласты песчаника и базальта, — маленький красный москит на огромном боку Земли, со стальным жалом, едва царапающим кожуру литосферы, уползающим на глубину в четыре километра в огромный кружащийся вокруг солнца шар, содержимого которого не знал никто.

Небольшой французский вертолет опустился на покрытую сеткой площадку, и Кирилл увидел, что возле площадки дожидается целая шеренга затянутых в камуфляж бойцов. Они стояли, как на фотографии, крепкие, смуглые, черноволосые, упершись в выбеленные кости бетона высокими шнурованными ботинками, и в небо — тонкими минаретами стволов. Широкие пояса топорщились от черных плашек обойм, и морское солнце ослепительно горело на подвешенных рядом с кобурами стальных кольцах наручников.

Лопасти еще крутились, перемалывая воздух, Кирилл повернул круглую защелку, распуская притягивавшие его к спинке ремни, а к вертолету уже спешили двое.

Первым шел белокурый красавец лет тридцати. У него была танцующая походка мастера боевых искусств и выправка штандартенфюрера СС; за плечом его висел автомат, вскипая на солнце белым металлом в подствольнике, и его голубые стеклянистые глаза были как линзы оптического прицела. Даже среди исландских льдов этот белокурый атлант казался бы ожившим персонажем Старшей Эдды — здесь, на Кавказе, среди смуглых и черноволосых людей, он казался инеистым великаном, очнувшимся не в то время и не в том месте.

В белокуром викинге было метр девяносто пять, но его спутник возвышался над ним на голову. Кулаки его торчали из рукавов камуфляжа, как два арбуза, черная курчавая борода обрамляла оливково-смуглое лицо. Правое ухо было раскатано в плоский с клубочками блин, и, начиная от уха, на лоб наползал изогнутый длинный шрам, заштопанный необычайно небрежно, — словно дурная хозяйка заметывала дырку в носке нитками другого цвета. На поясе чернобородого ифрита теснилась всякая утварь для убийства, и за плечом его тоже висел автомат, но выглядел он при этом совершенно игрушечным. Казалось, что при надобности эта ожившая иллюстрация из «Тысячи и одной ночи» может перекусить ствол одними зубами, и Кирилл знал, что это впечатление недалеко от истины.

— Oh shit, — сказал сбоку Баллантайн, — are these guys here to meet the copter or to hijack it?[1]

В эту секунду белокурый Терминатор отомкнул дверь вертолета, Кирилл спрыгнул вниз и очутился в его стальных объятиях.

— Салам, Кирилл!

На Кирилла пахнуло порохом, кровью и дорогим одеколоном. Они уже бежали вниз по лесенке, прочь от сверкающих лопастей.

— Салам, Кирилл! — вскричал чернобородый, и макушка Кирилла ткнулась ифриту куда-то под мышку.

Двое сотрудников «Навалис» с изумлением наблюдали, как худощавый русский консультант обнимается с двумя увешанными оружием туземцами.

Белокурая бестия из «Песни о Нибелунгах» помог Кириллу снять спасательный жилет, повернулся к иностранцам, улыбнулся во все шестьдесят четыре белых волчьих зуба и представился на языке оригинала:

— Hagen. Ich bin der Vorgesetzte des Antiterror Zentrum. Und Tashov ist der Chef von OMON.[2]

— Заур Ахмедович в Чираге, — сказал Ташов, — очень извиняется, что он не полетел с вами. Он примет вас вечером.

Рядом с вооруженной охраной стояли буровики в синих спецовках и пожилой аварец в хорошо пошитом костюме, с живо-

---

[1] Эти парни хотят встречать вертолет или угонять его? (*англ.*).

[2] Хаген. Я — начальник Антитеррористического центра. А Ташов возглавляет у нас ОМОН. (*нем.*).

том, несколько нависающим над ногами, как вторые этажи в средневековых городах нависают над улицей, и с властным, довольным жизнью лицом, разлинованным сеточкой морщин. Лицо было смутно знакомо, и Кирилл судорожно перебирал картотеку памяти.

— Магомед-Расул Кемиров, — сказал Хаген, — глава компании «Аварнефтегаз», академик, член Российской академии естественных наук и Академии Общественной безопасности и правопорядка. Брат Заура Ахмедовича.

— Кирилл, дорогой, — сказал Магомед-Расул, распахивая руки так широко, словно нес в них воздушный шар, — куда же ты делся, а? Совсем забыл старых друзей. Брат тебя вспоминал каждый день. Говорил: вы мне, бестолочи, не нужны! Мне такой человек, как Водров, нужен! Слышь, Кирилл, ты чего там потерял в своей Америке? Америка загнивает! Этот век будет век России! Слышь, Кирилл, бросай свой уолл-стрит! Иди к нам министром финансов!

Магомед-Расул повернулся и проворно побежал с площадки, большой, черный, лоснящийся, похожий на раскормленного породистого бульдога. Иностранцы спешили за ним. Похоже, они были рады появлению Магомед-Расула. Вряд ли новому вице-президенту «Навалис» и руководителю департамента газопереработки улыбалась мысль вести переговоры с главой ОМОНа и начальником Антитеррористического Центра.

—Эй, Кирилл, — кричал Магомед-Расул, — ты это видел? Это твоя сраная Америка в жизни не видела! Мы две скважины пробурили, и Аллах нам помог! Мы такой газ получили, это лучший на свете газ! Это наш, настоящий, кавказский газ!

Красная решетчатая вышка уходила из воды в небо, как космическая ракета на стартовом столе. С высоты переходов было видно, как помбур замыкает огромные желтые челюсти на уходящей вниз буровой колонне; в подсвечнике за пальцем стояли уже собранные свечи, и когда они спустились вниз, Кирилл увидел исподнюю часть буровой: толстую обсадную трубу, уходящую в малахитовую воду Каспия, и высоко над ней насаженные, как бараньи туши на вертел, похожие на гигантскую кувалду четыре превентора, готовые в любую минуту схлопнуть свои железные челюсти и перекусить трубу, — в случае, если дерзкий комар, решивший укусить земные недра, потерял контроль над тем, что творится внизу, — над миллионами тонн породы с аномально высоким или, наоборот, аномально низким давлением пласта, с газовыми карманами и соляными куполами, с пластами воды, нефти, или сероводорода, и бог знает еще чего, что скрывается под ленивой малахитовой водой и тонкой коркой земли.

Магомед-Расул был прав: они действительно нашли газ с первого раза, и Аллах тут помог или нет, а только его брат потратил двадцать миллионов долларов на разведку.

— Эх, какой газ! — закричал Магомед-Расул, — газ и нефть! Нефть и газ! Ты знаешь, какая у нас будет платформа? Тридцать три скважины будет платформа! Двадцать шесть добывающих, одна контрольная, одна для закачки раствора, одна... э-э... ты знаешь, как бурят горизонтальную скважину? У нас все скважины будут горизонтальные! Новейшие технологии! Россия встает с колен!

— А где Джамал? — спросил вполголоса Кирилл, наклонившись к Хагену.

— Он в горах, — ответил Хаген. — Пост.

— Вы знаете, — стесняясь, сказал Штрассмайер, — у нас на аэродроме не проверили паспорта. Я имею в виду, нам надо поставить отметку о въезде в Россию.

— Какая отметка? — возмутился Магомед-Расул, — здесь не Россия. Здесь Авария.

* * *

Кирилл ожидал, что со скважины они полетят в родовые места Кемировых, глубоко в горы, в Бештойский район, — но оказалось, что у президента новая резиденция.

Вертолет развернулся над берегом, описывая широкий полукруг, и Кирилл увидел издали белые дома, прижатые к бирюзовому морю рыжими нагими горами. Скалы были как атакующий фронт, спешащий сбросить в море докучные человеческие личинки. Между облупившихся хрущевок вставали свежие дорогие многоэтажки и купола новеньких мечетей, вдоль берега, как выдавленная из тюбика паста, от Кюхты до Шамхальска расстилалась тонкая линия дорогих особняков.

В Бештое родовое гнездо Кемировых сидело на самой верхушке горы, словно средневековый замок, господствующий над местностью. Здесь, в Торби-кале, все было по-другому.

Резиденция лежала словно на донышке чаши, скалы взбегали к небу слева и справа, и когда Кирилл вылез из вертолета, он увидел на боку скалы, обращенном к Мекке, выложенное белым имя Аллаха. Оно нависало над морем и миром, как знаменитая надпись над Голливудом.

Сама резиденция была еще не достроена. Перед двухэтажным длинным особняком рабочие расстилали рулоны травы, и тут же по рулонам гулял упитанный взрослый гепард. Левая половина особняка была еще в лесах; рабочих было много, а вооруженных людей еще больше. Они слонялись по дорожкам, с тем особенно гордым видом, который горцу придает оружие, и многие подошли к Кириллу поздороваться и обняться.

Солнце валилось куда-то вниз, за белое имя Аллаха, мулла уже пел азан, и двое в камуфляже волокли на летнюю кухню упирающегося черного барашка. Павлин с длинным, похожим на ручку от сковородки хвостом, бродил вокруг «порше кайенна», и за ним ходил мальчик лет девяти, целясь в павлина из черного тяжелого «стечкина».

Сам «порше» представлял собой любопытное зрелище. Двигатель его был вывернут наружу, как желудок морской звезды. Стекла осыпались; из дверей автоматные очереди сделали дуршлаг. Штрассмайер увидел машину, остановился как вкопанный и сказал:

– Боже мой. Что это?

– Козел навстречу выскочил, – объяснил Хаген.

– Как козел? Это козел?

Палец Штрассмайера ткнул в развороченный двигатель.

— Нет, — сказал Хаген, — это «Муха». У нас за селом плотина, а потом вверх идет серпантин. Вот я выезжаю к плотине, и — тут на дорогу выскакивает козел. Я — по тормозам. А в этот момент с серпантина стреляют. И граната, вместо того, чтобы влететь в салон, влетает в двигатель.

Штрассмайер вытаращил глаза.

— Вы были в этой машине? Но она же вся изрешечена!

— Так что? — пожал плечами Хаген, — мы же выскочили. Эти палят, и мы палим.

Покачал головой и сокрушенно добавил:

— Удобное место этот серпантин, слов нет. Уже второй раз меня там расстреливают. И сотовый там не берет.

Мальчик со «стечкиным» подошел к иностранцам, наставил на Кирилла ствол и сказал:

— Бах! Отдавай твой пистолет.

— У меня нет пистолета, — ответил Кирилл.

— Тогда отдавай деньги.

Кирилл расхохотался, а Хаген присел перед мальчиком, потрепал его по голове и произнес наставительно:

— Это друг. У друзей нельзя просить. Им надо давать.

В это мгновение на поясе Хагена ожила рация, выплюнув в эфир короткую веревочку гортанных звуков. Вооруженные люди, кучками стоявшие на газоне, засуетились и пришли в движение, словно электроны, бесцельно бродившие в куске металла, и вдруг попавшие под напряжение; через несколько мгновений они уже стояли ровным строем у ворот, те распахнулись, и внутрь влетела кавалькада из «мерседесов» и «лексусов», вперемешку с раскрашенными «десятками» ГИБДД.

Из второй по счету машины выбрался невысокий полноватый человек в хорошо пошитом синем костюме и с желтым, как дыня, лицом, изрезанным сеточкой морщин.

Президент Северной Аварии сильно постарел. Лысина всползла со лба на макушку, выела остатки некогда темных, густых волос, оставив над ушами две поседевшие пряди; плита лица растрескалась и пошла морщинами, но движения Заура были по-прежнему ловки и уверенны, и черные зрачки, как грачи, довольно и весело прыгали меж набрякших жилок сетчатки.

При виде гостей Заур улыбнулся, непритворно и весело, и в следующую секунду Кирилл почувствовал себя в его твердых объятьях.

— Салам!

— Ваалейкум ассалам, Заур Ахмедович, — ответил Кирилл.

* * *

Ужин начался в половине восьмого, когда зашло солнце и президент вернулся с вечерней молитвы. Стол был уставлен ароматной бараниной и восхитительными курзе. Из завитков влажной, сочной зелени выглядывали алые крутые бока помидоров. Мужчины ели аккуратно и быстро, запивая куски мяса желтоватым лимонадом с наклейкой «фирма «Кемир». Чувствовалось, что за день они проголодались.

— Прошу прощения, что не полетел с вами, — сказал Заур Кемиров, — у нас несчастье, в Чирагском районе взорвался дом. Семь трупов, пятнадцать раненых.

— Теракт? — встревоженно спросил Штрассмайер.

— Нет, газ.

Заур Кемиров помолчал и добавил:

— Чираг — лакский район. Полтора года назад так взорвался дом в Бештое, и я сразу прилетел. Бештой — мой родной район. Если бы я не приехал в Чираг, все бы обратили на это внимание.

— У вас так хорошо помнят, что было с каким-то домом полтора года назад?

— О, — сказал Заур Кемиров, — на Кавказе помнят все.

Тут вниманием гостей завладел Магомед-Расул, который недавно побывал с делегацией во Всемирном Банке и теперь горел желанием поучить иностранцев правильной денежной политике; Заур, спешно отозванный помощником, извинился и вышел. В проем раскрытой двери Кирилл заметил целую делегацию стариков в барашковых шапках, которая видимо требовала внимания. Ташов вышел к старикам, спустя десять минут он вернулся и поманил с собой

Хагена. Во дворе приезжали и отъезжали машины. Хаген исчез. Ташов пришел второй раз и поманил Кирилла.

— Заур Ахмедович хочет поговорить отдельно, — сказал Ташов.

Заур ждал его в собственном кабинете с огромным столом красного дерева и плоским компьютерным экраном, утвержденным посереди стола на золотых львиных лапках. Компьютер был из Тайваня, а коврик для мышки — из Саудовской Аравии. Это была крошечная копия молитвенного коврика, с вышитой золотым на черном Каабой. На экране мерцала вязь из реакторов и ректификационных колонн.

Президент республики, затянутый все в тот же синий костюм, стоял у окна, и за окном в свете восходящего над горами месяца тонко серебрилась колючая проволока, проходящая по гребню высокой стены, а над колючей проволокой горело имя Аллаха. Оказывается, оно было сделано из светоотражающего материала, как разметка хайвея.

— Спасибо, что приехал, — сказал Заур.

— Я рад. Жаль, что Джамал...

Заур нетерпеливо взмахнул рукой.

— Послушай, Кирилл, — сказал Заур, — лицензия на добычу в Чираг-Геране принадлежала покойнику Гамзату. Теперь она принадлежит мне. Признаться, я рассчитывал, что мы найдем нефть, но так уж вышло, что мы нашли газ. Нефть продать легко, а для газа у нас в России есть один покупатель, и он не очень-то хочет пускать мой газ в трубу, а я не хочу его ему продавать. Поэтому мне нравится предолжение «Навалис». Оно нравится мне потому, что вместо дешевого газа, который к тому же не пускают в трубу, я буду торговать дорогим товаром, который я могу везти куда хочу. Я не собираюсь строить завод. Я хочу построить республику.

Компьютер светился, как имя Аллаха за бронированным окном, и Кирилл вдруг вспомнил, что Заур по образованию — инженер-нефтяник.

— Это даст работу тем людям, — продолжал Заур, — которые стоят там с автоматом во дворе, потому что им нечего взять в руки, кроме автомата. Это переменит ситуацию в республике, потому что до тех пор, пока здесь не будет работы, люди все равно будут делиться на тех, кто ворует бюджет, и тех, кто бегает по лесам с автоматом и ворует тех, кто ворует бюджет. Из-за этого мегакомплекса я готов продать «Навалис» контрольный пакет за восемьсот миллионов; это меньше, чем предлагает «Тексако», но «Тексако» хочет только газ, она не хочет переработки. Я вложил в это дело пятьдесят миллионов, и вложу еще сто пятьдесят. Личных. За это я хочу тридцать процентов акций. Ты должен вести сделку. Ты должен гарантировать мне, что вы соберете деньги. И, конечно, ты должен объяснить сэру Метьюзу, что это все очень серьезно, и что если мы делаем совместное предприятие, он должен построить весь завод. До шестого уровня переработки. Такого не должно быть, что он получит шельф и вдруг скажет: «А мне нужен только газ». Тогда ему лучше сказать это прямо сейчас, потому что такая вещь мне не понравится. Совсем не понравится. Ты объясни ему, что значит «совсем».

Кирилл помолчал.

— Заур Ахмедович, — сказал он, — вы хотите вложить двести миллионов долларов и получить за это тридцать процентов проекта с потенциальной капитализацией под двадцать миллиардов.

— Будем реалистами, — ответил Кемиров.

Кирилл не нашелся, что возразить. Половина президентов республик, у которых во дворе вооруженные автоматчики жарят барана, попросила бы половину акций от двадцати миллиардов, причем не вложив ни копейки. Другая половина продала бы весь газ республики за пару миллионов долларов, но зато переведенных сразу на личный счет.

— Объясни ему, что если он хочет получить газ, он должен построить завод, — мягко повторил Заур, — а то очень многие обещают висячие сады, а когда они получают газ, как-то все кончается добычей сырья, и они пытаются извиниться десяткой на оффшорном счету. Объясни ему, что мне не нужна десятка. Она у меня и без него есть.

Заур повернулся и пошел вниз, в гостиную.

Гостей стало еще больше: Кирилл не знал почти никого, кроме Гаджимурада Чарахова. Гаджимурад был сын покойного друга Заура, начальника Бештойского РУВД Шапи Чарахова. Как оказалось, сейчас он был мэром Торби-калы. Это был высокий, крепкий мужчина лет двадцати семи, бывший призер чемпионата Европы по вольной борьбе; короткая его стрижка не скрывала сломанных ушей, на боку висел «стечкин». Рядом с ним сидел министр финансов по прозвищу Фальшивый Аббас (он был золотой души человек, а прозывался так потому, что когда-то печатал фальшивые деньги), и сорокалетний русский с приятным плоским лицом и улыбающимися глазами. В гостиной был включен телевизор, и по нему показывали разрушенный взрывом дом.

Баллантайн и Штрассмайер слушали с напряженным вниманием. Гаджимурад, как мог, комментировал, и Штрассмайер был видимо впечатлен тем, что президент республики лично раздал семьям погибших свои собственные деньги.

— Но ведь это довольно большая сумма, — сказал Штрассмайер, — если я правильно посчитал, вы раздали сегодня больше двухсот тысяч долларов. Почему об этом не упоминают в новостях?

— Важно не то, что рассказывают в новостях, — ответил Заур, — важно то, что рассказывают сыновьям. Через сто лет.

— А вы думаете, через сто лет ваш народ будет помнить, раздавали вы или нет свои личные деньги?

— На Кавказе помнят все, — жестко повторил Заур. Властное, в желтой сеточке морщин лицо его усмехнулось, и он сказал:

— Вот я вам расскажу историю. В одном селе была свадьба, и на свадьбу эту, как полагается, пригласили имама. И так как на свадьбе ели горох, то этот имам скушал гороха чуть больше, чем надо. И вот, когда настала пора поздравлять молодых, он встал и почувствовал, что у него тяжко в животе. Он поднатужился, чтобы выпустить воздух, и... ну, словом получилось побольше, чем он рассчитывал. Бедный имам был ужасно смущен. Он бросил и стол, и свадьбу, прыгнул на коня и уехал из села прочь. Он был в таком ужасе, что не появлялся в селе тридцать лет. Но он все-таки очень любил свое село, и вот, когда он был уже глубоким стариком, и ему казалось, что никто его не узнает, он приехал в село, и увидел маленького мальчика, который спешил с букварем в школу. «Эй, мальчик, как тебя зовут и сколько тебе лет?» – спросил имам. «Я не знаю точно, сколько мне лет, – ответил мальчик, – но я родился через двадцать два года, пять месяцев и шесть дней после того, как на свадьбе обделался имам».

Штрассмайер расхохотался.

– Давайте попросим Аллаха о том, чтобы никого из нас не помнили в горах за то же, за что помнили этого имама, – сказал, приветливо улыбаясь, Заур.

Все снова заулыбались, а полный русский захлопал в ладоши.

– А это кто? – тихо спросил Кирилл, наклонясь к Ташову.

Полный русский услышал вопрос и протянул через угол стола руку.

– Михаил Викентьевич Шершунов, – сказал он, – я руковожу УФСБ республики. Террористов ловим. И их пособников.

И, широко улыбнувшись, подмигнул Кириллу, сразу сделавшись похож на удивительно симпатичного плюшевого мишку.

Кирилл вышел из главного дома заполночь. Волны шуршали, как серебряная фольга, ночь пахла морем и горными пряными звездами, и где-то далеко-далеко, за семьдесят километров отсюда, в море на трех ногах стоял красный москит, таранящий жалом в морское дно.

Чья-то тень шевельнулась рядом, и Кирилл, обернувшись, увидел давешнего пацаненка. Его черные глазенки блестели, как у гепарда, и весь он был ладный, гибкий, – настоящий маленький мужчина в серых штанишках и камуфляжной курточке.

– На, – сказал мальчик, и доверчиво протянул ему на ладошках «стечкин».

Кирилл взял пистолет и только тут понял, что он заряжен.

– Ты откуда взял обойму? – похолодев, спросил Кирилл.

Маленький горец засмеялся.

— Оружие — это не игрушка, — сказал Кирилл.

— Я уже взрослый в игрушки играть, — гордо ответил мальчик.

* * *

Когда гостей уложили спать, а Михаил Викентьевич Шершунов отбыл из резиденции, обговорив с Зауром кое-какие дела, Заур и Гаджимурад спустились в гостиную.

Там, возле биллиардного стола, стоял Хаген, и загонял шары в лузы с безошибочным прицелом опытного стрелка.

— Что делать с Наби? — сказал мэр Торби-калы, — он так и не написал заявление.

Лицо Заура Кемирова, президента республики Северная Авария-Дарго, на мгновение сделалось отсутствующим.

— Я предлагал Наби компромисс, — сказал Заур, — он отказался от компромисса. Каждый человек в республике должен знать, что бывает с теми, кто отказывается от компромисса.

Хаген кивнул. Кий в его руках ударил по шару с сухим треском капсюля, бьюшего по бойку, обреченный шар покатился по ворсу и канул в лузу.

* * *

Горный воздух и долгие перелеты сыграли дурную шутку с Кириллом: он проснулся в одиннадцать утра. Сон был глубок, как смерть, и Кирилл лежал несколько секунд в залитой светом спальне с лепным потолком и душистым бельем, мучительно вспоминая, в каком конце мира он находится, и «Мариотт» это или «Хайятт».

Потом за окном раздался пронзительный крик петуха, и сразу задребезжало, заурчало, лязгнуло, — было такое впечатление, что ворочается бульдозер (потом Кирилл увидел, что это был БТР). Кирилл сразу вспомнил, где он, и долго лежал, разглядывая клочок синего-синего неба в прорези тяжелых бархатных портьер.

По крайней мере, здесь было тепло.

Бронированных «мерсов» во дворе не было. Возле ворот охранники дразнили гепарда. В главном доме полные женщины в длинных юбках и тщательно увязанных на голове платках напоили его чаем, и зашедший в кухню Хаген сообщил, что иностранцы с утра полетели с Магомед-Расулом на буровую.

— А какой телефон у Джамала? — спросил Кирилл.

Голова, несмотря на морской воздух, была как чугунная.

— Он в горах. Там связи нет, — объяснил Хаген.

— А поехать к нему можно? — спросил Кирилл.

— Поехали.

* * *

За полтора года Торби-кала сильно изменилась. Некогда объездная дорога вокруг города была из одних ям да рытвин. Теперь она превратилась в здоровенную четырехполосную магистраль; по обе стороны ее деловито зарождались заправки и магазинчики.

В пригородном селе, через которое они поехали, Кирилл увидел новую школу, новую поликлинику, и новый спортзал рядом с новым домом культуры. На зданиях висели портреты Заура и реклама зубной пасты.

— А на какие деньги все это построено? — удивился Кирилл.

— На бюджетные, — ответил глава АТЦ.

— А что, раньше деньги не выделялись?

— Выделялись. В декабре.

— В каком смысле в декабре?

— Вон видел поликлинику? Ну вот представь себе, что у тебя по федеральной программе есть сорок миллионов рублей на ее строительство. И эти сорок миллионов приходят в республику двадцать седьмого декабря, а к тридцать первому их надо или освоить, или вернуть. Ну кто их освоит? За пять дней? Ты берешь эти деньги и едешь в Москву, и двадцать отдаешь там, а двадцать берешь себе.

Кирилл даже несколько удивился познаниям Хагена в части финансовых отношений центра и регионов. Он всегда полагал, что Ариец учился арифметике, считая пули в рожке, и дальше цифры тридцать учеба не задалась.

— А теперь когда выделяют? — спросил Кирилл.

— Тоже в декабре.

— А как же...

— Заур Ахмедович создал Фонд имени Амирхана Кемирова, и все работы делает Фонд. Он с нами рассчитывается векселями, а в декабре Фонд получит деньги и погасит векселя.

— А подрядчики хотят строить без денег? — спросил задумчиво Кирилл.

Хаген хлопнул по рыжей кобуре, из которой торчала потертая рукоять с витым, словно телефонным, шнуром, и лаконично ответил:

— Хотят.

— А если деньги не придут?

— Придут.

Тут Кирилл не удержался, еще раз посмотрел на рукоять торчащего «стечкина» и спросил:

— Слушай, а чего ты его на шнурке носишь?

— Так прыгучий, гад, — ответил Хаген, — вон у меня зам в прошлом месяце свой в сортире утопил. Потом сам за ним нырял. Я что, в сортир нырять буду?

За городом дорога свернула влево, нырнула в короткий тоннель и помчалась по рыжему ребру ущелья. Новенькие светоотражающие покрытия вспыхивали в лучах солнца, как выстрелы.

За туннелем началось огромное село, карабкающееся по первым изгибам гор, и капустные поля вокруг. В капустном селе тоже шла предвыборная кампания, но портретов Заура здесь не было. Вместо них на новом здании школы висели плакаты Союза Правых Сил. Кирилл и не предполагал, что партия правых либералов будет пользоваться таким спросом в горных аулах.

Затем пропал и СПС.

Далеко над заснеженными перевалами таял бледный полумесяц, и тень машины внизу по горам летела, как тень самолета: начальник Антитеррористического Центра республики Северная Авария-Дарго Хаген Хазенштайн единственным знаком дорожного препинания, достойным уважения, считал вооруженный блокпост.

Они остановились часа через полтора пути, у крошечного придорожного кафе, нависающегося над ущельем с перекинутым через него мостом. Воды внизу не было: вместо нее были белые круглые камни, разлившиеся почти на полкилометра вширь. Это было как рентгеновский снимок реки.

Возле кафе висел огромный портрет Джамалудина, такой же, как на черных футболках сопровождавших их бойцов, а когда они зашли, обнаружилось, что в кафе уже есть посетитель: пожилой крепкий человек в черной рубашке и черных брюках, тот самый, который глядел в капустном селе с плакатов СПС.

— Салам, Дауд, — сказал Хаген.

Мужчины поздоровались, и Хаген спросил:

— Послушай, Дауд, что это за обои ты расклеил вдоль дороги? Смотреть противно, какой такой СПС?

— Я всегда с президентом, — ответил Дауд.

— Э, если ты с президентом, приди к нему и посоветуйся. А если нет, то сними к черту эти обои. И кандидатуру свою сними.

Дауд помолчал, а потом спросил:

— А что, Ариец, химиков-то поймали?

— Каких химиков? — спросил Кирилл.

— А с химфака. Ему кассету прислали, а на ней сидит его племянница в хиджабе и говорит: «Ты мне не дядя, ты муртад и мунафик. Даем тебе три дня сроку на то, чтобы уйти со своего поста и перестать убивать истинных мусульман, а иначе я сама тебя застрелю».

«Черт. И мы собираемся строить здесь химзавод».

После кафе асфальтовая дорога кончалась, и ехать на бронированном «мерсе» не было смысла. Они поменялись местами: охрана села в «мерс» и поехала назад, а Хаген сел за руль джипа.

Ташов обосновался сзади: Кирилл заметил, как он бережно достает из «мерса» и несет в руках барашковую шапку, полную чем-то и накрытую платком. Охрана кинула им пару автоматов, обнялась на прощанье и поехала назад.

Дорога теперь кружилась, как карусель; в темных тоннелях, прошивавших ребра обрывавшейся в пропасть горы, от жары и слепней спасались коровы, солнце било о серебряный капот джипа, слепило глаза; другая сторона ущелья была в глубокой тени.

Два измерения вдруг превратились в бесконечность; машина ползла, как букашка, между горой и пропастью, внизу по крупным белым камням скакала горная речка, и на зеленых табличках вдоль пропасти вместо дорожных указателей горели белым имена Аллаха.

Через полчаса они вылетели на плотину. Рабочие в оранжевых куртках заделывали яму в дорожном полотне. Кирилл покосился в зеркало заднего вида, и увидел за собой высокую гору, украшенную серпантином, с которого очень легко попасть по машине, если, конечно, навстречу не выскочит случайный козел.

Гора впереди была изогнута как гигантская створка устрицы, и по ее обнаженным ребрам к самой середине ракушки взбиралось белое село. У поворота к селу красовалась новенькая автозаправка с гордой надписью: «Империал. Верхний Кельчи».

Кирилл сообразил, что единственной мерой безопасности, которую приняли его спутники, была рокировка машин.

Через десять минут после Верхнего Кельчи они въехали в облака. Гравий летел из-под колес в пропасть, о стекло словно кто-то разбил банку сметаны, и одежда Кирилла мгновенно набрякла туманом. Их мотало из стороны в сторону, как пьяных. Даже Хаген сбросил газ.

Потом они вывалились из тумана, как самолет, заходящий на посадку, и сверху Кирилл увидел серые и рыжие скалы с плавающими кое-где клочками облаков.

Еще через два километра они затормозили перед свежей осыпью. Скальный козырек, сорвавшись, стесал дорогу, словно гигантской стамеской. Далеко внизу белые горы упирались в полированный малахит водохранилища.

Хаген вышел из машины и поддал один из раскатившихся перед провалом камней. Малахитовая вода всколыхнулась и чмокнула. Скалы пошли рябью. Кириллу было зябко без бронежилета.

— Проедем через Кельчи, — сказал Хаген.

— А машину где бросим? — спросил Ташов, — у Ахмеда?

— Зачем бросать, — возразил Хаген, — до конца доедем.

Кирилл вспомнил гору-устрицу и содрогнулся.

— Да мы разобьемся! — вскричал он.

— Замажем на десятку, что проедем? — уверенно предположил Хаген.

— Идет, — сказал Кирилл.

Они с грехом пополам развернулись, зарывшись колесами в какую-то осыпь, снова въехали и выехали из облаков, и свернули у автозаправки, к которой была пристроена крошечная молельная комната. Прошло уже четыре часа, Кирилл устал, и голова его болела от резких перепадов высот.

Асфальтовая дорога миновала село и стала подыматься вверх, петляя по лесистому склону, усыпанному желтыми листьями и красными ягодами. Щебенка скоро сменилась грунтом; слева шли белые невысокие березы, совершенно как в любом российском лесу (уже потом Кириллу сказали, что березы были какие-то реликтовые и изо всех мест в мире водились только на этой горе да в Пиренеях), справа начиналась пропасть, похожая на вдавленный в землю гигантский каблук.

Минут через сорок им попалось целое стадо барашек. На одном из барашков, самом толстом, ехал верхом мальчишка лет восьми. Потом дорога кончилась. Под колесами машины топорщилась высокая высохшая трава. Белые хрящи горы, вздымавшейся на той стороне ущелья, теперь были вровень с машиной, и шли вертикально вверх, как небоскребы Сити. Кирилл очень отчетливо помнил, что именно с этой самой горы дважды стреляли по Хагену.

— Вот видишь же? Едем, — сказал Ариец.

В следующую секунду козырек подмытой земли скользнул под джипом и мягко обрушился вниз. Машину перекосило. Какое-то мгновение Кириллу казалось, что они сохраняют равновесие, но тут земля попозла снова, небо и горы поменялись местами, машина гулко ухнула и словно бы нехотя легла набок. Барашковую шапку на заднем сиденье подбросило, из нее вылетели какие-то мячики и поскакали по салону.

Машина перекувырнулась на крышу, и Кирилл на мгновение вспомнил стесанную стамеской пропасть и бирюзовую воду под белыми оголовками скал.

Машина сделала еще пол-кувырка, зацепилась за что-то, и замерла, раскачиваясь. Кирилл выворотил дверцу и выскочил наружу. Один из мячиков вывалился вслед за ним.

Гора над ними шла под сорок пять градусов, и джип стоял днищем вниз. Бок его упирался в безлистое колючее деревце, усыпанное красными мелкими сливами. В полуметре от деревца начиналась пропасть.

Кирилл покачнулся и сел у пропасти, прямо на вывалившийся из машины мячик. Мячик был неудобен и ребрист, и когда Кирилл встал, оказалось, что это граната. Кирилл отряхнул брюки и отдал гранату подошедшему к нему Хагену.

— С тебя десятка, — сказал Кирилл.

— Вот еще, — возмутился Хаген, — эй, Ташов, достань-ка лебедку!

* * *

К изумлению Кирилла, джип все-таки взъехал на гору. Хагену понадобилось на это полтора часа. Впрягаться в лебедку Ташову пришлось еще дважды, а один раз он встал на подножку, чтобы удержать своим весом машину, проползавшую вполколеса над пропастью.

Дорога давно пропала, — широкие полосы высокой травы сменялись кустами и скальными выщербинами. Кирилл категорически отказался сесть в машину, и взбирался сбоку, махнув рукой на проигранное пари. Медное донце солнца сверкало над горами; бурые скалы были отделаны бархатным мхом и серыми острыми колючками. Щегольские ботинки Кирилла исцарапались и покрылись какой-то сизой пыльцой. Кругом были горы, небо и ветер, и Кириллу казалось, что можно так вечно идти, кроша в пыль сухие комочки мха и вдыхая пряный, чуть разреженный воздух, и если идти достаточно долго, можно дойти до неба.

Последние сто метров гора стала совсем пологой, покрылась золотым руном альпийского луга, и Хаген проехал эти сто метров за рулем, оставляя за джипом две мятые колеи в высокой подсохшей траве. Потом машину слегка тряхнуло на камнях, она въехала на вершину хребта и остановилась. Тут же, слева, начиналось кладбище, справа гора снова уходила вверх, обрастая сочным зеленым кустом, переходившим в настоящий горный лес, — невысокий, но густой и запутанный, из мелких корявых дубков и сгорбленных сосен.

У кладбища не было ни ограды, ни названия: просто из колючих трав торчали неровные тонкие плиты, украшенные арабскими буквами и кое-где — знаками газавата. Трава была как-то гуще и выше той, что на склоне, и метрах в ста стояла могила шейха, игрушечный домик со столбиком-минаретом, а за зияратом начиналось небольшое село.

Исчезли из мира стальные небоскребы Сити, бутики, кредитные карточки и бонус по итогам года; над Кириллом было только небо и солнце, а под ним — лишь жесткая щетка трав и белые надгробья, вырастающие из белых костей скал.

Хлопнула дверца джипа. Хаген встал с водительского сиденья, довольно улыбаясь, сел на капот, поболтал длинными сильными ногами, обутыми в мягкие черные мокасины со шнуровкой, и, осклабясь, сказал:

— Ты проиграл пари.

Сухо треснул выстрел.

Пуля калибра 12,7 мм вошла в колесо точно под ногами Хагена. Джип вздрогнул и осел.

— Ложись! — крикнул Хаген, шумно обрушиваясь в траву.

Кирилл мешком свалился за белый столбик, в горном воздухе сухо-сухо, как туберкулезный больной, закашлялся калашников.

Стреляли только по ним. Ташов не стрелял. Только что он был слева от Кирилла, и видимо, он тоже нырнул за могильный камень, но когда Кирилл скосил глаза, он не увидел начальника ОМОНа. Может, он прятался, а может, был уже убит.

Солнце сверкало, как взорвавшийся «Шмель», и время капало медленно-медленно, как в мире, лишившемся тяготения. Глаза видели все: и муравья, бегущего вверх по стеблю, и круглую арабскую вязь на чуртах, и удивительные кусты, обсыпанные каким-то пухом, словно гигантские коробочки хлопка, — это были те самые кусты, из-за которых стреляли.

Хаген и Ташов были вооружены. Он, Кирилл, не имел даже кремневого пистолета, чье стилизованное изображение украшало надгробие, за которым он прятался.

Снайперка треснула снова, и Кирилл увидел, как в двадцати сантиметрах от его глаз разлетается в пух цветок чертополоха.

Топ-менеджер «Бергстром и Бергстром» Cyril B. Vodrov лежал на верхушке изогнутой ракушкой скалы, в двух тысячах метрах над уровнем моря и пяти тысячах километрах от небоскребов Сити, в щегольской белой рубашке от Армани и темно-серых брюках от Yves Saint Laurent, и стрелки на его плоских платиновых часах с турбийоном показывали четыре часа дня. То самое время, в которое он сорок восемь часов назад вошел в просторный конференц-зал в другом измерении мира.

Двое, приехавших вместе с ним, возможно, были уже мертвы. Барашковая шапка с гранатами стояла в машине, и до нее было пять метров и вечность.

«Интересно, меня украдут или убьют?»

И тут зазвонил телефон.

Это было настолько неожиданно, что Кирилл вздрогнул сильней, чем от нового выстрела. Он вообще думал, что связи здесь нет. Но он был на верхушке горы, и видимо поэтому связь была.

Кириллу казалось, что ему звонят с другой планеты. Осторожно, стараясь не высовываться из-за камня, он потянулся за трубкой и приложил ее к уху.

— Кирилл?

Этот негромкий, почти без акцента голос с налитыми металлом гласными Кирилл бы узнал из тысячи.

— Джамал! Джамал! — закричал Кирилл в отчаянии, понимая, что эта трубка — нить, на которой висит его жизнь, и эти слова — последние перед смертью.

В трубке рассмеялись.

— Джамал! Нам конец, Джамал!

Смех превратился в хохот, хохот — в ржач, и еще через секунду выронивший от страха душу, вжавшийся в землю Кирилл понял, что ржут не только в трубке.

Кусты, похожие на гигантские хлопковые коробочки, раздвинулись, и из них вышел высокий изломанный человек в крапчатом камуфляже, перетянутом черным ремнем. В правой руке он держал удочку снайперки. В левой его был зажат мобильник, и хохот человека разносился по верхушке горы.

— Кирилл, салам! Это я стрелял! Салам, брат!

Над кипящим на солнце капотом джипа показалась белокурая голова Хагена.

— Ой, не могу! — драл глотку Хаген, — а он думал, это ваххабисты!

Кирилл привстал, покачнулся и сел на теплую землю. Мир вращался вокруг, как гигантская центрифуга. Кирилл не знал, ругаться ему или плакать, и, взглянув вниз, с облегчением заметил, что по крайней мере брюки его были сухие. Хотя бы он не обделался, как давешний имам.

* * *

Последний раз Кирилл Водров и Джамалудин Кемиров виделись два с половиной года назад, в тот самый день, когда террористы на Красном Склоне захватили правительственную делегацию.

Официальная версия происшедшего гласила, что террористов возглавлял Арзо Хаджиев, мятежный начальник спецбатальона ФСБ «Юг», бывший полевой командир, перешедший на сторону федералов, а потом перевернувшийся еще раз. Согласно этой версии, злодейская попытка террористов была отбита благодаря охране российской делегации, причем в борьбе не на жизнь, а на смерть погиб глава делегации, вице-премьер России Иван Углов, и его ближайший товарищ, глава Чрезвычайной Антитеррористической Комиссии генерал-полковник ФСБ Федор Комиссаров. Оба они получили посмертно Героя России. Также согласно официальной версии, Иван Углов прибыл в Бештой, чтобы назначить его мэра Заура Кемирова главой республики.

Как ни странно, некоторые детали этой официальной версии соответствовали действительности. Вице-премьер Углов действительно хотел назначить Заура президентом республики. Арзо Хаджиев действительно хотел захватить делегацию.

Не его вина, что он немного опоздал, и когда его люди подоспели к крепости, делегация была уже захвачена бойцами Джамалудина Кемирова. У Джамала по кличке Абхаз были собственные претензии к вице-премьеру и к главе Чрезвычайной комиссии. Он выяснил, что именно они отдали приказ о взрыве захваченного чеченцами роддома в Бештое, — взрыве, при котором погибли сто семьдесят четыре человека, сорок семь из которых родились в тот же день, что и умерли.

Обнаружив себя, с одной стороны, международным террористом, захватившим правительственную делегацию, а с другой стороны — защитником этой же самой делегации от другой популяции террористов, Джамал Кемиров принялся торговаться.

Он потребовал: свободы для друзей, сидевших в СИЗО; поста президента для старшего брата, и, особливо — вице-премьера Углова, живьем. Джамал Кемиров хотел поговорить с могущественным вице-премьером о том, кто *ему* заказал взрыв роддома.

Россия капитулировала.

Углов получил пулю в лоб.

Арзо долго уговаривал зятя, — а Джамал был женат на его дочке — присоединиться к нему, а потом плюнул и попытался захватить Красный Склон силой. В бывшей ермоловской крепости на склоне горы началась резня — резня между двумя прекрасно подготовленными группами боевиков, которые все знали друг друга, плясали вместе на свадьбах и соболезновали на похоронах. У Джамала погибли две трети людей, у чеченцев — три четверти.

Официальная пропаганда не совсем врала. В делегации многие взяли в руки оружие, когда Джамалудин решил защищать русских. Начальник охраны вице-премьера, ветеран всех «горячих точек», «краповый берет» полковник Аргунов дрался так, что горцы завидовали, в крепости полегла вся охрана премьера, и даже был там какой-то совершенно цивильный депутат, владелец сети супермаркетов, который не очень хорошо понимал, с какой стороны у автомата приклад, а с какой ствол, но все же носил ребятам гранаты. Но был только один русский, который был вместе с Джамалудином Кемировым тогда, когда тот захватил российскую делегацию.

Этого русского звали Кирилл Водров.

* * *

Джамал по кличке Абхаз совершенно не изменился.

Он был все так же болезненно тощ, как полтора года назад, пожалуй, даже еще тощее, и перетянутый кожаным поясом камуфляж подчеркивал его худобу, скрывая накачанные мускулы плеч. На коротко стриженой голове вместо десантного берета красовалась черная шапочка. Его смуглое лицо осунулось еще больше, точь-в-точь напоминая лик святого или инквизитора, и черные глубокие глаза горели на этом лице, как раскаленные уголья.

— Салам, Кирилл, — сказал Джамалудин, — я слыхал, ты привез в республику много денег? Мой брат просил, чтобы я во всем тебе помогал.

— Еще одна шутка в таком роде, — отозвался Кирилл, — и никаких денег не будет. Потому что я умру от разрыва сердца.

— Но все-таки это была отличная шутка, — расхохотался Джамалудин. — И потом, ты проиграл пари!

* * *

Он остался в горах до утра. Вечером, когда зашло солнце, Джамал и его люди встали на намаз, а потом сели за трапезу. Серебряные гвозди звезд прибили к небосводу черный занавес ночи; красные искры костра летели ввысь, и мясо молодого барашка таяло во рту.

Оказалось, что в селе живет какой-то устаз. Кирилл спросил, можно ли ему поговорить с устазом, и Джамалудин ответил, что нельзя. Они разговаривали всю ночь, и Кирилл сидел у костра в мятых брюках из шерсти тонкого мериноса и накинутой сверху камуфляжной куртке.

Он заснул только к утру, а когда проснулся, обнаружил, что солнце уже стоит высоко над миром, и Джамалудин сидит, скрестив босые ноги, и наблюдает за двумя бойцами, дерущимися с Ташовом на полянке. Бойцы были хороши, но с таким же успехом они могли долбить экскаватор.

— Оставайся, — сказал Кириллу Джамалудин, — отдохни хоть пару дней.

— У меня сегодня вечером встреча в ВЭБе. В Москве. Мы должны получить гарантии под эту сделку, или никто не даст на нее и цента.

Они сошли вниз, к селу, где за каменным лабиринтом заборов начиналась объездная дорога. У двухэтажного дома, вросшего в скалу, дожидался черный скуластый джип. Они обнялись и Кирилл, глянув вниз, вдруг заметил, что младший брат президента республики стоит на колючей траве босиком. Кирилл с внезапной тревогой взглянул на худую, изломанную фигуру.

— Сколько месяцев ты держишь пост? — спросил Кирилл.

— Три, — ответил Джамалудин.

Кирилл невольно содрогнулся. Три месяца назад здесь было плюс сорок. Как можно выдержать девяносто жарких дней без воды и еды молодому, постоянно двигающемуся мужчине?

— Это твой устаз так велел?

— Рай так просто не заслужишь, — улыбнулся Джамалудин.

* * *

В республике Северная Авария-Дарго был прокурор, которого звали Наби Набиев. Кроме прокурорского кресла, у Наби Набиева было две жены, восемь детей, и цементный заводик в Аксайском районе.

Цементный заводик не всегда принадлежал Наби Набиеву. Когда-то он принадлежал одному греку, у которого его хотел забрать сын прежнего президента республики. Грек отказался отдать завод, и кончилось тем, что его украли и продали в Чечню, а когда он выкупился из Чечни, туда украли его жену.

И хотя продавали не завод, а владельца завода, в итоге всех этих трансакций и продаж цементный завод перешел в руки прокурора и сына президента республики, а когда президентом стал Заур, завод остался одному прокурору.

Прокурор был очень хороший хозяин и заводом занимался даже больше, чем следствием, потому что оказалось, что завод приносит несколько больше денег.

Однажды прокурор Набиев заметил, что объем продаж завода несколько упал, и когда он спросил, отчего это, то выяснилось, что на окраине Торби-калы построили другой завод, куда меньше, принадлежащий какому-то кумыку.

Прокурор расстроился и послал на завод проверку. Проверка ничего не дала, потому что кумык заплатил ей деньги, и тогда прокурор завел на кумыка дело по статье о терроризме. В справке по делу прокурор написал, что кумык на доходы со своего завода финансирует террориста Булавди Хаджиева.

Дом кумыка обыскали и нашли незарегистрированный автомат и гранату, а когда кумыка арестовали, к нему в камеру ночью пришел прокурор Набиев.

— Или ты продашь мне завод, — сказал прокурор, — или ты будешь сидеть в этой камере до Судного Дня.

Кумыку не хотелось сидеть до Судного Дня, и поэтому он подписал все бумаги. Прокурор был честный человек и даже заплатил кумыку немножко денег.

Но кто же знал, что кумык окажется такой паршивец? Как только он вышел на свободу, он прибежал к президенту республики Зауру Кемирову и заявил, что завод у него забрали силой.

Заур Ахмедович вызвал прокурора к себе в Бештой, и тот поехал очень обрадованный, что президент наконец решил поговорить с ним в неформальной обстановке.

Когда прокурор приехал, он увидел, что в кабинете Заура сидят Джамалудин и Хаген, а кроме этого, там сидел тот самый несчастный кумык.

— Скажи, Наби, — спросил президент республики, — что тебе больше нравится, прокуратура или цементный завод?

— Как же можно сравнивать эти вещи, — возмутился прокурор, — между ними не может быть никакого сравнения. Ведь когда получаешь деньги с завода, в завод перед этим надо вкладывать, а деньги с прокуратуры, это так сказать, чистый заработок. Но вообще-то завод приносит куда больше денег.

— Тогда оставь себе завод и пиши заявление об уходе, — сказал Заур Кемиров, — потому что отныне в республике придется выбирать — или бизнес, или должность.

Прокурору такие слова показались очень обидными, потому что он не понимал, как заниматься бизнесом, не имея должности, и прокурор сказал с достоинством:

— Не буду я писать заявления. А если этот гад нажаловался на меня, то он по уши погряз во взятках, и вдобавок финансировал террористов.

— Клянусь Аллахом, — сказал Джамалудин Кемиров, — ты напишешь заявление, или я отрежу тебе уши.

Тут прокурор понял, что если он не напишет заявления, то с ним поступят хуже, чем он — с кумыком, и ему пришлось написать заявление об отставке, и еще одну бумагу, о том, что он возвращает маленький заводик кумыку. Заур встал, и они распрощались.

Тут надо сказать, что прокурор республики был не очень умный человек. Если бы он был умный человек, то он бы сообразил, что президент Кемиров поступил очень взвешенно.

Ведь он не отобрал у прокурора бизнес, оставив ему должность, что было все равно, что отобрать у кошки птичку, оставив ей когти. Наоборот, он отобрал должность, а бизнес оставил, потому что человек, имеющий бизнес, послушен власти, и боится бунтовать, чтобы бизнеса не лишиться.

Но прокурору моча ударила в голову. Он вернулся со встречи с президентом и слег с сердцем, и так как он был на больничном, его, несмотря на заявление, нельзя было уволить. А пока он лежал с сердцем, родичи ходили к нему табуном, и особенно его пилила жена, и кончилось дело тем, что прокурор отозвал свое заявление и сказал:

— Вот еще! Я человек, которого Москва поставила блюсти закон, и я блюду закон во имя народа! Никаким тиранам меня не снять!

Об этом-то Наби и говорили Заур Кемиров и начальник Антитеррористического центра.

* * *

Кирилл прилетел в Москву к пяти вечера. Он в это время снимал просторную квартиру на Кутузовском; прошлая, на Чистых Прудах, пропала при обстоятельствах, которые Кирилл предпочитал не вспоминать.

Года назад, как раз когда Кирилл, опираясь на костыли, вышел из больницы, друзья затащили его на холостяцкую вечеринку. На вечеринке, как принято, были девушки. Не то чтоб они были проститутки, но все знали, что в таких случаях за присутствие заплачено.

Кириллу приглянулась одна, немного простоватая, черноволосая, с крупными темными маслинами глаз. По ее простодушному «оканью» и детской непосредственности было видно, что ей вечеринка внове. Она рассмешила Кирилла и рассердила распорядителя вечера, вице-президента крупнейшего российского банка, простодушно повторив название банка и спросив:

— А он как сберкасса или больше?

Кирилл хотел было взять девочку с собой, но обнаружил, что кто-то из гостей его опередил. Кирилл поморщился и уехал.

Спустя полтора месяца, уже почти оправившись, Кирилл заехал в ночной клуб. Девочки танцевали стриптиз на ярко освещенной сцене, а гости смотрели на них из зала. Когда девочки вышли к рампе, чтобы гости могли выбрать понравившихся, Кирилл в одной из них узнал ту, черноволосую, из Суздаля.

Кирилл сделал девочке знак, чтобы она подошла. Потом зашел в клуб второй раз, и третий. Через месяц Кирилл обнаружил, что оплачивает Норе квартиру, хотя она по-прежнему работала в клубе. История Норы была совершенно незамысловатая. Беременность в восемнадцать лет, ребенок, отданный на попечение пьющей бабушки. Первый парень, который сделал ей ребенка, куда-то пропал, от второго она сбежала в Москву: очень бил.

Здесь, в Москве, она бы сгинула или попала бы в низкопробный бордель, но у нее была школьная подружка, которая прошла этот путь раньше нее. Подружка и привела ее на ту вечеринку, Нора тогда оказалась в богатой компании первый раз.

Кирилл потихоньку проверил это. Это было действительно так, и Кирилл страшно на себя разозлился. Ему казалось, что он что-то тогда упустил, в тот вечер.

Больше всего Кирилла подкупало в Норе отношение к ребенку. Она ездила в Суздаль каждую неделю, сначала на автобусе, потом на машине, потом на служебном «мерсе» Кирилла, и в одну из поездок она привезла девочку с собой. К этому времени она уже жила в квартире Кирилла.

Прошло еще месяца три, и Кирилл собрался жениться. В принципе это было смешно: женились на моделях, на актрисах, на специально подобранных девушках, наконец. На девицах с вечеринок не женился никто.

— Послушай, — сказал Кириллу тот самый вице-президент Сережа, который затащил его на вечеринку, — мы же все были в том клубе. Мы же все ее знаем.

Но Кирилл все-таки решил жениться, подарил Норе квартиру, ту самую, на Чистых прудах, и открыл счет. Они вместе съездили в Англию, Нора осмотрелась в новом особняке в Бельгравии и вернулась оттуда в таком строгом MaxMara, такая сияющая, такая недоступная, с серьезно-кукольным личиком и черными волосами, небрежно рассыпавшимися по шубке из щипаной норки, что все знакомые Кирилла переглянулись, и даже вице-президент Сережа усмехнулся, пожал плечами, и сказал:

— А ты пожалуй прав.

За два дня до свадьбы Кирилл уехал в срочную командировку, а Нора осталась одна. Вечером ей позвонила подружка, — та самая, которая и пристроила ее в клуб. Подружка сказала, что в клубе будет корпоративный праздник: не хочет ли Нора прийти.

Денег у Норы на карточке было столько, сколько не мог принести ей клуб за год. В сумочке лежали ключи от белого спортивного «мерса». Смысла идти не было никакого, однако зачем-то Нора пошла.

Она станцевала свой номер вместе с остальными девочками, а когда она подошла к краю рампы, где в темноте сидели гости, чтобы они могли выбрать понравившуюся им девочку, в первом ряду Нора увидела Кирилла Водрова. Он смотрел на нее очень задумчиво, потирая рот рукой, бок-о-бок с тем самым вице-президентом Сережей, который хотел показать Кириллу, на ком тот вздумал жениться.

Подружка, пригласившая ее на праздник, не могла простить Норе, глупой бабе из Суздаля, с ребенком, которую она устроила из милости, — квартиры, особняка, и ключей от белого «мерса».

Квартира осталась за Норой, и больше Кирилл ее никогда не видел. Спустя три месяца он завел другую девушку. У нее снова были черные глаза, огромная грудь и иссиня-черные локоны, и ножки у нее были такие же длинные, как ее имя — звали ее Антуанетта.

Встреча в ВЭБе прошла прекрасно. Гарантия ВЭБа была нужна, чтобы получить гарантию Eximbank, а гарантия Eximbank была нужна, чтобы собрать деньги на рынке под приемлемый процент. Ни один вменяемый банк не ссудил бы Navalis деньги под завод на Кавказе без гарантий того, что в случае форс-мажора убытки от сделки возместит правительство.

Зампред банка был старый приятель Кирилла, и как-то так само собой произошло, что после встречи вся компания отправилась на прием, где к Кириллу присоединилась Антуанетта. Она выглядела сногсшибательно в белом открытом платье, подчеркивающем дивный вид на полные груди, обтянутые бархатистой кожей; под локонами в ушах дрожали струйки бриллиантов.

Когда она вошла, разговор на мгновение затих, и темные глаза Антуанетты пробежали по пиджакам и брюкам толпящихся гостей, как лазерный луч на кассе бежит по штрихкоду дорогого товара.

К белым сорочкам мгновенно словно прилеплялись невидимые ценнички, потом Антуанетта улыбнулась, царственно наклонила голову и поплыла к Кириллу. Кирилл Водров, бывший спецпредставитель России при ООН, глава Bergstrom East Europe, пока имел самый большой ценник среди всех присутствующих, не считая разве что зампреда ВЭБа.

Антуанетта улыбнулась Штрассмайеру, одарила ласковым — слишком, для Кирилла, ласковым взглядом зампреда и спросила Баллантайна:

— You've been to Caucases?

И засмеялась, как серебряный колокольчик.

Антуанетта вообще была молодец. Когда она приехала в Москву, то она полгода не вылезала из однокомнатной квартирки. Она смотрела показы мод и читала все гламурные журналы от корки до корки, — не как ленивая избалованная наследница, просматривающая картинки в поисках рубинового колье, — а как прилежный студент, изучающий тяжелый курс сопромата, заучивая наизусть марки одежды, репетируя перед зеркалом поворот плеча и с натугой шевеля губами, чтобы правильно и без запинки выговаривать имена известных дизайнеров, культовых художников и светских персонажей.

Потом она таким же манером освоила английский. Кирилл был уверен, что если бы для того, чтобы получить доступ к кошельку самца, Антуанетте понадобиться освоить общую теорию относительности, то уже через полгода Антуанетта будет бойко болтать о горизонте Коши, пространстве Минковского и замкнутых ловушечных поверхностях.

После ресторана поехали в ночной клуб, расположенный в бывшей городской усадьбе князей Барятинских; усадьбу снесли всю и отстроили заново. Располагалась она напротив нового «Ритца».

По мраморной лестнице, шедшей наверх, ползли клубы подсвеченного дыма, и в этих клубах стояли красавицы в париках, юбках и фижмах. Полные груди красавиц вываливались из корсетов, и диадемы в прическах времен Екатерины сверкали под лазерными лучами.

Они сидели в клубе все вместе, Кирилл с Антуанеттой, зампред с молодой певицей, и Штрассмайер с одной из красавиц в юбках и фижмах. Красавица устроила довольно шумный скандал по поводу принесенного ей тирамису.

— Ой, милочка, здесь вообще невкусный тирамису, — сказала Антуанетта, — здесь надо брать панакотту.

— Самая лучшая панакотта в «Марио», — мечтательным тоном сказала певица, которая в столь поздний час пила одну лишь воду и завистливым взглядом скользила по полной тарелке красавицы, — такая беленькая-беленькая, и вся дрожит, как свадебное платье.

— А вы были в новом «Марио», на Рублевке? — спросил зампред, — они переманили того повара, который готовил для Берлускони, и там совершенно сумасшедший сибасс. Смысл жизни, а не сибасс.

Екатерининская красавица тихо вздохнула. Она пока еще не была в той категории, чтобы сидеть в новом «Марио» на Рублевке. Она снимала с пятью подругами комнатку в Марьино и только вчера сдала в комиссионку норковую шубку, которую ей подарил какой-то лох из Кандалакши.

Салфетки меж хрустальных бокалов стояли, как снежные горы, которые можно смять и кинуть в угол, бриллианты блестели ярче луны, и когда Кирилл глянул на соседний столик, он увидел там сверкающую дорожку кокаина, рассыпанного по бордовой, как печеная кровь, скатерти с вышитыми на ней гербами князей Барятинских.

Они расстались около двух часов ночи; зампред ВЭБа уехал к супруге, а Кирилл подвез Штрассмайера с екатерининской красавицей к дверям отеля. Пышная юбка едва уместилась на заднем сиденье «лексуса».

— Если бы инвестиционный рейтинг зависел от ночной жизни, Москва имела б тройное А, — сказал Штрассмайер.

Вице-президент Navalis проследовал сквозь стеклянные двери, распахнутые швейцаром, и Кирилл поставил ногу на газ. В этот момент по подъездной дорожке взъехал большой черный «мерседес», и высадившийся из него человек побарабанил о стекло Кирилла. Водров опустил стекло. Антуанетта зябко нахмурилась, поводя укутанными в песец плечиками.

— Кирилл Владимирович? — сказал человек. — С вами хотят побеседовать. Антуанетта Михайловна пусть едет домой, или хотите, наш шофер сядет за руль.

* * *

Было уже три часа ночи. Мокрая Москва блестела, вся в лужах и фонарях. Черный «мерс» свернул налево с Горького, бесшумной тенью скользнул мимо Думы и «Метрополя». Кирилл почему-то думал, что его везут на Лубянку, — однако «мерс» свернул вправо и вскоре остановился перед одним из подъездов бывшего комплекса зданий ЦК, ныне занятых администрацией президента.

В ночи вместо звезд расплывались тормозные огни, и красные ковровые дорожки глушили шаги Кирилла в темных заснувших коридорах.

В предбаннике скучал круглолицый помощник с орденом Мужества на лацкане безупречного пиджака. Кабинет, куда ввели Кирилла, был залит недремлющим светом, и за широким столом под огромным трехцветным флагом сидел пожилой человек с отсыревшим лицом и ледяными глазами.

При виде Кирилла человек радушно поднялся из-за стола и протянул ему крепкую, поросшую мелким белесым волосом руку.

— Семен Семенович, — сказал человек, — очень, очень приятно. Славно, что вы все-таки нас навестили. Чаю? Кофе?

— Чаю, — сказал Кирилл.

Подтянутый помощник был отправлен за чаем, а Семен Семенович и Кирилл разместились за круглым столиком для бесед, стоявшим тут же, в кабинете. Кирилл вдруг вспомнил, где он видел помощника с Орденом Мужества. Помощник был на Красном Склоне среди членов захваченной ими правительственной делегации.

Некоторое время Семен Семенович шелестел бумагами, перебирая официального вида досье (на одной из бумаг Кирилл заметил свою фотографию), а потом решительно отложил документы в сторону и спросил:

— Кирилл Владимирович, вы ведь теперь — партнер «Бергстром и Бергстром»?

— Я руководитель восточноевропейского филиала, — сказал Кирилл.

— По нашим данным, ваша фирма консультирует компанию «Навалис», намеревающуюся получить лицензию на разработку Чираг-Герана и построить на побережьи Каспия крупный химический комплекс?

— Во всяком случае, сэр Мартин дал об этом интервью. «Файненшл таймс», — любезно сказал Кирилл.

Ледяной рот чуть дернулся, и Семен Семенович сказал:

— Чираг-Геран — крупнейшее шельфовое месторождение на Каспии. Ни при каких условиях оно не может достаться западным империалистам, только и думающим о хищнической эксплуатации ресурсов нашей страны. Чираг-Геран должен принадлежать российской государственной компании.

— Насколько я понимаю, Чираг-Геран достанется тому, кто предложит лучшие условия, — ответил Кирилл.

— Кирилл Владимирович, — сказал человек с ледяными глазами, — вы не отдаете себе отчет в своем положении. Вы — террорист. Вы вместе со своими сообщниками захватили целую делегацию, и в ходе ваших преступных действий погибли замглавы ФСБ и первый вице-премьер России. Продадите шельф иностранцам — ответите за теракт.

— Мой сообщник — президент республики. Посадите его. Я посижу за компанию.

— А мы и не собираемся вас сажать, — ответил Семен Семенович, — как только «Навалис» купит месторождение, мы передадим ваше досье в «Бергстром и Бергстром». Не думаю, что ваша контора сделает партнером международного террориста. Вас вышвырнут отовсюду, Кирилл Владимирович, и я не думаю, что вы успеете выплатить закладную за ваш роскошный дом в Бельгравии. Двенадцать миллионов фунтов стерлингов, не правда ли?

Кирилл резко встал. Сутки назад он лежал на старом кладбище над залитым солнцем ущельем и думал, что жизнь его кончилась. Оказывается, были на земле места попаршивей.

Дверь кабинета отворилась, и на пороге показался все тот же круглолицый помощник. В руках орденоносца был мельхиоровый поднос с двумя ароматно дымящимися чашками и белым кувшинчиком со сливками.

— Ваш чай, — сказал помощник.

Палец Кирилла на секунду коснулся двуглавого орла в центре похожего на перекрещенные секиры креста.

— Что-то я не помню, чтобы ты там сражался, — сказал Кирилл, повернулся и вышел.

ГЛАВА ВТОРАЯ

Особенности национальной демократии

Говорят, что в Америке каждый человек мечтает стать миллиардером. Считается, что он станет миллиардером, если будет прилежно трудиться и мало лгать. Бывали в мире страны, в которых каждый человек мечтал стать героем, коммунистом или космонавтом.

Что же касается республики Северная Авария-Дарго, то в ней каждый человек считал себя достойным быть президентом. Вот спроси любого на улице: «кто должен быть президентом», и если этот любой не сочтет вас агентом ФСБ, МОССАД или ЦРУ, он непременно ответит: «я».

Поэтому, когда Заур Кемиров был назначен президентом республики, это настроило против него больше миллиона мужчин, не считая, разумеется, совсем уже грудных детей, которые еще не мечтали о президентстве, а мечтали пока только о соске.

Но особенно это настроило против него человека по имени Сапарчи Телаев, который заплатил за пост президента республики два миллиона долларов генералу по имени Федор Комиссаров и был очень недоволен, что Комиссарова убили раньше, чем тот назначил Сапарчи президентом.

Сапарчи Телаев был человек, в своем роде замечательный. Он проводил по три часа в спортзале и по два — в тире. На экране он выглядел как усовершенствованная модель Терминатора. В свои пятьдесят три года Сапарчи подтягивался тридцать три раза, и с расстояния в пятьдесят шагов он выбивал десять очков из десяти из «стечкина». Этот самый «стечкин», а также короткий «узи» и горский кинжал Сапарчи всегда хранил под собой в стальных ручках своего инвалидного кресла, ибо Сапарчи Телаев, председатель совета директоров компании «Авартрансфлот» и народный депутат республики Северная Авария-Дарго, вот уже семь лет как был парализован ниже пояса.

Вот этот-то Сапарчи считал совершенно позорным, что человек, который убил генерала Комиссарова и вице-премьера Углова, назначен президентом республики, а человек, который был совершенно лоялен власти и даже заплатил два миллиона долларов, пролетел, как фанера над Парижем.

Сапарчи Телаев не без основания полагал, что многие в Кремле, кто знал истинные обстоятельства назначения Заура на пост президента республики, тоже считают эти обстоятельства совершенно позорными, и не возражали бы, если бы Заур Кемиров куда-то исчез, или испарился, или иным способом перестал быть президентом.

К сожалению, убивать Заура Кемирова не имело смысла, потому что у Заура был брат, который был даже хуже его, а убить Заура и брата вместе было б крайне затруднительно, потому что они никогда не садились в одну машину и никогда не появлялись вдвоем на каком-то мероприятии. Кроме того, Сапарчи понимал, что в Кремле понимают, что если убрать Заура, или назвать его террористом, то все те люди, которые сейчас помогают Джамалудину бороться против террористов, уйдут в лес, и, чего доброго, сами сделаются террористами.

А ничего хорошего не бывает в республике, если ОМОН республики, и бойцы Антитеррористического центра, и еще две сотни всяких спортсменов, чиновников и даже депутатов уйдут в лес и сделаются ваххабистами. Такую республику трудно назвать частью цивилизованного мира.

И все же, как мы уже сказали, Сапарчи был крайне обижен на Заура за то, что тот стал президентом вместо него, и считал, что ему по праву полагается какая-то компенсация.

Поэтому, когда Сапарчи услышал про шельф, он приехал к Зауру на своем единственном в мире бронированном «хаммере» с ручным управлением, и сказал:

— Послушай, я слышал, что ты продаешь лицензию на Чираг-Геран. Отдай ее мне, и я буду помогать тебе во всем.

— Стартовая цена аукциона — полмиллиарда долларов, — ответил Заур, — выиграй аукцион, и лицензия твоя.

У Сапарчи не было полумиллиарда долларов, и поэтому он воспринял эти слова как тонкое оскорбление. Однако он сдержался и попросил:

— Тогда отдай мне «Аварнефтегаз».

— Генеральный директор «Аварнефтегаза» — мой брат Магомед-Расул, — ответил Заур Кемиров, — ты что, предлагаешь мне выкинуть брата и поставить тебя? Что про меня скажут люди, если узнают, что я без причины увольняю братьев?

— Тогда отдай мне Бештой, — сказал Сапарчи, — выборы через месяц, а пост мэра свободен. Ты же теперь президент, а не мэр.

Они оба были из Бештойского района, и даже из соседних сел, которые теперь вошли в черту города и, конечно, по своему происхождению Сапарчи вполне мог быть мэром Бештоя.

— Мэром Бештоя станет Джамалудин, — ответил Заур Кемиров, — а впрочем, можешь попробовать выиграть у него на выборах.

Тут надо сказать, что президент республики Северная Авария-Дарго был человек гораздо мягче своего брата, и склонный к компромиссам. Если бы Сапарчи Телаев попросил у него место главы района, или депутатство для какого-нибудь племянника, то Заур, конечно, с удовольствием дал бы ему это место. Заур всегда предпочитал сотрудничать с людьми, а не воевать.

Но Заур знал, что Сапарчи человек вздорный и что мир с Сапарчи будет расценен остальными как признак его слабости. А он был не в том положении, чтобы позволить себе быть слабым.

— Что же, — сказал Сапарчи Телаев, — я выиграю эти выборы. Не думаю, что людям в Кремле нравится, что во главе республики стоят убийцы и террористы.

* * *

Следующим, кого Сапарчи Телаев навестил после встречи с Зауром, был прокурор республики Наби Набиев. Прокурор был настроен не очень хорошо против Заура Кемирова, потому что он заплатил генералу Федору Комиссарову миллион долларов за пост президента и ожидал, что президентом назначат именно его. По этой же причине он был не очень хорошо настроен по отношению к Сапарчи Телаеву.

— Ассалам алейкум, — поздоровался Сапарчи Телаев, вкатываясь к прокурору республики.

— Ваалейкум ассалам, — ответил тот.

— Я слыхал, ты перебираешься в Москву? — спросил Сапарчи Телаев.

— С какой стати мне ехать в Москву? — изумился прокурор Набиев.

— Я слыхал, что на твое место назначают Чарахова, — ответил Сапарчи Телаев, — говорят, он уже заплатил Зауру полмиллиона долларов, и в Москве все согласовано.

— Ах он сволочь! — вскричал прокурор, до которого такие слухи, и вправду, доходили. — Так вот почему он потребовал с меня заявление! В этой проклятой Аллахом стране все продается и все покупается!

– Э, – сказал Сапарчи Телаев, – этому недолго быть. Я разговаривал с большими людьми в Москве, и они, как ты понимаешь, страшно недовольны Кемировыми. Они говорят: «Позор, что террорист и убийца диктует условия России. Россия этого так не оставит».

Прокурор республики весь обратился в слух. На столе у Сапарчи всегда стояла фотография, на которой он был снят вместе с главой ФСБ. А на стене висела другая, на которой он закладывал православный храм во Пскове вместе с патриархом Алексием. Из этого следовало, что связи у Сапарчи в Москве самые необыкновенные.

– Это сущее бедствие, – сказал прокурор, – прежний президент, Ахмеднаби Ахмедович, был великий президент! При нем у каждого человека была свобода! А теперь что? Мой двоюродный брат строил дорогу от Кюнты до Тленкоя, и на эти цели Москва выделила пять миллионов долларов. Так получилось, что дорогу не построили, а деньги куда-то делись. И вот Джамал Кемиров ворвался к нему домой, закинул в багажник и отвез к себе в Бештой. Ты знаешь, что он сделал? Он пригрозил, что бросит его в одну клетку с тигром! Его палачи волокли моего брата по земле! Он плакал, отбивался, но они-таки запихнули его в клетку! И знаешь, что это была за клетка?!

Прокурор вздохнул и сказал трагическим голосом:

– Это была клетка с сусликом!

– Лучше отдай эти деньги мне, – сказал Сапарчи, – а я передам его тем людям в Москве, которые недовольны Кемировыми. Слава богу, еще есть те, кому не безразлична целостность России.

* * *

Следующим человеком, которого навестил Сапарчи, был Дауд Казиханов. Дауд Казиханов в прошлом был знаменитым спортсменом, а состояние он скопил, торгуя людьми с Чечней. Когда он скопил достаточно денег, он купил себе должность главы Пенсионного Фонда, и в результате его деятельности в республике резко улучшилась демографическая ситуация.

Демографическая ситуация улучшилась потому, что когда человек умирал, об этом не сообщали, а пенсию за него продолжал получать Дауд Казиханов. Дауд очень гордился тем, что он получает семьсот тысяч налом каждый месяц, и не обирает никого, кроме мертвых. Он говорил, что такого чистого заработка, как у него, нет ни у одного человека в республике.

Будучи богатым человеком, Дауд заплатил за должность президента пятьсот тысяч долларов, и очень переживал за неудачное вложение.

Когда Сапарчи приехал к Дауду на своем бронированном «хаммере», Дауд лично вышел встречать его во двор дома, замощенный светло-серым мрамором. Посереди двора плакал фонтан, рядом под летним зонтиком ломился накрытый стол.

Сапарчи сам перекинул свое тело из «хаммера» в инвалидную коляску, и Дауд побыстрее сел на один из стульев под зонтиком, потому что он понимал, что Сапарчи неприятно, когда люди стоят.

— Эй, — сказал Сапарчи, оглядывая двор, — что-то ты не очень бережешься.

У ворот со двора стояла большая сторожевая вышка, и перед этими воротами всегда дежурили двое автоматчиков. Когда Дауд куда-то выезжал, он всегда выезжал на броне. С ним была машина сопровождения, и в бронированном стекле его машины красовались окантованные сталью дырочки, чтобы отстреливаться. Со времени бизнеса в Чечне Дауд несколько нервно относился к своей безопасности. Ему все время мерещилось, будто его хотят убить. Поэтому он очень живо среагировал на слова Сапарчи и спросил:

— А что такое?

— Я слыхал, — ответил Сапарчи, — что Джамал Кемиров заказал тебя Черному Булавди.

Булавди Хаджиев был племянник однорукого Арзо, покойного командира спецбатальона «Юг». В первую чеченскую войну Булавди воевал на стороне боевиков, а во вторую — на стороне федералов. Всю историю, которая была на Красном Склоне, списали на террориста Арзо, но его племянник уцелел и за последний год стал самым непримиримым лидером подполья. Джамалудин Кемиров публично пообещал миллион тому, кто принесет ему голову «этого черта».

— Разве они поддерживают отношения? — изумился Дауд Казиханов.

— Э! — изумился Сапарчи, — неужели ты не знаешь? Помнишь эту историю, когда Хагена обстреляли на плотине? Ведь они стреляли дважды, и промахивались нарочно, а на третий раз Булавди послал гонцов к Джамалу и сказал: «Два раза я делал это понарошку, а третий сделаю всерьез, если ты не заплатишь мне миллион отступного». И тогда они встретились, и Джамал сказал: «Я готов заплатить тебе миллион, но не просто так. Убей для меня моих врагов: Дауда, Сапарчи и прокурора Наби, и будем считать, что мы квиты».

Надо сказать, что Дауд не очень изумился рассказу. Ваххабиты всегда использовались в республике как самая дешевая киллерская сила. Они убивали по демпинговым ценам. Никто не мог выдержать их конкуренции.

— Но если меня заказали, то где же кассета? — вскричал Дауд Казиханов.

Тут надо пояснить, что приговоры, которые выносил Булавди, никогда не были голословными. Не было такого, чтобы кто-то где-то кому-то сказал, и человека убили. Булавди всегда записывал приговоры на камеру, и эта кассета распространялась среди своих, как приказ к действию. Без этой кассеты так же было невозможно начать убивать человека, как без приговора суда послать его по этапу. Дауду дважды присылали кассеты, но Дауду всегда как-то удавалось отрегулировать этот вопрос, и со времени последней кассеты прошло уже месяцев восемь.

— Кассета есть, — сказал Сапарчи, — ее видели в Кремле на самом высоком уровне! Там очень обеспокоены контактами между Кемировыми и террористами. Ведь они, считай, сговорились. Булавди будет для Кемировых убирать тех, кто не ползает на коленях перед Джамалом, а Джамал будет для Булавди убирать тех боевиков, которые его не слушаются, а в Кремле будет рассказывать, что только он может бороться с терроризмом. Только у него, мол, есть штыки.

— Эти сказки пусть он рассказывает слизнякам, — вскричал взбешенный Дауд, — у меня не меньше людей, чем у него. Если в Кремле и в самом деле недовольны Зауром, мы сметем его, как мусор с дорожки!

* * *

После этого Сапарчи поехал в Москву.

Надо сказать, что слухи о знакомствах Сапарчи в Москве были сильно преувеличены. Самым высокопоставленным знакомым Сапарчи был Федор Комиссаров, да и того убили.

И поэтому, когда Сапарчи приехал в Москву, ему пришлось не очень легко. Сначала он заплатил двадцать тысяч долларов человеку, который говорил, что знает нужных людей, но этот человек взял деньги и куда-то пропал, и уже потом Сапарчи услышал, что он съездил на них с любовницей в Гонолулу.

Потом он пожертвовал пятьдесят штук на какой-то благотворительный вечер, устроители которого гарантировали, что на нем будут самые высокие люди из Кремля, но вместо людей из Кремля была там только старушка-певица, наряженная почему-то английской королевой, и Сапарчи понял, что деньги пропали.

Свели его затем с каким-то мошенником, который говорил, что он внебрачный сын Генерального Прокурора, но тот слинял сам, услышав, что предоплаты не будет (потом уже Сапарчи узнал, что тот действительно был сын прокурора, но с папой никакой связи не имел), и на исходе второй недели, когда глава «Авартрансфлота» уже отчаялся, просадил кучу денег на проституток и две кучи — на чиновников, в московской квартире Сапарчи раздался звонок.

— Сапарчи Ахмедович? Это приемная Забельцына. Семен Семенович хотел бы встретиться с вами.

Семен Семенович сидел в длинном здании сразу за Боровицкими воротами. Из роскошного кабинета на втором этаже были видны зубцы Кремлевской стены и сизые, вдоль нее, ели. Когда Сапарчи строил свой дом, он выложил стену из такого же кирпича и посадил перед ней такие же елки, но они не очень принялись на скалистой аварской почве; да и стена у Сапарчи была пониже.

Семен Семенович встал из-за стола, когда в его кабинет вкатилась коляска Сапарчи, и брови его почтительно вздернулись, когда бритый наголо инвалид с могучими плечами, которые не мог скрыть даже жемчужного цвета костюм от Армани, одним движением рук перебросил себя из коляски в удобное кожаное кресло.

Семен Семенович был невысокий, чуть оплывающий в талии человек с колтунчиком светлых волос на голове и очками в тонкой золотой оправе. Эти очки были, видимо, складные, и то и дело расстегивались на носу, и тогда Семен Семенович убирал одну половинку очков и глядел на собеседника через другую половинку, прищурясь. Когда он глядел на собеседника, казалось, что температура в комнате падает на три градуса.

Сапарчи был человек наблюдательный, и он сразу заметил, что Семен Семенович в кабинете не один. У столика стоял невзрачный человек в штатском и заваривал для Забельцына чай. Этот человек был главой ФСБ. Напротив него стоял другой человек и резал для Забельцына бутерброды. Этот человек был главой Следственного Комитета при прокуратуре.

Кроме того, в кабинет его провел круглолицый помощник, в котором Сапарчи узнал человека, бывшего в составе злосчастной прошлогодней делегации. Это было хорошо, потому что это означало, что человек этот все видел своими глазами.

Хотя, с другой стороны, люди из ФСБ умели своими глазами видеть так разноречиво и такие удивительные вещи, что даже Сапарчи иной раз диву давался.

– Я очень рад, Сапарчи Ахмедович, что вы нашли возможность заехать, – сказал Семен Семенович, – надеюсь, что вы расскажете нам об обстановке в республике.

– Да какая там обстановка, – вздохнул Сапарчи, – народ в ужасе. Президент расправляется с недовольными. Глава Пенсионного Фонда дрожит, потому что его заказали шайтанам. Должность прокурора продали пособнику боевиков. А теперь весь шельф решили продать Западу, и на выручку от продажи финансировать террористов, чтобы отторгнуть республику от России!

— Может быть, — сказал Семен Семенович, — однако у президента много верных ему вооруженных людей.

— Блеф все это, — вскричал возмущенный Сапарчи, — да Дауд разгонит всех его боевиков половиной своих людей! А у меня людей и побольше Дауда!

— Что ж, — сказал глава ФСБ, который заваривал Забельцыну чай, — это меняет дело.

— Россия не забудет того, что случилось в Бештое, — поддержал его начальник Следственного Комитета, который резал для Забельцына бутерброды, — она не прощает нанесенных ей оскорблений.

А Семен Семенович прищурился и спросил:

— Говорят, вы выдвигаете свою кандидатуру на выборах мэра в Бештое?

— Разумеется, — сказал Сапарчи.

— Россия будет приветствовать вашу победу на выборах, — сказал Семен Семенович. — Важно дать понять президенту Кемирову, что в республике есть люди, верные федералам!

— Такие люди есть! — горячо воскликнул Сапарчи.

* * *

В конце аудиенции улыбающийся Семен Семенович тепло пожал Сапарчи руку и лично проводил до лифта.

Когда Семен Семенович вернулся в кабинет, улыбка на лице его погасла, как будто в глазах щелкнули выключателем, Забельцын повернулся к своему помощнику и спросил:

— Что делал этот человек во время мятежа?

— Катился на своей коляске впереди толпы, — ответил помощник, — и кричал, что тот, кто убьет неверного, попадет в рай.

Семен Семенович усмехнулся и сказал:

— Ну что же. Следует помочь ему выиграть выборы в Бештое.

И пошел в туалет мыть руки, потому что больше всего на свете Семен Семенович не переносил людей, которые меняют взгляды, как галстуки, и вместо работы занимаются разводками.

Этот визит случился где-то за неделю до встречи Семена Семеновича и Водрова, и мы, конечно, могли рассказать о нем сначала, а о встрече — потом, но мы же не протокол пишем, а рассказываем, как оно удобней.

* * *

Кирилл Водров и десяток экспертов вернулись в Торби-калу через неделю. На аэродроме их встречал Магомед-Расул, брат президента и глава компании «Аварнефтегаз».

Самолет, на котором они прилетели, был небольшой узкий «Челленджер», с широко разведенными крыльями и алой эмблемой «Навалис» на хвосте. Почему-то он поразил Магомед-Расула. Тот обежал самолет вокруг, как любопытный щенок обегает фонарный столб, помеченный соседским кобелем, зачем-то, ухватив, раскачал крыло, и, забежав в кабину, долго и зачарованно смотрел на хитроумную россыпь приборов.

— Зверь самолет! — сказал Магомед-Расул, — умеют же делать, а? Ну, в общем, программа такая: сейчас едем ко мне домой...

— Не надо домой, — сказал Кирилл, — нам надо осмотреть еще два участка.

Магомед-Расул согласился, и они вышли из самолета.

«Порше-кайенн» с синими номерами и мигалкой, на котором приехал Магомед-Расул, стоял у самого трапа, и Штрассмайер рассматривал машину с некоторым удивлением. Кто-то сказал ему, что синие номера означают полицию, и вице-президент «Навалис» видимо пытался понять, почему глава нефтяной компании ездит на такой же машине, на которой на Западе ездит «скорая», и кто разрешил управлению внутренних дел купить служебную машину за полтораста тысяч долларов.

Если бы такую машину купила полиция в его родной Баварии, то начальник полиции Баварии наверняка бы потерял свой пост. Магомед-Расул увидел интерес Штрассмайера к машине и истолковал его несколько другим образом.

— А, какая машина? — сказал он, — двести в час делает, как огурчик! Умеют же делать, а?

— Прекрасная машина, — сдержанно сказал Штрассмайер.

— Тогда дарю! — горячо воскликнул Магомед-Расул.

Вице-президенту «Навалис» был вовсе не нужен «порше-кайенн» с милицейскими номерами и мигалкой на крыше, и он перепугался, когда увидел, что брат президента говорит всерьез.

— Нет, что вы, — сказал Штрассмайер.

— Бери-бери! — повторил Магомед-Расул, — для друзей нам ничего не жалко. У нас такой обычай, в день Уразы-Байрама дарить человеку то, что ему нравится. Это к счастью.

Плотоядно облизнулся и прибавил:

— Не, ну до чего же у вас козырный самолет!

Штрассмайер пришел в совершенное замешательство, а Кирилл, отойдя в сторону, начал набирать номер Ташова.

* * *

Строительный участок, который они хотели осмотреть, начинался огромными ржавыми воротами. На воротах была облупившаяся пятиконечная звезда, из степных подвядших колючек росли истлевшие клубы колючей проволоки.

Перед воротами паслись барашки: они ели траву и не трогали проволоку. Перед барашками стоял стоял длинный, как лист осоки, бронированный «мерс», и на его капот опирались двое — белокурый ас из «Кольца Нибелунгов» и черноволосый джинн из «Тысячи и одной ночи».

— Эй, — закричал Хаген, едва Магомед-Расул со спутниками показался из машины, — где тут «порш», который дарят?

Слушай, подари мне, у меня как раз тачку взорвали, вон, на рыдване езжу...

— Экий ты, Ариец, весельчак, — расхохотался брат президента, — тебе не надаришься. Третью машину за месяц угробил!

Магомед-Расул помрачнел лицом, и Кирилл понял, что разговор о самолете в подарок закончен.

— Спасибо, — шепнул он Хагену.

За воротами оказался завод. Когда-то этот завод собирал торпеды и мины. Теперь от завода остались подъездные пути, истлевшие зубы цехов, да двести гектаров земли к северу от Торби-калы.

Эксперты разбрелись кто куда, а Кирилл медленно пошел вдоль берега. Покинутые цеха выглядели так, как будто в них взорвалась их же продукция, и белые барашки волн бились о бетонные сваи и выбеленные челюсти терминалов: дно в этом месте было углублено земснарядами, и когда-то сюда заплывали сторожевики и дизельные подлодки, теперь здесь можно было легко построить новые терминалы.

Километра через два ржавое железо кончилось. Потрескавшийся асфальт перешел в аккуратную восьмиугольную плитку. По обе стороны дорожки вдруг выросли роскошные агавы. Гниющие водоросли на берегу были аккуратно сложены в кучку, и сразу за кущей прибрежных деревьев Кирилл увидел огромную кирпичную стену, за которой поднимались нарядные башенки чьего-то особняка. На кадастровом плане дом был обозначен как «открытый навес для сельхозтехники».

Кирилл надавил звонок, калитка распахнулась, и взору Кирилла предстали два крепких горца в неизбежном камуфляже и с неизбежными «калашниковыми» в руках. За их спинами пел фонтан, и вода бежала с горы вдоль дорожек в море. На высокой веранде, отороченной резным чугунным литьем, грелась на солнышке породистая черно-белая борзая.

— Это чей дом? — сказал Кирилл

— Какой-такой дом? — спросил автоматчик.

Кирилл вынул из кармана кадастровый план, ткнул в него пальцем и пояснил:

— В том-то и дело. По кадастру тут навес для сельхозтехники, а вот — стоит дом.

Автоматчик вынул из рук русского кадастровый план и бросил его себе под ноги:

— Ну так иди в суд и докажи, что тут не навес.

Калитка захлопнулась.

* * *

Кроме старого завода, было еще два участка, оба к югу от Торби-калы, но поменьше и не такие удобные, и кроме этих двух участков, был еще один, который захотели осмотреть турецкие строители. Этот участок находился высоко в горах и не имел отношения к заводу, но турки знали, что президент Кемиров строит на этой горе современный подъемник, — и почему бы не построить там пятизвездочный отель?

Участок находился в Бештое, и они полетели в Бештой на вертолете. Кирилл заподозрил, куда они летят, когда они миновали авиабазу, и стали спускаться к белой крепостной стене, утопающей в ежевике и проволоке.

Штрассмайер сообразил это только тогда, когда они сели.

Остов крепости Смелая возвышался в лучах заходящего солнца, как гигантский мусорный бак, который уличные мальчишки опрокинули на бок, да и развели пожар. Третий этаж обвалился весь: он просыпался вниз завалами щебня, и вместе с ним до земли рухнуло все правое крыло. Нижние этажи, царской постройки, с каменными стенами полутораметровой ширины, глядели выбитыми окнами, а кое-где и между окон зияли проломы. Стены были покрыты татуировкой пуль.

Кирилл поднялся по широкому мраморному крыльцу, засыпанному щебнем от рухнувшего козырька, и оказался в просторном холле. Лестница, уходившая в разверстое небо, висела на кусках подкопченной арматуры, как мясо на переломанных ребрах, из неба торчала верхушка горы и решетчатые опоры новенького подъемника.

Кирилл присел на корточки и рассеянно подбросил в ладони кусок штукатурки с налипшим на нем камнем.

— Господи, — выдохнул за спиной Штрассмайер, — у них что, были пушки?

— «Шмели», — сказал Кирилл, — это стандартная тактика спецподразделения при штурме боевиков. Всаживаешь в окно «шмель», подавляя огневые точки противника оружием неизбирательного действия. Термобарический взрыв выжигает все в радиусе тридцати метров. Они всадили в окна восемь «шмелей».

— И охрана вашего вице-премьера отбила такую атаку? — изумился Баллантайн.

Он обернулся. Белокурый тролль Хаген и черноволосый джинн Ташов стояли у обрушившейся стены, молчаливые, неподвижные, и заходящее солнце словно кипело на вытертом стакане подствольника, навинченного на автомат за плечом Хагена. Чуть поодаль стояла шеренга затянутых в камуфляж бойцов.

— Ох черт, — пробормотал Баллантайн, — конечно же. Извините.

Ташов прошел в распахнутую стену столовой, и Кирилл последовал за ним. Перекрытия, выходящие к хоздвору, были разворочены навылет, как грудная клетка разрывной пулей. В море битого кирпича плыл ржавый обруч от люстры.

— Кто покушался на Хагена? — спросил Кирилл.

— Был такой. Чеченец. Шамсаил.

«Был»? То есть уже нет?

Словно зябкая тень скользнула над руинами.

— Если он чеченец, — сказал Кирилл, — у него остались родичи. И Хаген ведет себя непередаваемо легкомысленно. Я, конечно, понимаю, что он не знает, что такое страх. Точнее, он знает, что это такая штука, которую все живое испытывает при виде его. Но...

— Там никого не осталось. — сказал Ташов. Помолчал и добавил: — Даже женщин.

В Кирилла словно плеснуло жидким азотом.

— Совсем никого? — спросил Кирилл.

Ташов молчал. Кирилл поднялся с корточек и подошел к разорванной стене. За стеной была пропасть, далеко внизу в сомкнутых ладонях гор лежали белые крыши Бештоя, и четырехгранный гвоздь минарета возвышался рядом со сверкающей на солнце стеклянной крышей над разрушенным роддомом.

Кириллу всегда казалось, что Красный Склон — это был конец. Начало истории было в роддоме, конец — на Красном Склоне. Только теперь Кирилл понял, что Красный Склон — это всего лишь одна из пересадочных станций долгой дороги.

— У нас в селе, — шевельнулся сзади Ташов, — был парень по имени Абдурахман. Боролся. Хорошо. А потом стал бегать по горам. Ментов убивал. У меня троих убил. Потом... Джамал узнал, что Абдурахман вернулся домой. У него дом был третий от моего.

Ташов замолчал. Кирилл глядел вниз, на стеклянную крышу, с которой началась дорога. Он не был уверен, что в конце этой дороги тех, кто идет по ней, ждет что-то хорошее, но эта дорога была такого рода, что, однажды ступив, свернуть с нее было нельзя. Он думал, что Ташов уже больше ничего не скажет, но тут гигант заговорил вновь:

— Дома были жена и трое детей. И я решил залететь в соседний дом, чтобы Абдурахман выскочил и попал в засаду. Соседний — это был четвертый от меня дом. Но я взял ребят, которые были не местные, и так получилось, что они перепутали ворота и заскочили в третий.

Из далека-далека, как крик о помощи, вдруг донесся азан. Наступало время молитвы. «Он сам назвал другой дом, — вдруг понял Кирилл, — он хотел, чтобы этот Абдурахман ушел».

— Ребята залетели прямо к нему во двор, но он все равно сумел убежать, — сказал Ташов, — застрелил двоих и выскочил, и тут уж мы бросились за ним, потому что он убил наших. Он был ранен, и далеко не ушел. Он отстреливался, пока не умер.

По дороге вдоль ущелья карабкались вверх черные коробочки кортежа. Кирилл вдруг заметил внизу десятка полтора белых домиков, слишком больших, чтобы быть просто жильем: похоже, лыжный бизнес возвращался в эти края, дикие гостиницы росли как грибы.

— И с тех пор я езжу мимо этого двора, и там все время стоит его брат. Этому брату пятнадцать, а другому — девятнадцать. Я езжу на броне и с охраной, и я знаю, чего они ждут. Они ждут, когда я уйду с работы.

— А тогда... Не лучше ли... как Хаген? — спросил Кирилл.

— Нет. Пусть ждут.

Ташов повернулся и пошел обратно к выходу из столовой.

В разрушенном холле стояли притихшие турки.

— Прекрасная строительная площадка, — заметил Кирилл, — по крайней мере, демонтаж здания уже выполнен.

* * *

Площадка перед бештойской резиденцией была забита машинами. В очереди перед входом толпились бизнесмены, министры и депутаты, которые приехали к президенту на Уразу-Байрам, и когда Кирилл вышел из машины, он столкнулся нос к носу с инвалидной коляской Сапарчи Телаева. Сапарчи катился к воротам, как пушечное ядро, и двое его телохранителей бежали за ним, придерживая на бедре тяжелые «стечкины». У ворот молодые парни в камуфляже досматривали посетителей.

— Оружие есть? — спросили они у Штрассмайера, когда до него дошла очередь.

— Конечно нет! — поразился тот.

— Проходи.

— Оружие есть? — спросили через секунду Кирилла.

— Конечно, нет, — удивленно сказал Кирилл.

— Проходи.

Следующим был Сапарчи Телаев.

— Оружие есть? — спросил Сапарчи охранник.

— Конечно, есть! — возмутился глава «Авартрансфлота».

— Проходи!

И коляска Сапарчи, с «узи», «стечкиным» и горским кинжалом, вкатилась в мощеный двор резиденции.

Как мы помним, в это время в республике были выборы, и против Заура Кемирова на выборах сложилась предвыборная коалиция.

Первый шаг этой предвыборной коалиции был немного странный: все члены коалиции приехали к Зауру и предложили ему свою поддержку на выборах. Бывший мэр Торби-калы во всеуслышание воскликнул, что с назначением Заура над республикой взошло солнце, а Сапарчи Телаев подарил Джамалудину Кемирову «стечкин» из чистого золота с надписью из Корана.

Приехал в резиденцию и глава Пенсионного Фонда Дауд Казиханов, но не затем, чтобы распинаться о солнце, а чтобы поговорить с президентом наедине, но как-то это не получилось, и Дауд был очень зол на это обстоятельство. Он бродил по дорожкам, раздраженно поглядывая на гостей, павлинов и леопардов, когда возле него возник третий из братьев Кемировых — глава «Аварнефтегаза» Магомед-Расул.

Магомед-Расул отозвал Дауда в сторону и сказал:

— Послушай, зачем ты поссорился с братом? Или ты хочешь, чтобы с тобой было как с Наби?

Дауд топнул ногой и сказал:

— Я бы и сам хотел с ним примириться, да не понимаю, как к этому приступить.

— Мой брат, — сказал Магомед-Расул, — очень сердит на тебя. Он уже подготовил указ о снятии тебя с должности. Но если ты отдашь ему эту землю, которую иностранцы смотрели сегодня и на которой стоит твой дом, то он просил меня передать, что он изменит решение.

* * *

Было уже часов десять вечера, когда поток гостей несколько иссяк, и Кирилл оказался наедине с Кемировыми в огромной гостиной, где в круглом аквариуме плавала маленькая акула. Прямо над акулой на стеклянном постаменте, стоял огромный старинный Коран. Заур Ахмедович представил Кириллу двоюродного дядю своей матери.

— Это новый прокурор республики, — сказал Заур.

— А что случилось со старым? — спросил Кирилл.

— Он подал заявление об отставке, — ответил Заур.

— Я слыхал, — осторожно сказал Кирилл, — что Джамал обещал ему отрезать уши, если он этого не сделает.

Заур улыбнулся, а Джамалудин сказал:

— Мало ли как язык повернется в споре.

— Но я слыхал, что ты исполнил угрозу буквально.

Глаза Джамала угрюмо сверкнули.

— Ты в чем меня обвиняешь, а? Ты меня при прокуроре в преступлении обвиняешь? Если б я это делал, закон бы со мной разобрался!

Кирилл вспыхнул до ушей. «Спокойно, — подумал Кирилл, — я — иностранный консультант. Я приехал сюда оказать техническую помощь. Я — механик, который должен исправить засорившийся инжектор «мерса». Это не мое дело — кого в этом «мерсе» возят в багажнике».

Новый прокурор распрощался и вышел, видимо, расследовать преступления, и Кирилл сказал:

— Неделю назад меня пригласили в Кремль. К Семену Семеновичу Забельцыну. Там от меня потребовали отказаться от сделки. Семен Семенович сказал, что выполняет поручение президента. И обещал заложить меня, как международного террориста.

Джамалудин и Заур переглянулись, а Хаген, расслабленно лежавший в кресле, подобрался, как кошка, завидевшая собаку.

— И что ты думаешь? — спросил Заур.

Свет от распластанного по потолку плафона был золотисто-темный, как липовый мед, акула лениво плыла через отраженье Корана, и фигуры Хагена и Джамалудина тоже плыли в стекле, как изломанные черные прутья, сгустки тьмы у спинок кресел.

— Я думаю, что это блеф, — спокойно сказал Кирилл, — и сделка одобрена на самом высоком уровне. Поэтому наш разговор — это личная инициатива Семена Семеновича. Проблема заключается в том, что даже если Семен Семенович не сможет заполучить долю в проекте, он сможет его уничтожить. Это уже для него победа, потому что тогда все другие, кто увидит наш проект уничтоженным, испугаются и будут делиться с Семеном Семеновичем, чтобы он не уничтожил их проекты. Мы и Забельцын — в неравных условиях. Нам нужен мегакомплекс. А Забельцыну достаточно победы. Поэтому я считаю, что вам, Заур Ахмедович, надо договориться. И найти компромисс. Но, конечно, это должны делать вы, а не я.

По ту сторону огромной гостиной потрескивал камин, и над головой президента республики парил в полутьме огромный портрет его предка Амирхана Кемирова. Амирхан Кемиров никогда в своей жизни не шел на компромисс. Говорили, что когда восемьдесят лет назад красного шариатиста Кемирова отозвали в Москву, он во время намаза расстилал коврик прямо на заседаниях Совнаркома.

— Что скажешь, Раджаб? — спросил президент республики самого младшего участника разговора.

Начальник АТЦ презрительно тряхнул белокурой челкой.

— Я не умею давать долю, — сказал Хаген, — я умею ее забирать. Если мы дадим им долю, они решат, что это знак нашей слабости, а если они решат, что мы слабы, они влезут и заберут все.

— А ты, Джамал?

Младший брат президента сидел неподвижно, посверкивая рысьими глазами, и Коран парил на стеклянной колонне над его головой.

— Если бы я умел договариваться, — сказал Джамадудин, — тебя бы похоронили в Чечне.

По ту сторону окна пыхнул язык пламени, и со двора донеслись гортанные мужские голоса. Сегодня, в третий день праздника, в резиденции президента зарезали еще пятьдесят баранов, и мясо их раздавали всем желающим.

— Я не отдам им ничего, — негромко, но властно сказал Заур Кемиров. — Кирилл Владимирович, вы с этого дня ездите только с охраной. А насчет того, что они вас заложат, это вряд ли. Они скорей вас пристрелят.

Заур встал. Кирилл с удивлением подумал, что Магомед-Расул Кемиров не присутствовал на встрече. А ведь он был директор «Аварнефтегаза» и родной брат Заура.

* * *

Магомед-Расул Кемиров был младше Заура на два года и старше Джамалудина на тринадцать лет. Он был самым образованным из братьев, потому что он закончил Педагогический институт в 1976 году и Высшие партийные курсы в 1980, и однажды, когда он был главой партячейки Бештойского машзавода, его вызвали в Торби-калу.

Магомед-Расул Кемиров ждал этого вызова. Он знал, что его вот-вот назначат секретарем обкома по идеологии, потому что Заур заплатил за это немалые деньги. Однако вместо приказа о назначении Магомед-Расула встретил следователь из Сибири.

— Ваш брат, — сказал следователь, — наладил на заводе подпольное производство. Пользуясь родственными и служебными связями, зарабатывает сотни тысяч рублей, коррумпировал городскую верхушку, держит на побегушках воров и прокуроров!

— Ах он негодяй! — вскричал Магомед-Расул. — Он опозорил наш род. Наш прадед Амирхан Кемиров установил в этом городе Советскую Власть, а он занимается такими делами! Завтра же на парткоме мы поставим вопрос, чтобы исключить подлеца из партии!

На семейном совете в тот же вечер Магомед-Расул рассказал, как он горой стоял за Заура. Было решено, что Зауру следует выйти из партии, чтобы не подставлять брата. Дело тогда в конце концов замяли, но Магомед-Расул был очень обижен на Заура, что тот его подвел. Он никогда не забывал, что из-за делишек Заура он так и не стал секретарем обкома.

Когда началась перестройка, и Заур захотел легализовать свой бизнес и открыл ресторан, Магомед-Расул был категорически против.

— Наш род — уважаемый род, — сказал Магомед-Расул, — наш прадед Амирхан Кемиров презирал торговцев, и говорил, что они не нужны ни при коммунизме, ни при шариате! Ты кто — аварец или армянин?

Но несмотря на эти слова, Заур все-таки открыл ресторан, а потом он выкупил Бештойский завод и стал делать там мини-установки для переработки нефти. А Магомед-Расулу он купил должность министра культуры, потому что Заур всегда заботился о семье.

Однажды Магомед-Расул сидел в какой-то кафушке, когда к нему подошел чеченец. Чеченца звали Бувади Хангериев, и он был влиятельным полевым командиром. Они поговорили о том, о сем, и Бувади попросил свести его с Зауром Кемировым, потому что Бувади хотел купить у Заура парочку этих самых мини-установок, которые тот монтировал на шасси «Уралов».

— Э, зачем тебе Заур? — сказал Магомед-Расул, — это ведь я распоряжаюсь заводом. Просто из уважения к старшему брату я всегда ставлю его впереди. Поэтому отдай деньги мне и забирай «Уралы».

Чеченец отдал деньги Магомед-Расулу, а спустя несколько дней прислал людей за «Уралами», но так получилось, что «Уралов» ему не отдали. Ведь Заур не знал, что деньги были заплачены. Когда Бувади услышал, что «Уралов» не будет, он и его люди повыхватывали стволы, но охрана завода оказалась быстрее, и вышло так, что гостям намяли бока и выкинули их вон. Заур не придал значения этой истории; ведь завод пытались взять под крышу все, кому не лень, и каждая вторая попытка начиналась с крика: «Где «Уралы», за которые я заплатил?»

Через месяц после этой истории Заура украли.

Джамал Кемиров вернулся в Бештой и расспрашивал о краже то одного чеченца, то другого, и одному из тех, кого он расспрашивал, отстрелили половину пальцев, а другого и вовсе чуть не убили. Магомед-Расул был очень возмущен таким поведением Джамалудина.

— Мы живем в правовом обществе. — говорил он. — Нашим делом занимаются во всех структурах! Мы подключили к этому даже замглавы ФСБ. А ты ведешь себя, как бандит!

В конце концов Джамалудин дознался, кто украл Заура, и оказалось, что это был Бувади Хангериев. Заур вернулся домой, отощавший, бледный, похудевший на тридцать килограмм, и первое время Магомед-Расул был страшно испуган, что кто-нибудь из них, Заур или Джамалудин, дознались об истории с Бувади, но видимо Бувади убили до того, как он заговорил, а может, это и не имело значения.

Когда Заур стал мэром Бештоя, он купил Магомед-Расулу должность ректора Торбикалинского государственного университета. Из убежденного коммуниста Магомед-Расул стал набожным человеком и каждую пятницу ходил в мечеть. Теперь Магомед-Расул не любил вспоминать, как красный шариатист Кемиров устанавливал советскую власть в Торбикале. Зато почти все свои застольные речи Магомед-Расул начинал так:

— Наш предок Амирхан Кемиров делал намаз на заседаниях Совнаркома.

Магомед-Расул постоянно сетовал на падение уровня образования среди молодежи. Он объяснял это оскудением нравственности, и брал деньги за поступление в университет.

Когда Заура назначили президентом, он поручил Магомед-Расулу «Аварнефтегаз», так как он не мог допустить, чтобы про него говорили, будто он ни во что не ставит родственников. Это считалось неприличным в республике, если человек забывал о родственниках и не помогал им. Магомед-Расул был не очень-то доволен этим назначением, потому что он рассчитывал стать председателем парламента.

* * *

Заур не забыл распорядиться: когда Кирилл проснулся и вышел из гостевого домика, на дорожке, возле длинного бронированного «мерса», улыбались два охранника в камуфляже.

Кирилл узнал в них близнецов Абрека и Шахида. Два года назад эти ребята уже охраняли его. Тогда они были похожи как две капли воды: черноволосые, оливковокожие, с веселыми глазами, бегающими, как грачи, и влажными пухлыми губами над еще не успевшими обрасти подбородками. Они и сейчас были ушко в ушко, ресница в ресницу, но только уже никто не спутал бы Абрека с Шахидом: у Абрека было две руки, а у Шахида после Красного Склона осталась одна.

Впрочем, Шахид управлялся с ней с невиданным проворством, как иной не управляется и с десятью, и Кириллу в дальнейшем не раз приходилось видеть, как Шахид одной рукой держится за руль, переключает коробку скоростей и одновременно ухитряется посылать смс-ки.

Они обнялись, и Кирилл сказал, что он хотел бы съездить в Бештой.

За полтора года город прирос особняками и магазинами. На пустыре за центральным рынком рабочие перекрывали стеклянную крышу супермаркета, но на самом рынке по-прежнему царили толчея и гам. У входа висели черные футболки с портретами Джамалудина. Кирилл вдруг сообразил, что неплохо бы обзавестись местными сим-картами, и Абрек, оскалясь, объяснил, что с сим-картами очень сложно, потому что ввиду террористической угрозы сим-карты по распоряжению ФСБ выдают только в сертифицированных центрах после недельной проверки личности заявителя.

Что же касается Шахида, то он открыл окно машины и что-то крикнул, и через минуту к «мерсу» сбежалось человек пять, которые на выбор предложили Кириллу штук двадцать симок, уже зарегистрированных и оформленных. Кирилл выбрал одну, которая, судя по документам, принадлежала стодевятилетней жительнице высокогорного села Хуш, Патимат Ахмедовне Исмаиловой.

Рынок был как горное ущелье, в которое хлынула вода. Люди то и дело здоровались с Шахидом и Абреком, с любопытством оглядывались на хорошо одетого федерала; Кирилл поколебался и, миновав овощные ряды и диковинную автолавку, на которой красовалось объявление: «любые документы на машину в три дня» прошел в дальний сектор, туда, где когда-то в обширное тело крытого павильона был вделан маленький магазинчик мужской одежды.

Магазинчик оказался на месте; в нем все так же висели вполне достойные пиджаки и пуловеры известных марок, а в женской секции стоял манекен в черной кофте, расшитой стеклярусом, и синем платке.

За прилавком скучала полная чеченка лет пятидесяти. Улыбающееся ее лицо оборотилось было к покупателю, но окаменело, когда она увидела входящих вслед за Кириллом близнецов.

Шахид прислонился к притолоке, звякнув наручниками о косяк, а Кирилл побродил по магазинчику, и, чтобы скрыть смущение, снял с вешалки большой бело-голубой свитер. При виде денег, которые русский достал из кармана, глаза продавщицы чуть оттаяли.

— А здесь хозяйка была, Диана, — внезапно спросил Кирилл. — Она тут?

Лицо продавщицы схлопнулось, словно створки устрицы.

— И мальчик, Алихан. В коляске. Операцию сделали?

Продавщица, отсчитывая сдачу, ошиблась не в свою пользу и сунула свитер в плотный черный пакет.

— Диана сейчас в селе, — внезапно сказал Шахид, когда они садились в машину. — В Старом Тленкое.

Прямо напротив места, где они припарковались, в стеклянной витрине красовались белоснежные платья невест. В Бештое вообще было много магазинов для новобрачных.

— А давай-ка съездим в Тленкой, — сказал Кирилл.

* * *

Вереница машин на въезде в Тленкой была как пробка в час пик. Бронированный «мерс», пыля, обошел их по обочине, и уперся в причину затора. Посереди дороги стоял «москвич» с подвязанным веревочкой багажником, и водитель «москвича» скандалил с федеральным патрулем, обосновавшимся возле пересекавшего ущелье моста.

Патруль хотел обыскать «москвич», а водитель возражал. В патруле было пять солдат внутренних войск и БТР. Водитель был чеченец лет двадцати, худой, высокий и злой, а его пассажир был года на два старше. Если бы чеченцев было только двое, солдаты наверняка обыскали «москвич», но так уж получилось, что вслед за «москвичом» подъехала одна машина, и вторая, и теперь федералы были окружены плотным кольцом недовольных людей.

— В чем дело? — спросил Шахид, вылезая из «мерса», и все люди, как по команде, замолчали и уставились на однорукого горца из личной охраны Кемировых, а при виде Кирилла загомонили еще сильней.

— Да вот... досматривают... праздник, а они туда же! В свое село, как за границу, то открой, это покажи...

Кирилл, вышедший из машины, с сомнением косился себе под ноги. Он видел в жизни многое, но он впервые видел дорожное покрытие из голландского сыра. Во всяком случае, если это был и асфальт, то дыры в нем были как в сыре.

Шахид, стоявший ровно посередине между федералами и чеченцами, пристально рассматривал парня.

— Слушай, — сказал внезапно сказал Шахид, — а в прошлом году во Владике, это не ты Адама отправил в нокаут?

— Я, — сказал чеченец.

— Так у тебя тетка замужем за Рустамом!

Чеченец расплылся в улыбке.

— А к кому едешь?

Чеченец назвал фамилию.

— О! И мы туда же! — обрадовался Шахид и, повернувшись к сержанту, сообщил: — Слышь, пропусти его. У него тетка замужем за Рустамом.

Патрульный был видимо рад любому приказу. БТР послушно отполз с дороги, и пробка стала рассасываться. «Москвич» пополз по мосту из голландского сыра и запетлял по горному селу.

Каменные мостовые переходили в земляные крыши, крыши — в стены, а стены — в крошечные террасы, где за за сеткой-рабицей томилась провисшая под тяжестью урожая хурма. Клочок случайного облака плавал вокруг каменных пальцев скал, и гора по ту сторону ущелья тоже была вся разлинована узкими, в полтора-два метра террасами, с которых за века был выбран каждый камешек. Труд поколений превратил гору в лестницу, по которой деревья поднимались к небу.

Минут через пятнадцать они остановились у каменной стены с резным медальоном над входом. Медальон был украшен арабскими буквами и арабскими цифрами. «Москвич» посигналил, и молодой чеченец, тетка которого была замужем за Рустамом, выбрался из машины. Вышли и Кирилл с Шахидом.

Чеченец стоял, по-кошачьи пригнувшись и держа руки в карманах, и глядел на незваных гостей черными взъерошенными глазами. Попахивало мочой и мусором, под ногами прямо по мостовой шумела вода, вороша обрывки пластикового сора, и Кирилл внезапно понял, что во время дождей эта, нижняя, часть села должна превращаться в гигантский водопад, а дорога — в каменное ложе ручья, в который рушится сверху набирающий силы поток, родившийся из разбившейся о гребень горы тучи. Иные булыжники были выворочены, как ломом, и брошенный дом внизу уже рассыпался грудой серых камней, в которых копошились пестрые куры.

Солнце еще только ползло к зениту, от забора ползла длинная тень, и прямо напротив рассыпавшегося дома, у хлебной лавочки играли в нарды мужчины. При виде подъехавших машин они бросили игру.

Молодой чеченец стоял, не шевелясь, и Кирилл внезапно сообразил, что визит русского коммерсанта в село на Уразу-Байрам будет обсуждаться всеми жителями ближайшие два года. Это будет куда более интересный предмет разговоров, чем если в село заедет БТР и снесет пол-улицы с обитателями. В конце концов, БТРы в селе бывали, а вот русские коммерсанты — вряд ли. Может быть, иногда их привозили сюда в багажнике, но это было совсем не то.

— Ты кто? — спросил чеченец.

Кирилл подумал и протянул ему визитную карточку. На карточке было написано:

Cyril V. Vodrov
Bergstrome East Europe
Managing director

— Ты что, английский шпион? — спросил чеченец.

В эту минуту дверь в каменной стене отворилась, и в ней показалась девушка в черном платье и черном платке. Она замерла, увидев тяжелый «мерс» и автоматчиков.

— Диана, — сказал Кирилл, — я Водров. Кирилл Водров. Помните, Ташов когда-то... меня возил. Я... как ваш брат? Ему сделали операцию?

Черная женская фигурка стояла перед ним, освещенная полуденным солнцем, и она была в точности такая, как помнил ее Кирилл: белая, словно светящаяся изнутри кожа, и черные провалы огромных глаз. На фотографии никто бы не мог назвать это лицо особенно красивым. Оно было круглым и очень белым, с крупными правильными чертами и чуть пухловатым подбородком, типичным для чеченки, и посередине лба уже легла крошечная морщинка, удивительно ранняя для двадцатилетней девушки. Даже и нельзя его было назвать живым, Диана почти не улыбалась и не поднимала глаз на мужчин. И все же оно притягивало, как магнит. Кирилл видел такое на Камчатке: кипящий гейзер, покрытый ровной пленкой льда.

Диана стояла и смотрела очень ровно, на худощавого сорокалетнего федерала в пиджаке и галстуке, и на стоящих за ним личных друзей Джамалудина, с пистолетами на витых телефонных шнурах и блестящими кольцами наручников, подвешенных к поясу. По ее лицу ничего нельзя было прочесть, как по строгой папке с казенным номером нельзя угадать содержания.

— Здравствуйте, Кирилл Владимирович, — сказала девушка ровным, чуть тихим голосом, — мой брат ходит, слава Аллаху. Заходите.

* * *

Дом, в котором жила Диана, был хорош и слишком велик для такой небольшой семьи: двухэтажный каменный сундук с широким крыльцом и надписью «1998» под массивной стрехой. Чувствовалось, что он был построен в то время, когда этот род был куда больше, и когда на крыше этого дома пели азан, призывая бойцов к молитве, а в подвале сидели пленники, на деньги с которых кормили бойцов.

Второй дом на участке оброс сарайками, туалетом и курятником, и было видно, что в нем уже никто не жил. Во дворе играли пять или шесть ребятишек, и когда они увидели Кирилла, они сразу сбились в кучу и замолчали.

В доме, в маленькой гостиной, где над телевизором висела красивая черно-золотая картинка с изображением Каабы, был накрыт стол для гостей, и Кирилл сел за стол со своими охранниками, а молодые чеченцы сели напротив.

Дети тоже зашли в дом. Они остановились у порога и стали глядеть на Кирилла, любопытно и зло, как хорьки, в норку которых заплыла камбала, а потом один из мальчиков, лет десяти, подошел к Шахиду, засмеялся и что-то сказал. Шахид тоже засмеялся, поднял единственную руку, и они шлепнули ладошками друг о друга, и когда они это сделали, Кирилл увидел, что у мальчика тоже нет одной руки. Вместо нее был короткий обрубок чуть ниже локтя. Два горца засмеялись снова, и снова хлопнули в ладоши.

— Что он сказал? — спросил Кирилл у молодого чеченца.

— Он сказал, — ответил чеченец, — что иметь одну руку очень хорошо. Что на человека с одной рукой никогда не наденут наручники.

Мальчик посмотрел на Кирилла лукаво и расхохотался.

Вскоре молодые чеченцы и аварцы необычайно развеселились. Они обсуждали тетку, которая была замужем за Рустамом, чемпионат мира по вольной борьбе и козни спецслужб США, азартно вскрикивали и хохотали. Кирилл не хохотал, потому что не был специалистом ни в одном из вопросов.

Гости уходили и приходили; некоторые смотрели на Кирилла с нескрываемым любопытством, как зимой на вьюжной московской улице прохожие посмотрят на папуаса, отплясывающего по Тверской в набедренной повязке и с ожерельем из раковин, и Кирилл понял, что слух о его приезде прошел по селу, и всяк живущий в нем человек торопится посмотреть на диковину в галстуке. Диана появлялась на несколько секунд, чтобы поставить на стол жижиг-галныш или свежий дымящийся чай.

Мальчики бросили дичиться и обступили Кирилла, как невиданную игрушку. Тот, который был без руки, оказался Хас-Магомед, а второй, помладше, был Саид-Эмин. Они жили вместе с Дианой, потому что их прабабка Айсет была сестрой бабке Дианы, и между ними и Дианой в роду не осталось никого. Айсет тоже жила в доме, но последнее время редко вставала.

— А что случилось с соседним домом? — спросил Кирилл.

Мальчики не очень хорошо понимали по-русски, и Кирилл повторил вопрос еще раз, медленно, старательно выговаривая вдруг ставшие чужими звуки родной речи.

— Их отселили, — проговорил за спиной Кирилла звонкий твердый голос.

Кирилл обернулся.

Он не видел Алихана полтора года, с тех пор, как тот сидел в инвалидном кресле в маленьком магазинчике, вечно склоненный над каким-нибудь учебником, и с тех пор мальчик встал на ноги, но, казалось, нисколько не вырос и не окреп. Лицо его было полупрозрачным, как акварель, свитер висел, как на швабре, и только глаза его, черные и круглые, как донышко закопченного патрона, занимали поллица и рассматривали Кирилла в упор.

— Их отселили, — повторил Алихан.

— Как отселили?

— Очень просто. Собрался сход и постановил, что они вахи и пусть убираются из села.

Алихан вскинул голову и добавил:

— Если бы их не отселили, за ними бы пришли люди Джамала. Никому не нравится, когда в село приходят люди Джамала.

Шахид, игравший с Хас-Магомедом, резко обернулся, и глаза его опасно сузились. По счастью, в этот момент вошла новая порция гостей. Один из них, подросток лет семнадцати, тащил потрепанный ноутбук. Мальчик быстро заговорил по-чеченски, то и дело косясь на русского, и Кирилл сначала удивился, что в чеченской речи так много английских слов, а потом догадался и спросил:

– Алихан, ты чинишь компьютеры?

– Он все чинит, – ответил с гордостью один из стариков, – компьютер чинит, телевизор чинит, космический корабль дай, тоже починит. Эй, Алихан, покажи человеку, как ты умеешь чинить.

Алихан взял ноутбук, повернулся и пошел наверх, и Кирилл пошел за ним.

В комнате Алихана все было бедно, но чисто. На столе стоял очень старый компьютер, с крошечным экраном, и из раскрытой консоли висела лапша проводов, разъемов и плат. Стены были оклеены портретами. Не все портреты были знакомы Кириллу, но те, что были знакомы, не вызывали у него особенного восторга.

Гнетущая атмосфера комнаты давила на Кирилла. Он никогда не испытывал ничего подобного с Джамалудином или Зауром. Он мог негодовать на Джамала, ужасаться ему, бояться, наконец, – но он никогда не чувствовал себя виноватым перед Джамалом. Оптом, в кредит. Русские не ссылали родителей Джамалудина. Они не загоняли их в теплушки, как скот, они не сносили их села, не расстреливали их женщин и не убивали мужчин, – и сам Джамал никогда не резал русских ушей.

Здесь, в каменном доме, построенном на деньги, уплаченные за смерть его соплеменников, Кирилл опустил глаза, как будто даже вещи кричали ему «кяфир», – и когда он их поднял, он встретился с совершенно неподвижным взглядом Алихана. В выражении этих глаз не ошибся бы самый тупой городовой. Если Кирилл задыхался от чувства вины, то Алихан задыхался от ненависти.

Потом Алихан молча отвернулся и включил компьютер. Левая ладошка мальчика была замотана каким-то несвежим бинтом. Клавиши под быстрыми пальцами щелкали, как метроном.

Кирилл подошел к окну и выглянул наружу. По ту сторону ущелья горы стояли вертикально, как ракеты на стартовом столе.

— Это правда, что ты был там? — вдруг спросил Алихан, — на Красном склоне?

— Да.

— И как это было — в бою?

— Жутко, — честно признался Кирилл. — Мне было так страшно, что я не понимал, это сон или нет. Я ведь был в бою первый раз. И как-то больше не собираюсь.

Черные глаза мальчика отражались в экране с надписью System failure.

— А что у тебя с рукой? — спросил Кирилл.

— Так. Одна история в Сети.

— Какая история?

— История про воина по имени Муций Сцевола. К его городу подступили враги, и они должны были убить всех мужчин и женщин. И тогда он вышел к ним и положил на жаровню с углями свою руку, в доказательство мужества. И враги, окружившие город, изумились такому духу и отступили. Только он не чеченец был, этот Муций, а римлянин.

— И при чем тут твоя рука?

— Что я, хуже какого-то римлянина?

«Вот тебе и плоды образования». Что этот мальчик еще вычитает в мировой истории? Как монголы вырезали осажденные города? Как Гитлер топил печки евреями?

— Я решил, что когда меня возьмут русские, — сказал мальчик, — я не буду дожидаться пыток, как овца. Я сам суну руку в жаровню, чтобы они видели, что такое дух.

«А тебя уже есть, за что брать?»

— Тебе не нравятся мои слова?

Кирилл помолчал. Алихан выключил компьютер, и ловкие пальцы мальчика потрошили его, как кухарка рыбу.

— Видишь ли, Алихан, — сказал Кирилл, — здесь в этой комнате много портретов людей. Наверное это были храбрые люди. Но они почти все мертвы, и перед смертью они принесли много зла невиновным людям, и в общем-то не сделали ничего хорошего своему народу.

– Они воины, – презрительно сказал Алихан.

На старой тахте лежал вчетверо сложенный молитвенный коврик, и Кирилл вдруг подумал, что мальчику, с его позвоночником, особенно трудно пять раз в день вставать на колени и кланяться. Кирилл не любил кланяться никому. Ни людям, ни богу.

Кирилл присел на ручку тахты, стараясь не задеть ни коврика, ни разложенного повсюду радиотехнического барахла.

– Знаешь, – сказал Кирилл, – однажды на свете было государство, которое очень любило воевать. Оно называлось Советский Союз, и на его гербе был изображен весь земной шар, в знак того, что борьба СССР против буржуев окончится только тогда, когда последняя Советская Социалистическая Парагвайская республика войдет в лоно СССР. Чтобы воевать, это государство построило огромные заводы, которые производили танки и самолеты, и другие заводы, которые производили сталь, из которой делали танки и самолеты. Чтобы было кому водить танки, это государство согнало людей в колхозы, потому что тракторист – это тот же танкист, а тех, кто не хотел идти в колхозы – убило. Это государство так хотело воевать, что оно убило десятки миллионов, только чтобы те, кто остался в живых, знали, что жизнь их ничего не стоит, и все равно, где ее истратить – в лагере или на войне. Это государство уничтожило русских крестьян, оно уничтожило русскую интеллигенцию и русское дворянство, некоторых оно уничтожало сословиями, как крестьян, а некоторых – целыми народами, как чеченцев. И вот, даже к концу жизни этого государства девяносто процентов его промышленности работало на войну, и те заводы, которые не производили танки или сталь для танков, а делали, например, макароны, даже макароны штамповали калибра 7,62 мм, чтобы во время войны штамповать гильзы.

Но самое удивительное то, что хотя это государство называло всех, кто вокруг, своими врагами, те, другие государства – они не особенно с ним враждовали. Конечно, их политики понимали, что война может быть, и генералы их составляли оперативные планы, но в общем-то окружающий мир не зацикливался на этом. Он жил, рожал, любил, созидал, и продавал СССР военную технику и военные заводы и даже, как ни странно, половину сталинских заводов спроектировал именно он.

В начале всей этой речи Водрова Алихан разбирался с компьютером. Он подсоединил материнскую плату к какому-то стенду, протестировал ее и вставил обратно, и теперь пальцы его танцевали по клавиатуре, и в такт им по черному дисплею ползли белые строчки. Потом строчки исчезли, чечененок сидел молча, посверкивая глазенками, и по позе его было ясно, что он-то на месте Запада не продал Сталину ничего, кроме веревки, чтобы повеситься.

— Даже когда советские НИИ прогнили, а села — обезлюдели, Запад продавал нам зерно и покупал у нас нефть, а мы в это время рассказывали, как мы сейчас свернем шею империализму и какие у нас передовые технологии. И вот, когда прошло целых семьдесят лет, пришел человек по имени Рональд Рейган, и сказал: «как — эти люди говорят, что мы им враги»? «Как — эти люди называют свои технологии — наилучшими, а сами покупают наши машины на деньги, вырученные от продажи сырья?» И Рональд Рейган увеличил расходы Америки на вооружение, и Советский Союз сразу не смог угнаться за ней, потому что Советский Союз к этому времени тратил на вооружение девяносто процентов доходов и не мог тратить сто восемьдесят. Рейган снизил цену на нефть, и нам не на что стало покупать зерно. Если бы Советский Союз был всем тем, чем он называл себя, он бы даже не заметил этих мер, но Советский Союз был тем, чем он являлся, и он рухнул. Так получилось, что государство, которое хотело воевать, и семьдесят лет готовилось к войне, и только и говорило о том, как оно одолеет врагов, исчезло с карты мира, а другое государство, которое любило, строило, изобретало, — одержало над ним победу, даже не применяя оружия.

Алихан щелкнул клавишей, и экран налился нежно-голубым светом. Начал грузиться Windows.

— Если ты хочешь победить Россию, — сказал Кирилл, — ты этого добьешься не тогда, когда взорвешь мента в «газике». Ты этого добьешься тогда, когда на этой машинке вместо слов hewlett packard будет написано — «сделано в Ачхой-Мартане».

Повернулся и вышел.

* * *

Кирилл Водров ушел вниз, и Алихан смотрел из окна, как кяфир топчется по двору, оглядываясь в поисках сортира. После этого Алихан спустился в гараж. Там уже хлопотали два молодых чеченца, те самые, которые отказались дать осмотреть багажник своего «москвича». У Алихана гараж был при доме, а сортир — во дворе, как и полагается на Кавказе.

Они разгрузили багажник и ушли во двор, а Алихан, вместо того, чтобы подняться наверх, залез в раскрытый створ багажника и захлопнул его за собой. «Москвич» был такой старый, что кузов поела ржа, и сквозь некоторые дырки можно было смотреть. Алихан приставил глаз к одной из дырок, но в гараже было слишком темно.

Вскоре водитель вернулся и вывел «москвич» из гаража, но далеко он не уехал: выезд загораживал черный «мерс» кяфира. Водители посовещались и пошли в дом, не желая привлекать к себе внимание. Алихан сидел тихо, как мышь.

Через полчаса послышались шаги, и Алихан увидел, что Диана вышла во двор, и кяфир идет за ней, как селезень за уточкой, и что-то воркует. Лицо мальчика вспыхнуло, и тонкие руки сжались в кулаки.

В этот момент Диана остановилась подле машины, и Алихан услышал, как кяфир спросил:

— А что с Алиханом? Он выглядит нездоровым.

— Врачи говорят, это из-за позвоночника, — сказала Диана.

— Какие в Бештое врачи? Хотите, я договорюсь об обследовании в Москве?

Сестра сказала «да», и кяфир сел в броневик и уехал.

Вскоре тронулся и «москвич». Машину немилосердно трясло, в багажнике мерзко пахло, и от едкой мути Алихан расчихался. По счастью, за мотором это было не слышно. Пару раз «москвич» останавливали на блокпостах, но багажник не открывали. Это было бы очень глупо, если б на блокпосте открыли багажник. Алихан знал случай, когда на блокпосте однажды остановили ворованный джип, а в багажнике джипа лежал человек. Менты заметили, что номера перебиты, и затащили машину к себе. Но люди, которые ехали в джипе, вызвали подмогу, и та сумела потихоньку переложить человека из одного багажника в другой, а за угон эти люди потом откупились. Это была не совсем та история, которая угрожала Алихану, но это была забавная история.

В общем, «москвич» ехал часов пять, то в одно село, то в другое, и уже глубокой ночью они заехали в чей-то гараж, и Алихан услышал, как хлопнула дверца машины, и над багажником заговорили возбужденные голоса.

Голоса были не те, что нужны Алихану, и он лежал себе тихо, свернувшись за пустой дерюжкой, когда водительская дверца снова хлопнула, и четкий голос произнес:

— Поехали.

И тут нехороший запах снова достал Алихана, и мальчик чихнул.

В гараже мгновенно воцарилась ледяная тишина, что-то звякнуло, клацнуло, а потом чей-то голос крикнул:

— Нет! — и крышка багажника над Алиханом распахнулась.

— Вылезай, — коротко приказали по-русски.

Алихан осторожно высунул голову из багажника и увидел, что слева от машины стоят три человека, и автоматы в их руках направлены на багажник. В ту секунду, как он показал голову, сильная рука ухватила его за ворот и поставила на пол рядом с машиной, а один из автоматчиков, самый молодой, немногим старше Алихана, выругался и спросил:

— Ты что здесь делаешь?

Алихан сел на землю (это пришлось сделать, потому что ноги у него затекли и были никуда не годны), и сказал:

— Я хочу говорить с Булавди.

Автоматчики переглянулись, а молодой чеченец, бывший за рулем машины, пожал плечами и недовольно сказал:

— Какой-такой Булавди? Езжай домой, Алихан, твои сестра и бабушка, наверное, уже места себе не находят.

Алихан не двинулся с места, и водитель снова протянул руку, чтобы затащить его в машину, но в эту минуту в гараже хлопнуло, и поперек желтушного пятна от лампочки легла изломанная тень.

— Это кто хочет со мной говорить?

Алихан обернулся. На цементном приступке, ведущем из гаража, стоял Булавди Хаджиев.

* * *

Булавди Хаджиев тоже был среди людей, висевших на стене в комнате Алихана. Он висел справа от своего дяди Арзо. Там Булавди был высокий молодой красавец, с точеными чертами смуглого лица, с черными, чуть рыжеватыми кудрями, кровь с молоком и Орден Славы на молодецкой груди (Орден Алихан старательно свел фотошопом).

За два с половиной года, прошедших после Красного Склона, Булавди решительно изменился. Волос поубавилось, борода, наоборот, отросла. Щеки впали. Лицо из смуглого стало желтым, лимонным, видимо выдавая тяжелую болезнь, тело — худым, и черная куртка — обтрепанной. Глаза глядели, как рысь из капкана. Он ничем не напоминал тех боевиков середины 90-х, упитанных, рослых, завидных женихов, к которым сбегалась половина села, когда они спускались с гор передохнуть; это был загнанный зверь, не доверяющий никому в республике, напичканной предателями и агентами. Он выживал, несмотря на охоту, объявленную на него Джамалудином, но выживать было все трудней.

— Это кто? — спросил Булавди.

— Это Алихан, сын Исы, брата Мовсара, — ответил один из чеченцев.

Но Булавди уже и сам видел, что это Алихан. Тленкой был родным селом Булавди, и Булавди помнил мальчика еще семь лет назад, когда Мовсар справлял свадьбу. И, конечно, Булавди очень хорошо знал историю Дианы и Ташова по прозвищу Кинг-Конг. Ее знали все в Тленкое, но Булавди был один из немногих, кто знал настоящую причину разрыва.

Булавди молча повернулся, и Алихан кое-как вскарабкался на ноги и пошел за ним.

Они оказались на втором этаже какого-то дома. На клеенчатом столе дулом к окну лежал автомат, и через раскрытую дверь было слышно, как в неисправном бачке течет вода. Алихан чувствовал себя не очень хорошо и пропустил вечерний намаз. Смущаясь, он объяснил это Хаджиеву, и тот молча ждал, пока мальчик привел себя в порядок и сделает все, что нужно.

Когда мальчик сложил коврик и обернулся, Булавди сидел у окна, поглаживая бороду, и перед ним дымилась большая щербатая кружка с чаем. Другая такая же кружка стояла напротив.

— Это плохо, что ты меня нашел, — сказал Булавди, — чего ты хочешь?

— Воевать в твоем отряде.

Глаза Булавди обежали заморыша. Ему было столько же, сколько Алихану, когда он ушел на войну, но это была другая война. У Алихана был дом, была сестра, и даже было дело (Булавди слыхал, что сын Исы горазд мастерить электронные штучки), а когда Булавди уходил на войну, у него уже не было ни сестры, ни дома. Булавди не уходил на войну. Это война пришла к нему.

— Нет, — сказал Булавди.

— Я хочу стать шахидом.

— Почему?

Алихан заколебался. Он видел, что Булавди не хочет его брать; видимо, считает слишком слабым. Он действительно худ и слаб, но он разбирается в электронике лучше, чем кто-нибудь в отряде Булавди, а электроника — это такая вещь, что иногда одна электронная схема стоит больше, чем десять фугасов. И Алихан выдал последнюю свою, отчаянно скрываемую тайну.

— Я болен, — сказал Алихан, — я скоро умру. Я не хочу умереть в постели.

Черные глаза Булавди были как глаза затравленного волка. Внизу что-то хрустнуло, и он мгновенно схватился за автомат. Потом пальцы его разжались, он улыбнулся и сказал:

— Послушай, Алихан, сейчас не время для славы. Это время было вчера, и может быть, будет завтра, но сейчас его нет. Никто ничего не выгадает, если тебя разнесут на куски в окруженном доме, и даже если ты застрелишь какого-нибудь патрульного, толку не будет. Никто не заметит ни твою смерть, ни его. Мы попытались справиться с русскими силой и проиграли. Я слыхал, ты разбираешься в технике. Если ты поступишь в институт, ты сделаешь больше, чем в лесу с автоматом. А если ты болен, сходи к врачу.

Помолчал и добавил:

— Оружие — оно как масло. Взять легко, а руки отмыть потом трудно.

— Ты говоришь совсем как русский, — сказал Алихан.

— Какой русский? — быстро спросил Булавди.

Алихан прикусил язык. Он почему-то не хотел упоминать о приезде кяфира. Но, с другой стороны, это было глупо. Наверняка этот визит будут обсуждать еще два года.

— К нам приезжал Кирилл Водров, — сказал Алихан. — Тот самый. Он теперь какой-то нефтяник. Говорят, они будут строить вышки в море.

Лицо Булавди, гладкое выше темени и обросшее волосами ниже губ, чуть напряглось. Это меняло дело. Кирилла Водрова, если он скачет по горным селам, как последний дурак, можно было украсть, и это принесло бы пять или десять миллионов долларов. Булавди Хаджиеву были нужны деньги. Воевать с деньгами — лучше, чем без.

— Возвращайся домой, — сказал Булавди, — и смотри, когда снова приедет Водров. Заведи себе отдельную сим-карту, и позвони вот на этот телефон.

Телефон, который Булавди дал Алихану, конечно, не был телефоном самого Булавди. Булавди давно не пользовался телефонами. Это было то же самое, что носить на себе маячок. Было очень много глупцов, которые это не понимали. Они думали, что если они будут менять сим-карты и телефоны, то смогут обмануть федералов. Булавди был в бешенстве, когда узнал, что один из его ближайших помощников, Шамсаил, использовал при покушении на Хагена сим-карту, и не выбросил ее, а хранил два месяца, а потом использовал снова и попался. Глупость не имеет границ.

Булавди записывал все свои приказы на камеру и так рассылал. Встречи он назначал только через связных. Он никогда не спал на одном месте и жены своей не видел два года, — много людей ловились через жен, не меньше, чем через сим-карты.

Все это помогло Булавди выжить целых два года, хотя выжить против Джамалудина было все труднее.

— Возвращайся домой, — приказал Булавди.

Телефон, который он дал Алихану, принадлежал молодому аварцу, который занял в подполье место убитого Шамсаила. Звали этого аварца Шамиль, а фамилия его была Салимханов.

* * *

Когда Алихан ушел, Булавди спустился вниз, в гараж, где ждали двое. Они поговорили о том, о сем, а потом один из этих двоих сказал:

— Зачем ты прогнал мальчишку, Булавди? Люди к тебе приходят, а ты гонишь их прочь.

Глаза Булавди слегка сузились.

— А ты бы заманил его в лес? — ответил Булавди, — ты где зимовал прошлой зимой, в яме? Откопал дырку, затарился макаронами и срал в углу? Нос боялся наружу высунуть, чтобы Джамал следы не увидел? С тобой сколько молодых было? Пять? Один умер, другого ты сам пристрелил, потому что он к маме просился?

— Мы стоим на пути Аллаха, Булавди. Даже мать не вправе отказать сыну в том, чтоб тот встал на путь Аллаха.

— Когда ко мне приходит придурок, который расстрелял трех человек за сто долларов, и говорит: «Меня мусора ищут, я хочу встать на джихад», — это, что ли, путь Аллаха? А, Шамиль? Когда к нам уходит верующий, а его убивают, и дети его остаются без отца, а жена его снимает платок и едет в Москву проституткой, — это, что ли, укрепление ислама? Когда ты тащишь детей в лес, а там для них ни оружия, ни еды, ты что, укрепляешь ислам? Ты лучших изводишь по корень!

Булавди бешено оттолкнул собеседника, сел в машину и уехал.

ГЛАВА ТРЕТЬЯ

Личное дело Хагена

Сразу после Уразы-Байрама Заур Кемиров вызвал к себе главу Чирагского района и объяснил ему, что тот ушел в отставку по собственному желанию. Нельзя сказать, чтобы этот глава был особенно плохой человек, но ему было семьдесят семь лет, пятьдесят из которых он состоял в компартии, и он до сих пор на совешаниях в Доме на Холме обращался к Зауру Кемирову: «Товарищ секретарь!» вместо «Господин президент!»

Заур Кемиров решил, что руководить районом, где строят химзавод, должен другой человек. Заур боялся, что сэр Мартин Мэтьюз не поймет, если к нему обратятся со словами: «Товарищ секретарь!»

В общем, глава района ушел в отставку по собственному желанию, и Чирагский район остался без главы. И вот через пару дней после отставки главы района к Зауру Кемирову приехал Сапарчи Телаев. Он владел в районе заводиком по розливу воды и двенадцатью депутатами.

— Заур Ахмедович, — сказал Сапарчи, — вы знаете, как я предан вам. У меня есть единственная цель в жизни — помогать вам в нелегком деле подъема республики. Чирагский район сейчас без главы. Я подумал, давайте поставим там начальником Ахмеда, и он будет верно вам служить.

— Нет, — ответил Заур.

— Но почему?!

— Потому что Ахмед — муж твоей племянницы, — ответил президент республики, — и служить он будет тебе. Я поставлю в районе своего человека.

Сапарчи ушел очень обескураженный. А Заур и Джамалудин позвали начальника республиканского ОМОНа Ташова Алибаева и попросили его съездить в район и помочь там выбраться дальнему родственнику Кемировых по имени Гимбат.

Тут надо сказать, что главу района выбирал не народ, а районное собрание, в котором было двадцать семь депутатов. И вот в день, когда у депутатов было назначено заседание, Ташов взял Гимбата и двадцать человек из ОМОНа и поехал в район.

ОМОН он оставил у входа в здание, а сам поднялся с Гимбатом в зал заседаний и предложил избрать Гимбата главой района. Но вопреки ожиданиям Ташова, депутаты начали волноваться и кричать, что они не хотят Гимбата, и что это произвол и нарушение демократии.

Ташов очень удивился, когда услышал, что он нарушает демократию. Он взял одного из депутатов, который больше всех шумел, и отвел в соседнюю комнату. Там он встряхнул депутата и несколько раз потер его о стену, а когда депутат свалился мешком, Ташов соскреб его с пола и спросил:

— Почему ты говоришь, что я нарушаю демократию? И почему не голосуешь за Гимбата?

Депутат захныкал и сказал:

— Нам не велел Сапарчи. Он заплатил каждому по десять тысяч долларов, чтобы мы проголосовали за Ахмеда.

Тут Ташов понял, что дело плохо. Он велел своим омоновцам подняться в зал, и они взяли депутатов, свели вниз и рассадили по джипам. После этого джипы поехали в горы. Недалеко от границы с Чечней депутатов вытащили из машин и составили в рядок на полянке со сложенными на затылок руками, а омоновцы в масках стали полукругом, наставив на депутатов автоматы.

После этого Ташов снова попросил депутатов проголосовать за Гимбата, и те на этот раз проголосовали без всякой демократии. Они проголосовали совершенно единогласно, несмотря на то, что руки их были сложены на затылках.

Сапарчи, когда узнал об этом случае, был совершенно взбешен, потому что он раздал больше двухсот тысяч, и получилось, что деньги эти пропали.

* * *

Следующим был глава Алагайского района. Звали его Мухтар. Этот человек пробавлялся мелкими взятками и ходил без охраны. Бывали случаи, что он не брезговал решать вопрос за курицу или индюшку.

Мухтар очень не хотел писать заявление об отставке и долго прятался от Ташова. В конце концов его поймали где-то в ресторане. Ташов так разозлился, что нацепил на Мухтара взрывчатку и сказал, что нажмет кнопку, если тот не уйдет в отставку. Мухтар рассудил, что если кнопку нажмут, он все равно перестанет быть главой района, и подписал заявление. После этого Ташов смягчился и выдал ему сто тысяч долларов.

На следующий день, когда глава района сидел дома, к нему зашли вооруженные люди, посадили его в машину и отвезли к Сапарчи Телаеву, который в свое время оплатил Мухтару выборы.

— Как ты смел подать в отставку? — спросил Сапарчи.

Глава района оробел и сказал:

— Они принудили меня силой! Они надели на меня пояс шахида!

Сапарчи понравилась эта идея, и он приказал своим людям взять взрывчатку и нацепить ее на главу района. После этого включили телекамеру, и глава района под запись рассказал о том, как начальник ОМОНа Ташов Алибаев надел на него пояс шахида и заставил уйти в отставку.

Когда Ташов увидел эту запись, он очень рассердился. Они вместе с Хагеном поехали в район, но когда они подъехали к селу, они увидели, что на улице, ведущей к дому главы, стоят люди Сапарчи. Они были вооружены не хуже омоновцев, разве что без наручников на поясе.

Омоновцы высыпались из машин и взяли на мушку людей Сапарчи, а Ташов подошел к их главному и сказал:

— Отвали, или будешь стоять раком.

Люди Сапарчи не захотели стоять раком и расступились, но когда Ташов зашел в дом главы администрации, его там уже не было. Оказывается, за то время, пока ОМОН препирался с охраной «Авартрансфлота», глава администрации успел удрать.

— Как ты думаешь, — спросил Ташов Хагена, — куда он мог побежать?

— Думаю, что он поехал к своему брату, который живет в Ахмадкале, — ответил Хаген, — во всяком случае, это место следует проверить прежде всякого другого.

Тут надо сказать, что брат главы администрации в Ахмадкале жил не в личном доме, а в пятиэтажке. В Ахмадкале было несколько пятиэтажек, которых выстроили, когда в этом месте был какой-то секретный институт. В этот институт тогда завезли русских и немцев, и про него местные жители ничего не знали, кроме того, что в институте пьют молоко и выращивают грибы.

В общем, в начале перестройки институт опустел, а ученые из пятиэтажек куда-то разбежались. Трудно было понять, почему они не хотят жить в таком прекрасном месте, где каждое утро из окон можно было видеть красное солнце, восходящее над снежными верхушками гор, и зеленые сады на горных террасах, но так или иначе, ученые убежали, как тараканы из банки, в которой подняли крышку, а взяли ли они с собой свои грибы или нет, история умалчивает. Известно было только, что они перестали пить молоко.

А в пятиэтажки заселился местный народ.

Вот к этим-то пятиэтажкам, торчащим, как шиш на краю ущелья, и подъехали Ташов с Хагеном. Хаген расставил своих людей под окнами, а Ташов взял четырех человек и поднялся на второй этаж.

Было уже довольно поздно, пятиэтажка спала. Далеко-далеко над острыми скалами светила луна, и развалины института внизу были как лес из перекрученных балок.

Четверо с Ташовом были с оружием и в масках, что же до самого Ташова, то он был человек мирный и оружия не любил. Но когда он увидел, что перед пятиэтажкой лежит целая куча бетонных балок, центнера по два каждая, то он взял одну из этих балок под мышку и пошел с ней наверх.

Ташов поднялся на второй этаж и увидел, что на этаже всего две двери. Направо была старая, деревянная, а налево стальная, свежая. Люди Ташова передернули затворы, а глава ОМОНа размахнулся и саданул бетонной балкой по стальной двери.

В это самое время хозяйка квартиры накрывала на крошечной кухоньке стол, и она так громко стучала ножом, шинкуя капусту, что она не услышала ни шин за окном, ни ботинок по лестнице.

В гостиной смотрели телевизор; тот очень громко рассказывал об итальянской мафии.

Когда Ташов ударил по двери, дверь сорвало с петель и внесло на два метра вглубь квартиры, а за ней влетел и Ташов. И так как квартира была совершенно крошечная, то Ташов, со своей балкой, пролетел через прихожую, зацепился немножко за притолоку и влетел прямо в гостиную.

А балка вперлась в телевизор.

Телевизор взорвался и умер, а вместе с телевизором в квартире умер свет. Хозяйка на кухне отчаянно завизжала и, как была, с ножом, бросилась в гостиную.

Ташов бросил балку, и она упала на тапочек одному из людей в гостиной. В балке было двести килограмм, но человек заорал так, как будто в ней было все четыреста. Когда человек закричал, омоновцы тут же поняли, где он стоит, подскочили к нему и заломили ему руки, а Ташов повернулся к другому человеку, который сидел в кресле, взял его с креслом в охапку и выкинул в окошко, где ждали люди Хагена.

Бойцы между тем потащили к выходу второго человека, но мы уже упоминали, что этого второго немножко придавило балкой, и бойцы никак не могли вытащить его из-под балки. Человек орал, как баран под топором, а бойцам в темноте казалось, что он за что-то держится, и бойцы лущили его по ребрам, а тот орал еще больше.

Наконец они выдернули человека из-под балки и потащили к выходу, но в эту секунду хозяйка, бывшая на кухне, наконец добежала до комнаты, как была, с ножом в руке, и вцепилась в первого, кто попался ей на пути. Вообще-то она думала, что вцепляется в мужа, но она тоже спутала в темноте, и вцепилась в одного из нападающих.

— Не отдам! — орала она, — не отдам!

Боец понял, что на него напала женщина, и так как он не хотел делать ей зла, он выбил нож из ее руки, и она упала поперек прохода. Тут же она снова вскочила, и, поняв свою ошибку, вцепилась в мужа.

— Куда вы его тащите? — орала она.

Тут Ташов решил удостовериться, что они не сделали ошибки.

— Это Мухтар? — спросил Ташов.

— Какой Мухтар? — заорала баба, — нет тут никакого Мухтара!

— Это не Мухтар, — сказал один из омоновцев, — наверное, Мухтара ты выкинул из окошка.

Ташов понял, что дело сделано, и уже решил уходить, но в это время снизу донесся крик Хагена.

— Эй, это кого вы выкинули? Это не Мухтар.

Тут Ташов решил, что женщина его обманывает.

— Как же ты говоришь, что не Мухтар, когда это Мухтар? — спросил он. И распорядился: — Тащите!

— Никуда он без меня не пойдет, — заявила баба.

— Тогда тащите их вместе, — приказал Ташов.

Но сделать это оказалось сложнее, чем сказать. Баба намертво вцепилась в своего мужика, и в темноте омоновцы не могли разобрать, где у них ноги, где руки. В конце концов Ташов схватил хозяйку правой рукой, а хозяина левой, и так и понес их к выходу. Надо сказать, что хозяин и хозяйка вместе весили куда больше, чем бетонная балка, потому что в хозяйке только одной было сто семьдесят килограмм, а хозяин был чуть-чуть дородней, но Ташов дотащил их обоих до «лексуса» и велел хозяину:

— Лезь в багажник.

Тот хотел было лезть в багажник, но его жена вцепилась в него, как клещ, и заорала:

— Куда без меня! Никуда я тебя не пущу!

— Тогда лезьте оба! — заорал возмущенный Ташов, и бог его знает, что было бы дальше, если б в этот момент к джипу не подошел Хаген.

— Эй, — сказал Хаген, — где же глава? Это не глава.

— Нет у нас никакого главы! — заорала женщина снова, — и не надо нам этого главы, лопни глаза, брат его нам квартиру каждый день заливает!

— Да вон же глава, — сказал в этот момент один из бойцов, и все, действительно, повернулись и увидели главу Алагайской администрации. Привлеченный криком и шумом в квартире под ним, он спускался по пожарной лестнице, шедшей по торцу пятиэтажки.

Увидев, что его заметили, глава тоненько завизжал и полез наверх, но разьяренный Ташов подскочил к лестнице и выдрал ее из кирпичей вместе с ржавыми штырями и главой, и тот свалился с лестницы прямо в лапы Хагена.

Ташов и Хаген извинились перед хозяйкой квартиры за причиненное беспокойство, кинули главу администрации в багажник и уехали. Хорошо, что они вовремя разобрались, кто глава, а кто нет, потому что хозяйка квартиры вместе с хозяином в багажник бы точно не влезли.

* * *

Ташов и Хаген проехали все село и углубились в горы километров на десять. В конце концов они остановились на плотине около небольшого водохранилища. Была уже поздняя ночь; луна светила, как фара проносящегося по небу мотоцикла, и вода внизу плотины была гладкой, как стойка бара. Сверху темно-бирюзовой воды поднимались горы, похожие на зубы акулы, и такие же горы отражались в полированной глади водохранилища.

Главу администрации вынули из багажника и снова надели на него пояс шахида, а Ташов дал ему легонько леща и сказал:

— Послушай, что ты за человек? Ты что, не можешь стоять прямо, что все время вертишься, как флюгер? Разве ты не снялся по собственному желанию? Разве тебе кто-то приказывал снять канидадатуру?

— Мне никто не приказывал! — горячо воскликнул глава.

— Ну так так и скажи.

К этому времени глава администрации так привык выступать в поясе смертника, как будто родился шахидом. Он говорил в камеру бойко и без запинки, и он честно рассказал, как Сапарчи похитил его и надел на него пояс шахида, и заставил его заявить, что он ушел с должности под давлением.

Когда он кончил, Хаген задумчиво сказал:

— Лично я вижу только один способ, чтобы он не переменил показаний. Нажать на эту кнопку, и дело с концом.

Глава администрации был ужасно перепуган. Он упал на колени и закричал, что отныне его политические взгляды будут постоянными.

Ташов и Хаген отвезли его домой и забрали у него все деньги, и те, которые они дали ему, и те, которые дал ему Сапарчи. Они понимали, что если не поставить такого дурака на бабки, то он и не поймет, что совершает ошибку.

Следующим человеком, которого надо было снять, был сам Сапарчи Телаев.

* * *

Теперь надо сказать, что у главы «Авартрансфлота» Сапарчи Телаева были плохие отношения с Хагеном Хазенштайном, руководителем Антитеррористического центра. Он был не то чтобы кровник Хагену, но Хаген его очень не любил.

...Глава «Авартрансфлота» стал врагом руководителя Антитеррористического центра при следующих обстоятельствах.

Давным-давно, когда Хаген еще не имел никакого отношения к МВД, а был чемпионом мира по ушу-саньда, у него был один коммерсант. Этот коммерсант платил Хагену не как положено, и все время норовил накосорезить, и однажды, когда Хаген, как было обычно в четверг, зашел за деньгами, коммерсант сказал:

– Денег нет. Будут завтра.

Хаген знал людей, которые бы за такие слова пристрелили коммерсанта на месте, но Хаген был человек добродушный. Он только пожал плечами и сказал:

– Хорошо. Я зайду завтра.

Назавтра Хаген зашел и потребовал деньги, но как только он приступил к коммерсанту, откуда-то изо всех щелей, как тараканы, полез ОМОН, и Хагена повязали. Его побили, но несильно, на ринге ему доставалось крепче, а потом ему стянули сзади руки наручниками и поволокли в ОВД. Наручники, кроме как на запястья, надели еще и на большие пальцы, и затянули так, что Хагену было очень неудобно.

В ОВД за шершавым столом сидел пожилой полковник, и когда Хаген увидел гору писанины, которая лежала перед полковником, он понял, что дело его плохо. Полковник принялся шпынять Хагена и корить, а потом он пристальней в него вгляделся, и спросил:

– Сынок, да это не ты ли выиграл прошлый чемпионат России?

– Я, – сказал Хаген.

– Да что ж ты меня не помнишь, я же судил! – вскричал полковник, который в молодости своей хаживал диверсантом в Анголе.

После этого полковник подобрел к Хагену, снял с него наручники и попросил чаю, а потом он пошелестел бумагами и сказал:

– Что же у тебя приключилось с этим Сапарчи, сынок?

Хагену было неловко обманывать такого хорошего человека, он вздохнул и сказал:

– Получали мы с него, кто ж знал, что он заложит!

Тут полковник подумал-подумал и сказал:

– Этот Сапарчи нам и сам надоел своими жалобами. Он тут стоит за дверью, дай-ка ты выйди к нему и договорись, о чем сможешь.

Сапарчи и в самом деле стоял за дверью, ожидая очной ставки. Он обалдел, когда к нему в коридор вышел совершенно невредимый Хаген. Хаген взял Сапарчи за ухо и вытащил во двор ОВД, а во дворе Хаген приложил Сапарчи к штакетнику, но не до смерти, встряхнул и сказал:

– Ну что, сука, вздумал жаловаться? Не видишь, что все схвачено?

После этого Сапарчи проворно убежал через дыру в штакетине и жалобу подавать не стал.

Хаген немножко повертелся по двору. По правде говоря, ему тоже хотелось сдернуть; но он понимал, что если он сдернет, его могут объявить в розыск, и осторожность победила. Он вернулся в кабинет к полковнику, которого звали Имран, и сказал:

– Мы помирились. Он решил не подавать заявления.

Хаген хотел подарить полковнику какие-нибудь деньги, но тот решительно отказался. Впоследствии они подружились, и Имран был один из тех людей, из-за которых Хаген переменил свое мнение о милиции. До встречи с Имраном он считал, что в милиции одни гады и сволочи.

Что же касается Сапарчи Телаева, то он сделал из этой истории свои выводы. Он никогда больше не жаловался ментам, не заплатив им денег, и вообще он чаще платил киллерам, чем ментам. Он заметил, что если платишь киллеру, то он обычно делает свое дело, а вот что касается мента, то деньги-то он возьмет, но потом найдет тысячу причин свалить в кусты.

Он купил один район, а потом другой, а потом он подружился с прежним президентом республики и стал главой «Авартрансфлота». Ходили даже слухи, что по просьбе бывшего президента он несколько раз заказывал Хагена, но так это было или не так, никто не знал

* * *

Как-то утром, в конце октября, Хаген выехал из села и увидел, что дорога впереди размыта селем, и из промоины торчит какая-то зеленая хреновина, — не то цистерна, не то бочка.

Было видно, однако, что это не фугас, потому что фугас много мельче. Люди Хагена не обратили на эту бочку внимания и поехали дальше, но Хаген был человек наблюдательный. Он послал людей на горку позади хреновины, и они пролежали там полсуток, а к вечеру они замели людей, которые пришли эту хреновину откапывать.

Эти люди были ребята из села Хагена. Двое из них были немцы, один — аварец, и еще один был сын председателя Верховного Суда республики. Председатель Верховного Суда был очень богатый человек, и было ясно, что сын с этими тремя пошел просто за компанию. Видимо, он хотел почувствовать себя мужчиной.

Что же до зеленой хреновины, то это действительно был не фугас. Это была донная мина.

Как мы уже сказали, возле Торби-калы был целый завод с минами и торпедами, и в аккумуляторах торпед было так много серебра, что за них шли настоящие бои. Но вот что до мин — Хаген еще ни разу не слыхал, чтобы кого-то в республике взорвали донной миной. У него даже ногти вспухли от любопытства, так ему самому захотелось такую штуку испробовать.

Ребят привезли к Хагену, и они не очень-то запирались. Они рассказали, что каждый из них получил аванс по пять тысяч долларов, и Хаген с изумлением узнал, что, оказывается, он уже дважды проезжал мимо мины, и каждый раз сын председателя Верховного Суда нажимал на красную кнопку. Но то ли ребята перепутали провода, то ли мине чего-то не доставало без моря, а только она не взорвалась.

Заказчиком ребята назвали Сапарчи Телаева.

Хаген был страшно обижен тем, что он стоит всего пять тысяч долларов. Он себя ценил как-то дороже К тому же Хаген не очень понимал, что ему делать с киллерами Это ведь были ребята из его села, и даже трое из них учились в той же школе, что сам Хаген. Кроме этого, они были никакие не ваххабисты, а просто людям заплатили за работу.

Короче говоря, Хаген немного постучал им по башке, а потом поговорил с ними и отпустил.

На следующий день после разговора с Хагеном киллеры сели в машину и поехали искать Сапарчи, но как-то так вышло, что Сапарчи в это время не было в Торби-кале. Он торчал в Москве на конференции по вопросам государственных инвестиций в объекты портовой инфраструктуры. Они ездили неделю, другую, а потом Сапарчи приехал и улетел в Иран, видимо изучать инвестиции там, и когда он вернулся, прошел почти месяц. Ребята очень переживали, потому что не знали, что подумает Хаген о такой задержке.

Они ездили по городу в поисках Сапарчи и не особенно соблюдали конспирацию. Наконец однажды, когда они сидели в кафе, они увидели, как мимо проехал «хаммер» Сапарчи. Ребята схватили оружие и поехали следом.

Вот они притормозили у поворота на Асланбекова, и увидели, что дверца «хаммера» открылась, и Сапарчи пересаживается из него в инвалидную коляску.

Ребята тут же развернулись на перекрестке и поехали обратно, и старший из них вел машину, а двое немцев и сын председателя Верховного Суда приспустили окна и начали стрелять.

Первым же выстрелом они убили охранника, который пересаживал Сапарчи, но так уж получилось, что в Сапарчи они не попали. Дело в том, что у ребят это было второе покушение в жизни, а у Сапарчи — одиннадцатое, не считая того случая, когда Сапарчи без всякого покушения улетел в Чечне в пропасть и сломал позвоночник, — а согласитесь, если на тебя покушаются одиннадцать раз, это уже в некотором роде входит в привычку. Человек знает, как себя вести.

Короче, как только Сапарчи увидел, что черный джип, проехавший мимо него, ни с того ни с сего развернулся на перекрестке, Сапарчи насторожился и положил правую руку под то место на сиденье, где на маленьком кронштейне был закреплен израильский «узи»

И вот, как только ребята открыли огонь, произошло сразу несколько вещей: левой рукой Сапарчи крутанул свое кресло так, что оно полетело, словно пуля, по дороге, а правой он выхватил автомат и открыл ответный огонь.

Он стрелял так метко, что тут же попал водителю в голову, водитель потерял сознание, и джип на полной скорости въехал в столб. Тут же и коляска Сапарчи впилилась в тротуар, подпрыгнула и опрокинулась, и Сапарчи вылетел из нее рыбкой и очень вовремя: в этот самый момент коляску пробили две пули.

Сапарчи закатился за колесо какого-то «Камаза» и выстрелил снова, и на этот раз он попал одному из киллеров по ногам. Тут уж охрана его тоже сообразила, что происходит, выскочила из джипа сопровождения и начала палить в ответ.

В это время машина киллеров уже завязла в столбе, и один из них был ранен в голову, а другой — в ногу. Двое оставшихся на ногах подхватили того, кто был ранен в ногу, и побежали с ним дворами.

Через три двора они заметили новехонькое трехэтажное здание, в котором раньше была больница. Они заскочили внутрь и закричали «доктора!» Но надо же было такому случиться, что больница была в этом здании до ремонта. А когда Заур построил для больницы другое здание, трехэтажку сначала хотели снести, а потом отдали под отделение милиции.

Когда киллеры заскочили внутрь и поняли, что это не больница, они бросили товарища и рванули во двор, но во дворе в это время как раз проходило боевое построение.

Короче всего сказать, что киллерам не повезло.

А Сапарчи отделался убитым охранником и переломанной ногой, что, согласитесь, было неважно: ведь он все равно этой ногой не пользовался.

* * *

Так получилось, что во время этого покушения глава АТЦ республики, Хаген Хазенштайн по прозвищу Ариец, был далеко в горах. Когда он приехал к Кировскому райотделу, прошло уже два часа. Во дворе трехэтажки, перед входом, стояло плотное кольцо бойцов АТЦ, а перед ним — «хаммер» Сапарчи. Сапарчи скандалил с бойцами, сидя в своей коляске, и рядом с ним стоял невысокий полный москвич с круглым, как будто несколько китайским лицом и Орденом Мужества, привинченным к безупречному лацкану пиджака. Где-то этого китайчонка Хаген уже видел, но ему не досуг было вспоминать, где.

В тот самый момент, когда Хаген вылез из машины, ворота во двор снова распахнулись, и в них залетел целый кортеж. Из головной машины выскочили Джамал Кемиров и начальник УФСБ республики генерал Шершунов, а из следующей машины выбрался глава МВД генерал Чебаков.

А из третьей машины вылезли президент республики и Кирилл Водров, которые как раз прилетели из Москвы: собственно, вся эта бронированная орава и ездила встречать их в аэропорт. При виде встревоженного лица президента Хагену стало совсем неудобно. Ведь это Заур Ахмедович попросил его снять с выборов Сапарчи, а Хаген мало того что провалил поручение, так еще и насмешил всю республику.

— Ну, что тут у вас стряслось? — спросил Заур Кемиров. Лицо президента, смуглое, властное, похожее на чистую тетрадку для прописей, разлинованную клеточками морщин, ничего не выражало.

Глава УФСБ щелкнул каблуками, вскинулся во фрунт и отрапортовал:

— Дерзкая выходка террористов, Заур Ахмедович, — обстрелян глава компании «Авартрансфлот», народный депутат, кандидат в мэры Бештоя Сапарчи Телаев! Террористы задержаны, личности известные, на каждого есть папка о их связях с так называемым Черным Булавди!

Заур Кемиров перевел вопросительно глаза на главу МВД, но тот только шнырял глазами по сторонам, — то в сторону Сапарчи, то в сторону Хагена. Потом он воткнул зрачки в землю, съежился и сказал:

— А... Э... Заур Ахмедович, я бы хотел поговорить... э...

И тут Сапарчи Телаев выкатился вперед и ткнул указательным пальцем прямо в белокурого начальника АТЦ.

— Это люди из твоего села, и никакие они не террористы! — закричал Сапарчи. — Это ты приказал меня убить. Михаил Викентьевич, Христофор Анатольевич, я ответственно заявляю: этот человек преступник. Этот человек бандит. Этот человек не только не может находиться на должности начальника АТЦ, он должен сидеть в самой глубокой тюрьме, которая только найдется в России! Он и его друзья творят произвол по всей республике! Он и его друзья издеваются над демократией! В Чираге они поставили всех депутатов на колени, и заставили их голосовать под дулами автоматов! В Алагае они надели на главу администрации пояс шахида, чтобы он отказался от должности! И вот из-за того, что я взялся помогать этому несчастному мученику, я тоже оказался под прицелом их автоматов! Меня хотят убрать, потому что я защищаю интересы России!

Генерал-лейтенант Шершунов еле слышно хмыкнул. Джамалудин Кемиров глядел куда-то вперед, и лицо его было спокойным, как горное озеро. У Кирилла Водрова зазвонил телефон, он побагровел и с досадой сбросил звонок.

— А... э..., — Сапарчи Ахмедович, — сказал глава МВД, — ну зачем же вы так... Вот... мы расследуем... киллеров забираем в СИЗО...

— Какое к черту СИЗО? — сказал Хаген, — они ранены.

— И ты хочешь отправить их в больницу под охраной твоих людей? — заорал Сапарчи.

— Если эти люди террористы, — сказал Джамалудин, — то их будет охранять АТЦ.

— Да это просто фарс! — вскричал пораженный Сапарчи Телаев.

— Сапарчи Ахмедович, — сказал Заур Кемиров, — как вы смеете так разговаривать в присутствии высших должностных лиц республики? Вы ведете себя, как уголовник, а не как бизнесмен! На вас покушались одиннадцать раз, и каждый раз вы устраивали по этому поводу предвыборный балаган! Запомните, больше балагана не будет! Если в вас стреляли террористы, то их будет охранять АТЦ, а если у вас с киллерами личные счеты, то никто не позволит вам на глазах президента республики забежать в райотдел и стрелять там людей!

Сапарчи Телаев чуть не затопал колесами; но к этому времени народу во дворе еще прибыло, и вместе с бойцами АТЦ вход перегородил ОМОН и личная охрана Джамала, и Сапарчи побагровел, потом побледнел, и убрался в свой «Хаммер». Вместе с ним уехал молодой федерал с китайским лицом и с Орденом Мужества.

* * *

Когда Сапарчи уехал, президент республики поднялся по свежеотремонтированной лестнице на второй этаж и прошел в кабинет начальника отделения, где как раз сидели двое киллеров. Их товарищей уже увезли в больницу, потому что те были очень плохи, но, по правде говоря, и эти двое были нехороши.

— Кто вас нанял? — спросил президент.

Киллеры перепугались, видя за его спиной Джамалудина и Хагена, и не знали, что отвечать. Они только таращили глаза и жалобно дышали.

— Вы меня попросили его снять, я и снял, — брякнул Хаген, — что, лучше бы было, если бы он вонял, как Мухтар?

Вони от всего случившегося, строго говоря, предстояло больше, чем от Мухтара, и Хагену было очень неудобно, что он так опозорился.

— А это что за орлы?

— Сапарчи их нанял убить меня, — признался Хаген, — кто же знал, что он приискал таких идиотов!

— Если Сапарчи их нанял убить тебя, — сказал Заур, — почему ты не заставил их написать заявление?

— Что обо мне скажут люди, если я буду писать заявление — возмутился Ариец, — они и так говорят, что на мне теперь погоны. Если бы он написал заявление, то и я бы написал заявление. Но он же не заявление написал!

Президент республики некоторое время молчал, не зная, что возразить на такое наблюдение главы Антитеррористического центра, а потом махнул рукой и вышел.

Хаген вышел вслед, немного погодя; бойцы его облепили коридор, как муравьи кусок сахара, а на подоконнике напротив сидел Кирилл Водров, в длинном черном пальто и щегольских начищенных ботинках.

– Хаген, – негромко позвал Водров, и Ариец приостановился. Меньше всего ему хотелось выслушивать проповедь коммерсанта.

– Хаген, ты заметил человека рядом с Сапарчи? С орденом Мужества и круглым лицом?

– Да, – сказал Хаген, – а что?

– Этот человек был в заложниках на Красном Склоне. А еще он был третьим во время моей беседы с Семеном Семеновичем, когда тот потребовал отдать лицензию.

* * *

Кирилл Водров был совершенно прав. Молодой человек с китайским лицом был действительно тот самый, который приносил чай в кабинет Семена Семеновича. Звали этого человека Христофор Мао, и он прилетел в республику на час раньше Водрова, обыкновенным рейсовым самолетом, зажатый в узком кресле старого «Ту» между старой, безобразно располневшей даргинкой и прыщеватым парнем с золотыми зубами и лишаем на лбу.

Христофор специально выбрал этот рейс, потому что знал, что в этой день в республику возвращается президент, и надеялся прилететь с ним на одном самолете. Но оказалось, что президент вылетает на час позже, и когда старенький «Ту» ехал по взлетке, Христофор Мао видел около вип-зала блестящий красно-белый «челленджер» с эмблемой «Навалис», и Христофор Мао очень хорошо запомнил, что он прилетел в республику между старой ведьмой в наверченных черных юбках и молодым уголовником, а президент летел часом позже, раскинувшись в кожаном кресле, покачивая ногой в начищенном ботинке и посматривая на платиновые часы на левой руке.

У Христофора Мао тоже были часы на руке, и на них было написано «от президента Российской Федерации», но эти часы стоили всего пятьдесят долларов. Кроме того, на самом деле часы были вовсе не от президента. Семен Семенович трижды вносил Христофора в список, но референты так и не дали часов, пока Христофор не отнес кому надо штуку баксов, и получилось, что Христофор заплатил тысячу долларов за часы, которые стоили полтинник.

Христофор Мао прибыл в Торби-калу не как старший оперативный сотрудник, и не как офицер ФСБ, а просто как человек, прикомандированный к компании «Авартрансфлот». У него и письмо было соответствующее, насчет проверки «Авартрансфлота», а в УФСБ республики ушло другое письмо, с просьбой оказывать Христофору Мао всяческое содействие.

Таких прикомандированных сотрудников Лубянка часто направляла в разные компании, государственные и не очень, для надзора за стратегическими интересами, и Христофор Мао с полным на то правом мог считать себя Штирлицем в стане врагов: государственным человеком среди коммерсантов.

Правда, разница между Штирлицем и Мао заключалась в том, что Штирлиц был разведчиком-нелегалом. Относительно же Мао не имелось никаких сомнений в том, какому ведомству он принадлежит. Даже если бы Кирилл Водров не узнал офицера с китайским лицом, Мао и не собирался б хранить инкогнито, да что там Мао, — Сапарчи Телаев наверняка тут же расхвастался бы, что к нему приехал человек из центра решать его проблемы, хотя это было совершенно не так. На самом деле человек из центра приехал к Сапарчи затем, чтобы Сапарчи решал проблемы центра.

Собственно, Сапарчи как раз и ехал встречать Христофора Мао, когда его подстрелили, и когда Мао вышел из самолета и не увидел встречающих, он был очень зол. А когда он услышал о перестрелке, он решил, что это фарс. Мао решил, что оппозиция набивает себе цену.

Однако через пятнадцать минут подъехала охрана, и когда она отвезла Христофора Мао на место покушения, подполковник ФСБ был поражен. Он увидел лужи крови и сколы от пуль на «Хаммере», и он понял, что если бы Сапарчи обстреляли на пути обратно, а не туда, он, Христофор Мао, мог бы точно так же лежать на мостовой под белой простыней вместо несчастного подстреленного охранника.

Это впечатляло.

Особенно впечатляло то, что так начинался второй визит Христофора Мао в республику. А первый кончился Красным Склоном.

* * *

Христофору Мао было едва за тридцать, он был высокий, круглолицый, с редеющими хвостиками темно-русых волос и рыхлым пивным животиком, так частым для органов, где мужчины много курят, много едят и еще больше пьют, и оправдывают расстроенную печень и излишний вес долгими засадами и нерегулярным питанием. Фамилия Мао у него была от дедушки, китайского коммуниста, приехавшего перед войной в СССР, и сгинувшего в концлагерях. Отец о деде не рассказывал, и дети в школе немилосердно дразнили Христофора, во-первых, из-за круглой морды, а во-вторых, из-за фамилии: фамилия его была тогда Петушатников. Когда Христофор узнал, как звали деда, он сменил фамилию сам.

Карьера Мао в ФСБ началась не очень удачно. Как только он поступил в Академию ФСБ, он вышел за порог здания и увидел напротив, через площадь, ювелирный магазин. В этот магазин он и пришел, с предложением «крыши».

Бедолагу Мао тут же повязали. Оказалось, что ювелирный магазин напротив Лубянки давно имеет «крышу», и звездочки у нее пошире, чем у курсанта академии ФСБ. Но так как каждый третий курсант приходил в этот магазинчик с предложением «крыши» (что, конечно, не очень хорошо говорило об интеллектуальном уровне курсантов), то Мао не отчислили. Слишком многих пришлось бы отчислять за такую мелочь.

Так или иначе, Мао не выгнали, а через два года распределили в Новосибирск, где, напуганный историей с магазином, он особо никуда и не лез. В конце концов на какой-то корпоративной вечеринке директор института систем космической связи, желая похвастаться, подарил ему книжку, набитую формулами.

Мао обрадовался и завел на директора дело за разглашение государственной тайны. На суде выяснилось, что директор книжку списал — всю, слово в слово, с другой книжки, опубликованной в США, причем книжка, опубликованная в США, была справочник за подписью министра обороны РФ. Мао ожидал, что ему дадут по шапке, однако, к его изумлению, дали директору института — пять лет условно.

Однако на Мао смотрели немного косо, и он отправился восстанавливать конституционный порядок в Чечню; там год службы считался за три, а по окончании срока полагалось жилье и пост не ниже прежнего в любом городе, не считая Москвы и Санкт-Петербурга. За полгода до конца срока можно было уже уезжать и подыскивать себе квартиру.

Мао восстанавливал конституционный порядок в Чечне три года вместо одного, а потом сразу стал замначальника УФСБ по Краснодарскому краю. Там, в Сочи, он познакомился с Угловым, и всемогущий вице-премьер вдруг позвал Мао в помощники.

Так-то Мао и очутился в тот страшный апрельский день на Красном склоне, и каждая секунда этого дня врезалась в память Мао, как килобайты в лазерное покрытие CD.

Впоследствии Мао был уверен, что он сразу почувствовал неладное, — сразу, как только в уставленный столами и яствами зал вошли шестеро зверьков во главе с худощавым, двигавшимся как рысь аварцем — Джамалудином Кемировым. Аварец, чеченец, — разницы не было, все они умирали одинаково, ругались и кричали «Аллах Акбар», и именно таких, — поджарых, черноволосых, Мао любил допрашивать и умел ломать. И Мао бы непременно вскинулся, толкнул бы под локоть генерала Комиссарова, рядом с которым он сидел, но тут среди горцев показался еще один человек – Кирилл Водров. Бывший лощеный дипломат, заместитель Комиссарова по Чрезвычайной Комиссии, в безупречном костюме, с неярким пятном синего галстука, за пять метров на Мао пахнуло дорогим одеколоном.

И тут уже Комиссаров встал и расплылся в улыбке, и поднял тост, и Мао расслабился – до того момента, когда прозвучали первые выстрелы, и Кирилл Водров, обаятельный, хорошо одетый Кирилл Водров, с изящной европейской стрижкой и платиновой булавкой, небрежно прихватившей шелковый галстук, – вытащил пистолет из кобуры поднявшего руки Комиссарова и сказал:

– Стоять.

Это было невероятно. Свой – предал. Свой стал на сторону этих сопящих, немытых, чернозадых дикарей, веками плодящихся в своих аулах и мечтающих смыть с лица земли всякую цивилизацию.

Никогда в жизни Мао так не боялся. Когда избили Аргунова, когда собрались скормить крысе Комиссарова, Мао понял, что они убьют всех, кто за вертикаль власти. Но террористы выясняли какие-то свои обиды, и до Мао им вовсе не было дела.

Но самое удушающе-позорное случилось в конце, когда Джамал Кемиров снова перевернулся в своем волчьем мозгу, и скомандовал заложникам:

– Кто хочет сражаться – возьмите оружие.

Полковник Аргунов взял автомат, хотя у него изо рта сыпались осколки зубов. Вся охрана вице-премьера взяла оружие, и еще какой-то местный, черномазый, из Пенсионного Фонда, и еще его родичи, и даже какой-то депутат, штатский, рыхлый, владелец супермаркетов, который последние двадцать лет держал в руках разве что карабин, охотясь на зебр в Намибии.

И, конечно, Водров взял оружие, – а он, Христофор Мао, кадровый подполковник ФСБ, годы службы в «горячих точках», два Ордена Славы, десятки спецопераций – не смог. Снаружи были пять сотен вооруженных до зубов чеченцев, мятежный отряд «Юг», тот самый Хаджиев, о зверствах которого у Мао были тома показаний, — и Мао не смог взять автомат. Страх парализовал его, живот прилип к позвоночнику, и его повели, как овцу, в подвал.

Когда все кончилось, Мао выглянул наружу. К этому времени заложников никто не охранял, они были уже не заложники, а гражданские лица, за безопасность которых режутся озверевшие бородачи. Мао выполз из подвала, подобрал у ближайшего мертвеца автомат и вышел в холл.

Потолок в холле был черный (потом уже Мао понял, что это была зола от «шмелей»), мертвецы свисали с широкой мраморной лестницы, как лапша с шумовки. Мао стал ходить и стрелять раненым в лоб. Это делали многие, потом уже оказалось, что Мао попал на чью-то камеру.

В неразберихе, конечно, было непонятно, кто где воевал. Мао получил Орден Мужества, помогла и камера, запечатлевшая бледное, мужественное лицо и автомат в усталых руках. Мао давно убедил себя, что подвиг его — был; он снялся в двух фильмах, посвященных Красному Склону, воспоминания его вошли в Белую Книгу Славы, и на лекциях подрастающему поколению Мао нередко делился антитеррористическими воспоминаниями, — и вот, оказалось, что Водров помнит.

Мао до сих пор бледнел, когда вспоминал тонкие пальцы выродка у собственного лацкана и спокойный голос:

— Что-то я не видел тебя в бою.

Он ненавидел этого человека. Этот лощеный дипломат с пятью языками, этот генеральский сынок, этот вице-президент западного концерна, не испугавшийся поднять оружие вместе с террористами, — он воплощал в себе все то, чем Мао никогда не станет.

Теракт на Красном Склоне завершил образование Христофора Мао, начатое в Новосибирске. Мао обнаружил, что первый закон системы очень прост: система стерпит любую ложь. Она стерпит, если выстрелить в лоб человеку и сказать, что он боевик; она стерпит, если Джамала Кемирова, человека, взявшего в заложники правительственную делегацию, называют опорой федералов в республике.

Система не терпит только одного — публичности. Если бы Джамал Кемиров публично пытался выяснить правду об организаторах взрыва в Бештойском роддоме, если бы он не то что подал заявление — дал самое малое интервью — он был бы террористом, боевиком, и давно был бы загнан в угол. Но Джамал Кемиров никогда не говорил ничего публично, а просто выяснил все для себя и пристрелил виновных, и это сошло ему с рук, хотя те, кого он пристрелил, были замгенпрокурора РФ и вице-премьер России.

Первый закон системы, который усвоил Христофор Мао, был очень прост. Делай все, что угодно. Даже если ты совершить ошибку или преступление, система встанет на твою защиту, и чем страшней будет твоя ошибка — тем больше система будет тебя защищать.

А второй закон был еще проще.

Выигрывают — сильные.

Это была тонкая вещь, которую не понимало большинство коллег Мао. Они считали, что вести себя надо тихо, что инициатива наказуема, и стоило начальству взглянуть искоса на какой-то предложенный ими план (а взгляд искоса, скорее всего, оттого и был, что начальство боялось, что подчиненный слишком выдвинется, затмит собой вышележащий пост), — и они покорно соглашались, втягивали рожки, занимались рутиной.

Все боялись начальства — Мао не боялся. На его глазах человек пустил пулю в голову зам генерального прокурора и стал от этого опорой федералов в республике. Этого не могло быть. Этого не могло произойти. Никакое государство — ни демократическое, ни тоталитарное, ни первобытное — не могло бы назначить человека, застрелившего зама генерального прокурора — своей правой рукой. Дело было не в том, прав этот человек или нет. Дело было в том, что государства так не поступают.

Но государства не было, и выигрывал — сильный.

Все коллеги Христофора Мао знали, что преступников — не судят. Один его коллега украл банкира — и банкир получил три года, когда осмелился пожаловаться. Другой его коллега задавил трехлетнюю девочку, — и мать девочки сняли с работы, когда эта сучка сдуру написала заявление. Все вокруг знали, что государство не защитит ни банкира, которого украдут, ни девочку, которую раздавят, но вот круговая порука защитит всех тех, кто это делает, потому что все их коллеги защищают собственную возможность творить преступление.

Но только Мао знал, что на самом деле никакой поруки не было. Круговая порука начиналась тогда, когда надо было замазать историю с девочкой, которую задавили, потому что никто из коллег не мог гарантировать, что с ним не случится такая же беда — и что ж тогда? В отставку? Но вот когда дело шло о дележке долларов, или о важном посте, или о подкрышной компании, — никакой круговой поруки не было.

Есть свои — их выгораживают.

Но есть проигравшие — их сдают.

Комиссаров и Углов проиграли. Им дали посмертно по ордену, а подкрышные им компании растащили коллеги. Христофор Мао знал, что вдова Комиссарова потихоньку распродает антиквариат и квартиры. Даже счета, — а у Комиссарова должны были быть миллионы, — коллеги захомутали себе, не нашли нужным поделиться с бабой.

Христофор Мао знал, почему Семен Семенович Забельцын назначил его ответственным за Чираг-Геран. Семен Семеновичу сверху дали «добро», но такое же «добро» дали Зауру Кемирову. Сверху бросили кость сразу двоим псам, и ждали, кого признать победителем.

И Семен Семенович сделал то же самое. Он спустил задачу Мао, и если Мао не справится, Семен Семенович сделает вид, что Христофор порол отсебятину. Он создаст чернозадым проблему в лице Мао, а потом решит эту проблему, и в награду за союз отдаст чернозадым Мао в багажнике.

Христофор Мао не собирался проигрывать. Он собирался обыграть — и Кемировых, и Забельцына. Нет позора подставить того, кто подставляет тебя.

За своих — заступаются.

Неудачников — вычеркивают.

У Христофора Мао были два учителя — Джамалудин Кемиров и Кирилл Водров.

И еще у него были два врага.

* * *

Итак, Заур Кемиров зашел в больницу объясниться с Хагеном, а Христофор Мао уехал с Сапарчи Телаевым. Они приехали к Сапарчи домой и сели за стол, и Сапарчи немедленно хлопнул стакан водки.

Всю дорогу он кричал и ругался, и видно было, что покушение на него сильно подействовало. Конечно, в него стреляли уже одиннадцать раз, но все-таки это происходило не каждый день. Это было, что и говорить, не рядовое событие.

Сапарчи хлопнул еще полстакана, и Мао заметил, что рука его слегка дрожит.

— Не, ты видел? — вскричал Сапарчи, — ты это видел?!

Христофор Мао — видел. Он видел плотную шеренгу бойцов возле входа в больницу: камуфляж, кобуры, ремни, всполохи мечущихся фар на отполированных звеньях наручников. Это были те же люди, которые два года назад взяли его в заложники, которые совали к его виску автомат и гоняли, как скот, — и вот теперь они стояли снова, между ним и его целью, невредимые, процветающие, официальные бойцы республики, и — ими командовали те же самые люди. Белокурый эсэсовец Хаген, худощавый щеголь Водров и, — самый черный кошмар Мао, снившийся ему после штурма, — темноволосый, углеглазый, гибкий как плетка, и тощий, как пуля, — Джамалудин Кемиров.

И к ним теперь прибавился еще один, тот, кого не было на Красном Склоне, но ради кого все и затевалось. Старший брат Джамалудина. Новый президент республики.

Самое поразительное было то, что президент этот открыто встал на стороне Хагена. Это было глупо. Семен Семенович, по прозвищу Эсэс, никогда бы такого не сделал. У Забельцына было так: твоя победа — это моя победа. А твоя ошибка — это твоя ошибка. Неудачное покушение было ошибкой, — там зачем же защищать Хагена? Пусть сам выпутывается, урод.

— Нет, ты видел? — вскричал Сапарчи, — Заур их поддержал! Это он стоит за убийцами!

— А мотивы? — спросил Христофор.

Сапарчи Телаев хлопнул еще водки, и лицо его раскраснелось. Несколько секунд он молчал, а потом заговорщически поманил Христофора пальцем. Мао наклонился к нему через стол, и в ноздри его шибанул запах пота, страха и спирта.

— Правящая коррумпированная клика, — сказал Сапарчи, — боится моего авторитета в республике. Заур хорошо знает, что покойный Углов собирался назначить меня президентом. Он предлагал мне долю в Чираг-Геране, — а когда я отказался, он испугался и решил меня убрать.

— И почему же вы отказались? — изумился Христофор Мао.

— Потому он сказал мне тогда: «Мы получим английские деньги и на эти деньги отложимся от России!» Он мне предлагал долю не в бизнесе, а в восстании!

— И у вас есть запись этого разговора?

Сапарчи моргнул и снова поманил его пальцем. Коляска его с визгом развернулась на месте, и помчалась по гладким коридорам вглубь дома. Христофор Мао едва поспевал за ней. Сапарчи вкатился в кабинет, остановился у вделанного в стену сейфа, и крутнул его ручку, как капитан крутит штурвал уносимого бурей корабля. Сейф заскрипел и отворился — в глаза молодому подполковнику бросились пачки и пачки денег. Денег было так много, что от них захватило дух. Помимо денег, Христофор заметил в сейфе руководителя государственной компании россыпь краснокожих паспортов и «стечкин» без кобуры. Сапарчи вытащил из сейфа пачку долларов и бросил ее на стол перед федералом.

Потом туда же шлепнулась вторая пачка, потом третья, четвертая. Глаза Христофора расширились. Он глядел на зеленые купюры, не отрывая глаз. Пачки были без банковских упаковок, обмотанные нитками, и от этих засаленных стодолларовых купюр, побывавших в бессчетных руках, исходил тот же манящий и сладкий запах, что от доступной женщины. Мао сглотнул, рот его наполнился слюной.

Сапарчи бросил на стол седьмую пачку и пододвинул образовавшуюся кучку через стол к Христофору. Широкое, влажное от пота лицо Сапарчи наклонилось к чекисту, и калека хрипло прокаркал:

— Я рассказал об этом разговоре бывшему прокурору республики, и вы знаете, что эти садисты сделали? Они отрезали ему уши!

* * *

Когда на следующий день Христофор Мао поехал в больницу, куда привезли киллеров, он обнаружил во дворе ее черный бронированный «мерседес» и «порше-кайенн» с синими милицейскими номерами. Тут же стоял автобус с задернутыми шторками, а у входа дежурили двое автоматчиков.

Христофор Мао был проницательный человек, и завидев автобус, он сразу догадался, что ему будет непросто получить от киллеров признания в заговоре руководства республики против России.

Из автобуса вылез какой-то майор ФСБ, и спросил у Христофора, кто он такой, и что ему нужно. В ответ на это Христофор предъявил свою корочку прикомандированного сотрудника, и сказал, что ему, как человеку, прибывшему из Москвы с инспекцией компании «Авартрансфлот», было бы необходимо поговорить с людьми, стрелявшими в главу компании.

Строго говоря, никакому штатскому проверяющему не было ни малейшей причины участвовать в уголовном расследовании, и майор или его начальство могли бы Христофору Мао отказать. Но майор, который видимо знал о телеграмме с просьбой «оказать всяческое содействие», только ухмыльнулся и козырнул, и пропустил Христофора внутрь.

На этаже, где лежали киллеры, тоже дежурили автоматчики, а в палате сидели младший брат президента республики и глава Антитеррористического Центра. Хаген выглядел очень внушительно, со своими короткими белокурыми волосамми, перехваченными черной повязкой, и кожаным поясом, обшитым обоймами. Джамалудин сидел в ногах одного из киллеров, скорчившись и наклонившись вперед, словно горная рысь перед прыжком, и смуглый его профиль в свете дрожащей неоновой лампы казался вырезанным из куска ночи.

Появление Христофора тоже не вызвало удивления ни у Хагена, ни у Джамалудина. Можно было подумать, что они получили копию секретной телеграммы ФСБ. Можно было даже подумать, что они не дают себе труда скрыть, что начальник УФСБ, раскатывающий повсюду на бронированном «мерсе», подаренном ему Джамалом, считает долгом делиться с террористом номер один республики сверхсекретными телеграммами.

Христофор Мао поздоровался с Джамалудином и Хагеном, а потом он подошел к киллеру и спросил, почему тот стрелял в главу «Авартрансфлота». Киллер посмотрел сначала на начальника АТЦ, потом на брата президента республики, вздохнул и ответил:

– Его тачка подрезала нашу. Вот мы развернулись и погнались за ним, чтобы разобраться. Кому он сдался, на него покушаться! Мы просто хотели предъявить ему за тачку.

Христофор Мао хотел было поговорить с киллером без свидетелей, но тут брат президента республики положил ему руку на плечо и спросил, обедал ли он, и они поехали в какой-то ресторан с каменными рюшечками и глубокими креслами, и Джамал, широко улыбаясь, спросил, зачем он приехал.

– Дружить, – улыбаясь еще шире, ответил Христофор.

Они дружили полтора часа, смеялись и ели; и когда Христофор заикнулся, что надо бы допросить ребят, Джамалудин заверил, что протоколы допроса ждут его прямо в машине.

– Послушай, – сказал Джамал, – чего доставать раненых? Пацаны вообще ни в чем не виноваты. Они всего-то и хотели, что поговорить с Сапарчи, а этот черт начал стрелять. Четырех подстрелил! Мы тут что, куропатки? Это против него надо возбуждать дело!

— Я их должен допросить сам, — сказал Христофор.

— Э, — сказал презрительно Хаген, — с какой стати простой проверяющий из Москвы будет допрашивать простых хулиганов? У нас тут резкие люди, неправильно могут понять. Видишь, что творится в республике: едут себе люди, их подрезали, раз — и труп.

И белокурый эсэсовец расхохотался так, что в кишки Христофору словно натолкали колотый лед.

Когда Христофор Мао вышел из ресторана, Джамалудин проводил его до машины, и Христофор с изумлением заметил, что это не «мерс» «Авартрансфлота», на котором он приехал в больницу, а новенький черный «порше-кайенн».

— А где моя машина? — спросил Христофор.

— Это твоя машина, — сказал Джамал, — бери! Для хорошего человека ничего не жалко!

Христофор покраснел; потом побледнел; руки его вспотели. Когда он сел в машину, он обнаружил на сиденье дипломат, а в нем показания четырех ребят, устроивших перестрелку на Хачатурова. Кроме показаний, в дипломате были доллары, и их было вдвое больше, чем тех, что дал Сапарчи.

Христофор обнялся на прощание со своими новыми друзьями, нажал на газ и уехал.

* * *

Через час Джамалудин заехал в Дом на Холме. Он сказал брату, что проблема с московским проверяющим решена.

— Этот Христофор, — промолвил Джамалудин, — мелкий взяточник и трус. Когда Хаген сказал ему про то, что у нас застрелить могут любого, он свернулся, как несвежее молоко на огне. Эта история закончена.

— Эта история только начинается, — ответил Заур, — не думай, что если он взял деньги, он забыл слова Хагена. Самые большие гадости делают самые мелкие люди.

* * *

Что же касается Христофора Мао, то он поехал обратно к Сапарчи. Сапарчи в это время был не в кабинете, а в спортзале. Он подтягивался на перекладине, страхуемый охранником, а инвалидное его кресло стояло в сторонке. Сапарчи подтянулся десять раз, а потом еще десять и еще пять, и наконец охранник снял его и положил на ковер. Сапарчи бросил подтягиваться и стал выжимать штангу.

Мао подождал, пока Сапарчи закончит со штангой, подошел к нему и сказал:

— Эй, Сапарчи Ахмедович, вы обманули меня. Нехорошо. Судя по показаниям этих парней, никакое это не покушение, а просто уличная драка. Не стоит думать, будто вы можете использовать Российскую Федерацию, чтобы сводить свои личные счеты.

— Клянусь Аллахом, я не свожу личные счеты, а защищаю интересы России, — сказал Сапарчи.

— Тогда изложите ваш разговор с Зауром под протокол.

Между тем Сапарчи Телаев к этому времени немного одумался. Сапарчи вообще был человек увлекающийся, можно сказать — поэт в душе. Некоторые вещи он говорил под влиянием момента, и хотя он всегда верил в то, что говорил, нередко через пять минут, оценив последствия своего вранья, он крепко-крепко прикусывал губы и спрашивал сам себя: «Э, да что же это вылетело у меня изо рта и как это оно туда попало?»

Сапарчи был бы очень доволен, если бы прикомандированный москвич написал докладную про заговор Кемировых против России, потому что если бы докладная всплыла, то и спрос был бы с автора докладной. Но ему вовсе не хотелось писать такую бумагу самому, потому что если бы она всплыла, то и спрос был бы с него.

— Как же я буду излагать такие вещи под протокол? — изумился Сапарчи, — меня уже за одно то, что я отказался, Заур велел убить, а если я придам свой отказ гласности, меня ничто не спасет!

— Если вы отказываетесь написать заявление, — сказал Мао, — у нас есть только один способ узнать правду. Мы должны будем провести очную ставку: имел или не имел места этот разговор.

Тут Сапарчи понял, что он попал. Он пошел и написал заявление, на имя главы ФСБ России, а Христофор пообещал ему охрану из числа прикомандированных от ФСБ. Еще они договорились о том, что Сапарчи будет платить за эту охрану по сто тысяч долларов в месяц в специальный внебюджетный фонд содействия основам правопорядка и законности на Кавказе.

Тем же вечером Сапарчи поехал провожать Христофора Мао в аэропорт. Вылет задержали на четыре часа, и получилось лучше лучшего: они гуляли в аэропорту до полуночи, и дипломат, полученный от Джамалудина, пополнился еще двумя пачками: троюродный брат Сапарчи хотел стать казначеем, и так как должность эта была федерального подчинения, Христофор пообещал, что пришлет проверку в казначейство республики.

И одно омрачило триумф Христофора Мао: в десять часов вечера распахнулись железные ворота вип-зала, и на рулежку аэропорта с бесшумным шелестом вылетел призрачный кортеж из бронированных «мерсов»; из передний машины выскочил худощавый невысокий человек в черном пальто, обнялся с провожающими, стремительно взбежал вверх, — и изящный «челленджер» с поблескивающими огоньками на крыльях и ало-белой эмблемой «Навалис» тут же втянул трап, загудел, развернулся и покатился ко взлетке.

Пьяный подполковник ФСБ глядел на взлетающий самолет из полутемного окна ресторана; в уши била разухабистая лезгинка, и в пластмассовой вазочке с недоеденным оливье мокла недокуренная сигарета. Сколько же денег увозит с собой этот западный франт, если он, Христофор Мао, заработал за сутки двести тысяч долларов, черный «порше» и жуткое обещание Хагена — пересмешника с глазами из замерзшего кислорода?

ГЛАВА ЧЕТВЕРТАЯ

Белая Речка

В субботу утром, когда Алихан шел от соседа, которому починил приемник, он заметил у магазина незнакомую «семерку», а когда он подошел ближе, он увидел в «семерке» одного из тех людей, которые неделю назад были в гараже.

Еще в «семерке» был Мурад Кахаури. Мурад был не совсем чеченец, так, мелхетинец, и он не жил в селе, а в селе жила его старшая сестра, которая вышла замуж за троюродного дядю Алихана. Кроме того, Мурад был чемпионом мира по вольной борьбе среди юниоров. Тренеры возлагали на Мурада очень большие надежды. В прошлом году ему исполнилось девятнадцать.

Мурад сказал, что человека, с которым он приехал, зовут Максуд, и они некоторое время говорили о том, о сем, а потом Мурад ушел за своими двоюродными братьями, и Максуд с Алиханом остались одни.

— Я смотрю, наш обший знакомый отослал тебя прочь, — сказал Максуд.

Алихан не видел надобности говорить Максуду, как обстоят дела, и поэтому ничего на это не сказал.

— А ты близкий с ним? — спросил Алихан.

— Меня просто посылали к нему с просьбой, — ответил Максуд. — Поколебался и добавил: — Меня посылал Доку. Вообще-то Доку подыскивает себе людей. У него много людей, а ему нужно еще больше.

В это время вернулся Мурад с братьями. Кроме братьев, с ним был еще один мальчик, одноклассник Алихана, и Алихан понял, за чем приехали эти люди. Максуд шутил и вообще не говорил о деле, но как-то незаметно во время шуток на мобильники мальчиков перекочевала запись последней Шуры, и еще одна, на которой моджахеды уничтожают оккупантов и бандитов в чине капитана и подполковника милиции. Бандитов связали, поставили на колени и вогнали им пулю в затылок, а один из бандитов все время плакал и кричал, что он только шофер, и что дома у него маленькая дочка. Эта русская свинья даже не пыталась умереть как Муций Сцевола.

Месяц назад Алихан рылся в Сети и нашел там месседж какого-то Игнатия. «Было нашествие варваров Руси, народа, как все знают, в высшей степени дикого и грубого, зверского нравами, бесчеловечного делами. Убийство девиц, мужей и жен, и не было ни кого помогающего, никого, готового противостоять».

Этот Игнатий из Византии жил аж тысячу лет назад: вот, значит, какие они, русские, были еще тогда.

Тем же вечером Алихан вывесил обе записи в чате (это было опасно, по IP-адресам ФСБ могло отследить автора, но Алихан знал, что делал, и его не отследили), и Игнатия он тоже вывесил, потому что Игнатий смотрел в корень. Доку — это было круто. Доку — это было даже лучше, чем Булавди.

Но Алихан уже поговорил с Булавди, и тот поручил ему дело. Алихан не мог позволить, чтобы Булавди думал о нем, как о пустозвоне.

* * *

Прошла еще неделя, и за эту неделю Мурад приезжал в село дважды, и один раз с ним был Максуд, а другой раз еще один человек, бывший тренер Мурада. У него была деревянная нога, и его имя было известно. Когда у этого человека взяли в заложники жену, он ответил: «Возьмите и привезите ее ко мне. Я сам ее убью, чтобы не было соблазна».

О Кирилле Водрове не было ни слуху ни духу, и сим-карта лежала без дела.

Мальчики в школе сбивались в кружки. За Мурада был его двоюродный брат. Он тоже занимался, только не вольной борьбой, а боксом, и никогда особо не скрывал, что драться собирается не на ринге.

В четверг утром, когда они сидели вместе на уроке, двоюродный брат наклонился к Алихану и сказал:

— Мы с Мурадом завтра уезжаем на море.

Щелкнул мобильником, и по экрану поплыла картинка: лагерь бородатых людей с зелеными повязками и автоматами. Людей было много, сердце разрывалось, что нельзя быть с ними. Но Алихан уже договорился с Булавди.

* * *

Кирилл снова приехал в Тленкой в конце октября. Он был на бронированном «мерсе», и кроме Абрека с Шахидом у него была машина сопровождения, набитая автоматчиками, как огурец — семенами.

Заур отдал категорический приказ, чтобы Кирилл не перемещался по республике без охраны, и Кирилл полагал, что Заур куда меньше боялся боевиков, чем Семен Семеныча. Кроме этого, охрана пристрелила б Кирилла тут же, если бы он передумал и встал на сторону Семен Семеныча, но это была возможность гипотетическая, и потому Кирилла она интересовала мало.

На этот раз гостей в доме не было.

Семья высыпала на крыльцо; дети бегали и кричали по-чеченски. Диана стояла, опершись о столбик, и настороженно смотрела, как охрана вытаскивает из багажника клейменые латиницей коробки.

— Это что? — спросила Диана.

— Компьютер для Алихана, — ответил Кирилл, — я на Уразу приехал без подарка, вот, исправился. Алихан, пошли-ка наверх, а женщины пусть пока заварят чай.

В комнате было все так же чисто. Над кроватью висел новый портрет — Рональда Рейгана.

Кирилл достал из коробок ноутбук, блок бесперебойного питания, и маленький сканер. Пока они возились со старой машиной, Кирилл нечаянно задел CD-диск, тот зажужжал, и на экран выскочила заставка. Кирилл нажал на кнопку «play».

На экране двое солдат насиловали бабу. Баба жутко орала по-русски и по-чеченски, а когда солдаты закончили, третий, который в это время снимал, передал камеру одному из них и тоже занялся бабой. Когда он закончил, он взял железный лом и воткнул его бабе между ног.

Фильм закончился, и на экран выскочила новая заставка. Кирилл сидел, сжав руками виски, и у него не было сил поднять глаза на Алихана. Наверное, ему надо было посмотреть мальчику в глаза и что-то сказать, — черт возьми, наверняка же есть куча слов, которые можно придумать и сказать, — но Кирилл так ничего и не придумал, а молча встал и стал помогать втыкать кабели.

Они возились минут пятнадцать, и когда они сошли вниз, Кирилл уже немного отошел. Сияющая Диана, шелестя юбкой, так и бегала, расставляя еду. Шахид и Абрек сидели за столом и чинно пили чай. «Стечкины» их сверкали в новеньких рыжих кобурах. Диана успела переодеться и накрасить губы, и легкая сине-зеленая косынка едва прикрывала тяжелую волну черных волос. Кирилл вспомнил, что у пожилой женщины в фильме была похожего цвета косынка.

— Я договорился об обследовании, — сказал Кирилл, — Алихана ждут в ЦКБ. Можете полететь со мной, завтра ночью. Часов в одиннадцать.

— Разве ночью есть рейс на Москву? — спросила Диана.

Кирилл чуть покраснел.

— У «Навалис» свой самолет, — сказал Кирилл.

— Двадцать миллионов стоит самолет, — засмеялся Шахид, — Магомед-Расул хотел, чтобы ему этот самолет подарили. Его так отшили, он икал. Он плохой человек, это знают все. Зачем Кириллу Владимировичу дарить самолет Магомед-Расулу? Он подарит самолет президенту.

Алихан смотрел мимо скатерти, туда, где на сытом боку Шахида поблескивал «стечкин». Если самолет у человека стоит двадцать миллионов, сколько стоит сам человек? Они приходят к нам и убивают наших отцов, и забирают наших женщин, а потом они летают на самолетах ценой в двадцать миллионов долларов.

Ненавижу, ненавижу русских: зверские нравами, бесчеловечные делами, смерть им, а дальше ад, и пусть в этом аду одеялом им будет лава, а постелью — скорпионы.

— Так вы полетите? — спросил Кирилл.

Лицо Дианы светилось.

— Конечно, Кирилл Владимирович, — сказала она.

* * *

Алихан смотрел со второго этажа, как во дворе по машинам рассаживаются автоматчики, и как кяфир, склонившись над рукой чеченки, почтительно целует ее узкие пальцы.

В фильмах они не целовали пальцы. Алихан ни разу в жизни не смотрел порно, но он очень хорошо знал, что мужчины делают с женщинами, и он знал это из кадров, снятых русскими свиньями.

Они просто продали Диану.

Водров, конечно, держался в рамках приличия. Он мог приказать своим автоматчикам бросить ее в машину, и никто в доме даже не смог бы ничего сделать. Но он был сама галантность: он был со своим компьютером, и клиникой, и самолетом с белыми кожаными креслами, и, конечно, если Алихана повезут в Москву, кто-то из родичей должен ехать с ним, а кто? Не бабка же восьмидесяти лет? Само собой подразумевалось, что поедет Диана, и было совершенно очевидно, что это означает.

Она была готова своим телом купить здоровье для брата, и об этом узнают все, и все село будет говорить, что сестра Алихана спит с русским.

Алихан вдруг представил себе Водрова на месте того шофера, со скрученными руками, плачущего, что у него дети... Интересно, у Водрова есть дети? Ему столько, что Алихан годится ему в сыновья, в таком возрасте у человека уже куча детей, а если он богат, то и жен несколько.

От нового компьютера пахло свежим пластиком, Алихан хотел бы разбить эту вещь, но нельзя — она могла послужить делу Аллаха. Он совсем забыл позвонить по сим-карте, к тому же это и не имело значения, у Водрова было слишком много охраны и он слишком быстро уехал.

А теперь это и вовсе бессмысленно; завтра Диану увезут, и Водрову будет незачем больше ездить в село.

А сестра-то, сестра! Разрядилась, как шлюха! Алихан видел, как она летала из кухни к столу, скажи ей кяфир, так она, пожалуй, и сплясала бы у шеста!

Ярость душила мальчика. Они заберут его в Москву, и он умрет на больничной койке, как женщина. У него не хватило духу убить Водрова: даже если б он это успел, при такой охране, страшно представить, что сделали бы Кемировы с его семьей.

Нет, он не мог убить Водрова и не мог позволить сестре продать себя. У него оставался один лишь выход.

* * *

Участок за домом спускался террасами вниз, и на этих террасах росли абрикосы и груша. Сразу за грушей начиналась крыша соседнего домика, с круглой дырой наверху.

Алихан пролез в эту дыру и вышел через разломанные водой камни. За ними снова начинался крошечный сад, с террасами, сложенными из камней, и натасканного в эти террасы перегноя.

В воздухе была разлита ясная сухая осень, но до снега было еще далеко. Абрикос, росший в саду, давно опал, а другое дерево было усыпано огромными оранжевыми шарами хурмы.

В каменной кладке возле хурмы Алихан запрятал выменянный на рынке «ПМ». Он опасался, что из-за визитов Водрова дом могут обыскать. Пистолет, завернутый в промасленную ветошь, оказался на месте. Алихан проверил обойму, снял предохранитель и, сунув ствол в карман слишком большой для него куртки, вернулся обратно тем же путем в дом.

Руки его дрожали.

Крошечная прихожая открывалась сразу направо в крошечную же рассохшуюся кухню. Когда он вошел, сестра, низко склонив голову, мыла посуду. Хрустальная вода преламывалась в щербатых чашках, узкие быстрые пальцы Дианы словно танцевали в струйках воды.

— Мы никуда не едем, — сказал Алихан.

Черные волосы Дианы были перехвачены желтой косынкой в синих и красных яблоках. Длинные рукава кофты были завернуты до локтей, открывая сильные, гладкие руки.

— Не так подобает вести себя женщине, — сказал Алихан, — в дом которой пришли враги. Эти двое, Абрек и Шахид, в прошлом месяце убили человека из Тесиевых, и ты это прекрасно знаешь.

Диана повернулась, и глаза ее засверкали.

— Мы летим в Москву, — негромко сказала она, — иди наверх и прекрати говорить глупости. Если хочешь, ты полетишь в Москву один, но ты полетишь, если не хочешь, чтобы твоя бабка умерла с горя.

— Я — мужчина в семье, — спокойно сказал Алихан, — и я не лечу. Никто не летит.

Диана вдруг все поняла, и лицо ее стало белым-белым. Она охнула и поставила бывшую в ее руках чашку на вытертый пластик стола, а потом подняла руку, словно защищаясь от брата, и стала перебирать пальцами по стеночке.

Алихан шагнул вперед, сунув руку в карман.

— Алихан, не надо, — сказала сестра.

Она как будто сползала по стенке, доползла до угла и села на пол. «Они воевали, и убивали, и готовились к войне, — зазвучал в ушах Алихана голос Кирилла Водрова, — и те, кто не воевал, а жил, оказались сильнее их». Диана сидела в углу, словно кучка юбок, прикрытых пестрой косынкой, и ее лицо было некрасивым и страшным.

Мир внезапно стал медленным и очень ярким, словно его навели на резкость. Вода в тазике сверкала, дробилась на солнце, и Алихан отчетливо слышал дыхание сестры, тяжелое и хриплое, и пистолет в его кармане был тверд и холоден, как труп отца, когда его привезли домой. «Она не будет спать с русским, — сказал себе мальчик. — Никто в нашем роду не будет спать с русским». Пальцы его сжались на рукояти.

И тут раздался скрип двери. Алихан в панике сделал шаг, другой, и оказался в крошечной прихожей. На пороге ее стоял

Мурад Кахаури. В темных его глазах сверкало неприкрытое любопытство, взгляд косил туда, где на кухне слабо попискивала женщина и слышался шум льющейся воды.

— Я зашел попрощаться, — сказал Мурад. — Мы сейчас уезжаем на море. Я так слышал, что ты не едешь. Что ты завтра едешь в Москву.

— Ты неправильно слышал, — сказал Алихан, — я еду с вами.

Обернулся и, не заглядывая в кухню, громко прокричал:

— Я пойду с Мурадом. Может, я переночую у них.

Сунул поглубже в карман «макаров», снял с крючка куртку и вышел.

* * *

Кирилл прилетел в республику с сэром Мартином Мэтьюзом; они провели три часа в Доме на Холме, а потом погрузились в вертолет и улетели в Баку.

Полупогружная платформа по-прежнему стояла на судоремонтном заводе; с решетчатых ферм рассыпалась фейерверком электросварка, и на нижней палубе в железном настиле, как шахматы, тянулись тридцать три квадратных люка; в одном, под сдвинутой крышкой, плескалось мутное мелководье.

Работы еще не были закончены; Заур Кемиров вполголоса обсуждал с сэром Метьюзом технологии горизонтального бурения и скорость проходки пласта.

Заур не просто знал, о чем он говорил: Заур получал от этого удовольствие, и глядя на его оживленное, лукавое лицо, покрытое частой ячеей морщин, Кирилл впервые осознал, как бесконечно устал этот человек от всего, что творилось вокруг: от убийств, крови, простоянных разводок, лести, бронированных машин и позолоченных пистолетов, — и, возможно, от мечетей и намазов, слишком многочисленных для человека, бывшего выпускником института им. Губкина и вынужденного стать сначала мэром города, а потом и президентом республики только затем, чтобы сохранить свой бизнес и спасти свой род.

Они шли вдоль ровных рядов стояков и серебряных сепараторов, пахло морем и сваркой, решечатые трубы вздымались вокруг, как стартовые фермы на космодроме, и младший брат президента, худощавый, черноволосый, в черных начищенных ботинках и подведенной под горло глухой водолазке, угрюмо плелся за Зауром, засунув руки в карманы, и Кирилл шепотом давал ему пояснения.

— А это что? — спросил Джамал.

Заур услышал и обернулся.

— Срезной превентор, — ответил Заур, — у нас их будет четыре штуки, превенторов. Они перекрывают трубу, если происходит выброс. А этот, последний, ее просто срезает.

— А отчего бывает выброс?

— Ошибка бурильщика.

— А что, просто так выбросов не бывает?

Президент республики думал с полминуты, прежде чем ответить.

— Нет, — сказал Заур, — просто так не бывает ни выбросов, ни восстаний. Видишь ли, когда мы бурим, мы закачивает в скважину буровой раствор. Этот раствор делает сразу несколько вещей. Во-первых, он смазывает долото, во-вторых, он выносит с собой породу, а в-третьих, и самых главных — он давит на пласт. Ведь в пластах, которых мы проходим, давление составляет десятки и сотни атмосфер, и сила, с которой раствор давит на пласт, должна быть не ниже и не выше давления самого пласта. Если она будет выше, то мы забьем поры пласта раствором и погубим его, а если она будет ниже, то газ рванет наверх и... и все взорвется.

Заур улыбнулся каким-то своим мыслям и добавил:

— Ремесло бурильщика очень похоже на ремесло правителя.

Тут в кармане Джамала запел мобильник, возвещая время намаза, Джамалудин взглянул на солнце и ненадолго исчез, и вместе с ним исчез Хаген.

* * *

Часа через три они прилетели на место будущего завода. Рабочие закладывали заряды в стены старого цеха, за цехом бульдозеры сгребали огромный завал из свежего кирпича, в который упирались ухоженные дорожки и замолчавший навеки мраморный фонтан.

— А здесь что было? — спросил сэр Мартин, показывая на фонтан и дорожки.

Президент республики поглядел на бывший с ним генплан участка и ответил:

— Сельскохозяйственный навес.

Они ждали, пока здание будет подготовлено к взрыву, минут сорок; наконец, подрывники отошли на безопасное расстояние, разматывая шнур; грохнул аммонит. Стены сложились сами в себя, все зааплодировали, с флангов выдвинулись скошенные челюсти бульдозеров и стали терзать и сгребать распавшуюся плоть бывшего оборонного цеха.

Над заводом зажглись мощные прожекторы, затмевая всплывающий в горах полумесяц. Все проголодались на воздухе и устали, и они не поехали в резиденцию, а завалились тут же, в какой-то приморский ресторан, с шикарным интерьером и пуленепробиваемым стеклом, покрывавшим пол, под которым плавали красивые тропические мурены. Посереди стекла красовалась круглая вмятина с паутиной трещин вокруг: какой-то пьяный посетитель вздумал проверить, точно ли пуля не берет стекло, а может — охотился на мурен.

Ресторанов в Торби-кале было вообще до черта, каждая жена каждого министра имела по ресторану, (а это выходило довольно много, особенно если учесть, что жен у министра иногда было несколько), и все они отмывали деньги и были очень красивы, вот только еда была дрянная.

Возможно, это было потому, что рестораны заводили не для прибыли, а возможно, потому, что в республике так и не приохотились вкусно есть. В республике было много вещей, которых мужчины лелеяли и за которыми охотились; ни один уважающий себя горец не посмел бы выйти в люди в грязной обуви или грязном платье. Кирилл видел, как равнодушный ко всему мирскому Джамалудин тщательно оправлял рукава безупречной рубашки и брезгливо морщился, едва на гладкую, без единой морщинки куртку от Джанфранко Ферре падала случайная пылинка. Ботинки здесь были всегда начищены, машины — вымыты, и Кирилл знал людей, которые сидели дома без денег и тратили последние сто тысяч евро на новый «порше-кайенн».

Но вот к еде в республике были удивительно равнодушны, и никто не видел ничего странного в том, что у человека, отделавшего свой дом мрамором из Италии и драгоценным деревом с Ливана, жена тащит на стол какие-то галушки не галушки, макароны не макароны, — и разваренную курицу ножками вверх.

Они ввалились в ресторан изрядной толпой, сразу заняв два зала, — самые приближенные к президенту люди в одном, обтянутом синим бархатом, охрана в соседнем, и по приказу Джамалудина в зале сразу вырубили музыку, и компании, сидящие за столиками на втором этаже, тут же вытянули головы, разглядывая новоприбывших, — было довольно людно.

Им подали восхитительные курзе и дрянной советский салат, и президент компании продолжил спор с президентом республики, рисуя квадраты и цифры на белых плотных листах бумаги.

— ОК, — сказал сэр Мартин, — если вас когда-нибудь уволят с президентов, «Навалис» будет рада взять вас главным инженером.

Он был видимо доволен разговором.

Кирилл расслабился, довольный днем, чаем и компанией, и некоторое время мужчины ели под взрывы хохота из-за неплотно прикрытых дверей.

Джамалудин вышел и вскоре вернулся. Хохот затих. Кирилл откинулся на спинку широкой скамьи, блаженно прикрыв глаза. Этот вечер, эта еда и эти люди устраивали его больше, чем рассуждения двух высокооплачиваемых проституток на тему, где подают лучший сибасс.

Магомед-Расул, который весь день порывался поговорить с сэром Мартином, но не осмеливался встрять в разговор поперек старшего брата, откашлялся и перегнулся к англичанину через стол, но в это мгновение пальцы сэра Метьюза коснулись рукава Кирилла. Сэр Метьюз повернулся к Джамалудину и попросил:

— Переведи, пожалуйста. Я слышал, что власти республики проводят большую кампанию по наказанию тех, кто не так молится. Я слышал, что даже если человеку нечего предъявить с точки зрения закона, семью могут просто выселить из села.

Кирилл перевел.

Джамалудин Кемиров сидел, чуть сползая влево в кресле, и аккуратно счищая с шампура на тарелку свежий шашлык. День был четверг, в четверг Джамал всегда держал пост, но, несмотря на то, что он прикоснулся к еде и воде впервые со вчерашнего вечера, младший брат президента ел мало и равнодушно.

— Люди, — сказал Джамал, — сами отселяют этих чертей. Проводят сходы и отселяют. Я даже не появляюсь в селах.

Белые его зубы аккуратно вонзились в сочный кусок баранины.

— Но когда человека выселяют из села, и не дают ему работы, куда ему идти, кроме как в боевики?

— Это его дело, — повторил Джамалудин, — люди сами их отселяют.

— Вы слишком жестоки. Вы сами вынуждаете людей быть террористами. Нельзя наказывать человека оттого, что он просто молится.

— Кто ему мешает просто молиться? — спросил Джамалудин. — Что, я не молюсь? В городе пятьсот тридцать мечетей, они все полны народу. Переведи ему, Кирилл, — он что, всерьез думает, что тех, кто в лесах, убивают за то, что они просто молятся?

— Допустим, — сказал сэр Метьюз, — их берут за то, что они носят оружие, но ведь это смешно. Вы, господин Кемиров, носите оружие, и все ваши люди ходят с оружием, и когда мы сегодня ездили по заводу, мне в бок упирался гранатомет, хотя это была гражданская машина, и вряд ли у водителя было на это разрешение. Но вас никто не останавливает, потому что вы брат президента, а любого другого человека с оружием могут взять и объявить ваххабитом.

Джамал Кемиров отодвинул от себя тарелку и чуть наклонился к собеседнику. Черные его зрачки расширились в полутьме, казалось, заполняя всю радужку глаз.

— Три года назад, — сказал Джамал Кемиров, — четыре придурка взорвались в вашем лондонском метро. И убили тридцать восемь человек. Если я правильно помню, их никто не выселял. Это что, сэр Мэтьюз, другие террористы? Когда они взрываются у вас, они террористы и враги демократии, а когда они взрываются у нас, — тогда они жертвы режима?

— Очень часто это люди, которых загнали в угол.

— Переведи ему, Кирилл, — что он заступается за моих террористов? Пусть защищает своих собственных.

— Это нечестное сравнение, — сказал сэр Мартин, — и вы это знаете, господин Кемиров. Вы сравниваете людей, которые хотят уничтожить свободу, и людей, которые восстают потому, что в России ее нет.

Хаген, справа от Джамалудина, сидел, поигрывая обоймой на поясе, и легкая ухмылка бродила по его точеному арийскому лицу. Ташов, низко наклонив голову, рвал руками курицу. Джамалудин окончательно отодвинул от себя еду, и черные его глаза вонзились в глаза президента западной компании. Сильные гладкие пальцы Джамала неподвижно лежали на столе, затянутое в черную водолазку худое, жилистое тело чуть наклонилось вперед. Только Кирилл, который хорошо знал горца, понимал, насколько тот разъярен.

— Свобода, — сказал Джамалудин, — это наши хотят свободы? Что-то я этого никогда не замечал. Семь лет назад в моем родном городе взорвали роддом. Погибло сто семьдесят четыре человека. Из них сорок семь погибли в тот же день, что и родились. Пять лет я охотился за человеком, который это сделал. Когда я его поймал, я сказал ему: «Рай не для убийц детей! Ты отправил на тот свет сто семьдесят четырех, ты убил сорок семь детей, и как ты объяснишь Аллаху этих мусульманских детей в Судный День?» И знаешь, что он мне ответил? Он сказал: «Они стали шахидами». Этот человек хотел свободы? Или им можно убивать моих детей, и только твоих нельзя?

Сэр Метьюз молчал. Он пытался сформулировать ответ, но раньше, чем он раскрыл рот, Джамал заговорил снова:

— Эти люди не знают, что такое свобода. Эти люди не знают, что такое ислам. Эти люди не знают, что такое мои горы. Они называют моего устаза — язычником, они называют наши обычаи — ширком, они плюют на наши адаты, как они плюют на вашу свободу, и вы доиграетесь с ними, а я — нет, потому что я буду уничтожать их, как бешеных псов, раньше, чем они покусают моих овец, и мне не нужен ваш суд неверных, чтобы увидеть, пес бешеный — или нет. Позовите меня в Скотленд-Ярд, и у вас больше не взорвется ни один поезд метро.

И в эту секунду наверху грохнул выстрел. Взвизгнуло, щелкнуло, что-то сочное и влажное полетело Кириллу в лицо, он сморгнул, и когда он снова открыл глаза, он на мгновение увидел, что блюдо с шашлыком посередине стола разбито вдребезги, мясо разлетелось в разные стороны, и Заур с недоумением смотрит, как намокает рукав его рубашки в том месте, где в нее вонзился крошечный осколок фарфора.

Тут же Хаген, сидевший всех ближе к Кириллу, выдернул его, как репку, из подушек, и Кирилл покатился куда-то под пыльный топчан. Сразу же на Кирилла приземлился сэр Мэтьюз, сверху навалился еще кто-то и заорал:

— Лежать!

Наверху что-то верещало и билось, по лестнице на второй этаж — бум-бум — летели спецназовские берцы, дверца кабинета хлопнула так, что на Кирилла посыпалась штукатурка.

Тяжесть ослабла, и один из охранников помог Кириллу встать. Из-за соседнего дивана поднялся Заур. Кирилл был весь в паутине, и мясной сок заливал ему манишку. Охранник попытался паутину счистить, Кирилл махнул рукой и вышел из кабинетика. Сэр Метьюз последовал за ним.

Снаружи царил бардак. Вся лестница на второй этаж была забита вооруженными людьми, и когда Кирилл, растолкав их, поднялся наверх, ему представился любопытнейший натюрморт.

За широким столом, почти нависавшим над балюстрадой, а стало быть — и над кабинетом, где ужинали президент и его гости, сидела компания человек в семь. Все они были пьяны, иные —

в дым. Один из сотрапезников мирно лежал на столе, похрапывая, остальные помаргивали, старательно держа руки на затылках. Разъяренные охранники тыкали им автоматы прямо в висок.

Во главе стола стоял высокий, крепкий мужик лет сорока. Он был килограмм на двадцать тяжелей Джамалудина и чуть-чуть ниже. У него были седеющие волосы, подбородок кирпичом и стеклянные глаза убийцы, и он был в дупель, в стельку пьян. Джамалудин стоял перед ним, и в руках его был щегольский иностранный «глок», из которого, вероятно, и стреляли, а над столом в бетонной оплетке потолка темнел свежий скол.

— Так я вверх стрелял, вверх! — кричал мужик, ничуть не стесненный десятком нацелившихся на него стволов.

— Куда ты вверх стрелял, когда пуля вниз пошла! — орал в ответ Джамалудин.

Мужик понурился и развел руками.

— Перед гостями нас опозорил! — добавил Джамалудин, — решат, что мы тут дикари какие!

Сэр Метьюз, за плечом Кирилла, молча созерцал это удивительное зрелище.

Джамалудин наконец повернулся, заметил Кирилла и сэра Метьюза, и хмуро сказал:

— Вот видите, сэр Мартин. Если человек незаконно носит оружие, это вовсе не значит, что он ваххабист. Это значит, что он мудак.

С этими напутственными словами младший брат президента выщелкнул обойму «глока», оттянул ствол, проверяя, нет ли там патрона, и бросил незаряженный пистолет пьяно качающемуся собеседнику.

— Поехали отсюда, — бросил Джамалудин. — Весь ужин испортил, придурок.

* * *

Дети выехали из Тленкоя около четырех часов дня. Ехать было недалеко, километров пятнадцать, и мальчики просто спустились к дороге, проходящей через село, и хотели дождаться школьного автобуса, который как раз шел в нужном направлении, но потом они увидели знакомого шофера, который сидел за рулем грузовика с капустой.

Мурад, как самый главный, забрался в кабину, а остальные влезли в кузов и расселись, как могли. От кочанов пахло свежим соком и полем.

Грузовик немилосердно подпрыгивал на рытвинах, и Алихана растрясло в дороге. Он чувствовал себя не очень хорошо и боялся, что упадет в обморок. За последний месяц он раз пять терял сознание, но все время ему везло. Он был один в комнате, и, конечно, он ни разу не жаловался сестре или бабушке.

Теперь он очень боялся, что хлопнется в обморок на глазах друзей, и они решат, что он струсил.

Он покажет им, какой он трус. Он покажет им всем, и в том числе Булавди. Булавди — слабак. Э, да что там говорить! Если бы он мог снова переметнуться к кяфирам, он бы это и сделал. Он ведь уже служил у кяфиров, убивал для них и пытал для них, и это не его решение, вернуться в горы, это было решение его дяди. Арзо Хаджиев — вот кто настоящий нохче.

Все знают, что Арзо никогда не сдавался Русне. Его взяли в плен, и если бы тот, кто взял его в плен, не был его зять Джамалудин, то Арзо расстреляли бы еще десять лет назад. Но они как-то там договорились, и Арзо сделал вид, что он теперь муртад и мунафик, и потом оказалось, что Арзо был прав, потому что он получил от Русни автоматы, ксивы и деньги, и он почти победил.

Он, Алихан, сделает то, что не доделал Арзо.

Он вернется в республику, когда научится всему, что должен уметь мужчина, и Булавди придется уступить ему пост командующего фронтом.

Машину трясло, кочаны в кузове подпрыгивали, как свежесрезанные человечьи головы, — много, много голов, и Алихан представил себе, что он сидит не на капусте, а на отрезанных головах кяфиров, — и тут привычная боль вдруг разлилась по телу, и Алихана вдруг охватил озноб, а руки стали холодными и мокрыми.

— Приехали!

Грузовик остановился у уходящей в холмы развилки.

— Алихан, ты что? Задумался?

Мальчик с трудом открыл глаза. Пальцы его едва цеплялись за борт грузовика, когда он лез вниз. В какой-то момент он потерял хватку и упал прямо с колеса на острые ребра дороги.

Мурад и его брат презрительно переглянулись, а Алихан несколько секунд лежал, прежде чем подняться на ноги, и вскарабкался тяжело и с трудом, как беременная баба. Наконец он встал, и они пошли в горы.

Они были не первыми, но и не последними: в назначенном месте за окраиной небольшого села уже ждали восемь мальчиков во главе с Максудом, и еще трое подошли через полчаса. Все ребята были в спортивной одежде, с плотными рюкзачками через плечо. Алихан с запоздалой досадой вспомнил, что оружие велели никому не брать. Зато сказали собраться, как в спортлагерь на море, а у Алихана не было ничего: он был в обычных ботинках и обычных джинсах, и в кармане куртки лежал «макаров». Алихану стало очень неудобно за этот «макаров». Там им дадут автоматы и настоящее оружие, а если бы он попался с «макаровым» патрулю, был бы переполох.

Максуд переписывал ребят на клочок какой-то бумаги, и подростки смеялись и фотографировали друг друга на мобильники. Алихан сидел под деревом бледный. Приступ оставил его совершенно без сил, и он не мог вспомнить, как он прошел эти два километра.

— Ты не передумал? — Мурад шлепнулся рядом на седеющую траву.

Алихан покачал головой.

Тут послышался шум машины, и на холм въехала белая «нива». Из нее, улыбаясь, вышел одноногий Али.

Али достал из машины хлеб и тушенку, а двое мальчишек сбегали в село за водой. Это было их село, им вообще было недалеко идти.

Когда совсем стемнело, принялись собираться. Али достал из «Нивы» полторы дюжины новеньких камуфляжей, и мальчики разобрали их себе. Оружия еще не было, оружие должно было быть на той стороне, и Алихан украдкой переложил «макаров» в карман камуфляжной куртки. Все помолились вслед за Али, а потом затоптали следы, Али сложил банки в багажник и уехал.

С мальчиками остался один Максуд. Они стали спускать вниз, к россыпям ограждавших дорогу валунов.

Ущелье в этом месте было неглубоко, и посереди его шла широкая белая полоса камней. Весной эта полоса была рекой, но сейчас там были одни только камни, довольно большие, обкатанные, сияющие в ярком лунном свете. Человек, переходящий полкилометра этих камней, был как на ладони. Они были слишком крупные, чтобы между них что-то выросло, и слишком мелкие, чтобы укрыться. По ту сторону белых камней была Чечня.

Группа мальчиков, в шестнадцать человек, во главе с одним взрослым Максудом, осторожно пересекла пустую в этом месте дорогу и вскоре вышла через прибрежный кустарник к каменной реке.

«Эта река как война, — подумал Алихан, — ее еще нет, но весной она обязательно будет».

Шутки и смех прекратились. Все шли молча; полная огромная луна превращала кусты в заросли инопланетных трав, за которыми затаилась засада кяфиров. Алихан заметил, что он не самый щуплый в группе. Один мальчик был мельче его. Правда, ему было всего тринадцать.

Они дошли до белых камней, и Максуд поднял руку.

— Я проверю, — сказал Максуд, — вдруг там засада.

— Я с тобой, — сказал Мурад.

Он был выше Алихана на полторы головы, и никто бы не назвал Мурада ребенком. На ринге Мураду случалось одолевать бойцов на двадцать килограмм тяжелей. Камуфляж сидел на нем как влитой, — это был настоящий воин, такой, каким были его дед и отец, и Алихан мучительно почувствовал, как он завидует Мураду. Они прошли всего три километра, а тело Алихана уже было ватным и вялым, словно он роженица, а не мужчина. Мурад — никогда не испугается. Мурад — никогда не струсит. И тело Мурада никогда не подведет его в самый главный момент.

— Нет, — сказал Максуд, — я пойду один.

Он закинул за плечи рюкзак и пошел по белой сверкающей полосе, облитой лунной глазурью. Мир спал. Скалы вдали стояли, словно ступени к престолу Аллаха, и мелкие облака были как овечья шерсть, разбросанная по небу. И подумать только, что он стоит у трона миров, — а сестра его хотела, чтобы лежал на больничной койке в смрадном городе кяфиров, и вместо пряного аромата горных трав вдыхал запах хлорки и нечистых общих сортиров.

Фигурка Максуда шла посереди белой сверкающей ленты. С этого берега казалось, что он идет пешком по воде. Потом Максуд исчез в прибрежных кустах, и вскоре с того берега донесся тихий клекот: Максуд извещал, что все в порядке.

Мальчики ступили на каменную реку.

И тут новый приступ скрутил Алихана. Тело прошила привычная дрожь, желудок опал, как проколотый шарик, Алихан перегнулся пополам, и его стало мучительно рвать какой-то зеленой слизью. Алихан упал на колени, а когда он поднял голову, он увидел, что рядом стоят Мурад и еще трое ребят из Тленкоя. Мурад протянул ему руку и встревоженно спросил:

— Алихан, что с тобой?

— Да он трусит! — расхохотался один из мальчиков, которому, видимо, тоже было не по себе. — Пусть идет домой и чинит компьютеры.

Алихан, пылая от стыда, вскочил. Основная группа подростков была уже посередине реки, Мурад отстал, чтобы не оставлять Алихана.

— Я не трушу, — сказал Алихан, — и ты ответишь за эти слова.

И в эту секунду открыли шквальный огонь.

Это был именно огонь, в буквальном смысле: с того берега, хорошо различимые, замелькали вспышки, сливаясь в одну сверкающую стену, словно огни аэродрома перед самолетом, идущим на посадку. Грохот выстрелов перемешался с визгом пуль, рикошетом отскакивающих от камней.

Одиннадцать пареньков, стоящих, как на ладони, на ровной глади пересохшей реки, даже не упали: они рухнули, как колоски, небрежно подрубленные вращающимися ножами комбайна. Кто-то, видимо раненый, пытался ползти, но куда там: камни были слишком мелки, чтобы за ними укрыться, и слишком крупны, чтобы быстро по ним бежать. Это был даже не расстрел — это была мгновенная бойня, и почти тут же, прежде чем ошарашенные мальчишки на берегу могли прийти в себя, на дороге вверху вспыхнул свет, взвизгнули шины, и Алихан скорее почувствовал, чем увидел обострившимся восприятием поднимающиеся из-за ближних кустов фигуры бойцов.

Мурад взвизгнул и побежал. Остальные мальчики бросились врассыпную.

Мурад бежал, закрыв голову руками, как будто это могло защитить его от пули, и Алихан хорошо видел, куда он бежит: прямо к кустам, в середине которых, расставив ноги, как на стрельбище, стоит массивная черная фигура с длинным стволом в руках, и ствол этот медленно-медленно поднимается навстречу юноше.

Алихан расспрашивал многих об их первом бое, и все говорили, что первый бой был как сон. Это говорили даже те, кто вел себя храбро.

Алихана это очень удивляло, потому что он помнил свой первый бой хорошо, и с ним ничего такого не было. Возможно, это было потому, что когда Алихан первый раз оказался в бою, ему было восемь лет, а в этом возрасте мальчик не понимает, что такое смерть.

И сейчас Алихан не боялся совершенно, и происходящее отнюдь не казалось ему сном. Он хорошо понимал, что в этом мире ему осталось недолго, и он был счастлив. Лучше на белых камнях под серебряной луной, в воздухе с кровью и горными травами, чем на несвежем белье в пропахшей хлоркой больнице.

Алихан вынул из кармана «макаров», сдернул предохранитель и тщательно прицелился. Человек, к которому бежал Мурад, был хорошо виден на фоне обсыпанных пухом кустов. Палачи знали, что мальчики будут без оружия, и даже совершенно не береглись.

На лице Алихана появилась блаженная, совершенно отрешенная улыбка, та, которая бывает у мужчины, когда он лежит с любимой женщиной или когда он видит дорогу в рай. Человек с автоматом заметил его и повел стволом, но было уже поздно. Алихан явно успевал первым. В этот миг что-то толкнуло Алихана в плечо и швырнуло вперед, выстрел ушел в землю, а короткая очередь человека с автоматом, наоборот, прошла поверх головы мальчика.

* * *

Он очнулся мгновенно, если вообще терял сознание. Он все так же лежал, лицом в колючках, и в ущелье еще продолжались выстрелы и уже начинались крики.

Потом сильные руки перевернули Алихана, и он увидел, что Мурад лежит перед человеком с автоматом, и тот что-то орет, наставив его мальчишке в затылок.

Над Алиханом тоже стоял человек. Теперь людей в темном камуфляже становилось все больше, они выползали из кустов, как вши из брошенного в прожарку платья, они были в черных масках, неузнаваемые, неразличимые, недоступные для мести тех, кто придет вслед. И все же человека, который стоял над Алиханом, мальчик знал. Он тоже был в маске, и ночь скрадывала его приметы, но это не имело значения.

Только один человек во всей республике был ростом два метра и восемь сантиметров; только у одного человека плечи были как колесо Камаза, и чугунные кулаки размером с дыню, в которых, казалось, тонул игрушечный «калашников».

Начальник республиканского ОМОНа Ташов Алибаев.

Он не заберет с собой даже того, кого он хотел убить больше всех на свете.

...Алихан напрягся, когда дуло автомата коснулось его лба, а потом над ухом раздался резкий, короткий приказ:

— В РОВД их!

* * *

Сэр Метьюз улетел из Торби-калы поздно ночью, а на следующий день Магомед-Расул Кемиров, генеральный директор компании «Аварнефтегаз», член-корреспондент Российской академии естественных наук, действительный член Академии Безопасности и Порядка, почетный председатель благотворительного союза «Честь и Меч», отправился на завтрак с Христофором Мао.

И в самом деле, что тут такого? Почему бы брату президента республики и не позавтракать с проверяющим из «Авартрансфлота», особенно если всем было известно, что другой брат завтракал с ним еще две недели назад и даже подарил ему «порше-кайенн»? Магомед-Расул полагал, что раз уж «порше» подарили, то москвич должен его отработать.

Вот они поели салат, и курзе, и черную икру, и тяпнули под нее водочки, и обсудили под хинкал кучу вопросов — от того, стоит ли шлюхам брить лобок до необходимости союза ислама и православия в борьбе против однополярного мира, и в ходе беседы Магомед-Расул понял, что Христофор Мао — куда более приятный собеседник, чем Кирилл Водров.

Во всяком случае, с Водровым ни про лобок, ни про ислам поговорить по душам не получалось, и Магомед-Расул терялся в догадках, каким образом проклятый русский настроил против него его его же родных. И вот, через час, когда собеседники разомлели и пришли в удивительное состояние гармонии, Христофор Мао осведомился у брата президента о том, кто, по его мнению, будет главой совместного предприятия.

— Я думаю, — со вздохом сказал Магомед-Расул, — что они назначат Кирилла Водрова.

— Это безобразие, — сказал Христофор Мао, — как можно на такую должность назначать мальчишку, да еще забугорного? На таком посту должен быть человек солидный, ответственный, способный наладить диалог с Москвой, ведь вы же, Расул Ахмедович, понимаете, насколько в наше время важен диалог, и в вопросах веры, и в вопросах бизнеса.

— Я-то понимаю, — сказал Магомед-Расул, — да Заур ужасно упрям. Долбишь ему, долбишь — все без толку. Уж сколько раз я спасал ему бизнес, а нет, иной раз упрется. Почему бы Москве не прикомандировать сотрудника к компании Водрова и вывести его на чистую воду?

— Ну, мы не может прикомандировать человека к «Бергстром и Бергстром», — сказал Христофор.

И с сожалением подумал о такой возможности.

— Безобразие, — сказал Магомед-Расул, — что не можешь. Зачем проверять советских людей? Надо проверять иностранных шпионов. Аллах накажет этого шайтана за то, что он стоит поперек дороги честным людям!

— А что вы думаете о Сапарчи и Дауде? — спросил Христофор Мао.

— Это омерзительные люди, — воскликнул глава «Аварнефтегаза», — один подонок, а другой и вовсе боевик. Представьте себе: построил в Андахе коньячный завод и штампует там «Реми Мартен» по доллару бутылка. А на доходы финансирует террористов!

— Безобразие! — сказал Христофор Мао и аккуратно записал себе в книжечку месторасположение завода.

* * *

Кирилл услышал новость в девять утра. Он ехал на площадку, где его ждали эксперты и два турецких подрядчика, и вделанный в переднюю панель телевизор сказал, что сегодня ночью в Бештойском районе уничтожена банда боевиков.

По телевизору показали кучки камуфляжа на белых камнях и Хагена. Хаген сказал, что у АТЦ потерь нет и что боевики состояли в банде Умарова. Кирилл в это время листал отчеты; каким-то осколком сознания ему показалось странным, что у Хагена нет потерь.

На площадке дул ветер, по морю бились белые барашки, эксперты не понимали по-русски, турок — по-английски, а Кирилл — по-турецки. Магомед-Расула, по счастью, не было, он прислал вместо себя одного из зятьев.

Кирилл препирался с ними два часа, и когда он вернулся в машину, он обнаружил на мобильнике двадцать семь неотвеченных звонков, из которых двадцать два были от Дианы. Во рту мгновенно пересохло, Кирилл взял телефон, чтобы позвонить, но тут же он сам разразился ему в лицо мелодичной песней.

— Да, — сказал Кирилл, — Диана, Диана, что случилось?

Динамик трубки был слишком громкий, и Кирилл почувствовал, как бледнеет его лицо под ставшими вдруг слишком внимательными взглядами охраны.

* * *

Через десять минут машины Кирилла влетели во двор АТЦ.

Прямо во дворе пасся жирный индюк, и на дощатой двери сортира красовалась внушительная надпись: «Боец! Не держи ствол за ремнем!»

Коридор АТЦ был длинный и светлый, и когда Кирилл рванул дверь кабинета, под ручкой вспыхнула ночная подсветка. Хагена в кабинете не было. Его зам, по имени Расул стоял, заложив клешни за широкий офицерский ремень, и диктовал какую-то бумагу полненькой секретарше в платке.

— Алихан, — сказал Кирилл.

Расул повернулся.

— Мне нужен Алихан, — повторил Кирилл, — мальчишка уцелел вчерашней ночью. Его привезли в местное ОВД. Потом приехал Хаген и лично забрал мальчишку.

— Хагена нет, — ответил Расул.

— Где он?

— Хагена нет в Торби-кале, — повторил Расул.

* * *

Так получилось, что за те два часа, которые заняла дорога до Бештоя, Кирилл так и не смог дозвониться Джамалудину. Не дозвонился он и Зауру, только узнал, что тот тоже дома. Это была обычная для Заура вещь, президент республики далеко не все дни был в Доме на Холме, почти половину времени он обыкновенно проводил в бештойской резиденции, куда нескончаемым потоком шли старейшины, депутаты, прожектеры, и просто самые обыкновенные люди, искавшие справедливости у того или другого брата.

Вот и сегодня на широком дворе, где между выложенных белым камнем дорожек гуляли красноногие павлины, стояла целая делегация стариков в барашковых шапках, и у входа в дом Джамалудина стоял черный джип мэра Торби-калы.

Сам мэр сидел вместе с Джамалудином в длинной гостиной за накрытым столом. В дальнем конце гостиной работал телевизор, и двое сыновей Джамалудина, девяти и четырех лет, возились на полу с разряженной снайперской винтовкой.

Гости поднялись навстречу Кириллу, и смуглое узкое лицо Джамалудина засияло улыбкой, которая не могла быть особо искренней, — учитывая, что два с половиной часа тот не брал трубку.

— Я приехал за Алиханом, — сказал Кирилл.

Младший брат президента недоуменно сморгнул.

— Какой такой Алихан?

— Брат Дианы. Его привезли в Бештойское РОВД после расстрела на речке. Я приехал за Алиханом, Джамал.

— Ну и езжай в РОВД, — ответил Джамалудин.

— Его нет в РОВД. Он был ранен в плечо, они хотели везти его в больницу, но тут за ним приехал Хаген, и в больнице его нет.

— Значит, сбежал.

— Ты теперь воюешь с детьми, Джамал? С инвалидом пятнадцати лет, который весит тридцать пять килограмм? Всех взрослых ты уже перестрелял, да?

— Здесь нет никакого Алихана, — ровным голосом сказал Джамалудин. — Строй завод и не лезь не в свое дело.

Кирилл молча смерил его взглядом, повернулся и вышел из залы.

* * *

Президент республики был в своем кабинете. Делегацию в барашковых шапках уже завели к нему, и они рассаживались осторожно по высоким, с резными гнутыми спинками стульям, и узловатые лица стариков отражались в наборном паркете.

Заур не изменился в лице, когда на пороге кабинета возник Кирилл Водров, но быстро понял, что скандал начнется здесь и сейчас, а Зауру вовсе не хотелось, чтобы человек из Москвы устраивал скандал на глазах старейшин двух сел. Заур не был уверен, что Кирилл Водров не скажет каких-то таких слов, после которых Зауру будет очень трудно с ним помириться, если эти слова сказаны на людях.

Поэтому, хотя это было не очень правильно, Заур сделал знак Кириллу, чтобы тот шел за ним в соседнюю комнату, а старейшинами занялся дядя Заура и еще один человек, который был с Кемировыми из одного села.

Но даже Заур не ожидал, с чего именно начнет Водров. Едва за Кириллом затворилась тяжелая дубовая дверь, Водров вынул из бывшей при нем папки листок и протянул его усевшемуся в глубокое кресло Зауру.

— Это мой отказ от участия в проекте, — сказал Водров.

Заур покачал головой.

— Это невозможно, Кирилл Владимирович.

— У меня есть невеста, — сказал Кирилл, — а у нее есть брат. Инвалид. Сегодня ночью его и еще пятнадцать детей расстреляли на Белой Речке, безоружных, беспомощных, а потом назвали это ликвидацией отряда боевиков, и сейчас Алихана привезли сюда, в подвал к Джамалу, и Джамал врет мне в лицо. Алихан — террорист. Хорошо. Тогда брат моей будущей жены — террорист, и я не гожусь вам в консультанты.

Президент республики молчал. Он впервые слышал, что дело зашло так далеко, чтобы Водров посватался к своей чеченке. Как-то он был не уверен, что чеченка слышала об этом сватовстве.

— А ты знаешь, как Алихан повредил позвоночник? — спросил Заур Кемиров. Лицо его было покрыто усталостью, как пудрой.

— Ага. В Буденновске, да? Ему тогда было четыре года...

— Ему было восемь лет, — ровным голосом сказал Заур, — и он выполз из канализационного люка в Грозном, между двумя российскими частями, так что с одной стороны у него был БТР, и с другой — танк. Он притащил с собой «Муху», тяжелей его самого, и он всадил гранату из этой «Мухи» прямехонько в башню танка. И твой Алик хвастается этой историей, и родич его хвастался этой историей, когда брал «Норд-Ост». А теперь ему пятнадцать, и ты говоришь, что он ребенок?

Кирилл молчал.

— Ты что думаешь, — сказал Заур, — эти мальчики собрались в пионерлагерь? Из их отцов половина погибла тогда, на Красном Склоне.

— Их, — ответил Кирилл, — привел провокатор. Они бы росли, и жили, и стали бы нормальными людьми, но к ним пришел провокатор от Джамала и...

— И они умерли раньше, чем убили тебя или меня.

Смуглое, покрытое частой сеткой морщин лицо президента республики глядело на Кирилла, и русский пошатнулся и хотел было отступить назад, но вместо этого шагнул к собеседнику.

— Алихан мне как сын, — сказал Кирилл. — Или ты отдашь мне сына, или я буду считать, что это ты его убил.

Несколько секунд президент республики и консультант из «Бергстром и Бергстром» глядели друг другу в глаза. Заур знал, что слова русского — блеф. Никогда Кирилл Водров, блестящий выпускник МГИМО, бывший спецпредставитель России в ООН, топ-менеджер одной из ведущих консалтинговых компаний, не будет считать чеченского мальчика своим сыном. И никогда Кирилл Водров не отомстит за сына так, как мог бы отомстить чеченец.

Но знал Заур и другое: что чечененку пятнадцать лет, что он инвалид, и что в подполье, сидящем по лесам и селам, Алихан занимает не сотое, и даже не двухсотое по старшинству место.

Заур Кемиров встал и вышел.

Только тут Кирилл почувствовал, что ноги его не держат, и скорее рухнул, чем сел в кожаное кресло. Он не знал, сколько он времени сидел так, уставясь на огромный настенный ковер, затканный именами Аллаха, когда в кармане его зазвонил телефон, и Кирилл машинально нажал кнопку приема. Голос в телефоне бился и рыдал.

— Кирилл? Кирюша? Это ты?! Слава богу, у меня катастрофа! У меня заблокировали карточку!

— А? — рассеянно спросил Кирилл.

— Карточку, твою! Прямо в duty free! Я — в крик, а они: «Если с карточки зараз снимают больше десяти тысяч, то эта трансакция кажется нам подозрительной». Кирюша, ради бога, срочно займись, я тут стою посередине аэропорта, груженная, как мул...

Кирилл вырубил звонок. Дверь комнаты распахнулась. На пороге стоял Гаджимурад Чарахов.

— Заур Ахмедович просит тебя спуститься, — сказал мэр Торби-калы.

Внизу, на гладком асфальте двора, носами друг к другу стояли два «мерса», и между их скошенных фар стоял Алихан. Руки его были завернуты назад, а глаза пусты, как протертая тряпкой классная доска. Хаген со своим ледяным лицом и волосами цвета инея возвышался над ребенком на две головы.

Лондонский телефон зазвонил снова. Кирилл хотел отбить звонок, но пальцы русского закоченели, телефон шлепнулся на землю и стал там ползать и жужжать, как перевернувшийся на спинку майский жук.

— Отвези их, куда скажут, — приказал Джамалудин Хагену.

* * *

Они приехали в аэропорт через три часа. Кирилл из Бештоя поехал сразу за Дианой, и не дал ей ни минуты на сборы: проверил паспорт, сунул себе в карман, и посадил ее на заднее сиденье рядом с бледным, не приходящим в себя братом.

Хаген за рулем не сказал ни слова, пока Кирилл по телефону распоряжался пилотами и договаривался, чтобы в Москве их встретили медики из ЦКБ.

— У него огнестрел, — сказал Хаген, — тебе справка нужна. Я тебе справку выпишу, что пацан с оружием баловался.

Кирилл ничего на это не ответил, а Алихан что-то тихо сказал по-чеченски Диане. Хаген усмехнулся, и Кирилл вспомнил, что этот персонаж из «Кольца Нибелунгов» прекрасно знает чеченский, и не только. Недавно Кириллу сказали, что Хаген помнит наизусть весь Коран.

Хаген гнал машину, как всегда, так, что она попадала в воздушные ямы, и облитые медом скалы пылали в свете заходящего солнца. Кирилл молчал, уставясь на дорогу перед собой.

Никогда, за все это время, он ни разу не задавал себе вопрос — кто же все-таки действительно стоит за похищениями людей и убийствами без суда и следствия. Кирилл считал само собой разумеющимся, что это делают такие, как Хаген или Ташов, и, конечно, сам Джамалудин. Никогда, даже в самых худших своих подозрениях, Кирилл не предполагал, что за кровью и грязью стоит не фанатичный убийца Джамалудин, не прирожденный киллер Хаген, не флегматичный Ташов, — а спокойный, рассудительный, по-европейски просвещенный Заур Кемиров.

А между тем это было очевидно. Заур правил республикой железной рукой. И если он не одергивал младшего брата — значит, он не считал это нужным.

Заур знал все. Заур знал даже, как восьмилетний Алихан подбил российский танк. Черт побери, это, наверное, знали в республике все, кроме Кирилла Водрова. А Кирилл рассказывал ему про Рональда Рейгана; очень умно, рассказывать про Рональда Рейгана мальчику, который в восемь лет подбил танк.

Когда они влетели на аэродром, солнце уже почти село, и трап у корпоративного «челленджера» с алой эмблемой «Навалис» шел вверх, как лестница в другой мир. Возле крыла самолета стоял желтенький заправщик, и тут же — черный «мерс». Когда Диана вышла из машины, дверца «мерса» отворилась, и из него показался человек, которого Кирилл меньше всех ожидал увидеть в это время и в этом месте: Ташов Алибаев.

Диана вздрогнула и сделала шаг назад, а Ташов просто стоял, понурив огромную голову, у самого трапа, и казался беззащитным, как выброшенный на берег кит.

Кирилл молча взял женщину под руку и повел в самолет, а Алихан пошел вслед за ними. Когда мальчик поднялся на четыре ступеньки, голова его оказалась вровень со стоящим на рулежке Ташовом.

Мальчик обернулся и сказал по-чеченски, но так четко, что даже Кирилл понял его слова:

— Аса юха а веъна вуьйра ву хьо.[1]

* * *

Через четыре часа Кирилл и Диана сидели вместе в широком коридоре ЦКБ. Во время полета они не говорили ни о чем, — с ними летели двое экспертов «Навалис». Эксперты были воспитанными людьми, и если их и удивили необычные пассажиры, они зарылись в бумаги и дали понять, что чужие дела их не касаются.

В кармане Кирилла коротко прозвенел телефон. Это опять была Антуанетта, и он с досадой отбил звонок. Это гарантировало, что ближайшие три дня Антуанетта не позвонит. Она не любила, когда на ее звонки не отвечали.

Диана сидела на диванчике, как синичка на жердочке, выпрямившись, опустив глаза, сложив узкие руки на плотно сжатых коленях; подол черной ее юбки от частых стирок был весь в узких ворсинках. Они странно выглядели вместе: худощавый сорокалетний финансист в бежевом костюме и мятой белой рубашке, и молодая чеченка в глухой кофте и темно-синем платочке.

---

[1] Я вернусь и убью тебя.

Когда в коридоре показался врач, Кирилл сделал Диане знак сидеть и прошел вслед за ним в небольшой кабинет, заставленный мебелью и подарками.

— Мальчик вам кто? — спросил врач.

— Сын. Приемный, — ответил Кирилл.

— Откуда огнестрел?

— С оружием баловался.

Руки врача бесцельно искали что-то на захламленном столе.

— Он еще у вас и с током баловался. Брал провод под напряжением и тыкал себе в причинное место.

Кирилл на это ничего не ответил, а, помолчав, спросил:

— Состояние его как?

— Должен вас огорчить, Кирилл Владимирович. От пыток он, конечно, оправится. Но мальчик серьезно болен. Если он ваш приемный сын, то странно, что этого так долго не замечали.

— Что с ним?

— Предварительный диагноз — рак крови. Острый миелобластный лейкоз, как мы полагаем. Впрочем, более точный диагноз вам поставят в РДКБ.

— Это излечимо?

— Сначала делают химиотерапию. Как правило, болезнь отступает, но вероятность рецидива очень высока. Тогда необходима трансплантация костного мозга. У мальчика есть близкие родственники?

Единственный близкий родственник Алихана, кроме Дианы, о котором Кирилл знал, погиб в «Норд-Осте». Не с той стороны.

Кирилл поколебался, стоил ли об этом говорить, и решил, что не стоит.

— А что?

— Проблема в том, кто будет донором.

— Это не проблема, — сказал Кирилл, — я оплачу операцию. И донора оплачу.

— Дело не в деньгах, — ответил врач, — ведь мальчик чеченец, я правильно понял?

— Господи, вам-то что? — с досадой изумился Кирилл.

— То, что для чеченцев очень трудно подобрать донора. Они сидели веками в своих аулах и ни с кем, извините, не скрещивались. В мировых базах доноров для них нет соответствий.

* * *

Когда Кирилл вошел в больничную палату, Алихан лежал глазами вверх, и руки его, в сплошных синяках, были как медные проводки в белом снегу простыни. В вену, чуть повыше локтя, уходила игла капельницы.

— Жаровни с углями рядом не оказалось? — спросил Кирилл.

Алихан молчал. Глаза его с пугающим равнодушием глядели в потолок.

— Есть ситуации, в которых никто не сможет быть героем, — сказал Кирилл, — ни ты, ни я. Ни Джамалудин. Единственный способ выиграть эту войну — это не вести ее вовсе.

Алихан подумал, что опять русский говорит то же, что Булавди. Это было даже удивительно, что они говорили одно и то же. Вот только жили они по-разному.

Кирилл осторожно присел на краешек уставленной лекарствами тумбочки, стеклянные флакончики зазвякали друг о друга.

— Зачем ты убежал? — спросил Кирилл.

— Я не хочу умереть в постели, — ответил маленький чеченец.

* * *

Московская квартира была пуста и тиха, и свет фонарей пробивался через плотно закрытые жалюзи. Справа от входа начиналась столовая, и белые тарелки, каждая величиной с автомобильный диск, посверкивали на темном дубовом столе. Посередине стола смутной горкой угадывалась ваза с фруктами. Слева в полутьме тонула лестница на второй этаж.

Кирилл щелкнул выключателем, и Диана застыла у входа,

как Золушка на пороге бального зала. В своей глухой черной юбке и синем платке она, казалось, была совершенно не отсюда. Она не подходила к этому месту, состоящему из зеркальных полов, переходящих друг в друга пространств, и зимнего сада, колыщущегося за стеклянными гранями лоджии.

Экономка перед приездом набила холодильник едой, и когда Кирилл, приведя себя в порядок, спустился со второго этажа вниз, Диана уже хлопотала на кухне. На столе во фрунт стояли блюдца с нарезанным хлебом и сыром, и на сковородке в лужице масла шипело и скворчало что-то, при ближайшем рассмотрении оказавшееся суши.

Кирилл открыл двери в сад и разжег огонь в камине, — он очень любил огонь, и камин был настоящий, не газовый, с черными мраморными боками и березовыми полешками, сложенными в аккуратную кучку у края персидского ковра.

Диана захлопотала еще пуще, видимо стесненная тем, что вместо глухой стены между кухней, где должны стряпать женщины, и гостиной, где должны беседовать мужчины — лишь прозрачное стекло с вырезанной в нем аркой, но Кирилл попросил ее поесть вместе с ним, и она в конце концов села на краешек стула, пододвинула тарелку и начала есть, робко, как птичка, хотя должна была быть очень голодна.

Диана с тревогой следила за выражением его лица, когда он положил в рот маленький белый комочек риса с креветкой наверху.

Жареные суши оказались вовсе даже не плохи.

Кирилл улыбнулся. Чеченка посмотрела на него и опустила глаза. Кирилл вдруг вспомнил, как два года назад они сидели втроем, в халяльном ресторанчике возле мечети, и как Диана смотрела на Ташова, а Ташов смотрел на нее. А Кирилл смотрел на Диану и думал, что никогда еще в жизни ни одна женщина не смотрела на него так, как Диана смотрела на Ташова, и что он отдал бы все, чтобы женщина смотрела так на него.

Теперь Диана смотрела на него, в его собственном доме, поверх дубового стола и сухих цветов, торчащих из напольной китайской вазы, а Ташов Алибаев остался далеко-далеко, за две тысячи километров, у трапа самолета, со «стечкиным» в кобуре и с пулей, всаженной им в спину брата Дианы, — но все равно это был не тот взгляд.

Черт возьми, на сколько он старше Ташова? На восемь лет? На девять? Половина друзей Кирилла гуляла с девочками куда младше Дианы.

— Спасибо, — сказала Диана. — Они... они еще никого не отпускали.

Они поели, и Диана понесла тарелки в кухню и принялась их там мыть. Руки ее так и летали в струях воды. Кирилл подошел сзади, и когда он положил руку на ее мокрые пальцы, ему показалось, что его шибануло током.

— Оставь, — сказал Кирилл, — домработница завтра вымоет.

Диана, казалось, окаменела. Громко плескала вода, и в зеркале над раковиной Кирилл видел ее застывшее лицо. «К черту! Ты же видишь — она тебя не любит. И в отличие от тренированных девочек из ночных клубов, даже не умеет это скрывать».

— Я не девушка, — сказала Диана.

Кирилл засмеялся, с облечением, молча обнял ее и зарылся лицом в черные волосы. В ноздри сразу ударил запах женщины, — сухой и немного пряный. Они были в Москве, а волосы и кожа ее по-прежнему пахли горами.

— Это было восемь лет назад, — я была еще маленькая. Я ехала с тетей из Шатоя, и нас подстрелили по дороге. Они сначала продержали нас в овраге, а потом отвезли нас к себе на базу. С нами был один старик, они убили его быстро, и с ним его жену. А нас они держали в комнате, и выводили по одной. Они выводили нас на два, три часа. Те, кто оставались в комнате, слышали, как кричала та, которую вывели. Одна из девочек умерла, потому что начальник распорол ей все внутри. Он был такой круглолицый, и всем приказывал называть его товарищ Ахилл. А потом один солдат выпустил нас. Отпер дверь и говорит: бегите, пока они пьяные. Они все время были пьяные.

Кирилл закрыл глаза. Шум воды и далекая музыка в гостиной исчезли, и голос женщины, певучий и очень тихий, казалось, звучал откуда-то сверху. Руки Кирилла по-прежнему обнимали Диану, и кожа ее казалось ледяной, наверное, из-за холодной воды.

— Алихан знает? — спросил Кирилл.

«Черт. Черт. Если Алихан это знает, он никогда не вернется с Белой Речки».

— Нет.

— Это поэтому Ташов отменил свадьбу?

Диана молча покачала головой.

— А почему?

Кирилл боялся пошевелиться. Ему казалось, что вокруг Арктика.

— Я устала бороться, — проговорила девушка, — и врать. Как, ты думаешь, я собрала деньги на операцию? А теперь все напрасно, и мой брат все равно умрет, и он будет среди шахидов, а я в Аду.

Громко хлопнула входная дверь, и Диана обернулась мгновенно, как подброшенная выстрелом, а потом обернулся и сам Кирилл.

На пороге квартиры стояла Антуанетта.

На ней были высокие темные сапоги с десятисантиметровыми шпильками и что-то шелковое, воздушное, развевающееся, — коричневые, чуть ниже колен, штаны, коричневые же рукава, плещущиеся складками, и красные полосы на затянутой темным ремнем талии. Личико ее было безукоризненно, как роспись античной вазы. Черные сияющие локоны стекали из-под надвинутой на одну бровь кокетливой красной шляпки, и в руках Антуанетта держала крошечную черную сумочку от Louis Vuitton и целую кучу белых хрустящих параллелепипедов с надписями Duty Free. Heathrow.

Черные брови Антуанетты заломились выше ее шапочки, когда она увидела обжимающуюся парочку в кухне. Небрежным жестом девушка швырнула перчатки на спинку стоявшего в прихожей дивана и пошла к стеклянной арке, делившей единое пространство гостиной. Бедра ее колыхались, коричневые и алые шелка плескались вокруг ботфорт.

Кирилл выключил воду и повернулся к раковине спиной, а Антуанетта остановилась в метре от них, наклонила голову с боку на бок, смерила девушку взглядом, от беленьких чистых носков до платочка на волосах, прищурилась и спросила:

— Милочка, ты новая домработница?

Скосила черные миндалины глаз и рассмеялась:

— Суши, дорогуша, не жарят. Их едят сырыми. С имбирем и васаби.

Теперь, когда женщины стояли рядом, лицо к лицу, Кириллу внезапно бросилось в глаза, насколько они похожи. Те же черные волосы, те же густые брови над огромными черными глазами, та же необыкновенная белизна правильного, овального, с крупными чертами лица и даже тот же чуть пухловатый подбородок, упрямо выставленный вперед. Разница, конечно, была в предмете упрямства. Диана продавала себя, чтобы собрать деньги на операцию брату. Антуанетта собирала деньги на виллу в Ницце.

— Милочка, это невероятно. На какой толкучке ты отыскала эту юбку? Это что, натуральный рубероид?

Кирилл молча пододвинул Диану к себе и обнял ее за талию.

— Ты бы хоть меня познакомил, Кирюша.

— Да, познакомься, — сказал Кирилл, — это моя невеста. Ее зовут Диана. Свадьба на следующей неделе.

Лицо Антуанетты стало цвета простокваши.

— Ты шутишь, — сказала она, — ты женишься на этой... на это..? Да над тобой вся Москва будет ржать. Ты уже один раз женился на бляди!

Кирилл не успел даже шевельнуться. Чеченка вырвалась от него, как будто выброшенная катапультой. Она чуть не вцепилась Антуанетте в лицо, та взвигнула и отпрыгнула в гостиную. Диана шагнула вправо, — и в следующую секунду в ее руках оказался толстый конец пылающего, выхваченного из камина березового полешка.

Антуанетта заорала. Она была готова к перебранке, а может, даже к мелкой женской драке, с визгом, слезами и длинными царапинами от ногтей, но даже в эту секунду она не осознала, что соперница дерется насмерть.

Полено свистнуло в воздухе, рассыпаясь вишневыми искрами. Маленькая красная шапочка слетела с кудрей Антуанетты. Развевающиеся шелка чудом плеснули мимо огня, и удар пришелся на целую гроздь белых нарядных пакетов, которых Антуанетта так и не выпустила из рук.

Лопнули веревочки и ручки, пакеты рухнули на пол, хрустящие коробочки раскатились по ковру. Несколько искр попало на развевающиеся рукава Антуанетты, и в комнате мгновенно запахло паленым. Диана ударила снова. Антуанетта прыгнула назад, огромный десятисантиметровый каблук ее подвернулся, и девушка, как подбитая, грохнулась на ковер.

Тут уж Кирилл бросился на Диану, перехватывая ее запястье, словно током его шибануло, когда он опять коснулся ее кожи, и тут же Диана вырвалась, легко, с изумившей его самого совершенно неженской силой, Кирилл вцепился руками в горящее полено, и оно упало и покатилось по ковру, оставляя позади себя вонь и пятна.

— Убери от меня эту сучку! — орала Антуанетта.

На боку одного из пакетов быстро ширилось и ползло коричневое пятно, и вдруг вместо пятна из него выметнулся язык алого пламени, неотличимый от развевающихся лоскутов жилетки Антуанетты.

Огонь тут же перекинулся на другой пакет. Кирилл выругался, скинул с себя пиджак и стал сбивать пламя.

Антуанетта, упираясь каблуками в ковер, быстро-быстро ползла к двери. Диана стояла, словно окаменев. Заметив это, Антуанетта вскочила, гибким движением кошки подобрала те пакеты, которые были ближе к двери, и заорала:

— Сука! Стерва! Я на тебя в суд подам! Ты еще не знаешь, с кем связалась!

Цапнула тяжелую безделушку, — стоявшую на полочке платиновую кошку Франка Мейстера, с дымчатыми лапками, с изогнутыми ушами, примерилась, словно хотела запустить ей в Диану, а потом сунула безделушку подмышку и побежала прочь.

Кирилл в ошеломлении глядел ей вслед. Снова потянуло дымом и гарью, и Кирилл вдруг заметил, что на паркете под столом лежит какая-то розовая тряпка, видимо выпавшая из свертков, и по этой тряпке уже ширятся и ползут горелые дыры, — и тут наконец сработала система автоматического пожаротушения, над дверью заорало, как сто кошек, и на Кирилла с Дианой откуда-то из-под люстры хлынули облака белой пушистой пены.

Кирилл схватил девушку и потащил ее в сторону, а пена все хлестала и хлестала, она была везде, она затопила ковер и поравнялась с огромным плазменным экраном, росшим на ножке из пола, она текла по белым стенам и хлопьями сползала с нежно-сиреневого кожаного дивана, и на этот-то диван Кирилл повалился вместе с Дианой, как был, без пиджака, утонувшего в пене, кашляющий, расхристанный, и тут на него накатило, и он заржал во весь голос.

Диана неуверенно засмеялась тоже, Кирилл захохотал еще громче, и так они и хохотали вместе, прыгая на диване и стряхивая с себя белую, как свадебное платье, пену, когда в квартиру ворвались дежурившие на пульте охранники с огнетушителями в руках, а внизу, на бульваре, заорал и закрякал эскадрон пожарных машин.

ГЛАВА ПЯТАЯ

О пользе борьбы с терроризмом

Председатель Пенсионного Фонда республики, заслуженный мастер спорта, дважды чемпион Олимпийских Игр Дауд Казиханов пил утренний чай в гостиной своего роскошного загородного дома, когда ворота во двор разъехались, и в них въехал черный «порше кайенн», подаренный семьей президента скромному проверяющему из Москвы Христофору Мао.

Дело было через два дня после безобразной стрельбы, которую Дауд устроил прямо на глазах президента.

Причина, по которой человек, официально числившийся московским куратором «Авартрансфлота», нанес визит главе Пенсионого Фонда республики, была очень проста: Дауд Казиханов был агентом ФСБ.

Это могло бы показаться удивительным, потому что Казиханов был известен дружбой с чеченскими сепаратистами. Во время войны Дауд проводил в Чечне кучу времени и даже командовал собственным отрядом, и мы уже говорили, что его состояние было сделано на торговле с Чечней людьми и оружием.

Еще более удивительным было то, что факт своего сотрудничества с ФСБ Казиханов нисколько не скрывал, (примерно как московский проверяющий не скрывал того факта, что он кадровый офицер), — и как-то в 97-м даже появился на приеме на Лубянке, где были только самые высокопоставленные генералы, что, собственно, означало — спалиться как агент. Но еще поразительней было то, что фотографиями с этого приема Дауд сам же хвастался перед Шамилем и Хаттабом.

Причина, конечно, заключалась в том, что в те смутные времена чрезвычайно трудно было понять, кто чей агент, Дауд ли служит ФСБ или ФСБ — Дауду, и судя по тому, что именно Дауд ввозил для Шамиля через генерала ФСБ самые настоящие арабские доллары (генерал брал пять процентов, и Шамиль очень серчал, когда узнал, что Дауд, ссылаясь на кяфиров, крысит еще пятнадцать), — так вот, судя по этому, в те смутные времена скорее ФСБ было агентом Дауда.

Ситуация изменилась, когда в 99-м Шамиль вторгся в республику. Шамиль полагал, что он будет главным во время вторжения, а его верный союзник Дауд его поддержит. Дауд же полагал наоборот. Он полагал, что если Шамиль был главным в Чечне, а он, Дауд, там его поддерживал, то теперь, когда дело идет о соседней республике, он, Дауд, должен быть главным, а Шамиль должен быть его союзником.

Из-за такого несогласия в вопросах лидерства Дауд совершенно не поддержал Шамиля и сделал вид, что вторжение его не касается, и за это решением шариатского суда был приговорен к смерти, как муртад и агент ФСБ. Как мы уже сказали, Дауд был действительно агентом ФСБ, но до тех пор, пока не вышла эта нехорошая история с тем, кто должен быть лидером, это не играло никакой роли.

Тем не менее из-за этого проклятого суда многие отвернулись от Дауда, и если бы не Пенсионный Фонд, Дауд бы совсем зачах. Но с Пенсионным Фондом дело пошло хорошо, так хорошо, что Дауд стал одним из самых влиятельных людей в республике; в придачу к Пенсионному Фонду он владел тремя депутатами, двумя главами районов, и коньячным заводом, на который племянник прокурора республики исправно поставлял технический спирт.

Вот с этим-то заводом и вышла неприятность: с утра на нем копошилась проверка, пытаясь выяснить, как завод, не имеющий не только лицензии на производство спиртного, но и зарегистрированный в БТИ как «гараж металлический, на две машины», производит десять тысяч бутылок пятизвездочного коньяка в день, и из какого, собственно, дерьма он это делает.

Христофор Мао обнялся с Даудом, и они поговорили о том, о сем. К кофейку принесли коньяк (разумеется, не Даудовский), и Христофор выразил Дауду соболезнование в связи с проверкой.

— Это все Кемировы, — сказал Христофор, — они знают, что ты тянешь к Москве, и они проплатили, чтобы тебя сняли. А после позавчерашней стрельбы Джамал совсем рассвирепел.

Темно-бордовые, цвета базальта глаза Дауда остались совершенно неподвижными.

Дауд прекрасно понимал, что чекист врет. Заур бы никогда не натравил на него проверку из Москвы. Он бы просто приказал Джамалудину.

И уж даже если бы Зауру пришла в голову удивительная мысль прикопаться к нему со стороны УК, он мог бы запросто посадить его за пьяную стрельбу в присутствии президента. Ежкин кот, Зауру, говорят, все лицо соком обрызгало, пуля ему в тарелку вошла, — в конце концов, много ли найдется президентов на свете, которым всадят пулю в тарелку, а они побранятся, хлопнут дверью, да и махнут рукой?

Проверку прислала Москва. А точнее, вот этот сам и сработал: Христофор Мао. Дауд видел его насквозь. Он был такой же, как тот, генерал, который возил из Азербайджана деньги мешками. Мастер решать проблемы, которые сам же и создавал. Жалко, что в свое время генерала пришлось скормить собакам, когда он узнал, что начальство прознало о его маленьком заработке и решил отравить Дауда, чтобы спрятать концы в воду.

— Можешь решить проблему? — спросил Дауд.

Мао помолчал.

— Скажи, Дауд, а что твои друзья в лесу говорят о Джамале?

— У меня в лесу давно нет друзей, — ответил Дауд.

Это была почти правда. С тех пор, как суд шариата приговорил Дауда к смерти, отношения Казиханова с подпольем совершенно испортились. К тому же причин, по которой их стоило улучшать, Дауд совершенно не видел. Что теперь подполье? Кучка одержимых и нищих.

— Да ладно. Вы, Дауд Магомедович, знаете все. Это правда, что Булавди и Заур держат связь через МИ6? То есть — через Водрова?

Дауд открыл рот и закрыл его. Первой реакцией его была мысль, что собеседник его совершенно и бесповоротно спятил. Но, как уже сказано, основной проблемой Дауда была паранойя. Это было вполне простительно для человека, числившегося в разное время и одновременно полковником ФСБ, заместителем руководителя шариатской службы безопасности и председателем Пенсионного Фонда республики РСА-Дарго. Можно было даже сказать, что это было необходимое для выживания качество.

Дауд задумался над мыслью. Еще через несколько секунд он нашел ее вероятной. Через полминуты — правдоподобной. Через минуту — объясняющей скрытые пружины, до каковых пружин он, как и всякий горец, был великий охотник.

— Так вот почему они освободили мальчишку! — вскричал Дауд.

— Какого мальчишку? — в свою очередь, изумился Христофор Мао.

— Алика, сына Исы! Ах, шайтаны, ведь они по просьбе этого кяфира выпустили племянника самого Мовсара!

* * *

Свадьбу отпраздновали через две недели. Кирилл вообще не хотел праздновать свадьбы, но вовремя вспомнил подвенечные платья в витринах Торби-калы и сообразил, что для Дианы это очень важно.

Поэтому свадьба была, но очень камерная: сняли на вечер один из самых крутых клубных ресторанов, возле Большого Театра, и Диана сидела, затянутая в белые кружева и атлас, с жемчужным венчиком над фатой, бледная, с черным агатом волос и сияющими огромными глазами, и Кирилл знал, что все собравшиеся банкиры и их томные жены, перешептываясь, обсуждают красавицу-чеченку.

— А твоя Золушка чертовски хороша, — сказал Кириллу вице-президент Сережа, — слушай, ты открыл новую тему. Может, посоветовать Пете завести филиал в горах?

— Его в этих горах закопают, ноги отдельно, задницу отдельно, — сквозь зубы ответил Кирилл.

Самое забавное было, что на свадьбу без предупреждения явился Джамалудин, таща с собой на хвосте двух северокавказских президентов и подарок молодым: бронированый «мерс».

— Кирилл Владимирович теперь наш брат, — сказал Джамалудин, — а мой брат должен и в Москве ездить, как я.

Кириллу подарок показался несколько двусмысленным, однако все присутствующие сочли его за лишнее доказательство тесной дружбы Кирилла с Кемировыми. Кирилл же был потрясен, увидев, какое действие произвело на публику появление Джамалудина. Все это были самостоятельные, богатые люди, кто миллионер, а кто и миллиардер. Еще недавно дикий кавказец, который бегает где-то там с оружием в горах, был бы встречен этими людьми покровительственной улыбкой. Теперь же при его появлении все как-то замерли. Владельцы международных компаний угодливо сторонились, пропуская худощавого, а скорее худого горца с гибкими движениями рыси и горящими угольями глаз. Один из старых приятелей, который как раз вот-вот должен был сцепиться за завод на Украине с крупным бизнесменом кавказского происхождения, задумчиво глядя на Джамалудина, спросил Кирилла:

— Как ты думаешь, если будет драка, позовут его на помощь или нет?

Кирилл содрогнулся, представив себе Джамалудина Кемирова, вмешивающегося в разборки по поводу сибирских НПЗ и малороссийских портов.

Кстати, бронированный «мерс» явно нуждался в ответе, и Кирилл понял, что «Навалис» придется-таки подарить самолет.

* * *

Когда Магомед-Расул Кемиров узнал, что Дауд откупился от московской проверки, он был страшно возмущен. Он думал-думал, как помочь горю, и, в конце концов, захватив с собой торт, он поехал к своему зятю Ташову Алибаеву.

Ташов только что закончил себе новый дом в дальнем конце села, и его жена как раз завозила во двор мебель. Кожаные кресла в целлофановой упаковке стояли во дворе, и Фаина со второго этажа распоряжалась грузчиками.

Магомед-Расул полюбовался мебелью и дочкой, а потом они с Ташовом сели в гостиной пить чай. Вот они поговорили о том, о сем, и Магомед-Расул то и дело вытирал салфеткой свое влажное, полное лицо. Наконец Магомед-Расул счел возможным приступить к главной цели своего визита.

— Ты знаешь, — сказал он, — Дауд Казиханов — очень плохой человек. Он торговал людьми и наркотиками, а теперь он сговорился с Сапарчи, и они мутит народ против Заура. Надо разобраться с этим вопросом.

— И почему ты пришел с этим ко мне? — спросил Ташов, — ты что думаешь, что я киллер?

Магомед-Расул не то чтобы думал, что Ташов киллер. Он думал, что Ташов простодушный человек. Поэтому Магомед-Расул нисколько не сконфузился, а улыбнулся как можно шире и сказал:

— Я просто думаю, что у Заура много врагов. И это наша обязанность, его близких, оберегать его от них. Ведь всем известно, что Дауд хотел быть президентом, и ненавидит Заура за то, что тот его обошел.

Тут Ташов встал в сильном гневе и сказал:

– Послушай, это ты натравил московскую проверку на Дауда, а теперь, когда она ушла, ты ищешь для него киллера. Я замну этот разговор ради твоих братьев, но если Дауда убьют, я позабочусь, чтобы имя заказчика стало известно.

Магомед-Расул быстро переменил тему и покинул дом зятя взбешенный и раздосадованный.

* * *

Три поездки в республику принесли прикомандированному сотруднику «Авартрансфлота» Христофору Мао полтора десятка новых друзей, включая Джамалудина Кемирова, полмиллиона долларов и новенький «порше кайенн». Кроме того, они принесли ему массу материала, которые Христофор регулярно представлял на суд Семена Семеновича, и которые Семен Семенович регулярно переправлял выше.

Христофор Мао знал, что президент Российской Федерации, Генеральная Прокуратура и глава ФСБ РФ получили целых три аналитических справки.

Одну, в которой рассказывалось о том, как президент республики Заур Кемиров предлагал главе «Авартрансфлота» Сапарчи Телаеву вступить в заговор с целью свержения российской власти в РСА-Дарго и передаче республики под протекторат Англии.

Другая, в которой давний и доверенный агент ФСБ Дауд Казиханов подтверждал, что Кемировы поддерживают тесную связь с террористами и с английской разведкой в лице Кирилла Водрова.

И третью, посвященную специально Кириллу Водрову.

В этой справке отмечалось три момента. Во-первых, в ней говорилось, что Кирилл Водров был завербован английскими спецслужбами еще во время своей работы в ООН. Во-вторых, в ней подчеркивалось, что в прошлый раз появление Кирилла Водрова в республике кончилось захватом парламентской делегации. В-третьих, в справке отмечался тот факт, что Кирилл Водров не только демонстративно женился на племяннице известного террориста, но и добился освобождения брата своей жены, отъявленного боевика, взятого на месте преступления с оружием в руках. Этот факт, по мнению автора справки, свидетельствовал об открытом альянсе британских спецслужб с чеченскими террористами, — альянсе, финансируемом на деньги пресловутой компании «Навалис».

Тем не менее, все три справки не произвели на руководство страны никакого впечатления: то есть ни малейшего, как в воду канули. Можно было подумать, что руководство страны спустя рукава относится к проблеме целостности России и связям между иностранным капиталом и кавказскими экстремистами.

У Христофора Мао даже руки опускались от такого наплевательского отношения к проблеме целостности России.

Сделка, как ни в чем не бывало, шла вперед, Заур Кемиров дважды встречался с президентом России, а третий раз президент России приехал в республику. Его провезли двести сорок километров по прекрасному четырехрядному шоссе (выстроенному во время президенства Кемирова), к пятиэтажной больнице (выстроенной во время президентства Кемирова), а потом на Бештойский машиностроительный завод (полностью перестроенный еще тогда, когда Заур был мэром), а потом они полетели в какое-то село, где были новая школа с компьютерным классом, дом культуры, детский сад и больничка, — и в ходе визита договорились о дате подписания соглашения: четвертое декабря.

Христофор знал, что по возвращении президента в Москву тот позвал к себе Семена Семеновича, шваркнул аналитические записки ему в лицо и сказал:

— Работать надо. А не вонять.

Христофор Мао знал это совершенно точно, потому что после этой встречи Семен Семенович позвал Христофора, шваркнул бумаги в лицо уже ему, и заорал:

— Где факты? Где работа? Ты нарочно все провалил! «Порше» от террористов взял, а меня дезой кормишь? Думаешь, я ничего не знаю?!

* * *

Словом, требовались новые доказательства, и Христофор Мао приступил к их поиску.

Способ, которым Мао начал добывать новые доказательства, показался бы немного странным людям из Лэнгли или МИ6, но для российского кадрового офицера спецслужб той поры он не представлял ничего необычного или удивительного.

Христофор Мао позвонил известному ему журналисту желтой газеты и сообщил, что у него есть совершенно эксклюзивные сведения. Газета, выбранная Мао, специализировалась на астрологах, поп-звездах и летающих тарелках, а также иногда печатала разоблачительные репортажи о врагах России на Западе.

Журналист увиделся с Мао за чашкой кофе и ознакомился с предоставленным Мао досье.

— Нет, — сказал журналист, — мы не можем это напечатать. Нам вкатят миллионный иск.

— Но это же эксклюзив! — вскричал Мао.

— Говно это, а не эксклюзив, — меланхолично возразил журналист.

В конце концов они договорились о том, что журналист сначала вывесит эксклюзив на маленьком сайте, зарегистрированном в Америке на подставное лицо, потом этот сайт перепечатает другой сайт, а уже потом газета воспроизведет эксклюзив со ссылкой на другие СМИ.

Услуги журналиста по составлению текста, размещенного на сайте в Америке, (они сводились к правке грамматических ошибок в досье) были оценены в двести долларов. Услуги по размещению текста на сайте — в пятьсот, а услуги собственно газеты обошлись в пять тысяч штук.

Брать с журналиста расписку Мао не стал. Вместо этого он составил ее сам, аккуратно приписав к каждой графе расходов ноль.

* * *

Следующим объектом интереса Христофора Мао был банк вице-президента Сережи. Это был один из крупнейших российских банков, обслуживавший, между прочим, счета Bergstrome East Europe. Две российские сделки Bergstrome прошли с этим банком в качестве андеррайтера.

Христофор Мао был человек неискушенный и прямой, и поэтому он завел на банк уголовное дело по статье 205, а именно — по факту финансирования терроризма. Чтобы обеспечить себе тыл, Христофор на всякий случай дело не зарегистрировал, но номер ему он присвоил, и передал через общего их знакомого, что на банк есть дело, и что он, Христофор Мао, может его закрыть за пять миллионов долларов.

Христофор резонно полагал, что если дело зарегистрировать, то цена закрытия выйдет дороже, и не хотел вводить клиента в лишние расходы.

Прошла неделя, другая, но вице-президент Сережа никак не отреагировал. Христофор позвонил в банк и узнал, что тот отдыхает в Ницце. Христофор разнес секретарш и бросил трубку; а через три дня выписал постановление и пришел в банк с обыском. Вечером ему позвонил Семен Семенович и велел срочно подъехать в ночной клуб Exotique и взять с собой справку по делу.

Exotique прятался где-то на задворках кинотеатра «Россия». Мигалки машин, стоявших у тротуара, перемигивались красным и синим с фигурками девушек на фасаде, и рядом с лощеным швейцаром у металлоискателя застыли сотрудники ФСО. Официант в черных брюках и алой рубашке провел Христофора мимо игорных столов и блюд с фруктами на второй этаж и распахнул перед ним дверь отдельного кабинета.

В кабинете, на главном месте, сидел Семен Семенович по прозвищу Эсэс. Перед ним стояло огромное блюдо устриц, и мокрые их раковины блестели из сколов льда. Семен Семенович добывал устрицы из раковины, выдавливал на них лимон и ел. Справа от Семена Семеновича сидел банкир Сережа. Справа от Сережи сидела высокая черноволосая красавица, и при виде ее у Мао внезапно вспотели руки; полутьма кабинетика растворилась и исчезла, исчез и пронзительный запах устриц, и запах свежей средиземноморской рыбы, и остался лишь влажный, немного тяжелый и пряный аромат женских духов.

Семен Семенович поманил пальцем Мао и спросил:

— Ну и что ты там искал?

— Э...э... так счета... по свадьбе... по свадьбе Водрова счета шли через этот банк.

Семен Семенович перегнулся через устрицы, вынул из рук Мао справку по делу (а она была довольно толстой), свернул ее рулончиком, и этим рулончиком крепко и страшно огрел Мао по щеке. Из глаз Мао брызнули слезы, а Семен Семенович разорвал справку пополам и бросил ее на пол. Листы так и запорхали в воздухе белыми гусями:

— Забери, — сказал Семен Семенович, — и пошел вон.

Христофор, оттопырив зад, ползал по полу и подбирал обрывки, а звонкий смех черноволосой красавицы стоял у него в ушах.

* * *

Так получилось, что через три дня Христофор Мао снова увидел черноволосую красавицу. Она была героиней передачи о self-made woman. Оказалось, что у нее была процветающая фирма по праздованию дней рождений комнатных собачек. Звали ее Антуанетта фон Плачек, и в клиентах у нее была вся Рублевка.

Христофор поначалу и ее принял за шпионку, тем более данные у нее были явно поддельные, но с данными Мао быстро разобрался, и вскоре собрал на нее обширное досье.

В досье, как в глянцевом журнале, было максимум снимков и минимум текста. Антуанетта фон Плачек на отдыхе в Ницце. Антуанетта фон Плачек на яхте близ Большого Барьерного Рифа. Антуанетта фон Плачек празднует день рождения своего той-терьера Никки. Какая женщина! Какой потенциальный агент!

Сначала Мао собирал досье, надеясь найти через женщину выход на банкира, финансировавшего террористов. Но очень быстро он выяснил, что Антуанетта — бывшая любовница Водрова.

Кроме этого, было установлено, что Антуанетта фон Плачек после расставания с Кириллов Водровым посещает гадалок, ведьм и специалисток по картам таро. Однажды она даже села в машину и поехала за двести километров к какой-то бабке под Суздалем, которую ей посоветовала подружка. Бабку навестили, и выяснилось, что та ворожила, чтобы вернуть Антуанетте любимого. Антуанетта принесла с собой его фото, и это был Кирилл Водров.

Банкир Сережа, с которым она приехала, ждал в это время в машине. Антуанетта сказала ему, что приехала навестить родственницу.

Выяснив все про Ниццу, и про бабку, и про черного петуха (петуха закопали где-то ночью на перекрестке), Христофор Мао поразмыслил немного и, сняв трубку служебного телефона, набрал сотовый Антуанетты.

— Антонина Михайловна? — сказал он.

В трубке тяжело и неприятно молчали.

— Это кто? — наконец раздался чуть низковатый, бархатный женский голос, и Мао, смотревший перед собой на снимок Антуанетты в Ницце, почувствовал, как у него влажнеют ладони.

— Христофор Иванович Назаров, департамент экономической безопасности ФСБ, — сказал Мао (он не видел необходимости называть свою настоящую фамилию, а документы на имя Назарова у него были), — вот, Антонина Ивановна, хотим с вами побеседовать. Вас устроит завтра в 11.00, пятый подъезд, триста седьмой кабинет?

— Нет, не устроит, — сказал женщина, — приходите завтра вечером в «Черный бархат». Часам к девяти. И до вашего клоповника недалеко.

И трубку повесили.

* * *

На следующий вечер, ровно в девять, подполковник Мао сидел в ночном клубе «Черный бархат», одном из самых дорогих и эксклюзивных в Москве. Стены клуба были затянуты гобеленами, в полумраке над столиками, как звезды, парили золотые обручи люстр. Официанты двигались бесшумно и ловко, как рыбы в аквариуме, и при виде этой чванской роскоши у Мао сводило от ненависти кулаки.

Не то чтобы он не бывал в таких местах — бывал, и довольно часто. Но в таких случаях всегда платили за него. Сегодня Мао наверняка придется платить самому, не бабу же, в самом деле, просить заплатить.

— Христофор Иванович?

Мао в удивлении обернулся. Он сел, как предписывали правила, спиной к стене, лицом ко входу в зал, но Антуанетта вошла с какой-то другой стороны, и теперь она стояла перед ним, затянутая в черный облегающий костюм, с золотой цепочкой у бедер, чуть раскрасневшаяся, белокожая, с иссиня-черными волнами кудрей, — живая, не на фотографии, и в тысячу раз шикарней, чем на том снимке на яхте.

Снимок не передавал запаха. Запах женщины сводил с ума.

Мао завертел головой, пытаясь понять, откуда она взялась, и увидел справа винтовую лестницу, по которой со второго этажа спускался немного красный и растерянный замминистра финансов. Замминистра когда-то тоже был любовником Антуанетты и, говорят, очень тосковал.

«Да они же трахались наверху, — вдруг понял Мао. — Черт побери, они трахались, как в борделе, и поэтому у него так сияют глаза, а она... она пахнет женщиной».

Мао мгновенно представил себе стоящее перед ним тело без черной обтягивающей шкурки, и в горле совсем пересохло. Черт возьми, какая бикса. Нет, какая шикарная бикса!

— Здравствуйте, Антуанетта Михайловна.

Черные жгучие очи, как сканер, пробежали по его дешевому галстуку и нелепо скроенному пиджаку, и подполковник содрогнулся, понимая, что его узнали.

— Так это вы, — чуть покривила губку Антуанетта.

Села за столик, и официант материализовался за ее спиной с меню.

Антуанетта заказала вино, и молодых кальмарчиков, жареных с артишоками, и белую спаржу с белыми грибами в соусе из сыра и сливок, и она управилась с кальмарчиками с аппетитом, подтверждавшим теорию Мао насчет того, что было наверху.

К Антуанетте все время подходили, она целовалась с мужчинами и обнималась с женщинами, и многие из тех, кто подходили, прямо-таки пялились на Мао. Мао вспомнил, что за ужин с Антуанеттой платили по три тысячи долларов. Он явно не походил на человека, который способен выложить три тысячи долларов только за то, чтобы накормить бабу еще на тысячу.

— Так что у вас за дело, Христофор... Иванович? — спросила Антуанетта, когда с кальмарчиками было покончено, а в бесконечном ряду гостей произошел перерыв.

— Да так, пару вопросов, — ответил Мао, вопреки воле не сводя с женщины взгляда, — скажите, Антуанетта Михайловна, как вы познакомились с Водровым?

Белое кукольное лицо не дрогнуло.

— Я не знакомлюсь с мужчинами, — сказала она, — это они ищут знакомства со мной. Вот, например, с вами я же не знакомилась. Вы мне сами позвонили.

— Ну хорошо, когда Водров познакомился с вами?

— Бедный парень, — сказала Антуанетта, — он так красиво ухаживал. Каждый день присылал корзину цветов. Однажды я сказала ему, что цветы мне надоели, и он прислал мне «мерседес». Весь «мерседес» был забросан цветами. Когда я его бросила, он совсем сошел с ума. Вы заметили, что эта его девка похожа на меня?

Мао несколько удивился такой интерпретации событий. По его данным, это не Антуанетта бросила Водрова, а ровно наоборот. И в то же время как-то чувствовалось, что Антуанетта должна быть права. Только сумасшедший бросит такую бабу.

— И почему вы его бросили?

Антуанетта презрительно засмеялась. Огромный розовый кристалл, — явно синтетический, но зато оправленный в настоящее золото, — запрыгал между двух безупречных, полуобнаженных грудей, и розовый свет кристалла заиграл на коже цвета слоновой кости.

— Так он импотент, — сказала Антуанетта, — а когда мужик импотент, у него от этого крыша едет. Он чего только не перепробовал. Знахарей, амулеты...

Антуанетта доверительно наклонилась к подполковнику, и розовый кристалл повис над бокалом с бордовым вином.

— А уж когда я ушла...

Антуанетта хихикнула.

— Неделю назад встретил меня на вечеринке. Схватил и трусики стал рвать. Сорвал, начал драть волосок. Вот отсюда выдрал, — и Антуанетта показала на теле, где Кирилл рвал волосок. — Мне вчера сказали, он этот волосок в амулет зашил и всем хвастается.

— Амулет? Какой амулет? — уточнил Мао, — ну... христианский, мусульманский?

Черные глаза на мгновение сверкнули.

— А кто его знает, — сказала Антуанетта, — он же совсем в этих горах свихнулся. Вы его телефон видели? Там в телефоне даже компас есть, чтобы знать, в какой стороне Мекка. Говорит, ему этот телефон друзья подарили.

— Вас это не смущало? Ислам, амулеты, горы?

— Конечно смущало, — сказала Антуанетта, — а что я его бросила? Он меня в паранджу хотел завернуть. Как вы меня представляете в парандже?

Мао Антуанетты в парандже не представлял никак. Откровенно говоря, в данный момент он представлял ее себе даже без трусиков.

— А он вам когда-нибудь говорил о своих и Кемирова планах? — вкрадчиво спросил Христофор, очень осторожно и очень обще формулируя вопрос.

— Да только и трындел! «Наше предприятие», «наше предприятие», наше будущее, «наши планы»! Мы сделаем республику частью глобальной экономики!

Женщина вдруг перегнулась через стол. Белые ее груди чуть не вывалились на тарелку со спаржей, черные немигающие глаза оказались в десяти сантиметрах от лица Мао. У Мао захватило дух. Казалось, опусти он подбородок — и он сможет облизать эти белые полушария, сладкие и прохладные, как два огромных шарика мороженого.

— Черт их побери с ихними планами. Что вы там говорили насчет свадьбы? — хрипло спросила Антуанетта. На лице ее была написана такая откровенная злоба, что даже Мао содрогнулся.

— А вы знаете фамилию Дианы?

Антуанетта нахмурилась. Фамилию Дианы ей, точно, никто не называл. Какое ей было дело до фамилии этой сучки?

Мао назвал фамилию, и Антуанетта широко распахнула глаза.

— Родственница? — спросила она.

— Дочь, — ответил Мао.

Он не стал уточнять, что Диана все-таки, строго говоря, была не дочь, а племянница, ну и что, что двоюродная: все равно с точки зрения зверьков разницы не было.

— Мы обязаны понять, зачем эта свадьба, кому она нужна, — сказал Мао, — какие цели она преследует. Отработать тех людей, которые ее организовали.

Антуанетта заулыбалась. Мао видел такую улыбку на лицах людей, подпиливавших чужие зубы. «Ты зря обидел эту телку, Кирилл Владимирович», — подумал Мао.

Но тут на пороге зала показался сын известного чиновника. При виде Антуанетты он подобрался, как кот, и засеменил к столу. Антуанетта оглянулась и встала. На фоне расшитых золотом гобеленов ее фигурка казалась вырезанной из черного оникса. Перекошенное злобой лицо Антуанетты изменилось мгновенно, как изменяется телеэкран, когда вы переключили канал. Она обвила вокруг мужчины руки и чмокнула его в ушко.

Мао понял, что для нее он не существует. Для нее вообще не существует никто, кто не стоит хотя бы ста миллионов долларов, и уж тем более — подполковник ФСБ, который не состоит пока председателем совета директоров, сенатором или министром.

— Чао, — сказала Антуанетта, помахала узкими длинными пальцами и растаяла, как греза. Черно-белый официант уже нес счет.

Когда Мао вернулся домой, его кошелек был легче на тысячу баксов. Семьсот он оставил в клубе, а триста пришлось истратить на проститутку, иначе Христофор бы не смог успокоиться.

— Эта сучка на всех вешает ценники, — сказал себе подполковник. — Когда я буду стоить полтора миллиарда кубов газа в год, я куплю ее и отымею так, как захочу. Или нет, — я не куплю ее. Я пообещаю ей деньги и кину ее, потому что она сучка.

А потом он сел к столу в своей скромной квартире, под окнами которой сверкал новенький «порше-кайенн», и вдруг последние слова Антуанетты молнией сверкнули у него в голове.

«Мы сделаем республику частью глобальной экономики». Как это, скажи на милость, без того, чтобы вырвать республику из расчлененной России?! Что такое «наше предприятие»? Газ? Какой газ, это восстание! Этот человек был настолько самоуверен, что во всем признавался своей телке, и он, Христофор Мао, был обязан это восстание предотвратить! Он обязан был спасти Россию!

* * *

Свадьба имела одно совершенно неожиданное для Кирилла последствие: у Дианы обнаружилась куча родственников. Через неделю в рублевском ресторанчике к скучающему Кириллу подсел полный круглолицый весельчак, отрекомендовавшийся бывшим главой администрации какого-то района Чечни и троюродным дядей Дианы с материнской стороны. Весельчак был верным сторонником федералов и большую часть своего правления командовал районом из славного города Москвы.

Как родич у родича, весельчак попросил у Кирилла миллион в долг.

— Алихан шесть лет ждал, пока его сестра заработает ему денег для операции на позвоночнике. Хорошо бы вам вспомнить о родстве тогда, — ответил Кирилл.

Другой родич был в свое время замминистра шариатской безопасности, а теперь ратовал за превращение России в монархию. Ссылаясь на свою близость к самым верхам власти, родич попросился к Кириллу в заместители.

Следующие нарисовались родичи уже самого Кирилла: кто-то пустил слух, что у него чеченские корни; один уверял, что ходил в школу с его отцом в Урус-Мартане, другой утвержал, что Кирилл принял ислам, чеченец-весельчак уже ходил по Москве, рассказывая, что это Кирилл должен ему миллион долларов, и уже находились охотники помочь эти деньги собрать; и больше всего Кирилла изумил звонок, раздавшийся ему на мобильник в четыре часа утра. Звонили из отделения милиции, куда после пьяной стрельбы в ресторане менты забрали каких-то черных:

— Тут этот, который стрелял, говорит, что он ваш брат, — несколько смущенно сказал мент Кириллу.

* * *

В ноябре Кирилл пять раз летал в Торби-калу, и, разумеется, Ташов не встречал его у трапа.

Кирилл воспринял это как должное; а если честно, он просто перевел дух, потому что он совершенно не знал, как ему быть с Ташовом. Конечно, Ташов сам порвал с Дианой, и Кирилл теперь знал истинную причину разрыва.

Но Кирилл ни секунды не сомневался, что черноволосый гигант по-прежнему любит девушку, и реакцию его Кирилл не мог предсказать. Может, презрительно усмехнется и скажет: «кто ж женится на шлюхе», а может, свернет Кириллу голову, а может и так и так.

Поэтому Кирилл был очень рад, что Ташов не встречает его у трапа, и обрадовался еще раз, не застав в резиденции. Кирилл счел это за тактичность своих кавказских друзей. Но он не видел Ташова неделю, другую, месяц, — и как-то Кирилл, садясь в машину, небрежно бросил Шахиду:

— А где Ташов? Что-то давно я его не видел.

— Так он уволился.

— Как — уволился? Из ОМОНа? Когда?!

— Да месяц уже, — как само собой разумеющееся, ответил Шахид.

Желудок Кирилла вдруг свернулся в тугой нехороший ком.

Увольнение из ОМОНа было для Ташова — смерть; это знал он сам, знал и Джамалудин.

Кирилл схватил мобильник и принялся набирать номер Ташова, трубку, к его облегчению, сразу сняли.

— Мне Ташова, — сказал Кирилл, когда услышал в трубке незнакомый женский голос.

— Какого Ташова?

— Ташова Алибаева, начальника ОМОНа.

— Мы Ташова не знаем, а номер этот купили на рынке.

Трубка замолкла. Кирилл глядел на нее, побелев.

— Послушай, — вдруг сказал он Абреку, — а ведь Ташов живет в Бештое? Ну, то есть в селе?

— Да его нету дома, — ответил Абрек.

Но они все-таки заехали к Ташову, в новый трехэтажный дом, выстроенный на южном конце того же села, в котором жили Кемировы. Большое восьмитысячное село было как равнобедренный треугольник. Острой вершиной своей оно упиралось в растущий Бештой, а тело его расползлось по предгорьям. Меж схваченных первыми холодами садов торчали белые коробочки домиков.

Дом Ташова был пуст; у соседнего дома играли мальчишки, которые сказали, что Ташов уехал в Сирию. Кирилл отстраненно подумал, не тот ли это соседний дом, в который люди Ташова врывались за эмиром села. Был человек — и нет человека. Никто не знал, где Ташов.

Кирилл вышел на мерзлую, гофрированную грязь, причудливо выдавленную колесами тракторов и еще не присыпанную снегом, и безнадежно постучался, чувствуя на себе взгляды детей и охраны.

И тут вся череда событий с математической ясностью сложилась в его мозгу, и Кирилл понял, что детей спас не он, Кирилл, а Ташов.

Джамалудин Кемиров вовсе не планировал огласки. Он методично уничтожал гадюк в яйце, пропалывал будущих сепаратистов, с тем же сознанием долга, как его кумир имам Шамиль приказал убить пятилетнего сына хунзахского хана, — мера политической санитарии, общепринятая в эпохах и режимах подобного рода.

Но он не планировал оправдываться в прессе насчет расстрела детей. Они должны были просто пропасть: уйти в рассветную даль вслед за двумя гаммельнскими крысоловами, исчезнуть, как все жертвы операций Джамалудина. Джамалудин не любил огласки: ему достаточно было страха.

Операцию сорвал Ташов, когда вместо того, чтобы добить безоружных щенков, привез их в РОВД. РОВД — это огласка; обезумевшие родители подняли вой. Пропасть без следа детям оказалось уже невозможно, и когда он, Кирилл, примчался домой к Кемировым и потребовал отдать ему ребенка — только одного, одного из пяти, — все было уже наверняка решено.

Они просто издевались над ним. Они знали, что детей придется судить, а на суде они, конечно, получат смешные сроки.

Детей спас Ташов, — начальник ОМОНа, который отказался стрелять, а вовсе не заезжий консультант в костюме от Армани. И, конечно, Джамалудин ему не простил. На Кирилла ему было плевать, Кирилл был чужак, иностранец, кяфир в шелковом галстуке, но Джамалудин не мог допустить, чтобы начальником ОМОНа у него работал человек, который то норовит ошибиться двором при штурме, то оставляет в живых пятерых маленьких гаденышей, — гаденышей, которые теперь почти неизбежно вырастут во взрослых боевиков и будут всю жизнь мстить и Джамалудину, и Ташову, и их семьям за Белую Речку.

Свежий, только что отстроенный дом стоял перед Кириллом, с воротами, замкнутыми, как веки покойника, железное кольцо, за которое взялся Кирилл, жгло холодом кожу. Он вдруг представил себе этот дом, каким он мог быть: с чернобородым, веселым Ташовом, с радостно щебечущей Дианой и маленьким ребенком у нее на руках.

Он, миллионер с Запада, отнял у Ташова Алибаева не только женщину, он отнял у него честь. Проклятое время, в котором нет и не может быть славы.

Кирилл отвернулся и сел в машину. Охрана почтительно расступилась, пропуская его.

* * *

Соглашение было готово к середине ноября. Оно предусматривало строительство газодобывающей платформы стоимостью миллиард девятьсот миллионов долларов и пуск в октябре следующего года двух очередей газового мегакомплекса, площадью в семьдесят гектаров и стоимостью в три с лишним миллиардов долларов.

Общая семилетняя стоимость проекта составляла одиннадцать миллиардов, а плата за лицензию — девятьсот шестьдесят миллионов долларов, и так как сквозная лицензия (и разведочная, и добычная), уже висела на «Аварнефтегазе», то из этих денег девятьсот миллионов получала республика, а еще шестьдесят — Минфин РФ. С деньгами на рынке было уже туговато, но, как сказал Кириллу знакомый вице-председатель«Меррилл Линч», для хорошего заемщика деньги всегда есть.

Чтобы минимизировать некоторые риски, и максимизировать другие, не очень публичные, выгоды, мегакомплекс создавался на базе дочерней компании Navalis Avaria, в которой шестьдесят пять процентов акций принадлежали «Навалис», а еще тридцать пять — оффшорам, представлявшим кого-то другого.

Собственно, к тому времени, когда соглашение было готово, было совершенно очевидно, кто станет главой «дочки».

Глава Navalis Avaria должен был быть своим на Кавказе, чтобы знать деликатные местные особенности и гладко разъяснить какой-нибудь не так всплывший труп; он должен был быть своим в Кремле, или, по крайней мере, не вызывать аллергии буржуйским паспортом; он должен был быть, наконец, своим на Западе, гладко толковать EBITDA, cash flow и net asset value, он должен был покрывать тех, разводить этих, и устраивать всех, — словом, он должен был быть Кириллом Водровым.

Если бы Кирилла не было, его бы следовало придумать.

Даже его женитьба, к изумлению Кирилла, обернулась политическим браком. На Западе вообще особо не разбирались в национальных тонкостях — чеченка, аварка, кумычка ли. Туземка — и все тут, и дядя, вы слышали? — какой-то очень знаменитый тамошний сепаратист. Примирение элит, одним словом. Кирилл видел и среди московских друзей тех, кто, подмигивая, поздравлял его с прозорливой партией.

Все устроилось очень гладко. Bergstrome&Bergstrome закатил прощальную вечеринку, выплатил Кириллу двойной бонус, и получил от Заура утешительный контракт насчет каких-то медных руд. Financial Times и The Wall Street Journal вышли с основательными обзорами, и Кирилл даже с удивлением обнаружил себя в Forbes, в весьма язвительной статье, поминавшей взятый четыре года назад Дом Правительства и дядю Дианы.

Помимо всего прочего, новый пост Кирилла означал огромные деньги. Кирилл давно не был нищим. Но и во время его работы на Владковского, и потом — в Bergstrome East Europe, он имел хороший доход топ-менеджера и брезговал нырять за долей на сторону. Если взять людей, в среде которых вращался Кирилл, он жил довольно скромно. Он летал на частных самолетах, — но почти всегда чужих; плавал на роскошных яхтах, — но это были яхты друзей, мог купить особняк за двенадцать миллионов фунтов, но он покупал его в рассрочку.

После назначения Кирилл проснулся наместником при полутора миллиардах кубах газа, которые должны были пойти с Чираг-Герана с лета будущего года. Его не мог снять Заур, потому что это вряд ли поняли бы на Западе. Его не мог снять сэр Метьюз, потому что это вряд ли понял бы Заур. Собственно, его не мог снять никто, кроме снайпера, потому что отставка Кирилла Водрова с поста президента компании была прописана в условиях займов, предоставляемых под проект, как повод для пересмотра процентных ставок.

Оставались всякие мелочи, вроде трупов мальчишек на Белой Речке или замерзшей грязи перед пустым домом Ташова, — но когда речь идет о компании в двадцать миллиардов долларов будущей капитализации, мелочи несущественны.

ГЛАВА ШЕСТАЯ

Рокировочка

Тут надо напомнить, что в республике в это время были выборы.

Выборы эти были двух сортов: во-первых, в Государственную Думу, и относительно этих выборов господствовало полное единодушие. Заур позвонил главам районов и напомнил, что за «Единую Россию» должны проголосовать не менее девяноста процентов избирателей, и многие главы районов положили для себя встречные обязательства довести этот процент до девяносто семи и выше. Перешли бы и сто, но все-таки было как-то неудобно.

Однако, кроме этого, намечались выборы собственно глав районов, и местного парламента, и мэра Бештоя, и тут была несколько другая картина.

Никак нельзя сказать, чтобы в республике не было демократии. Может быть, в том смысле, если считать, что один человек — один голос, демократии в ней не было, но если считать один автомат за один голос, то демократия в ней, конечно, была, и тот человек, у которого была тысяча автоматчиков, имел, соответственно, тысячу голосов. Может быть, это была и не самая совершенная демократия в мире, но все-таки, согласитесь, диктатурой такое положение назвать нельзя.

Дауд Казиханов, которого Заур уволил с Пенсионного Фонда, выставился депутатом в Тленкойском районе, а племянник его — в Шамхальском; бывший мэр Торби-калы откупил две партии — «Яблоко» и ЛДПР, Дорожный Фонд взял в лизинг «Патриотов России», но больше всех хлопот Зауру доставлял Сапарчи Телаев.

Он выставил семь человек сразу по семи районам; он финансировал оппозиционный телеканал, а в аренду он взял сразу четыре партии: «Зеленых», коммунистов, СПС, и еще одну, которая регулярно проводила в Москве митинги под лозунгом «Россия для русских» и призывала бить кавказцев и евреев.

Эта партия была немножко удивлена, когда ей предложили открыть отделение в республике Северная Авария-Дарго, но потом ее лидеры приехали в Торби-калу, покушали с Сапарчи шашлык и очень успешно выступили на митинге против коррумпированного правительства президента-миллиардера. Правда, в связи с местным колоритом им пришлось немного переделать свой лозунг, и вместо «Россия для русских!» они кричали «Кавказ для горцев!».

В общем, все эти партии выставили людей в парламент, а сам Сапарчи Телаев баллотировался в мэры Бештоя.

Каждый день Сапарчи выступал на митингах. Он раздавал деньги, обещания и интервью. Он обличал Заура Кемирова за то, что тот готов восстать против Москвы и за то, что тот заискивает перед Кремлем. За то, что тот сжигает дома боевиков, и за то, что не может поймать Булавди Хаджиева. Он проводил митинги и устраивал концерты.

Однажды он привез на концерт девиц, которые разделись прямо на сцене, и после концерта люди Джамалудина поймали этих девиц и немножко побили. А другой раз Сапарчи привез на концерт каких-то геев, и они закричали со сцены «Мы тебя любим, Сапарчи», и Сапарчи самому пришлось побить артистов, чтобы не потерять избирателей.

Народ ходил то на один митинг, то на другой, и так как на каждом митинге раздавали подарки, то народ привык к подаркам и считал, что если подарков не раздают — это ущемление демократии. Однажды начальник охраны Сапарчи повздорил с людьми, которые хотели запретить митинг, и дело дошло до стрельбы. Другой раз блокпост задержал Сапарчи на подъезде к Бештою, и Сапарчи накатал жалобу в Верховный Суд, о том, что вооруженные опричники Джамалудина препятствуют демократическим выборам.

* * *

За неделю до выборов, в конце ноября, в Торби-кале праздновали свадьбу: Дауд Казиханов выдавал дочь замуж за племянника военкома. На свадьбе собрались несколько сот гостей и пятнадцать депутатов местного ЗАКСа. Восемь из них были из числа самых влиятельных людей республики, и еще семерых депутатов привез с собой Сапарчи.

В свое время Сапарчи финансировал выборы этих семерых, и теперь, когда Кемировы уничтожили демократию в республике, Сапарчи поселил их у себя на дворе и возил их в парламент, чтобы они голосовали как надо и чтобы противники демократии не украли их по дороге.

Кроме Сапарчи, на эту свадьбу приехали бывший мэр Торбикалы, и бывший председатель Верховного Суда, приходившийся дядей покойному президенту. Но самым удивительным гостем на этой свадьбе был бывший прокурор Набиев.

Дело в том, что прокурора Набиева никто не видел и не слышал вот уже два месяца, и многие точили зубы на его завод; и вдруг он приехал на эту свадьбу, вместе с Христофором Мао и еще двумя генералами из Москвы, и сидел за столом в очень внушительном виде, с золотым блюдцем часов на правой руке, с золотой цепью на шее и в огромной барашковой шапке, закрывавшей лоб и уши.

На свадьбе ели и барашка, и хинкал, и заморский фрукт папайю, но больше всего гости на свадьбе ели бывшего прокурора. Разумеется, барашка ели руками, а прокурора — глазами, но все-таки он возбуждал всеобщее любопытство, и всем ужасно хотелось посмотреть на его уши. Но бывший прокурор ушей не показывал, а фигурял только золотым блюдцем часов, а когда заиграла лезгинка, Сапарчи и Наби вышли в круг и стали разбрасывать деньги.

Лезгинка играла, пары плясали, деньги летели, и вскоре пол под каблучками невесты был покрыт стодолларовыми банкнотами, как горы снегом зимой.

Вот после лезгинки все сели за стол, и Сапарчи откупорил бутылку коньяка, и один из депутатов, по имени Асхаб, спросил у бывшего прокурора, как теперь обстоят его дела.

Бывший прокурор переглянулся с Христофором Мао, который сидел по правую руку от него, и с главой УФСБ по республике, который сидел по левую руку, и сказал:

— Я теперь уполномоченный президента по правам человека на Северном Кавказе.

Тут Асхаб навострил уши и спросил:

— Наби, а не можешь ли ты защитить мои права? Потому что я так и не получил деньги за щебенку, которую я отгружал Зауру!

— Это можно, — сказал уполномоченный по правам человека.

— Эй, Наби, — сказал еще один бизнесмен, бывший на свадьбе, а не можешь ли ты защитить мои права? Потому что я так и не получил денег за дорогу от Бештоя до Торби-калы.

— Это можно, Асадулла, — ответил бывший прокурор.

— Эй, Наби, — сказал третий человек, которого звали Мурад, — а не можешь ли ты защитить и мои права? Я ведь до сих пор не получил денег за ремонт больницы! Что за идиотскую систему учредил Заур! Раньше я получал из Москвы деньги в декабре, половину отдавал назад, а половину клал в карман, и я спокойно имел миллион долларов, не шевельнув и пальцем, а теперь я строю и строю, а денег, наоборот, нет!

— И не будет, — сказал бывший прокурор, — для того, чтобы вы получили деньги, их должна перевести Москва. А зачем Москве переводить деньги, когда президент открыто дестабилизирует ситуацию в республике и идет на поводу у буржуазных прихвостней, распродавая им народные богатства за копейки? Правда, Христофор Анатольевич?

При этой реплике взгляды всех присутствующих оборотились к Христофору Мао, который к этому времени пользовался в республике небольшой, но очень веской известностью. Все знали, что если ты хочешь вывести на чистую воду конкурента, который ворует бюджетные деньги, можно заказать проверку у Христофора Мао, и это стоило много дешевле, чем киллер, хотя имело то неудобство, что Мао брал деньги не только от заказчика, но также от проверяемого, и стало быть, в отличие от киллера, это было решение не окончательное.

Кроме этого, все знали, что Мао свой человек в Кремле, потому что он рассказывал про Кремль такие подробности, которые присутствующие нигде больше не могли услышать или прочитать, — прямо-таки казалось, что Христофор Мао в Кремле лежит у президента под кроватью и знает не только, что и когда тот сказал, но и что и когда тот подумал. Представлялось прямо-таки, что у Христофора Мао есть машинка для чтения мыслей президента.

И Христофор Анатольевич не подвел. Он допил водку, закинул в рот крошечный огурец, смачно им хрустнул и, поморщившись, обронил:

— Да че, снимут его! Президент России уже указание дал. Вызвал к себе Эсэса и сказал: чтобы я этого вашего Заура больше не видел.

Все присутствующие замерли, пораженные такой осведомленностью, а Христофор улыбнулся и продолжал:

— Знаете, откуда он прилетает сегодня? Из Аддис-Абебы. А летал он туда за Эсэсом. Прилетел на собственном самолете и предложил ему десять миллионов, чтобы остаться на посту. Это все у нас отфиксировано и в деле.

Услышав, что Заура вот-вот снимут, все присутствующие принялись наперебой выражать поддержку решению президента России.

— Кемировы, — вскричал Дауд, — род без чести и совести. Они взяли у меня участок даром, а потом «Аварнефтегаз» купил его для этого СП за двадцать миллионов долларов!

— А как они обошлись с Ташовом! — прибавил Наби, — говорят, он сейчас ушел в горы и бегает вместе с Булавди.

— Это люди уничтожили в республике свободу и демократию, — сказал Сапарчи, — разве плохо нам жилось при прежнем президенте? Разве было такое, чтобы сильного человека наказали за то, что немножко побезобразничал? А теперь — Заур покупает людей, а Джамал, если что, так и сразу пулю в лоб! У этих диктаторов можно быть либо трупом, либо рабом!

— Так-то это так, — осторожно сказал один из присутствующих, — но у Кемировых три миллиарда долларов, и людей, говорят, тоже немало. В одном АТЦ двести штыков, а сколько их у всех нас?

— Пусть нас будет хотя бы пять человек, но на нашей стороне правда! — вскричал Дауд Казиханов, — а если на нашей стороне правда, пять человек превратится в пятьдесят, а пятьдесят превратятся в пятьсот. А уж пятьсот превратятся в пятьсот тысяч! Аллах покарает их за их грехи и вознаградит нас за нашу праведность! Мы, парламент, должны запретить продажу Родины, и наложить на это вето! Особенно если учесть, что иначе никто не получит денег!

Все единодушно поддержали это предложение, а Дауд ушел и через некоторое время вернулся с огромным черным Кораном.

— Поклянемся друг другу проголосовать против продажи наших гор англичанам и не отступать до того, пока Заура не снимут с президентов! — предложил Дауд.

— Эй, — отозвался Сапарчи, — зачем так обострять?

* * *

Христофор не врал: Заур Кемиров и вправду прилетел в этот день из Аддис-Абебы. В Аддис-Абебе он был вот почему.

Когда в республику приехал президент России, ему показали новые школы и новые дороги, и он пришел в совершенное восхищение от размаха строительства. И когда Заур пожаловался президенту, что ни единой федеральной копейки на эти стройки еще не пришло, президент взял бумагу и написал на ней «выдать немедленно», и Заур полетел с этой бумагой в Москву.

Заур прилетел в Москву и пошел в Минфин, но в Минфине ему сказали, что такую бумагу может исполнить только министр, а министр в это время был в Нью-Йорке. Заур не стал ждать, а взял самолет и полетел в Нью-Йорк, но когда Заур прилетел в Нью-Йорк, оказалось, что министр уже улетел в Париж.

Заура попросили прилететь в Париж, но когда он прилетел в Париж, оказалось, что в Париже осталась только жена министра, которая в этом году изумила даже парижан, скупив прямо на подиуме всю коллекцию одного из домов высокой моды, а министр уже улетел в Аддис-Абебу.

Заура попросили прилететь в Аддис-Абебу, и он прилетел, но в Аддис-Абебе у министра не нашлось для него времени, и он передал через помощника, что прежде, чем Заур получит деньги, он должен представить согласования на объекты.

— У нас нет согласований, — сказал Заур, — вы же сами знаете, чтобы получить согласования во всех ведомствах, уходит три года и очень много денег. Поэтому у нас нет согласований, а есть только объекты.

— Деньги выделяются на основании согласований, — возразил ему помощник. — Мы не можем идти на должностное преступление!

После этого министр полетел к жене, а Заур полетел домой, и так как самолет у него был частный, то он полетел сразу в Торби-калу.

Из аэропорта президентский кортеж приехал прямо на судоремонтный завод «Красная стрела». Платформа уже стояла там второй месяц, работы шли вовсю, рабочие сновали по железным балкам, как муравьи, и еще выше платформы вздымался огромный плавучий кран, похожий на журавля, нацелившегося заклевать тучи.

Кирилл наблюдал с третьего уровня, как президент республики высаживается из головного «мерса». Вместе с Зауром из Аддис-Абебы прилетел министр финансов республики, веселый сорокалетний хохотун по прозвищу Фальшивый Аббас, который был лучшим в республике специалистом по вопросам денежного обращения, и прославился в свое время тем, что печатал лучшие в мире доллары: лучше даже, чем те, что печатались в Ираке, Северной Корее и в Чечне.

Эти доллары были так хороши, что когда Фальшивого Аббаса поймали и дали ему срок, он ни дня из этого срока не просидел в тюрьме, потому что Джамалудин и Хаген пришли к начальнику тюрьмы и взяли его в аренду, и он сидел у них дома и печатал доллары для них.

Президент взбежал вверх по железным грохочущим ступеням, и обнялся сначала с братом, а потом с Кириллом. Потом он повернулся, задрал голову, и молча долго смотрел, как решетчатая ферма будущей буровой упирается прямо в солнце, и как из солнечного шара на них вниз сыплются искры электросварки.

— Когда я был в Аддис-Абебе, — сказал Заур, — мне позвонил Эсэс. Он сказал, что если я передам лицензию государству, то мне позволят построить химзавод в Краснодарском крае.

Заур замолчал. Джамалудин и Хаген подошли поближе, чтобы слышать весь разговор.

— Еще он сказал, что мы не получим ни копейки по федеральным домам и вся наша свора наложит на проект вето.

Джамалудин усмехнулся и привычным жестом положил руку на бедро, а Кирилл беспокойно дернулся и сказал:

— Не лучше ли просто заплатить им?

— Фонд задолжал шестьсот восемьдесят миллионов долларов, — сказал Заур, — тут не заплатишь.

— Эй, — сказал министр финансов по прозвищу Фальшивый Аббас, — если нам не дают российских денег, может, нам просто напечатать свои собственные? Я бы нарисовал такие красивые деньги, Заур Ахмедович...

— Прекрати пороть чепуху, Аббас, — резко сказал Джамалудин Кемиров, — прежде чем печатать собственные деньги, надо завести собственную армию и флот.

Хаген стоял в метре от них, у самого устья скважины, в черных шнурованных сапогах и черной кожаной куртке, распахнутой так, что были видны два рыжих ремня, перекрещивавших пушистый свитер, и солнечные лучи вперемешку с искрами электросварки сверкали на его белокурых волосах и гладких боках заведенных за палец труб.

— Я не знаю, как насчет армии и флота, — сказал Хаген, — но уж с Сапарчи-то мы справимся.

Заур Кемиров, улыбаясь, поднял голову, и Кирилл содрогнулся, увидев, как постарело его лицо за эту поездку.

— Скажи, Хаген, — мягко сказал президент республики, — ты можешь согнуть трубу у тебя за спиной?

Хаген немедленно запрокинул голову.

— А на пару с Джамалом?

Джамалудин пнул свечу ногой, и для верности аж потряс, но сверкающая стальная колонна калибром добрых 122 мм даже не шевельнулась.

— Многие думают, — проговорил Заур, — что буровая колонна уходит в пласт вертикально. Вот как эти трубы стоят в подсвечнике, так они и уходят вниз. Но на самом деле это не так. Пласты не идут прямо, и у каждого пласта — разные свойства, и долото, когда входит в новый пласт, поворачивается и меняет направление, и буровая колонна, вслед за ним, никогда не идет прямо. Она вертится в земле, как макаронина. Там, на страшных глубинах и огромных давлениях, колонну со стенами, которых не прострелить автоматом, гнет, как бумагу, и если она не будет гнуться, она не будет добывать газ. Наша задача не в том, чтобы ни перед чем не согнуться. Наша задача в том, чтобы добыть газ. У тебя сильные руки, брат. Ты можешь согнуть эту трубу?

Джамалудин и Хаген молчали, уткнув глаза в палубу.

— Ну так не спорь с пластом.

* * *

Парламент обсуждал договор с «Навалис» 29 ноября, и Кирилл выступил на заседании первым. После Кирилла на трибуну полез Дауд Казиханов.

— Президент Кемиров собирается отравить всю республику! — заявил Дауд. — В наш край белых горных снегов и синего моря он хочет притащить химзавод, от которого снег станет красным, а море — желтым! Ни в одной развитой стране нет такого завода, это все равно, что зарыть на побережье ядерные отходы!

Часть депутатов на это яростно захлопала, а другая часть яростно засвистела. Заур сидел в президиуме с непроницаемым лицом.

Вторым в прениях выступал уполномоченный по правам человека, Наби Набиев.

— На побережье, — сказал уполномоченный — находится важнейший оборонный завод, носитель передовых технологий.

У нас есть информация, что так называемая компания Navalis купила этот завод только затем, чтобы получить доступ к оборонным секретам! Я, как защитник прав человека, намерен завести уголовное дело по факту незаконной приватизации государственных тайн, и каждый, кто в этом замешан, ответит за развал России!

Депутаты снова кто захлопал, кто засвистел, и Кирилл, сидевший в президиуме, покосился на Джамалудина: тот сидел совершенно расслабленно, и белые сильные пальцы его перебирали четки.

Третьим в прениях выступил бывший мэр Торби-калы, владелец одной из крупнейших строительных компаний республики.

— Моя компания, — сказал он, — построила за последний год семьдесят тысяч квадратных метров площадей, а Заур не заплатил мне ни копейки. Аллах не допустит такого беспредела!

— В прениях хочет выступить Сапарчи Телаев, — сказал председательствующий, и в этот момент Заур наклонился к нему и что-то прошептал на ухо. Председательствующий посмотрел на часы и объявил получасовой перерыв.

* * *

На перерыв Кирилл остался сидеть в президиуме. Парочка депутатов подошла к нему почесать языки, и когда зал опустел, Кирилл вдруг обнаружил, что он сидит, уставясь на графики в компьютере, и держит в руках зажженую сигарету. Он посмотрел на сигарету с удивлением, потому что вот уже год как бросил курить.

Кирилл затушил сигарету о спинку кресла и бросил ее в никелированную урну у входа, но не попал.

В зал снова втекали депутаты и журналисты. Вошел Наби, усмехаясь. Дауд Казиханов вошел вслед за ним, улыбаясь широкой жестокой улыбкой, и, наклонившись к Кириллу, сказал:

— Салам, Кирилл. Я знал дядю твоей жены, это был стоящий человек.

И расхохотался.

На блестящей коляске вкатился Сапарчи; спицы мелькали, как вертолетные лопасти. Лестница на сцену не была предназначена для инвалидов, и двое охранников остановились около Сапарчи. Но тот сделал знак, и охранники отошли в сторону. Сапарчи развернул свою коляску лицом к сцене, оперся на крепкие руки, — и через минуту, перевернувшись, сидел, свесив ноги с края сцены, а коляска стояла внизу под ним. Потом Сапарчи нагнулся и поднял коляску, пожал ее, как штангу, и грохнул о сцену рядом с собой, а еще через мгновение, схватившись за стальные поручни, он взлетел в кресло, как всадник в седло. Охранник почтительно подошел сбоку и покрыл ноги пледом.

Заур пододвинул к себе микрофон и сказал:

— Тут у нас поступил на обсуждение еще одни вопрос. Об избрании Сапарчи Ахмедовича Телаева председателем народного собрания.

Кирилл вздрогнул. «Ах ты сукин сын!»

Сапарчи покатился по сцене, мелькая спицами, и так как за ораторской трибуной его не было б видно, он просто выкатился вперед, и охранник поспешно подал ему микрофон.

Сапарчи взял микрофон, подул в него и щелкнул, словно он собирался выступать с ток-шоу, а не с политической речью, наклонился из своей коляски к залу и спросил:

— Эй, Дауд, ты тут только что говорил, что президент Кемиров собирается отравить республику. Видел ли ты карту завода?

— Мне ли ее не видеть! — сказал Дауд, — это была моя земля!

— Ну так тогда ты должен знать, что, когда завод выстроят, президентская резиденция будет в семистах метрах от последней установки!

Дауд сначала хлопнул челюстью, а потом разинул рот, а Сапарчи повернулся к уполномоченному по правам человека и закричал:

— Что ты взъелся на этот завод, Наби? Какие-такие тайны-майны? Да за этот завод, вон — Дауд и покойный Ниязбек еще стреляли друг в друга! Каждый воробей в городе знает, что там в каждой торпеде по полтонны серебра, вот и вся оборонная тайна!

Наби тоже очень удивился, услышав такое высказывание от своего верного союзника, а Сапарчи перекинул микрофон из одной руки в другую и продолжал:

— Чем чесать языки о проект, который принесет республике десятки миллиардов долларов, лучше бы этот ЗАКС занялся чем-то полезным! Давно пора разобраться, например, с бывшим председателем Пенсионного Фонда! Или кто тут не знает, что он лично застрелил человека, по имени Али, а потом он застрелил еще и корову, а когда мы его спросили, зачем он застрелил корову, он ответил: «свидетель!» А что наш новый уполномоченный? Он раньше, когда был прокурором, всегда говорил — «сто тысяч, и я решу любой вопрос», а с тех пор он только испортился, потому что он уже требует за вопрос по пятьсот! Еще надо разобраться, по чьей указке действуют эти люди, когда они топят проект, который один способен вывести республику из кризиса!

Кирилл, слыша такие речи от Сапарчи Телаева, в изумлении покосился влево. Фальшивый Аббас откинулся на стуле, улыбаясь так, словно у него было три рта. Заур напряженно слушал оратора. Слева от него его младший брат сидел расслабленно, как будто обвисши о спинку стула, и рука его перебирала четки.

— Я призываю вас голосовать за то, — продолжал Сапарчи, — чтобы республика встала с колен! Чтобы мы жили, как в Америке! Чтобы мы не выпрашивали каждую копейку из Москвы, которая с этой копейки два рубля требует себе обратно!

Наби, сидевший во втором ряду рядом с Христофором Мао, вскочил с места.

— Какая к черту Америка! — закричал уполномоченный по правам человека, — чего ты гонишь?

— Америка — золотая страна! — ответил ему Сапарчи. — Где ты в Америке видел зачистку? Где ты там видел гаишника поперек шоссе! В Америке людей не стреляют и не крадут, а такому прокурору, как ты, Наби, там бы сортир в прокуратуре не доверили драить! Аллах дал мне трех сыновей, а эта страна забрала их у меня, и я каждый день ложусь и встаю с мыслью, что если б я жил в нормальной стране, то у меня в семье было бы на три головы и на восемь ног больше!

Конец речи Сапарчи потонул в овациях. Кирилл сидел совершенно изумленный. Наби крякнул и от избытка чувств плюнул на пол, а Дауд Казиханов, вне себя, взвился с места и перемахнул на сцену к Сапарчи.

— Ах ты сукин сын, костяная нога! — заорал он, — то-то я предлагал тебе поклясться на Коране, а ты говоришь «зачем обострять»?

— Ты сначала выбери, кому клясться, Аллаху или Лубянке, — ответил Сапарчи.

Тут Дауд, вне себя, занес могучую длань, чтобы ударить инвалида, но Сапарчи ловко левой рукой крутнул коляску, так что удар Дауда пришелся в никуда, а Телаев, в свою очередь, молниеносно выбросил кулак и попал Дауду чуть ниже скулы.

Бывшего председателя Пенсионного Фонда отбросило на полметра; тут уж повскакали все, и в зале воцарился совершенный бардак. Когда он улегся, парламент республики девяносто двумя процентами голосов утвердил соглашение с «Навалис», а чуть позже, в той же пропорции, избрал Сапарчи Телаева председателем народного собрания.

* * *

Кирилл Водров ошибался, полагая, что причиной увольнения Ташова была операция на Белой Речке. Как ни странно, но окончательной причиной был он сам, Кирилл.

Ташова всегда знали как человека Кемировых. Всем было известно, что если Джамалу Кемирову надо решить вопрос, он поручает это либо Арийцу, либо Кинг-Конгу, а с той поры, когда Ташов женился на дочке Магомед-Расула, он и вовсе стал членом семьи.

Дочка Магомед-Расула была женщина бойкая; в скором времени после замужества завела в Торби-кале магазин для новобрачных, а потом и ресторан. В аренду помещение сдали по смешной цене. Вскоре Фаина выкупила весь дом, а затем приступилась и к соседнему: она хотела снести оба дома и построить там супермаркет.

Фаина была на семь лет младше Ташова: по местным меркам она была девица очень и очень взрослая; и нельзя сказать, чтобы красавица. Это была женщина дородная, даже полная, с черными, слегка лоснящимися волосами. Руки ее, впрочем, были замечательно красивы. Ташов исправно исполнял супружеские обязанности, держал по четвергам пост, не бывал ни в пьянках, ни в склоках, ночевал дома, разве что задерживался на работе, когда надо было кого-то убить; что же до налево — ни-ни.

И тем не менее по мельчайшим признакам, признакам, которых нельзя было описать, но и нельзя не почувствовать, Фаина знала, что муж ее не любит, а любит другую. Фаина пыталась себе объяснить, почему в таком случае Ташов женился на ней, и объясняла это тем, что Ташов хотел войти в тухум Кемировых.

Как-то к Фаине приступился один знакомый: он хотел на работу в ОМОН. Фаина предложила ему должность начальника милиции в Чирагском районе.

— А какие условия? — спросил знакомый.

— Условия очень простые, — ответила Фаина, — двадцать тысяч вперед, и из того, что ты будешь получать, половину ты будешь отдавать мне: это для мужа.

— А если я спрошу твоего мужа об этой половине, что будет? — спросил знакомый.

— Тогда ты поставишь меня в неудобное положение, — сказала Фаина.

Знакомый стал везде рассказывать эту историю, и так как уши — вещь короткая, то слухи дошли до Ташова. Ташов сказал жене, что если он услышит еще что-то подобное, то ей придется несладко.

— Что ж тут такого, — сказала жена, — если бы ты не был зять Магомед-Расула, ты бы до сих пор дрался на ринге, как покусанная бульдожка. В том, что ты при месте, моя доля, что ж плохого, если я ее получу?

Ташову не очень понравились эти слова, но он был человек мирный: не драться же с женщиной?

Фаина стала часто повторять эти слова, а за ней их повторяли враги Кемировых. Были даже такие, кто говорил, что Ташов переспал с чеченкой и бросил, как только перед ним замаячил выгодный брак.

Женский язык и стену подроет; а мало ли охотников сказать злое о начальнике ОМОНа? Может, ничего и не случилось бы, если б у Ташова с Фаиной пошли дети, но Фаина забеременела один раз, и сразу — выкидыш, и второй раз — и тоже выкидыш.

Ташов стал реже бывать дома, отговариваясь работой. Фаина стала чаще бывать в ресторане. Управляющий ресторана был смазливый кумык двадцати пяти лет. Ташову намекали, да он и слушать не хотел.

Утром после операции на Белой Речке Ташов вернулся домой без кровинки в лице. Фаина думала, что у него кого-то убили, но потом она услышала про Водрова и про чеченку: женщины на базаре только об этом и говорили. Потом Водров женился, и по рукам откуда-то пошли фотографии со свадьбы, их пересылали с телефона на телефон, как обычно пересылали скандалы или операции боевиков.

А потом стало ясно, что главой Navalis Avaria назначат Водрова.

Недели через две после свадьбы Водрова Фаина подавала Ташову на стол. Вместе с ним за столом был его тесть Магомед-Расул, и двое соседей, и еще тот самый приказчик из ресторана, который теперь работал у Магомед-Расула. Может быть, из-за этого приказчика Ташов не глядел по сторонам, а глядел только в телевизор, где шел какой-то концерт.

— Ты должен сходить к Джамалу и попросить за отца, — сказала Фаина.

— А? — спросил Ташов.

— Этого Кирилла, — сказала Фаина, — прочат директором СП. Как это могло получиться? Он, наверное, заколдовал Заура. Он что, нефтяник? Он что, мусульманин? Этот пост должен остаться в семье. Ты должен сходить к Зауру и Джамалу, чтобы директором стал наш отец.

Ташов отложил ложку, которой он ел хинкал, запихал в рот кусок лепешки и сказал:

— Ты же сама везде говоришь, что я обязан должностью твоему отцу. Кто я такой, чтобы просить о нем его брата?

Фаине в этих словах почудилась издевка, она шваркнула о стол дуршлаг, который держала в руках, и сказала:

— Верно, ты не мужчина, а баба. Все говорят, что ты не женился на этой чеченке потому, что русский с ней переспал, а ты боишься поперек него слова молвить!

Ташов помолчал, усмехнулся в черную спутанную бороду, и сказал:

— Пусть Ахмед просит против Водрова. Он у вас занимается нефтью, не я.

Ахмедом звали этого самого приказчика.

— Ты на что намекаешь? — спросила Фаина, и полные руки ее уткнулись в бока засыпанного мукой передника.

— Аллах свидетель, — сказал Ташов, — я развожусь с этой женщиной.

И повторил это еще два раза. Потом он вышел из гостиной, сел во дворе в машину и уехал.

* * *

На следующий день он явился в ОМОН, как ни в чем не бывало, и после утреннего развода к нему приехал Джамалудин Кемиров. Джамалудин, конечно, был в бешенстве. История о разводе Ташова уже гуляла по городу, обрастая самыми фантастическими подробностями, и так как в этой истории муж бросил племянницу президента, общественное мнение было не на стороне племянницы.

Некоторые рассказывали, что Ташов застал ее и Ахмеда голыми в ванне, и прибавляли, что Ташов бы убил свою жену, если б она была не Кемирова. Джамал слышал все эти россказни, и когда он вошел в кабинет Ташова, он закрыл за собой дверь и спросил:

— Правда ли, что она тебе изменяла?

— Я этого не говорил, — сказал Ташов.

— Если она тебе изменяла, иди и убей ее, — приказал Джамал Кемиров, — а если тебе взбрело в голову, что ты можешь бросить Фаину, как банку из-под кока-колы, то тебе слишком многое взбрело в голову в последнее время.

— Я устал убивать, — ответил Ташов.

— Тогда тебе не стоит здесь работать.

Ташов молча вынул из кармана служебное удостоверение, а из кобуры — служебный пистолет. Все это он положил на стол перед Джамалудином, а потом повернулся и снял с подоконника маленький зеленый кактус с красной нашлепкой. Этот кактус Ташову подарила Диана два года назад, и Ташов никогда не держал его дома, а держал на работе перед глазами.

Потом он повернулся и хлопнул дверью, и все омоновцы, слонявшиеся в коридорах, молча наблюдали, как их начальник спускается по широкой лестнице с пустой кобурой и маленьким красно-зеленым кактусом в руках.

ГЛАВА СЕДЬМАЯ

Пир победителей

Трехстороннее соглашение между государственной нефтяной компанией «Аварнефтегаз», компанией Navalis и Российской Федерацией было ратифицировано строго по графику 4 декабря, в Большом Кремлевском дворце, министром топлива и энергетики РФ, президентом Navalis сэром Мартином Метьюзом и президентом республики Северная Авария-Дарго.

За час до ратификации президент республики Заур Кемиров имел короткую, но содержательную беседу с Семеном Семеновичем Забельциным по прозвищу Эсэс. Семен Семенович настоятельно рекомендовал Зауру Кемирову внести некоторые дополнения в договор. Дополнений не внесли.

По подписании договора все его участники были приняты в Кремле. Джамалудин Кемиров тоже приехал в Кремль. На это многие обратили внимание, потому что Заур и Джамалудин редко бывали на публике вместе. Вот уже десять лет, как даже в поездках они никогда не садились в одну машину, чтобы если одного убьют, другой остался жив.

Но тут случай был слишком торжественный, и Джамал во время церемонии стоял рядом со старшим братом, худой, черноволосый, в пиджаке, который висел на нем, как на вешалке, и бело-розовом галстуке, который он беспрестанно поправлял. Третьим с ними был новый глава парламента республики Сапарчи Телаев, и Сапарчи аплодировал громче всех, и даже несколько раз кричал: «Ура!»

Президент России вручил главе республиканского АТЦ Хагену Хазенштайну и Джамалудину Кемирову по Ордену Мужества за борьбу с терроризмом, и поздравил Джамалудина с убедительной победой на выборах мэра в Бештое.

После Кремля Кирилл и Navalis повезли всю публику в «Черный бархат».

* * *

Джамалудин Кемиров не любил Москву. Москва напоминала ему о нечистых годах. Годах, когда Джамал уже отвоевал в Абхазии и еще не вернулся домой.

В те годы Джамал редко бывал в мечетях и часто — в казино, хотя нельзя сказать, что он всегда там играл. Чаще он и его ребята ждали выигравших клиентов в ста метрах от входа. Они выкидывали клиента из машины и уезжали с машиной и выигрышем. Конечно, играть было грех, но Джамалудину трудно было считать свое обращение с игроками делом, угодным Аллаху.

Поэтому Джамал не любил Москву.

Джамалудин не сразу поехал в «Черный бархат». У Хагена дядя лежал в больнице, и после Кремля друзья поехали к дяде.

Они поговорили с больным и оставили его дочери денег, а когда они вышли в коридор, они увидели там старика. Старик полз по стеночке, голый, и бедра у него были в бинтах, а бинты — в крови.

Потом старик потерял сознание и упал.

Джамалудин бросился поднимать старика, а Хаген побежал за врачом. Было семь вечера, и врачей на этаже не было. Не было и медсестер.

В это время старик пришел в себя, и оказалось, что он шел в туалет. Он сказал Джамалу, что три дня назад ему проперировали рак простаты, и что после операции он ни разу не ходил, кроме как под себя, и что ни одна медсестра не заглянула к нему. Старику стало совестно ходить под себя, вот он и пошел в туалет.

Джамалудин помог старику справить его дела, а потом он пошел вниз и купил еды и белья. Тут пришел Хаген, с какой-то медсестрой, которой он отыскал двумя этажами ниже, и медсестра, поджав губы, сказала, что таких старых пердунов у нее три этажа, и что она не нанималась за гроши копаться в дерьме.

Джамалудин спросил, есть ли у старика дети, и оказалось, что есть. Они даже оставили свой адрес, чтобы больница известила их, когда старик умрет. Джамалудин был очень зол. Если бы дело было в Бештое, он бы приехал к этим детям, и они бы у него танцевали, но всех неверных не исправишь. Он дал медсестре тысячу долларов и сказал, что приедет и голову оторвет, если что будет не так, и когда они с Хагеном ушли, медсестра сплюнула, посмотрела им вслед и сказала:

— Обезъяна черножопая! Он еще тут свои порядки будет наводить!

* * *

Антуанетта приехала в «Черный бархат» к восьми вечера: раньше никак было нельзя. У нее были съемки, и еще перед этим открывался бутик Tiffany, и надо было туда заскочить.

Над столиками, тонувшими в полумраке, нависали серебряные деревья с серебряными шарами, и сложенный как Шварценеггер кавказец катил на инвалидном кресле сразу троих девушек, — одна сидела у него на коленях, а две другие обсели ручки.

Кирилл, с бокалом в руке, стоял прямо посереди зала с высоким сухим англичанином с редкой овчиной волос. Рядом с сэром Мартином стоял смазливый паренек лет двадцати, и на всех них тоже висели разноцветные девочки, как пыль в засуху висит от протарахтевшего по полю мотоцикла.

Антуанетта поморщилась, увидев эту толпу золотоискательниц, набежавших к ручейку с ведрами и лопаточками; настоящие выдры! У одной, по имени Лиза, в ушах качались бриллианты размером с гранатовое зернышко, которые парень по имени Михаил подарил бы Антуанетте, если бы не застукал ее с Водровым. Антуанетта была уверена, что Водров женится на ней. Хотел же он жениться на этой бляди Норе!

Антуанетта была одета необыкновенно просто — узкие черные брюки, высокие сапоги, и белая рубашка с пышными отворотами и глубоким вырезом, но едва она вошла, все мужчины обернулись к ней. Кирилл оборотился так стремительно, что шампанское в его бокале заплескалось, как упругая янтарная капля. Они не виделись месяц, с тех пор, как Кирилл выгнал Антуанетту из дома, раздетую и босую.

— Здравствуй, дорогуша, — сказала Антуанетта, — а где же твоя жена?

— Она не ходит по ночным клубам, — ответил президент Navalis Avaria.

— Кирилл Владимирович, — кокетливо воскликнула одна из девушек, — а правда, что вы женились на чеченке? Говорят, что она вдова боевика и у нее куча детей!

— Она ничья не вдова, — ответил Кирилл, — у нее брат пятнадцати лет и еще мы усыновили двоих мальчиков, которых она воспитывала. Это дети ее троюродного брата.

— Девочки, срочно надо кого-то усыновлять! Растет шанс выйти замуж!

— Зачем мне замуж? — с досадой сказала одна из красавиц, — я еще не развелась.

Она была замужем за президентом крупного инвестиционного банка, который при разводе предложил ей сто миллионов; подлец-адвокат присоветовал ей судиться, имея в виду получить долю. Маша подала в суд и обнаружила, что не только ста, но и десяти официальных миллионов у мужа нет. Сейчас ей грозила пятерка в месяц и жалкий особнячишко на Рублевке.

— А вы, сэр Мартин, еще не устали от жены? — со смехом спросила Антуанетта.

Англичанин поклонился и очень серьезно ответил.

— Нет. Мы очень привязаны друг к другу и встречаемся не реже раза в год. Правда, Дик?

Молодой его спутник, розовощекий и сероглазый, по-детски улыбнулся, и рука его нежно сняла с пиджака сэра Мартина какую-то пылинку.

— О, леди Анна очень приятная женщина, — ответил паренек.

В зеленоватых глазах Водрова взблеснула насмешка.

Вся кровь бросилась Антуанетте в лицо. Водров знал! Водров наверняка знал, и предвкушал, как он над ней посмеется. Черт побери, как честной девушке выйти замуж, когда половина женихов — голубые, а другая предпочитает немытых дикарок!

— Салам, Кирилл!

Антуанетта обернулась, и ее точеная черно-белая фигурка описала круг в умножающих мир зеркалах.

* * *

У входа в зал стояли двое. Тот, кто справа, был совершенно роскошный экземпляр самца. Высокий, белокурый, с правильными нордическими чертами лица и голубыми глазами, похожими на застывшее газовое пламя. Он был одет в черные брюки и черный свитер, вспухавший на боку там, где из-под свитера высовывался кончик кобуры с витым, похожим на телефонный, шнуром.

Такой образчик свел бы с ума сэра Мартина.

Его спутник выглядел, как типичный горец: смуглое, резко выточенное лицо с высоким лбом и небольшим упрямым подбородком, черные волосы и черные донца глаз; узкая, почти девичья талия, накачанные плечи и стальные наручники пальцев. Он стоял, чуть наклонившись вперед, словно волк, готовый вцепиться в горло. Он был даже не худощав, а скорее болезненно худ. Он был ниже белокурой бестии на полголовы и легче на добрых пятнадцать килограмм, но именно от черноволосого исходила какая-то неукротимая, животная энергия, казалось, внеси сейчас в зал счетчик Гейгера, и он зальется щелчками, едва на него посмотрят эти волчьи уголья.

Доселе в зале был один центр — Антуанетта, теперь их стало два, и между этими двумя центрами с неслышным шелестом развернулись и выстроились во фрунт силовые линии.

— Кирилл, представь меня, — сказала Антуанетта.

— Джамалудин Кемиров, — сказал Кирилл. — Антуанетта, моя...

— Твоя бывшая содержанка, — грубо сказал Джамалудин.

Он резко повернулся и протянул руку англичанину, а вслед за ним — белокурому Дику, видимо приняв его за сына или помощника главы Navalis.

Девушки, как несомые ветром споры, с неслышным шуршанием стали отдаляться от сэра Мартина и обступать двух волков — белокурого и черноволосого.

* * *

Джамалудин стоял посереди зала, и в ноздри ему бил сладковатый запах женских духов и дорогой французской кухни. Барабан на сцене бухал, как стопятидесятидвухмиллиметровка, и женщины, дробящиеся в зеркалах, были скорее раздеты, чем одеты. Джамалудин не позволил бы своим женам ходить в таком виде даже в спальне.

Бывшая содержанка Кирилла подошла к столу вслед за Джамалудином, она была накрашена, как черт, и груди ее торчали из-под белой, распахнутой на груди рубашки. Джамалудин почувствовал возбуждение, в котором не было ничего пристойного. Рабу Аллаха, у которого три жены, не пристало чувствовать этого при виде полуобнаженной самки.

— Берегитесь, Джамалудин Ахмедович, — сказал кто-то за его спиной, — Антуанетта Ивановна любит исключительно миллионеров.

Антуанетта повернула увитую черными локонами головку.

— Ну разумеется, — сказала она, — есть определенный уровень, ниже которого я не могу опуститься. Вы, кстати, Миша, больше этому уровню не соответствуете.

Джамалудин отодвинул стул, чтобы сесть. В ту же секунду ладонь Антуанетты тоже легла на спинку стула, руки их на мгновение соприкоснулись, и словно ток проскочил между обнаженной кожей.

— Ой, — сказала Антуанетта и отдернула руку.

Джамалудин в бешенстве дернул ртом. До ночного намаза оставалось пять минут, и эта сука испортила ему омовение.

Джамалудин встал и ушел в туалет, а когда он вернулся, Хаген тихонько отозвал одного из официантов и сказал:

— Послушай, нам нужна отдельная комната.

Хаген имел в виду, что им нужно сделать намаз, но официант, видимо, как-то не так понял слова Хагена, потому что когда горцы встали и пошли вслед за ним, он привел их в овальный зальчик с зеркальным полом и шестом посередине. Около шеста стояла девица в прозрачной юбке. Джамалудин вытаращил глаза, а Хаген взял официанта за шкирку и сказал:

— Ты что, дурак? Нам нужно место для намаза.

Официант посерел от ужаса и побежал распорядиться. Новый зал, куда их привели, был самый обычный, с пушистым бордовым ковром на полу и спешно сдвинутым в сторону столом, и Джамалудин встал на намаз, а Хаген стал вслед за ним.

По правде говоря, намаз у Джамалудина не задался. Как только он пытался очистить свой ум, ему представлялись совершенно другие вещи, и Джамалудин решил, что его сглазили.

Когда Джамалудин вернулся в общий зал, музыка уже гремела вовсю. На сцене плясали девочки в юбках всех цветов радуги и мальчики в жилетках, распахнутых на голом томном теле.

— Танцуют все! — громко кричал невидимый за танцорами певец, и девушки хлопали и хохотали, и Джамалудин вдруг с удивлением заметил перед сценой коляску Сапарчи. Тот вертелся, как черт, мелькая спицами, и не меньше трех девиц плясало возле него.

Антуанетта сидела там же, где он ее оставил. В ее унизанной кольцами руке был серебряный бокал, и она смеялась, запрокидывая голову. Вице-президент Сережа стоял у дверей в тени портьеры и с удовольствием разглядывал тонкую фигурку и царственную шею, выплывающую из разворотов воротничка.

— Она кто? — спросил Джамалудин.

— Проститутка. Самая дорогая проститутка Москвы, — ответил Сергей, — Кирилл был без ума от нее. Однажды, когда она уехала из дома, он прибежал к знакомому генералу и объявил ее машину в розыск. Потом она вернулась, и он совсем забыл об этом. А через неделю ее остановили, она в панике звонит Кириллу. Тот приехал, мент ему: — «Никак не можем отпустить, распоряжение свыше». Кирилл пошел к их начальнику, тот говорит: «Никак не можем отпустить, распоряжение свыше». Кирилл пошел еще выше, там ему: «Никак не можем отпустить, извини, чувак, наверное, вашу компанию кто-то заказал». Тут Кирилл хлоп себя по лбу и говорит: «Ё, так это я сам себя заказал!»

И Сережа расхохотался.

— Она, наверное, его заколдовала, — угрюмо сказал Джамалудин, разглядывая полуобнаженные плечи женщины.

Сережа засмеялся снова, но, обнаружив, что его собеседник говорит всерьез, замолк.

— Целуются все! — снова закричали со сцены, и девушки с визгом набросились на Сапарчи.

Когда Джамалудин вернулся за стол, оказалось, что им уже принесли еду. Посереди снежно-белой, как вершина горы, тарелки, стояла треугольная рюмочка с каким-то оранжевым пюре. Может, это пюре и было халяльным, но Джамалудин ни разу в жизни не едал оранжевого пюре из треугольных рюмок.

Джамалудин подозвал официанта и тихо приказал:

— Убери это и принеси мяса. Барашку.

Официант кивнул. Джамалудин откинулся на стуле и с наслаждением выпил холодной, удивительно вкусной воды. Сегодня весь день он держал пост, и не ел и не пил все светлое время суток.

* * *

Кирилл Водров и Заур Кемиров не танцевали. Они сидели бок-о-бок за белым столом, покрытым скатертями с монограммами, и Заур аккуратно ел гаспаччо, а Кирилл задумчиво смотрел туда, где под завыванье модного певца чертом крутился Сапарчи. Кирилл от души надеялся, что Сапарчи недолго будет руководить парламентом. Буровая колонна, конечно, должна уметь гнуться. Но иногда давление пласта расплющивает ее в лепешку.

— Как Алик? — спросил Заур. — Я слышал, он вернулся в Москву?

Кирилл, чуть улыбнувшись, кивнул.

Алихан приехал из Германии три дня назад. Он потерял еще пять килограмм, и обритая налысо головенка болталась в воротничке костей. В нем изменились одежда, лицо, походка, — но больше всего изменились глаза мальчика. Это больше не были глаза затравленного звереныша, глядящие на тебя с той стороны смерти и ненависти. Это были глаза человека, который собрался жить.

— Кстати, вчера суд выпустил последних двоих, с Белой Речки. Они, мол, еще дети.

— Они дети, — сжав губы, ответил Кирилл.

— Джамал впервые убил человека в четырнадцать лет, — тихо сказал президент республики, — твой Алихан на год старше. Когда-нибудь ты поймешь, что они не дети. Только будет уже поздно.

В этот момент раздался взрыв смеха: коляска Сапарчи вернулась к столу, и девица, сидевшая слева от него, навалилась грудью на стол, демонстрируя всем усеянную бриллиантами розочку, спускающуюся куда-то в ложбинку между двух огромных белых шаров.

— Правда, красиво? — громко спросила она.

— А они настоящие? — полюбопытствовал Сапарчи.

— Если вы имеете в виду груди, то, конечно, нет, — ответила через стол Антуанетта, — продаются во Франции, в ла-Сен-Сюр-Мэр, пять тысяч долларов штучка.

Ее соперница метнула на нее испепеляющий взгляд

— Милая, откуда вы так хорошо знаете рынок? Сами прицениваливались?

Антуанетта расхохоталась. Руки ее легли на грудь, выбивающуся из белых кружев рубашки. Белая молочная кожа так и светилась в медовом мерцаньи высоких бронзовых канделябров.

— Уж я-то никогда не комплексовала по поводу своей груди, — сказала Антуанетта, — а, Джамалудин Ахмедович, как вы думаете, зачем мне комплексовать?

Джамалудин, не отрываясь, смотрел на белую грудь во вскипающей шелковой пене. О Аллах, ее грудь и ее влагалище были как бензозаправка. Каждый мог сунуть деньги в окошечко.

— У моего зятя в районе, — похвастался Сапарчи, видимо желая сменить тему разговора, — зарегистрировано семьдесят две тысячи избирателей. И из них семьдесят одна с половиной проголосовали за «Единую Россию».

— Э, — возразил Джамалудин, — у нас в Бештое сто семьдесят три тысячи двести пятнадцать избирателей. И за «Единую Россию» проголосовали сто семьдесят три тысячи двести пятнадцать. А, Хаген?

— Можно было и больше, — сказал Хаген, улыбаясь влажными полными губами. Потянулся и погладил рубчатый «стечкин», прикрепленный к кобуре витым телефонным шнуром. По виду Хагена было ясно, что если он захочет, то у него за «Единую Россию» проголосует даже мумия фараона.

— What do they discuss?[1] — спросил сэр Мартин.

---

[1] Что они обсуждают? *(англ.)*.

— Democracy[1], — объяснил Кирилл.

— Democracy is a great achievement of your country, — сказал сидевший за два стула от Кирилла Саймон Баллантайн, — you cannot build a prosperious society without democracy[2].

— Внимание! — закричал в этот момент вице-президент Сережа, — объявляется конкурс!

Грянул барабан: из-за кулис серебряной рекой вытекли двенадцать стройных красавиц. Каждая держала по бутылке вина: вместо этикетки на бутылке была только бумажка с номером, а из одежды на девицах были шортики и топики. Прелестный парад возглавлял черно-белый официант с серебряной корзинкой в руках.

— Внимание! — закричал Сережа, — в честь удачной сделки! Каждый, кто желает принять участие в конкурсе, сдает в корзину десять тысяч евро. После этого участники конкурса пробуют вино. Тот, кто определит наибольшее количество раз сорт и год, срывает банк!

Сэр Мартин первым бросил в корзину деньги. Сапарчи Телаев бросил двадцать тысяч евро, за себя и за очередного зятя, а Кирилл и Джамалудин — по десятке. Вскоре корзина была полна, и черный официант с белым передником, делавшим его похожим на пингвина, начал разливать первую бутылку.

— Я не пью, — сказал Джамалудин, когда официант возник над его плечом.

— Ой, можно я выпью за вас? — кокетливо спросила Антуанетта.

— Пей, — сказал горец.

Кирилл, распробовав вино, решил, что это Барбареско от Анджело Гайи, и пытался понять, какой это год. Барбареско довольно резко отличалось по годам.

---

[1] Демократию. *(англ.)*.

[2] Демократия — большое достижение вашей страны. Вы не можете построить процветающее общество без демократии. *(англ.)*.

Сапарчи забросил содержимое бокала себе в рот, словно горсть орехов, а Заур Ахмедович помедлил и выпил темно-красную жидкость. Сэр Мартин не пил. Он просто стоял, держа бокал под носом, и породистые широкие ноздри его раздувались, как у английской борзой.

— Барбареско девяносто седьмого года, — сказал сэр Мартин.

Все зааплодировали. Антуанетта вскинула голову и засмеялась. Тонкие пальчики ее пробежали по свитеру Джамалудина, и она слегка вздрогнула, ощутив стальные бугры мышц. Она и не могла себе представить, что у такого тощего парня — такие накачанные плечи.

Потом рука ее скользнула чуть ниже, наткнувшись на другой уже бугор, действительно стальной: под тонкой тканью она ощутила рубчатые клеточки рукояти.

— А что чувствуешь, когда стреляешь в человека? — кокетливо спросила девушка.

— Пытаешься попасть, — буркнул Джамалудин.

Облаченный в белое официант снова налил вино, и Антуанетта, потянувшись, взяла тонкими пальчиками прозрачный бокал. Полные розовые губы оставили на хрустале искрящийся отпечаток, Антуанетта улыбнулась, и поставила выпитый бокал перед Джамалудином. Джамалудину показалось, что он чувствует запах помады.

— А он у вас правда золотой?

Джамалудин недоуменно нахмурился.

— Говорят, что президент России подарил вам золотой пистолет, — хлопая огромными ресницами, пояснила Антуанетта.

Джамал молча вынул пистолет из-под ремня брюк. Это был обыкновенный «стечкин», довольно сильно исцарапанный, и единственным его отличием была тонкая арабская вязь, вьющаяся вдоль ствола.

— Петрюс 97-го года, — сказал вице-президент Сережа, и все захлопали.

На сцене снова грянула музыка, и теперь Джамалудин разглядел певца. Он был в каких-то павлиньих штанах, и щеки его были накрашены, как у девушки. По бокалам разливали третью порцию вина. Девушки хохотали. Перед сценой разноцветные красавицы свивались в танце с мальчиками в распахнутых жилетках.

— Шато Марго двухтысячного года! — объявил сэр Мартин, и все захлопали и засмеялись, перекрывая крик музыки.

— Джамалудин Ахмедович, спляшите! — сказала Антуанетта, и в ноздри Джамалудину ударил запах ее волос, и запах духов, и что-то еще, отчего раздувались ноздри и в паху делалось жарко-жарко.

Над плечом Джамалудина возник облаченный в белое официант. Сверкающая фарфоровая тарелка парила над его руками, и аромат дорогих женских духов смешался с запахом свежей, хорошо прожаренной баранины.

Официант поставил тарелку перед ним, и в эту секунду Джамалудин увидел сэра Мартина. Тот, раскрыв рот и облизывая губы, смотрел на сцену, где прыгал павлин-певец, и рука нефтяного магната перебирала волосы его молодого спутника.

— Ну пожалуйста, спляшите, свой танец, знаменитый, боевой. Ну, когда все вертятся!

Павлиний певец дергал задницей туда-сюда.

— Целуются все! — орал он.

— Аварцы не делают зикр, — вежливо сказал Джамалудин, оттолкнул от себя тарелку и встал.

* * *

Кирилл поднялся из-за стола, когда снова загремела музыка, и вице-президент Сережа встал вместе с ним. Согласно условиям соглашения, деньги по контракту надо было перевести в течение двадцати четырех часов с момента подписания, и так как деньги шли через банк Сергея, Кириллу надо было обговорить кое-что.

Они посовещались вполголоса, и Кирилл сказал, что подъедет завтра к десяти, а потом Сергей наклонился к Кириллу и спросил:

— Послушай, Ромео, а ты не мог найти себе другую Джульетту?

— А что?

— А то, что из-за твоего брака Лубянка стоит на ушах.

Кирилл пожал плечами и презрительно засмеялся. Банкир стоял, с бокалом вина в узкой изящной ладошке, и свет ослепительно переливался на тонком полумесяце белого золота, высовывашегося из-под обшлага рубашки, украшенной монограммой владельца. Сергей любил жить, и жил вкусно и много. Этот человек считал, что если он потратил на отдых меньше пяти миллионов за лето, то, считай, не отдохнул.

— Знаешь, Кирилл, — спокойно сказал Сергей, — я ведь считал тебя неудачником. Ты всегда боялся... рубить концы. А сейчас? А сейчас все мы целуем сапог, а ты... ты свободен. Под гарантию банков Сити и головорезов Торби-калы. Кто еще может себе позволить такое обеспечение?

— Кирилл?

Водров обернулся.

За ним стояли Хаген и Джамалудин. Далеко на сцене, выгнувшись буквой «зю», пел павлиний певец, и белокурый Дик вился перед ним с мальчишкой в жакете, одетым на худое жилистое тело.

— Поехали отсюда, — мягко сказал Джамалудин.

— Точно, — обрадовался Сережа, — не фиг нормальным мужикам тут сидеть! Поехали, я неделю назад клуб открыл!

* * *

Клуб, которым владел Сережа, оказался немногим лучше того, из которого Джамал уехал.

На огромных экранах плясал огонь, музыка была как артподготовка, и огромная пушка, установленная на поднятой к потолку сцене, выбрасывала в темное чрево зала металлические полоски, сверкавшие под лазерными очередями.

Далеко внизу, на полу, копошилась элитная толпа, от нее вверх подымались вип-ложи, и та, в которую привел их Сережа, была самой большой. Она находилась почти вровень со сценой, отделенная от нее светом и дымом, и две красавицы, одна — перетянутая синей лентой, а другая — перетянутая красной лентой, — отплясывали на круглых балкончиках под их ложей.

Джамалудин сел за стол, и Сережа вполголоса объявил, что сейчас начнется показ мод.

Проворный служка подлетел сбоку, в серебряном ведерке о лед звякнул «Дом Периньон».

— Не надо, — сказал Хаген.

На освещенной сцене и в самом деле начался показ мод: модели демонстрировали нижнее белье. Кирилл, откинувшись на спинку удобного кожаного дивана, любовался девушками, потягивая красное Chateau Margot восемьдесят второго года. Банкир Сережа, нагнувшись к самому уху Джамалудина, чтобы перебить грохот музыки, рассказывал, как в девяносто третьем они поехали в Тайланд, и как все бабы, которых они сняли, оказались трансвеститами.

— Не понимаю, зачем Аллах создал геев, — сказал Джамалудин.

Сергей расхохотался.

— Ничего тут смешного, — сказал Джамалудин, — это серьезный вопрос. Аллах ведь создал Адама и Еву, чтобы они размножались. А кто же тогда создал геев?

Сергей, улыбаясь, встал и пошел куда-то распорядиться. Джамалудин остался сидеть вместе с Хагеном и Кириллом. Он молча хлебал буайбес и думал о том, почему эти люди, ни разу в жизни не бывшие на войне, пляшут под музыку, похожую на выстрелы, в сполохах лазеров, похожих на трассеры.

— Ты знаешь, почему я запретил Ташову жениться на Диане? — вдруг спросил Джамалудин.

— Да.

— И ты все равно взял ее замуж?

— Послушай, это дело между нами двумя.

— Это не дело между вами двумя, — ответил Джамалудин, — когда суку вяжут с кобелем, и то считают, кто был отец и с кем она сходилась до этого. А тут речь идет о матерях ваших детей, и вы делаете детей с кем попало.

Кирилл улыбался. Вино уже слегка ударило ему в голову. Девушки, клуб, закрытая сделка и прием в Кремле слились в голове в один малиновый рождественский звон.

Затянутый в черное сотрудник клуба порхнул к столу, и перед Джамалудином легло огромное, кремового цвета меню.

— Я сыт, — сказал горец.

Хаген открыл меню, пробежал его глазами и передал Джамалудину. Тот заглянул внутрь.

Меню было не меню, а список девушек — фотографии, имена и фамилии. Всем сидевшим в ложе предлагали проставить девушкам оценки, и кроме квадратиков для оценок, под каждой фотографией было написано, сколько девушке лет, и номер загранпаспорта.

— А загранпаспорт зачем? — сказал Джамал.

— А если, к примеру, вы захотите взять девочку за границу, — ответил сотрудник.

Хаген, улыбаясь страшными голубыми глазами, невозмутимо листал список. Хлопнуло и побежало из горлышка «Дом Периньон». На балкончике под их ложей девушка, перетянутая синей лентой, закончила свой танец, и ей на смену встала другая, в длинных, до плеч, перчатках и ажурном купальнике, меняющем цвет под сполохами лазеров.

— Ты посмотри, — сказал Джамал, — на кого вы похожи? Как ведут себя ваши женщины, и как вы относитесь к вашим старикам? Мы сегодня были в больнице, и там в коридоре мы встретили старика. Он полз по стенке, и от него воняло, и когда мы с Хагеном отнесли его в палату, то выяснилось, что он третий день после операции, и сын ни разу не пришел его навестить, и ни одна сестра не подала ему утку. Мы просидели два часа у этого человека, и он плакал у меня на коленях, Кирилл, он плакал! У него двое сыновей и дочь, и ни один из них не пришел к нему в больницу, и они ждут, когда он умрет, чтобы забрать у него квартиру.

Паренек в черном поставил перед Джамалудином заказанную им рыбу, но тот отпихнул тарелку.

— У меня в республике три детских дома, — продолжал Джамалудин, — и ты знаешь, кто в этих домах? Только русские. У меня в республике пять домов престарелых. И ты знаешь, кто в этих домах? Только русские. А потом вы приходите к нам и тычете нам, что мы дикари? Если бы моя сестра сделала то же, что делала Диана, то, клянусь Аллахом, я сам бы всадил ей пулю в голову, и меня не интересует, почему и как. Лучше бы твоя Диана взорвалась в «Норд-Осте», чем делать то, что она.

Музыка взвизгнула и замолкла, рассыпавшись под потолком вместе с серебряными блестками. Девочки выбежали к рампе, кланяясь гостям. Девочку в красной ленте сменила девочка в изумрудной ленте.

Джамалудин резко отодвинул стул, и в этот момент Хаген подал ему развернутое меню. Джамалудин оттолкнул кремовую книжицу, но Хаген резко сказал что-то по-аварски, и Джамалудин взял меню снова. Лицо его стало сосредоточенным и холодным, и верхняя губа чуть вздернулась, открывая белые волчьи зубы.

Кирилл, улыбаясь, начал листать свое меню. На странице номер семь были изображены две улыбающиеся темноволосые красавицы, девятнадцати и двадцати лет. Одна, в коротеньком белом сарафане, хохотала, запрокинув голову, и обнаженные ее плечи были в прядях черных волос и звеньях крупных бус. Другая, в шортах и расстегнутой до пупа рубашке, тянула товарку в беленьком сарафане за эти самые бусы. Губы ее были капризно и хищно вздернуты. Одну звали Патимат, а другую — Заира Курбаналиева, и обе они родились в селе Ахмадкала республики Северная Авария-Дарго.

Позвоночник Кирилла прошило ледяной иглой.

Джамалудин Кемиров откинулся на спинку стула, и его черные глаза с вишневой искрой глаза внезапно стали тусклыми, — может быть, из-за неверных сполохов света.

— Сережа, — позвал он банкира, — пригласи-ка к нам за столик девочек.

Когда Кирилл вернулся домой, Диана еще не спала. Она стояла у окна спальни, в белом коконе ночной рубашки, с черными волосами, рассыпавшимися по плечам, и настороженно глядела вниз, туда, где в темном колодце двора по машинам рассаживались вооруженные люди. Кирилл обнял ее и поцеловал, и Кремль, подписанный договор, атласное меню и темно-багровые, с лазерной подсветкой глаза Джамалудина растаяли, как габариты свернувших за угол «мерсов». Кирилл засмеялся и подхватил жену на руки, и тело ее было теплым и нежным под тонким шелком.

* * *

Кирилл проснулся через три часа, отдохнувший и свежий. Он качал позвоночник до девяти, — «молятся телу», — вспомнил он почему-то выражение Джамалудина, принял душ и вместо завтрака удовольствовался черным кофе.

В банк к Сергею он приехал ровно в назначенное время; со всеми формальностями было быстро покончено, и в половине двенадцатого Кирилл вернулся в сверкающий сталью и стеклом офис Navalis Avaria. Он попросил себе в кабинет еще кофе, и сел к компьютеру, чтобы посмотреть новости.

Цена барреля нефти достигла ста десяти долларов.

Евро вырос по отношению к доллару на три пункта.

В Москве, в районе станции «Белорусская-сортировочная», обнаружены трупы двух девушек, уроженок республики РСА-Дарго. Студентки одного из московских пединститутов Заира и Патимат Курбаналиевы убиты в затылок выстрелом из «Стечкина». Прокуратура завела дело по факту преднамеренного убийства.

Кирилл перечитал сообщение один раз, потом другой. Потом посмотрел на нескольких других сайтах. Новость была не особенно заметной. Правозащитники предполагали убийство из-за национальной розни. Как будто скинхеды ходят со «стечкиными».

Кирилл распечатал новость, предупредил секретаршу, что его не будет часа полтора, и напоследок набрал номер Джамалудина.

— Вы еще не улетели? Я заеду, — сказал Кирилл.

* * *

Джамалудин со своей свитой сидел в vip-зале аэропорта, в отдельном кабинете на первом этаже, и стол перед ними ломился от японских закусок. Справа от Джамала сидел Хаген. Он аккуратно доставал деревянными палочками из тарелки темно-красные ломти сырого тунца, обмакивал их в коричневый соус и клал между влажных полных губ, за которыми посверкивали белые крупные зубы.

— Нам надо поговорить, — сказал Кирилл.

— Говори.

Тарелка перед Джамалудином была пуста. Похоже, дело было не в четверге. Похоже, у них опять был какой-то пост, и Джамалудин снова не ел до захода солнца.

Рай так просто не заслужишь.

— Здесь? — уточнил Кирилл.

Он, собственно, имел в виду даже не свиту. В vip-зале уши были не только у стен, но даже у лампочек. Каждый раз, когда Кирилл приезжал сюда, ему казалось, что он выступает по радио.

— Говори, — повторил Джамалудин.

Краем глаза Кирилл заметил, что Гаджимурад Чарахов приподнялся было, но снова сел от легкого взмаха Джамалудина. Кирилл с размаху шлепнул распечатку на пустую тарелку перед аварцем.

— Это ты их убил? — спросил он.

Джамалудин не шевельнулся.

— Ты пьян, Кирилл? Мы с тобой расстались в пять утра.

— Это сделал Хаген. По твоему приказу.

— Что сделал? — губы Джамалудина растянулись в улыбке.

Чарахов отодвинул стул и вышел из кабинета.

— Ты с ума сошел, Джамал, — сказал Кирилл, — против кого ты воюешь? Сначала ты воевал против боевиков. Потом — против пятнадцатилетних мальчишек. Теперь ты перешел на девушек? Они, может быть, тоже ваххабитки? Что следующим номером, Джамал? Публичные казни на стадионе? Ты издашь постановление правительства, чтобы все носили хиджаб?

Краем глаза Кирилл заметил, как сидевшие слева Шахид и Абрек переглянулись и, не сговариваясь, вышли. Это могло бы насторожить его, – но Кириллу было уже все равно.

– Твои портреты висят на всех площадях, – заорал Кирилл, – а при твоем имени люди бледнеют! Твои люди творят беспредел, и когда они творят беспредел, ты всегда заступаешься за них, потому что они твои люди! Вы отдали всю республику родичам! Кого вы назначили министром финансов? Фальшивомонетчика? Кого ты назначил главой АТЦ? Киллера?

За спиной Кирилла хлопнула дверь, и Кирилл понял, что ушли все, кроме Хагена. Ариец по-прежнему сидел справа от Джамалудина, и все так же улыбался спелыми красными губами, и деревянные палочки в его руках уже покончили с тунцом и теперь выбирали из резного блюда посреди стола кусочки белого мраморного гребешка.

– Ты посмотри, – продолжал Кирилл, – кого ты выгнал и кто остался! Чем тебе помешал Ташов, тем, что у него есть совесть? Это правда, что ты велел привезти его в багажнике? А теперь ты сидишь и ждешь, пока его убьют те кровники, которых он заполучил, выполняя твои приказы?

Хаген аккуратно положил палочки и взял стакан с соком.

– Ты кончил? – без улыбки спросил Джамалудин.

– Нет. Я ухожу из проекта. Можешь строить этот гребаный завод сам. С помощью Хагена. А с меня хватит. Я не хочу отвечать перед Гаагским трибуналом за помощь «Аль-Каиде».

Кирилл повернулся и сделал шаг к выходу.

– Вернись, – негромко сказал Джамалудин.

Кирилл повернулся.

– Я ухожу. Ты забыл, что можно и что нельзя, – повторил Водров. – У твоего народа был шанс. Ты раздолбал его сам. Своими «стечкиными».

Дверь за Кириллом оглушительно хлопнула.

* * *

Японский ресторанчик был отгорожен от vip-а деревянными жердочками, и за этими жердочками, на кожаных диванах, сидели люди Джамалудина. Они выглядели очень встревоженными.

Когда разъяренный Кирилл вылетел в общий зал, навстречу поднялся Фальшивый Аббас.

— Послушай, Кирилл, — сказал министр финансов, — ты неправильно понял...

— Я все правильно понял, — отрезал Кирилл, — не надо нас считать за идиотов.

Он скинул с плеча руку Аббаса и быстро пошел вниз по холлу, на ходу набирая сэра Метьюза. Как назло, сотовый не отвечал, звонок, которому надо было проделать путь из Москвы в Лондон и обратно, увязал по дороге в перегруженных лабиринтах роуминга.

За стеклянными дверьми валил мокрый крупный снег, тучи наверху были как порванная перина, и когда Кирилл подошел к своей машине, она была вся уже в белом липком саване.

Садясь за руль, Кирилл не очистил заднее стекло, и едва не врезался в какой-то «мерс», ждущий своей очереди у элитной парковки. «Мерс» грозно загудел, Кирилл выругался и нажал на газ, и когда он выворачивал со стоянки, он заметил два сбегающих с каменного крыльца силуэта — черноволосых, в черных брюках и кожаных куртках.

Декабрьская Москва раскисла, серая грязь липла к стеклу и оседала на мостовой какой-то жуткой химией, а здесь, за городом, тяжелая бронированная машина оскальзывалась на гладком льду колеи, присыпанном рыжим песком.

Тяжелый «мерс» спешил прочь, прочь, по свежему, тут же превращающемуся в кашу снегу, прочь от уютного мира vip-ов и корпоративных самолетов, и летающих в них преуспевающих банкиров, головорезов и президентов. Вдали уже показалась будочка с желтеньким шлагбаумом, и за ним — грязно-дымная полоса шоссе.

И тут Кирилл заметил шедшего ему навстречу человека. Он был невысок и смуглокож, в черной кожаной куртке и черной же шапочке, надвинутой на лоб. В левой руке у человека был телефон, а правую он сунул за пазуху. Несмотря на густой снегопад, он был сух и черен, как будто поджидал Кирилла в каком-то укрытии. Он шел навстречу, и Кириллу почему-то сначала бросились в глаза его начищенные коричневые ботинки, ловко ступающие по гребню ледяной колеи, а потом уже отрешенный деготь глаз. «Сейчас он вынет руку из-за пазухи и застрелит меня, – подумал Кирилл, – как только кончит говорить с Джамалом».

Телефон на сиденьи зазвонил снова. Кирилл, не отрываясь, смотрел на человека. Тот шел, с привычной грацией охотящегося волка, и тело его разрезало воздух с той особенной стремительностью, которая свойственна лишь боевым машинам – истребителям, субмаринам – и киллерам. «Почему у Джамала в охране чеченец?» – вдруг подумал Кирилл. Человек этот почему-то показался ему чеченцем.

Машина шла между бетонной челюстью забора и открытой всем ветрам взлеткой, укрыться было совершенно негде. До черного человека остался всего метр, мгновения потекли тихо-тихо, как кисель из банки, и в эту секунду Кирилл увидел шлагбаум. Он был опущен, а сбоку ворочался шестисотый начищенный «мерс» с аварскими номерами. Окно «мерса» было раскрыто, пассажирская дверца – распахнута, и возле раскрытого окна стоял охранник и о чем-то спорил с водителем.

Черный человек плавно проплыл за стеклом.

Кирилл вдруг понял свою ошибку. «Это кто-то из чиновников, он приехал без пропуска, охрана не пустила его за шлагбаум, и он пошел разбираться пешком».

Шлагбаум опустился, и Кирилл снова набрал номер сэра Метьюза. На этот раз телефон переключился на офис.

– Да, это Водров, – сказал Кирилл, – и это срочно. Найдите Мартина. Где хотите.

Впереди уже показался поворот на шоссе. Там тоже были менты, и несмотря на зеленый, машины стояли: регулировщик торчал посереди дороги, подняв свою палочку вверх. Небо было того же цвета, что и асфальт, дворники размазывали по стеклу грязь пополам со снегом.

Впереди посышался визг «мигалок», и тут же Кирилл увидел кортеж Заура Кемирова. Братья никогда не ездили вместе на одной машине. Редкостью было уже того, что сегодня они летели на одном самолете.

Запел телефон. Кирилл поднял трубку, и голос Джамалудина сказал:

— Вернись. Немедленно.

Кирилл бросил телефон на сиденье.

Головной бронированный «мерс» Заура свернул на дорожку впритык к Кириллу, обдав его шрапнелью из подмерзшей лужи, и за ним, крякая и свистя, промчался джип сопровождения.

Толстый гаишник опустил палочку и заспешил, переваливаясь по-утиному, к патрульной шестерке. В крайнем левом ряду, торопясь, водитель «газели» нажал на газ. Позади, в зеркале заднего вида, кортеж поравнялся с будочкой и с черным зеркальным «мерсом», и указательный палец шлагбаума пошел вверх.

В следующую секунду Кирилл почувствовал, как взмывает в воздух. Прямо перед ним мелькнуло изумленное лицо черно-желтого гаишника, — гаишник летел, откинув руки, спиной вперед, и Кирилл увидел, как гаишник таранит телом грязно-серую «газель», а потом в это же тело и в эту же «газель» врезается бронированная скула его собственного «мерса».

Тут же сбоку надвинулась беленькая иномарка, надвинулась и сложилась гармошкой, «мерс» развернуло и хрястнуло о бетонный водораздел между встречками, и из желтого шара в зеркале заднего вида выплыл милицейский «жигуль». Он катился медленно-медленно, наперерез пытающимся затормозить машинам, а потом руль вспучился белой пеной, Кирилл влетел в нее лицом, давление в машине мгновенно повысилось, сработали датчики, и стекла вылетели наружу, как при взрыве.

Кирилл что-то орал, отбиваясь от воздушной подушки. Через секунду он уже выбежал из машины, изумляясь невероятной, совершенной тишине вокруг.

Милицейский «жигуль» беззвучно горел посереди шоссе, и в нем, как бабочка за стеклом, бился залитый кровью человек. Кирилл вцепился в дверь «жигуля», она отвалилась, человек выпал на асфальт и стал дергаться, как перерубленный червяк, а Кирилл схватил его за ворот толстого бушлата и поволок к обочине.

Из темно-зеленого пикапа, вовремя затормозившего после уткнувшегося в ментов грузовичка, выскочили трое, и один из них полез в грузовичок, а двое других кинулись помогать Кириллу с милиционером.

Кирилл доволок милиционера до обочины и бросил на попечение этих двоих, а сам побежал вперед, туда, где только что был желтый шлагбаум и синий маячок машины сопровождения.

Один из работяг обогнал Кирилла и начал разевать рот. Кирилл понял, что он что-то говорит, но слов не было слышно. И вот из-за того, что слов не было слышно, и еще из-за того, что только вчера Заур сидел с Кириллом в «Черном бархате», и пил «Барбареско», и улыбался своим властным, смуглым, желтоватым лицом, напоминающим спелую дыню в авоське морщин, — все вокруг казалось сном, кинофильмом, дрянным монтажом, к которому даже не подклеили звук.

Посереди дороги дымился котлован, и в недрах его что-то ворочалось и горело. Бетонный забор повалился, одна из плит торчала косо из снега, порванная на клочки. Караульного домика не было; черного «мерса» не было тоже, джип сопровождения пылал, как тряпка, окунутая в бензин, и, что самое страшное, машины Заура не было вовсе. Был только какой-то лом и вонь в глубине котлована, и медленные клубы вонючего дыма, и когда Кирилл, пошатнувшись, сел, он вдруг увидел в вышине над собой железные ребра, выступающие из порванного бетона.

На одном из ребер, выпучившись на Кирилла, висел, зацепившись ломтем кожи, человеческий глаз.

По-прежнему было необыкновенно тихо.

В ноздри било горелым железом и человечиной, и из ямы, как из труб самодельного «самовара», поднимался черный резиновый дым.

Потом дым отнесло в сторону, и Кирилл увидел Джамалудина. Тот бежал, оскальзываясь, по черно-розовой колее, и вслед за ним бежали его люди. Джамалудин добежал до ямы и рухнул на колени, и Кирилл внезапно понял, что есть еще одна вещь, которую необходимо, совершенно необходимо сделать.

Кирилл поднялся и побежал вокруг пылающего джипа, по черной земле, на которой тут же таял белый хлопчатый снег. Уже у самой цели он запнулся о что-то и рухнул лицом в набухающую розовым колею. Подскочивший к нему Хаген вздернул его на ноги, и Кирилл закричал, тыча пальцем в то место, где еще недавно был шлагбаум:

— Чеченец, чеченец, он ушел из машины! Он ушел!

В двадцати метрах над ним плавно и совершенно бесшумно пронесся заходящий на посадку самолет.

Джамалудин Кемиров по-прежнему стоял на коленях, воронка черноты надвигалась на Кирилла, и перед тем, как потерять сознание, Кирилл на мгновение увидел лицо горца. Ему показалось, что он видит ворота в ад.

Часть вторая

ДИКТАТОР

Если столкновение неизбежно,
бей другого первым

Из правил морского движения,
разработанных
Ганзейским торговым союзом

ГЛАВА ВОСЬМАЯ
Новые правила

Заура Кемирова, президента республики Северая Авария-Дарго, бывшего мэра города Бештоя, владельца концерна «Кемир», чье состояние оценивалось в три миллиарда долларов, хоронили в родном селе на следующий день после теракта.

Вместе с ним хоронили семерых. Все они были односельчане Заура, а четверо и близкие родственники.

Похоронить всех этих людей в день гибели до захода солнца, как предписывал Коран, не было никакой возможности, — да, по правде говоря, и нечего было хоронить. Разве те, кто был в джипе сопровождения, сохранились, хотя и сгорели до головешек. Головную же машину разметало в радиусе двухсот метров, и никто, кроме специалистов по ДНК, не мог бы определить, где чей клочок.

Заура хоронили в закрытом гробу, и вся республика знала, что в этом гробу лежит.

Кирилл прилетел на похороны в одном самолете с гробом. В момент взрыва он находился от эпицентра в семидесяти метрах, и его спасло то, что «мерс» был бронированный. Может быть, он бы и не погиб, но точно оказался бы в больнице с тяжелейшими травмами. А так Кирилл отделался лопнувшей барабанной перепонкой, контузией да сломанной рукой. Руки, в переполохе, он даже не заметил.

Вместе с Кириллом прилетел Алихан.

Самолет приземлился на авиабазе в Бештое, и мальчик не отходил от мужа своей сестры ни в самолете, ни по дороге на кладбище. Кирилл плохо слышал и как-то не очень понимал, что слышит. Ему все время казалось, что самолет прилетит, и их встретит улыбающийся Заур, и скажет, что это была спецоперация и машина была пуста.

Оказалось, что Заур давно выбрал место для своей могилы.

Он велел похоронить себя не в родном селе, а на кладбище на западной окраине Бештоя, где справа и слева от могилы, куда хватал глаз, тянулись одинаковые гранитные надгробия с одинаковой датой смерти на них. Сто семьдесят четыре надгробия для детей и женщин, погибших в роддоме, и на сорока семи из них дата смерти совпадала с датой рождения.

Президент республики оплатил сто семьдесят четыре темно-серых гранитных стелы для жертв Бештойского теракта, и сто семьдесят пятую, точно такую же, без узоров и украшений, для себя.

Имам читал свою скороговорку, небо над ними было насажено на белый штык минарета, и солнце сверкало на оружии тех, кто собрался вокруг могилы. Под ногами хлюпало и таяло: в горах мел снег, но такой уж климат был в Бештое, что ночью тут была зима, а днем — лето.

Кирилл уже садился в машину, посереди черного моря народа, бившегося по обе стороны ограды, когда на плечо его опустилась рука, и Кирилл, обернувшись, увидел Гаджимурада Чарахова.

— Не уезжай, пока Джамал с тобой не переговорит, — приказал мэр Торби-калы.

* * *

Кириллу пришлось ждать три часа.

Джамалудин Кемиров сидел в том же кабинете, в котором Кирилл в сентябре впервые обсуждал проект с Зауром. Свет был выключен; тяжелые бархатные занавеси полусдвинуты, и по полу и потолку метались сполохи от разъежающихся фар и горящих костров.

Джамал сидел на полированном столе, гладком и тяжелом, как крышка гроба, скорчившись над пустым креслом брата, — кусок черноты над куском черноты.

Кирилл вошел и остановился у входа, а потом, повинуясь скорее угаданному, нежели увиденному жесту, сел в кресло у стола. Силуэт Джамала сделался чуть четче, и Кириллу теперь было видно, как отражаются сполохи фар в багрово-черных зрачках.

Во дворе трещали выстрелы и поленья.

— Ты уходишь из проекта? — спросил Джамал. Голос его был гладок и ровен, как выскочивший из-под пресса стальной лист.

— Нет. Я остаюсь.

«Что ты делаешь? — беззвучно вспыхнуло в мозгу Кирилла, — откажись. Откажись немедленно. Этот проект можно было осуществить с Зауром Кемировым. С блестящим инженером. С прирожденным бизнесменом, с человеком, который умел договариваться и прощать. Его нельзя осуществить с полусумасшедшим фанатиком, который расстреливает детей, убивает женщин, и охотится со своей бандой на все, что молится не так, как он».

Силуэт Джамалудина на столе был как черный провал во тьме. Когда он заговорил, Кириллу показалось, что слова доносятся до него из-за горизонта Шварцшильда.

— Заур, — сказал Джамалудин, — часто говорил мне, что делать, если его убьют.

«Часто? Братья часто обсуждали этот вопрос?»

— Я поклялся ему, что доведу проект до конца. Он говорил: «Это наш единственный шанс. Пойми, Джамал, — не твои головорезы, не война, не мир, не выборы, не Кремль, — шельф — наш единственный шанс. Деньги приводят мир, мир приводит деньги». Заур говорил — если меня убьют, слушайся Кирилла. Он хотел, чтобы ты приехал сюда не затем, чтобы оформить сделку. Это мог бы сделать любой банкир. Он хотел, чтобы ты приехал сюда для того, чтобы если его убьют, ты бы возглавил сделку. Я хочу, чтобы ты был в этой сделке вместо Заура.

«Я не хочу отвечать перед Гаагским трибуналом за финансирование «Аль-Каиды».

— Я остаюсь, — повторил Кирилл.

Они помолчали еще несколько секунд, и Джамалудин сказал:

— Почему ты решил, что это был чеченец?

Человека, которого видел Кирилл, больше не видел никто. Этот человек шел по узкой дорожке между двумя рядами бетонных плит, и он не мог деться никуда, кроме как войти в vip или убежать на летное поле. Он не вошел в vip-зал и не побежал обратно к месту взрыва, и люди Джамала бросились по полю, и раньше, чем приехало ФСБ, они проверили камеры в vip-зале, но человека не было ни на поле, ни в камерах.

Конечно, этого человека должны были видеть караульные. Но от караульных осталось ведро ДНК.

— Я не знаю, — честно признался Кирилл. — Как я могу отличить чеченца от аварца? Вы сами себя путаете. Невысокий, быстрый. Кожаная куртка, черная шапочка. Глаза совершенно черные.

— Но ты не видел, как он выходил из машины? — спросил Джамал.

Кирилл подумал.

— Он вышел из машины, — вдруг сказал Кирилл, — на нем были темно-коричневые ботинки, дорогие, очень хорошо начищенные. Они прямо сверкали. Он не мог в таких ботинках пройти двести метров от шоссе до поста, а больше неоткуда, кроме как из машины, ему не было взяться.

— Чеченец?

— Чеченец, аварец, лакец, но я не думаю, что он был русский. Эти ботинки, походка, стать, я не знаю, почему мне показалось, что он чеченец. Я еще подумал, откуда у тебя чеченец в охране.

— Ты его хорошо запомнил?

«Я его очень хорошо запомнил. Я смотрел на него и думал, вот этот человек идет мне навстречу, и если ты уже позвонил ему, он сейчас начнет стрелять. Я рассмотрел его так хорошо, потому что решил, что он идет меня убивать. Я так перессал, что даже не сообразил, что, чтобы у него ни было за пазухой, оно не прострелит броню четвертой степени защиты».

— Да.

Джамалудин встал и поманил его в комнату отдыха. Там, на черном столе лежали семь фотокарточек. Человек, которого видел Кирилл, лежал третьим слева.

— Кто он? — сказал Кирилл, — боевик? Ваххабист?

Джамалудин ничего не ответил. Он повернулся к Кириллу и обнял его на прощанье. Руки аварца были твердыми и холодными, как у трупа. Кирилл пошатнулся и сел, а Джамалудин пошел к выходу из кабинета. Уже у самой двери Джамал обернулся и спросил:

— Ты написал завещание?

Кирилл хлопнул глазами.

— Тебе не стоит оставлять семью без средств. Тем более что там большие деньги. Тебе теперь принадлежит пять процентов «Голубого костра». Это твоя доля по завещанию Заура.

Джамалудин повернулся и вышел.

* * *

Кирилл некоторое время сидел в темноте, а потом дверь скрипнула, и в ней показался узкий силуэт Алихана.

— Кирилл Владимирович, — сказал мальчик, — врачи велели вам лежать. Нам надо ехать.

Кирилл встал, подошел к окну и посмотрел вниз.

Двор был забит чиновниками и вооруженными людьми. Далеко за двором горели костры, и по селу ворочалась плотная сороконожка толпы. Сегодня все улицы Бештоя были переполнены людьми и машинами, и по всей республике машины ехали только в одном направлении — в Бештой.

Официальная версия гласила, что Заура Кемирова убили сепаратисты, и официальная версия вполне могла быть правдой. Булавди Хаджиев был кровником Кемировых, и Кирилл сам видел кассету, на которой Булавди приговаривал Кемировых к смерти.

И все-таки у Кирилла была пара вопросов к официальной версии.

Первый вопрос заключался в том, что теракт произошел в Москве. Конечно, охрана Заура в Москве была слабей, чем в республике. Но все-таки Булавди Хаджиеву было несравненно легче взорвать Заура в Торби-кале, а спецслужбам, наоборот, было несравненно легче взорвать Заура в Москве.

Второй вопрос заключался в том, что ровно накануне гибели Заур Кемиров отказал Семену Семеновичу в доле в проекте, и второй человек в Кремле сказал: «ты об этом пожалеешь». Слишком впритык стояли они: отказ Заура и его смерть.

Третий вопрос заключался в том, что жертвой оказался именно Заур. Кемировы оба были приговорены; оба были кровники Булавди. Но, насколько Кирилл знал, на Заура не было ни одного покушения. На Джамала – были. На Хагена охотились регулярно, как на бешеного волка, были покушения на Ташова, Гаджимурада. Но все-таки тот, чьей целью была месть, с куда большей вероятностью постарался бы убить Джамала. А вот тот, чей целью был шельф, несомненно, убивал бы президента республики.

Именно поэтому был так важен тот человек, которого видел Кирилл. Если покушение было делом рук Булавди, то киллер был почти наверняка смертник. Так, как сейчас сообщала официальная версия: подъехал шахид в дорогом «мерсе», заплел уши охраннику, – и снес кортеж вместе с собой, «мерсом» и будочкой. Если покушение было делом рук спецслужб, то смертника не было: был придурок. Придурок, которого лощеный человек в начищенных ботинках и черной кожаной куртке оставил болтать с охраной, – и пошел вперед, якобы в зал, а на самом деле, подальше от места будущего взрыва, сжимая за пазухой дистанционный пульт.

То есть не то чтобы Булавди не мог использовать придурка. Но смертник — это было сто процентов Булавди. А лощеный кавказец в начищенных темно-коричневых ботинках — это были варианты.

«Пять процентов от «Голубого костра».

Пять процентов компании с потенциальной капитализацией в пятьдесят миллиардов долларов. Если Заура убили за это, то сколько стоит теперь жизнь Кирилла Водрова?

Если Заура убили за это, то как его брат собирается сохранить власть? В республике, в которой по лесам бегают сепаратисты, где половина подростков мечтает стать киллерами, а половина взрослых — президентами, где Кремль назначит президентом того, кто сожрет проект, потому что Кремлю были нужны Кемировы, которые содержали республику на собственные деньги, но ему совершенно не нужна республика, которая содержит сама себя...

Внизу, под окном, горели фары и факелы, и Кирилл вдруг увидел Джамалудина. Он шел, по-прежнему в черном высоком свитере, по расчищенному от снега двору, между вооруженных людей и молчащих чиновников, и вдруг Кирилл увидел, как из шеренги высоких бойцов к нему ступил Хаген. Хаген что-то закричал, по-аварски, Кирилл тщетно напряг лоб, пытаясь разобрать гортанные, резкие слова.

Хаген закричал снова. Крик его подхватили бойцы. Джамал остановился. Возле него внезапно оказался высокий, в барашковой шапке старик. Кирилл вдруг понял, что это, наверное, тот самый устаз, по крайней мере, перед кем еще Джамал мог опуститься на колени?

Барашковый старик заговорил. Откуда-то явился Коран. Теперь говорил Джамал. В морозном воздухе сверкали фары бронированных «мерседесов», и из рожков, вделанных в кирпичную стену, рвалось пламя факелов.

Джамал встал с колен и закричал — хрипло, яростно, и вместе с ним закричал Хаген и его бойцы, а потом ряды ОМОНа. Хаген подошел к Корану и положил на него руку: Кирилл понял, что он клянется в верности Джамалудину Кемирову.

За Хагеном подошел мэр Бештоя Гаджимурад Чарахов. За Чараховым — племянник Джамала, Амирхан. Люди подходили и подходили. За бойцами потянулись чиновники, за чиновниками — гости. Кирилл молча наблюдал, как Дауд Казиханов, сопровождаемый четырьмя своими сыновьями, клянется на Коране в верности Джамалу.

Кирилл не сомневался, что Дауд нарушит эту клятву, если будет выгодно. Но нарушить клятву — не то, что ее не давать.

Последним тридцатишестилетнему Джамалу присягнул Сапарчи Телаев. Кирилл бы не удивился, если бы услышал, что Сапарчи проглотил половину слов.

Во дворе поднялась суматоха. Люди стреляли в воздух, и кто-то читал нараспев Коран. «Он подготовил это заранее, — понял Кирилл, — он срежиссировал все, от Хагена до устаза. Он не собирается быть президентом этой страны. Он собирается быть ее владыкой. Горе тому, кто осмелится нарушить данную сегодня клятву, и горе тому придурку в Кремле, который решит, что президентом можно сделать кого-то другого».

— Кирилл Владимирович, — повторил Алихан, — нам лучше уехать. Вы совсем больны.

Кирилл кивнул и повернулся, чтобы идти. Поворачиваясь, он хотел переложить в карман фотографию киллера, — он до сих пор держал ее в руке, но пальцы его задрожали, Кирилл споткнулся, глянцевый листик вылетел из ладони и заскользил по паркету. Алихан мгновенно кинулся его подбирать.

— Откуда она у вас, Кирилл Владимирович? — сказал Алихан.

— Ты знаешь этого человека?

Мальчик молчал несколько секунд.

— Это тот, который привел нас к Белой Речке. Его зовут Максуд.

* * *

Фотография Косого Максуда вовсе не случайно оказалась на столе Джамалудина меньше чем через сорок часов после смерти брата.

События, приведшие к ее появлению, начали разматываться с неумолимостью якорной цепи, выброшенной сухогрузом на рейде, сразу после того, как эксперты установили характер и тип взрывного устройства, уничтожившего машину Заура Кемирова.

То, что взорвалось в багажнике черного «мерса», было не самодельное взрывное устройство и даже не переделанный фугас. Это была морская донная мина МДМ-3, длиной полтора метра и калибром 450 мм, такая же, как та, которую вынес сель на дорогу перед Хагеном.

Это обстоятельство привело к существенным переменам в судьбе четырех молодых людей, трое из которых происходили из села Хагена, а четвертый был сыном главы Верховного суда республики.

Ко времени покушения на Заура все четверо уже были на свободе; дело о их перестрелке с Сапарчи развалилось на стадии следствия, а мины им никто официально не предъявлял. Все жили себе спокойно в своих домах, и один даже устроился в службу судебных приставов. Спустя три часа после покушения, — даже раньше, чем смерть Заура была официально подтверждена, у четырех домов остановились машины АТЦ, и люди, вышедшие из них, забрали парней с собой. Сын председателя Верховного Суда жил вместе с отцом, но отца даже слушать не стали.

Еще через три часа два БТРа и джипы заехали в Тленкой к Мураду Кахаури, тому самому чемпиону мира среди юниоров, который хотел уйти с Алиханом в Чечню. Тогда на Белой Речке Мурад тоже остался жив, и его выпустили еще месяц назад.

Мурад не был расположен сдаваться живьем, и после того, как вышел из СИЗО, всегда носил на себе пояс смертника. Но так получилось, что на Белой Речке ему прострелили копчик, и с тех пор время от времени у Мурада отнимались ноги. И вот за день до этой истории у Мурада отнялись ноги, и он лежал дома у сестры и смотрел телевизор, а его сестра, которая очень не любила, когда Мурад ходит в поясе шахида, взяла эту опасную в хозяйстве вещь да и зарыла во дворе. И вот, когда Мурад увидел, что через забор прыгают бойцы АТЦ, он пополз с кровати и стал шарить по дому в поисках пояса, но пояса нигде не было, и в результате вместо рая он оказался в багажнике.

А на следующее утро приехал сам Джамалудин.

К этому времени уже было известно, что парни купили донную мину у Мурада, а Мурад, в свою очередь, был не владельцем, а посредником. Мину ему продал Косой Максуд.

Этого Максуда Джамалудин знал давно, еще с девяносто шестого года. Они вместе шкодили в Москве, и когда Максуда объявили в федеральный розыск, Джамалудин сам посоветовал ему убираться в Чечню. Максуд убрался, а через два года Джамалудин встретил его на каком-то выкупе: Максуд толковал Коран и просил двести штук за пленника.

— Тебе ли толковать Коран! — возмутился Джамалудин, — ты сюда сбежал от статьи, а туда же!

Уже после взрыва в роддоме Джамалудин снял с Максуда розыск. Ему был нужен осведомитель среди боевиков, и Максуд отработал свои деньги. По некоторым признакам Джамалудин догадывался, что Максуд подрабатывает на ФСБ, а заодно и киллером по найму. Так было всегда: уж если человек был гнилой, то он был гнилой везде.

Поехали домой к Максуду, но Максуд исчез сразу после Белой Речки, понимая, что этого ему не простят никогда. Родных его было брать в заложники бесполезно, было понятно, что Максуд такой человек, что сам зарежет и сына, и мать, — не то что поменяется с ними смертью. Отец честно рассказал все, что мог. По результатам его рассказов навестили гараж на окраине Торби-калы, и нашли там еще одну мину, чистенькую, готовенькую, 87-го года выпуска.

Неожиданно получалось, что мина действительно приехала из Торби-калы. Однако Максуд пропал, а может, его уже и убили. Сама же личность Максуда нисколько не указывала на заказчика: им мог быть и Булавди, и ФСБ, и вообще кто угодно. Максуд был как общественная заправка: были бы деньги, заправим и ваш «запорожец», и их «мерседес».

Мурада пытали так, что крики его были слышны на другом конце села, но в конце концов Джамалудин отпустил всех пятерых: и Мурада, и ребят из Андаха. Никто не знал, почему он их отпустил, но Джамалудин в эти дни был вообще не в себе. Он ничего не ел и не пил, и все время, которое он не допрашивал людей, он проводил ничком на могиле Заура.

На третий день, когда он лежал у могилы и читал Коран трем воробьям, которые клевали рядом крошки, к нему пришел его брат Магомед-Расул и попросил назначить его главой Navalis Avaria.

— Нет, — ответил Джамалудин.

Тогда Магомед-Расул напомнил, что он теперь старший в семье, и что Джамалудин обязан его слушаться.

— Старшим в семье всегда будет Заур, — ответил Джамалудин.

Тогда Магомед-Расул напомнил Джамалу, что, согласно договору между Navalis и республикой, Кирилла Водрова нельзя уволить с должности управляющего компанией без права пересмотра условий финансирования, и что мины, подобные той, которой взорвали Заура, выпускались заводом, который попал в руки Кирилла.

— Этот человек с помощью Заура стал хозяином проекта, — сказал Магомед-Расул, — а теперь Заура убили у него на глазах, и он говорит о каком-то чеченце, которого никто не видел. По мне, так он сам нажал кнопку!

Тогда Джамалудин поднялся и сел: лицо его посерело и ввалилось, глаза стали цвета венозной крови.

— Давай позовем Кирилла, — сказал Джамалудин, — и ты скажешь ему это в глаза. Никто не будет рассказывать мне о моих друзьях за их спиной.

* * *

Джамалудин Кемиров появился в Кремле через четыре дня после смерти Заура. Его приняли очень тепло.

Президент России выразил Джамалудину соболезнование в связи с трагической гибелью брата, и заверил его, что ФСБ, МВД и Служба внешней разведки приложат все усилия к тому, чтобы найти убийц, которые, как предполагается, уже скрылись за рубежом. Президент России заявил, что в случае, если эти убийцы будут обнаружены в Турции, Азербайджане или даже Лондоне, он, не колеблясь, лично даст санкцию на их ликвидацию. Президент России высоко оценил заслуги его брата в деле развития и укрепления российской государственности, и выразил твердую уверенность в том, что проект «Голубой костер» будет осуществлен.

Он также предложил отложить пока, в силу сложности ситуации, назначение нового президента республики. Согласно Конституции, в таком случае исполняющим обязанности президента становился председатель парламента республики, то есть — Сапарчи Телаев. Председателем правительства президент предложил назначить Христофора Анатольевича Мао.

— Что же касается вас, Джамалудин Ахмедович, — сказал президент, — то вы — наша опора в республике, знамя нашей совместной борьбы. У Семена Семеновича есть точные данные, что вслед за вашим братом террористы попытаются уничтожить вас. Мы не может позволить себе вас потерять. Почему бы вам не переехать в Москву, где ФСО сможет обеспечить вам надежную охрану? Вы могли бы стать представителем республики в столице.

Джамалудин пришел на прием к президенту в неправильном виде. Так получилось, что приказ поступил срочно, и он прилетел в той же одежде, в которой он ночевал на могиле. Проще всего будет сказать, что эта одежда была не очень свежей. Джамалудин выслушал это лестное предложение, чуть наклонил голову и ответил:

— Я родился в горах и умру в горах. Мой прадед сказал: «живя на равнине, живи, словно ты в горах». Моего брата убил Булавди Хаджиев, и мое дело — поймать Булавди. Я останусь дома.

Президент России помолчал и сказал:

— Что же, если вы не хотите переезжать в Москву, может быть, вы займете должность заместителя председателя правительства? Я уверен, что вы сработаетесь с Христофором Анатольевичем. Он прекрасный человек, и с глубоким государственным подходом.

Джамалудин Кемиров повернулся к Забельцину и Мао, и в черных его глазах ничего нельзя было прочесть, как на засвеченной фотобумаге.

— Это большая честь для меня, — сказал Джамалудин, — быть замом у Христофора Анатольевича. Я с радостью принимаю это предложение.

Еще Джамалудину в этот день дали Звезду Героя — за борьбу с сепаратистами и, как особо было отмечено в пресс-релизе, — «за беззаветную защиту российской делегации от террористов» на Красном склоне в апреле позапрошлого года.

* * *

В понедельник, через пять дней после смерти Заура, Христофор Анатольевич Мао прилетел в республику спецрейсом авиакомпании «Россия».

Зимнее солнце было как горлышко конвертера, из которого текло и плавилось, и огненные струи обливали золотым и алым склоны белопенных гор, по ближним отрогам взбирались игрушечные коробочки домов, и на взлетке, под трапом, стояли машины, бойцы, и люди. Они сгрудились у красной дорожки, как куры у поилки.

Он сделал это.

Эти люди, эти нечесаные дикари, которые издевались над Россией, которые ставили ей условия, брали ее в заложники и тыкали ей автоматом в висок, — они стояли внизу, покорные, черноволосые, а он стоял вверху, над белым крылом победы, и синим небом, припечатанным круглой желтой печатью.

Кто бы ни ликвидировал человека, чей портрет висел на здании аэропорта в траурной рамке, — он оказал великую услугу России. Этот человек готовил государственный переворот, этот человек был враг, предатель, этого человека так долго не удавалось разоблачить и поймать, потому что он купил всех, он блокировал любое расследование, он, даже уличенный, выворачивался из ловушек и силой и деньгами заставлял людей брать показания обратно, — и вот он теперь лежит, мертвый, и всеми плодами его интриг воспользуется Россия.

Кирилл Водров не хотел пускать Мао на порог — ну что ж, теперь посмотрим, что скажет Кирилл Водров, когда ему придется иметь дело с Мао в должности премьера.

Христофор Мао сошел с трапа на красную дорожку, и чиновники сбежались к нему, как куры к кормушке, и девушки в узорчатой парче станцевали для него, полоща рукавами.

Когда танец окончился, и девушки расступились, Христофор увидел, что в конце красной дорожки стоит журавлиный изломанный силуэт в черных брюках и глухой черной водолазке под черным пиджаком. Джамалудин Кемиров.

Террорист. Боевик. Враг. Ты думал, что ты купил меня? Ты думал, что российскую власть можно топтать ногами, брать в заложники, тыкать в висок автоматом, — а потом подарить «порше-кайенн» и успокоиться?

Ну, и что же ты скажешь? Ты, волк с бешеным норовом, который таскает людей, как кур, и думает, что ему все позволено? Предъявишь мне за брата? Объявишь кровную месть?

— Рад вас видеть, Христофор Анатольевич, — сказал Джамалудин, — вы приехали в нашу республику в сложное время, и я счастлив чувствовать вашу поддержку. Брат был мне вместо отца; теперь президент России стал мне вместо брата.

Помолчал и добавил:

— Кстати, где вы будете жить?

Христофор сбился с шага. Раньше он останавливался в гостинице «Авартрансфлота». Теперь, конечно, об этом не могло быть и речи.

— Почему бы вам не пожить в резиденции брата? — сказал Джамалудин, — наш дом — ваш дом.

* * *

Кабинет премьера потрясал. Кабинет премьера уходил вдаль, как взлетная полоса, и посередине кабинета палубой авианосца тянулся стол для совещаний, кончавшийся короткой стартовой площадкой, откуда, как из катапульты, должны были вылетать убийственные палубные штурмовики постановлений и

«МиГи» бьющих насмерть указов. Стены кабинета были отделаны удивительным розовым порфиром, ручки были хрустальные с золотой позолотой, и подоконники бронированных окон были из китайского нефрита, белого и нежного, как бараний курдюк.

Этот кабинет делал для себя покойный Гамзат Асланов, а Заур не захотел в нем селиться и отдал премьеру — и вот теперь в этот кабинет ступил Христофор Мао.

Он был совершенно один — холуи, вместе с Джамалом Кемировым, остались в приемной. Мао приподнялся на цыпочки и провальсировал по наборному паркету. Он скользнул в душистое кожаное кресло, дернул за ухо российский триколор, и провел пальцем по кремовой трубке телефона, на которой было написано: «АТС-1». Боже мой, по этой трубке он может позвонить президенту РФ! Было даже странно, что в этом кабинете нет спецсвязи с Аллахом.

Христофор Мао торжественно поправил галстук, представил себя, дающим интервью CNN, раскрыл воображаемую папку с распоряжениями, — и тут Христофор Анатольевич понял, что он абсолютно, совершенно не знает, — как, собственно, всем этим управлять. Его вообще не учили управлять. Его учили разоблачать врагов, а это, согласитесь, не всегда одно и то же.

Христофор ошарашенно смотрел на белые пузыри телефонов, на бронированные окна и на наборный паркет, и в мозгу его впервые засвербил простой вопрос: а что дальше?

В дверь тихонько заскреблись.

Мгновенная паника овладела Мао. Он хотел крикнуть: «Я занят», но в эту секунду дверь отворилась, и в нее просунулась черноволосая голова. Вслед за ним просунулось и все тело; в руке тело держало объемистый чемоданчик.

— Вот, — сказала голова, показывая глазами на чемоданчик, — хотелось бы, так сказать... мой брат, чувствуя призвание охранять закон... У нас сейчас свободно место начальника службы судебных приставов...

Начальник службы судебных приставов республики Асланбек Кемиров, двоюродный брат Заура, был с ним в машине.

— А вы сами кто будете? — спросил Мао.

— Я-то? Я замминистра финансов.

— А замминистра финансов вы больше работать не хотите? — спросил Мао.

Посетитель кивнул, как китайский болванчик, хлопнул два раза глазами и сказал:

— Понял. Понял, завтра же, если позволите, буду. Сегодня же. Через час.

И убежал, оставив чемоданчик.

«Э, — подумал Христофор Мао, — а государством-то совсем несложно управлять!»

* * *

В республике был еще один человек, который точно также испытывал опьянение от победы, и этого человека звали Сапарчи Телаев.

Это могло показаться странным, потому что Сапарчи, в отличие от Христофора Анатольевича, все-таки был человек более искушенный в подробностях жизни, и должен был понимать, что порфировые стены и позолоченная ручка сортира — это еще не венец жизни. Тем более что кабинет, доставшийся Сапарчи, был без порфира и без позолоченных ручек, — покойный Заур порфир как-то не жаловал.

Но Сапарчи Ахмедович, как уже сказано, был человек увлекающийся, можно сказать — поэт в душе, и хотя сам он людям лгал непрестанно, и так же трудно было найти зерно правды в его словах, как заставить камень плавать в воде, — все обещания, данные ему, он всегда принимал за чистую правду и очень обижался, если их не выполняли. Он мог даже так обидеться, что застрелить лгуна.

А тут его заверили в Кремле, что он будет президентом — и как было не поверить и не прийти в экстаз? Кремлю-то, Кремлю зачем врать?

Короче, Сапарчи был в совершенном подъеме. В отличие от Христофора Мао, он совершенно точно знал, как управлять государством. Поэтому, едва он оказался в кабинете президента, он снял белый правительственный телефон и набрал по нему внутренний номер. Человек, которому позвонил Сапарчи, явился в кабинет буквально через десять минут.

Ему было лет пятьдесят, он был проворен, крепок и синеглаз, и в руке этот синеглазый человек нес светлый алюминиевый чемоданчик. Это был бывший мэр Торби-калы Шарапудин Атаев, которого вышвырнули вон, чтобы посадить на его место Гаджимурада.

— Что ты скажешь о должности начальника службы судебных приставов? — спросил Сапарчи.

— Вот, — ответил Шарапудин и поставил перед Сапарчи чемоданчик.

* * *

Тем же вечером в бывшей президентской резиденции состоялся роскошный ужин. Джамалудин был очень почтителен, Магомед-Расул пел соловьем. Когда Христофор во время еды уронил салфетку, Магомед-Расул вскочил и бросился ее поднимать.

После ужина, когда Сапарчи уехал, а Джамалудин, сказавшись усталым, ушел спать, Магомед-Расул подсел к новому премьеру и заговорил о газовом проекте. Он очень переживал, что Кирилл Водров, чужой его горам и его семье человек, вдобавок представлявший глубоко враждебную интересам России буржуазную и империалистическую компанию, стал главой Navalis Avaria.

Магомед-Расул понимал, что если Кирилла арестуют, убьют или украдут, то главой Navalis Avaria станет он, Магомед-Расул.

* * *

Заявление, как всегда, образовалось очень некстати. Заявление было в Европейский суд по правам человека, и оно было принято к рассмотрению через две недели после гибели Заура Кемирова.

Заявление поступило от бывшего прокурора, а ныне уполномоченного по правам человека в республике Северная Авария-Дарго Наби Набиева. Наби Набиев сообщал в заявлении, что президент республики Заур и его младший брат Джамалудин потребовали от прокурора уйти в отставку, а когда прокурор отказался, то Джамалудин Кемиров отрезал ему уши.

Перед тем, как устроить такое нехорошее дело с ушами, Джамал Кемиров приказал привезти прокурора к нему в багажнике, а вынув из багажника, устроил его в клетку у себя в доме на дворе, рядом с павианом, и Наби просидел в этой клетке три дня. Наби кормили сникерсами, и бросали сникерсы в тот угол клетки, до которого мог дотянуться павиан, и так в результате получилось, что сникерсы доставались скорее павиану, чем Наби.

Это удивительное заявление могло бы показаться неведомщиной с подливой, но к заявлению был приложен видеоролик. В ролике было все — павиан, и сникерсы, и уши. Наби было нетрудно раздобыть этот ролик, потому что довольно много людей в республике пересылали его с телефона на телефон.

Европейский суд по правам человека в Страсбурге принимает заявления от пострадавших только тогда, когда заявитель прошел все судебные инстанции в собственной стране. Обычно этот процесс занимает годы, а в некоторых странах и заявитель пропадает по дороге, и уж, конечно, никто никогда не может предугадать, когда Страсбург примет то или иное дело к рассмотрению.

И хотя никакого умысла тут не было, заявление произошло удивительно невовремя. А уши и павиан оказались на передовицах всех западных газет и, разумеется, в свете, чрезвычайно невыгодном для Джамалудина Кемирова.

В тот самый день, как The Times опубликовала интервью с Наби, Кириллу Водрову позвонил сэр Мартин Мэтьюз. Он попросил Кирилла срочно прилететь в Майами.

* * *

Море вокруг Майами было цвета бирюзы — не то что зимний Каспий, весь в драном бараньем полушубке свалявшейся пены.

Пятипалубная красавица-яхта сэра Мартина Мэтьюза покачивалась на рейде, и на верхушке мачты, под двумя флагами, — «Навалис» и британским, — крутилась палочка радара.

Причал для катера торчал позади яхты, как белый плавник, и с него в воду кувыркались две взрослых дочери сэра Мартина. Сэр Мартин встретил гостей у катера, и когда они поднялись на третью палубу, Кирилл увидел распахнутую дверь в салон и документы на столике перед диванами. Под документами Кирилл заметил свежий номер «Таймс», развернутый на интервью Наби Набиева. За распахнутой дверью бармен возился с виски.

Кирилл сел на один диван, а сэр Мэтьюз на другой, и сэр Мэтьюз рассеянно посмотрел вниз, где тощий черноволосый мальчик, приехавший вместе с Кириллом, стесненно пил коктейль с девушками в купальниках. Потом улыбнулся и сказал:

— Я изменяю формат проекта. Разумеется, мы будем добывать углеводороды. Но, боюсь, о переработке не может идти и речи.

Кирилл не сомневался, что его вызвали именно за этим. И все же ему показалось, что море вокруг Майями замерзло, и это уже не море, а кладбище в Бештое, и вместо белых чаек над могилами заунывно кричит имам.

— Я не могу, — продолжал сэр Мартин, — строить завод за семь миллиардов долларов в республике, где президентов взрывают так, что вместо трупа хоронят один костюм. А если вместо следующего президента взорвут завод?

— Но мы уже подписали соглашение.

Сэр Мартин Мэтьюз помолчал.

— Кирилл, — сказал он, — я договаривался с Зауром Кемировым. Это был прекрасный человек. А кто такой этот... Сапарчи?

— Президентом республики станет Джамал Кемиров, — ответил Кирилл.

Палец сэра Мартина ткнул в сторону распростертой на столе «Таймс».

— Тем более. Кто такой этот Сапарчи, я хотя бы не знаю. А что такое Джамал, я видел своими глазами.

— Этот Набиев — убийца и вор, — сказал Кирилл.

— Вполне допускаю. Если он вор, посадите его. А уши-то резать зачем?

На это мудрое соображение Кириллу, конечно, возразить было нечего.

— Договор подписан, — сказал Кирилл, — конкурс выигран, деньги собраны. Если мы изменим формат проекта, кредиторы вправе разорвать договор. Точно также, как и новое руководство республики.

— Не беспокойся. Я поговорю с кредиторами. А поговорить с руководством — твоя задача.

Мексиканец-бармен с ослепительной улыбкой на смуглом лице принес сэру Мартину коктейль в высоком бокале, облака таяли в сиянии солнца, и над морем носились чайки, белые, как зубы бармена. «Вот он, твой шанс, — мелькнуло в мозгу Кирилла, — ты ведь хотел сбежать. Ты ведь знаешь, чем все закончится. Скажи Джамалу, что британец закрывает проект. Скажи, что это не твоя вина, и ты останешься на этой яхте, или на любой другой, и никогда больше ты не увидишь в зеркало заднего вида, как твой друг превращается в ведро ДНК, и никогда никого не засунут в багажник на твоих глазах, да и тебя самого не засунут в багажник».

Кирилл ткнул пальцем в передовицу «Таймс».

— Сэр Мартин, — сказал Кирилл, — на Кавказе младший брат никогда не отрежет уши без приказа старшего. Ничего, что делал Джамал, не происходило без санкции Заура. Джамал воспринимает оскорбления очень серьезно. Два дня назад он поймал человека, который заявил, что он убил Заура. Человека поймали быстро, потому что у всех, кто мог знать, где этот человек, близкие были захвачены в заложники, а когда этого человека поймали, ему отрезали голову и подвесили ее на площади в его родном селе. Этот человек не убивал Заура, и Джамал это прекрасно знал. Когда я спросил Джамала, зачем он убил двадцатидвухлетнего глупца, Джамал мне ответил: «Этот человек выбрал неправильный предмет для хвастовства». Для Джамала нет деловых переговоров. Для него есть личные оскорбления.

И если мы разорвем после смерти Заура контракт, мы будем еще в худшем положении, чем этот идиот, голова которого до сих пор смердит на площади в Ахмадкале. Мы потеряем и деньги, и оборудование, и никто никогда не объяснит Джамалу, что это — бизнес. Джамал скажет, нет, это личное. Считайте, что по этому контракту мы будем его кровниками, сэр Мартин. Вы готовы быть его кровником?

И Кирилл ткнул пальцем в передовицу «Таймс».

— Джамал сделает все, что хотел его старший брат. Для Джамала осуществить этот проект — это как воспитать сына брата. И Джамал ничуть не менее разумен, чем Заур. Просто то, чего Заур добивался переговорами, Джамал добивается пулей. На Кавказе это короче и верней.

Сэр Мартин молчал долго. Долго-долго. Так долго, что Кирилл подумал, что он пересолил, и что ему не стоило всерьез намекать президенту одиннадцатой по величине в мире нефтяной компании, что ему отрежут уши, как какому-то местному клопу.

— А он станет президентом? — спросил сэр Мартин.

— Да.

— Хорошо. Можешь строить завод.

* * *

Когда они вернулись в Торби-калу, облака висели над городом, как половые тряпки. На взлетной полосе мокли бронированные «мерсы», и возле скользкого трапа ждал высокий белокурый человек в блестящей от дождя кожаной куртке. Кирилл вспомнил, как он прилетел сюда в первый раз; как сверкало солнце на оружии Хагена, как улыбался черноволосый огромный Ташов, и довольный, лукавый Заур принимал их в резиденции между морем и горой, увенчанной именем Аллаха.

— Салам, Алик, — сказал Хаген худому черноволосому подростку, спустившемуся по трапу вслед за Кириллом, — ты выглядишь лучше, чем когда я видел тебя в последний раз.

Помолчал и добавил, обращаясь к Кириллу:

— Тебя ждет этот... и.о.

* * *

Когда Кирилл вошел в кабинет президента, там оказался не только Сапарчи. За широким столом для совещаний, похожим на вытянувшийся из пасти розовый язык, сидели Дауд и Наби, двое каких-то глав администраций и глава Дорожного Фонда. Глава Дорожного Фонда был человек скользкий и жуткий, на нем висело по крайней мере три трупа, и Кирилл недоумевал, почему Заур его не снял. Справа от Сапарчи сидел премьер Мао.

Сам Сапарчи восседал за руководящим столом в одной белой рубашке с расстегнутыми запонками, уперев в столешницу могучие локти, и бетонный столб шеи, выпирающей из воротничка и.о. президента, был перехвачен золотой цепью, на которую впору сажать бойцового пса. За президентом безвольно обвис отороченный золотой бахромой трехметровый российский триколор, и за ним на стене висел портрет имама Шамиля. Сапарчи очень уважал великого имама. Он даже утверждал, что происходит от одного из его наибов.

Когда Кирилл вошел, взоры всех присутствующих повернулись к русскому, и у Кирилла защемило сердце. Этих людей не должно было быть в этом кабинете. Они могли бы собраться в нем, только если Зауру вздумалось бы их перестрелять.

— Кирилл Владимирович, — сказал премьер Мао, — не будем ходить вокруг да около. Казна республики пуста. Республика задолжала за стройки, безответстенно начатые прежним руководством. Люди строили в долг — а деньги им должны были прийти после заключения контакта с Navalis. Контракт, как я понимаю, заключен.

— Контракт заключен, — подтвердил Кирилл, — деньги выплачены. Девятьсот миллионов долларов.

— Так где деньги-то?!

— В Фонде, — ответил Кирилл.

Сапарчи и Христофор переглянулись.

— В каком Фонде?!

— Инвестиционном фонде имени Амирхана Кемирова, — любезно пояснил Кирилл. — Так было прописано в соглашении с Navalis, что деньги поступают в инвестфонд.

— И кто им распоряжается? — вскричал Мао.

Кирилл пожал плечами.

— А меня-то что спрашиваете? Спросите у Джамала. Может, он знает.

— Но мы строили под гарантии бюджета! — закричал со своего места председатель Дорожного Фонда, — мне должны двадцать пять миллионов! Бабки где?!

— Согласно условиям контракта, — бесстрастно сообщил Кирилл, — деньги были переведены Navalis в течение двадцати четырех часов после подписания договора. Я их перевел. На этом мои функции кончились.

* * *

Из Дома на Холме Кирилл поехал на стройку.

Было шесть вечера и шесть мороза. Температура стремительно падала, дневной дождь превратился в лед, море было в овчином тулупе пены, и ледяная крошка секла лицо. Бульдозеры, застывшие над развороченными кишками котлована, полными воды и каких-то полупереваненных балок, были похожи на разметанную взрывом бронетехнику, и все это — железо, котлован и глубокие колеи от КамАЗов, — было облицовано свежим толстым льдом. Кирилл стоял над котлованом и нервно курил.

Ему казалось, что он стоит над открытой могилой, и эта могила была так велика, что в нее могла рухнуть вся республика. Алихан внезапно шевельнулся за его плечом.

— Там нигде не было надписи «Торби-кала», — вдруг сказал мальчик.

— Что?

— В аэропорту Майями, — сказал Алихан, — я стоял в терминале и смотрел, там были и Миннеаполис, и Торонто, и Париж, и самолеты улетали каждые две минуты. Я посчитал, там только в Атланту летели шестнадцать самолетов за два часа. А в Торбикалу не летел никто. В селе говорили, что кяфиры в Вашингтоне только и ждут, чтобы нас сожрать. А они даже не летают к нам. Они летают в Атланту.

Над бетонной стеной цеха, невдалеке, раскачивался похожий на шляпу фонарь, и под фонарем полтора десятка рабочих варили какую-то уху. Толстенький прораб, вышедший из домика, помахал рабочим и вперевалку направился к Кириллу.

Взвизгнули шины, и на площадку, разбрызгивая жидкую грязь, выкатились кавалькада «мерсов». Из головной машины выскочил Джамалудин.

— Салам, Ахмед, — сказал Джамалудин, — почему люди не работают? Все должны работать в три смены.

Прораб поискал глазами вокруг себя, словно хотел засунуть их под мышку.

— Послушай, Джамал, сколько можно работать в долг? Я работаю в долг три месяца.

— Сколько мы тебе должны?

— Семьдесят пять миллионов рублей, — твердо сказал Ахмед, — это за котлован, и больницу, и садик, и клянусь Аллахом, Джамал, я отчитаюсь в каждом рубле. Я работал на этом деле себе в убыток, исключительно для людей, и я согласен даже на пятьдесят...

Джамалудин, не слушая Ахмеда, подошел к багажнику «мерса» и распахнул его. Внутри лежали радужные пачки в свежей банковской упаковке.

Хаген расправил какой-то холщовый мешок, и Джамалудин стал кидать туда пачки. Рабочие сбежались к машине. Когда мешок заполнился доверху, Джамалудин сказал:

— Здесь восемьдесят пять. Через три недели нулевой цикл должен быть готов.

— А расписаться? — спросил Кирилл, доселе молча наблюдавший за этим удивительным зрелищем.

Прораб бросился в вагончик. Через минуту он прибежал с листком бумаги, с ручкой и даже фиолетовой бархатной подушечкой, в которой покоилась круглая печать с загадочной надписью: «ООО «Рэникс-трест».

Джамалудин взял листок и написал, что он выдал Ахмеду Саттаеву восемьдесят пять миллионов рублей, в счет долгов Фонда, и Ахмед расписался, что деньги эти он получил. Потом Джамалудин взял круглую печать, повертел ее в руках да и отдал Кириллу. Из кобуры он вынул личный «стечкин». По стальному ребру ствола шла надпись из Корана, и торец обоймы был тоже украшен арабской витиеватой вязью. Джамалудин выщелкнул обойму, утопил ее в синей подушечке, и припечатал записку «стечкиным».

— Держи, — сказал Джамалудин.

* * *

Деньги, розданные на стройке, были только начало.

На следующий день, в семь часов утра, прослышав о том, что у Джамалудина завелись деньги, к нему приехал глава администрации Андахского района. Глава администрации выстроил в райцентре пять объектов под честное слово Заура.

Глава администрации попросил деньги небольшими купюрами, и в итоге денег получилось три мешка. Мешки погрузили в джип, и так как глупо было везти такие деньги без охраны, то с главой поехали Гаджимурад и Хаген. Приехав, они сели в Доме Культуры, и стали раздавать деньги рабочим и поставщикам.

Следующим был завхоз Бештойской больницы, а за ним человек, построивший детский сад в Чираге. Ходоки потянулись косяками; Джамал ездил по объектам и раздавал деньги. На документацию он вовсе не обращал внимания: была бы больница, а документы — черт с ними.

Однажды больницы не было, и люди Джамала взяли человека, который просил на нее денег, и привязали к строительным лесам, а потом облили синей краской и уехали. Полдня сельчане боялись его развязать.

Были б деньги — будут и люди. Будут люди — будут и деньги.

Заур хотел снять главу администрации в Ичли, — Джамалудин его снял. Заур хотел снять главу администрации в Будаге, — Джамалудин снял и его. Всем было известно, что если глава администрации дружен с Джамалудином, то деньги будут, а если не дружен — то и с деньгами не задастся. Однажды был даже такой случай, что главу администрации вызвали на разбор и стреляли в него прямо на площади, мотивируя это тем, что как только его не будет, Джамал выплатит деньги.

Должность у Мао была, а денег не было.

Крупнейшее предприятие республики, Navalis Avaria, в бюджет не платило, а заплатило в фонд девятьсот миллионов долларов. Второе крупнейшее предприятие, концерн «Кемир», тоже, натурально, в бюджет не платило, и ни малейшей возможности принудить его к этому не было. Оба эти предприятия впрямую предлагали своим смежникам в бюджет не платить, а платить в Фонд. Ребятки из АТЦ разъезжали, бряцая оружием, по лавкам, и предлагали то же самое.

Доходы бюджета даже не снизились: они рухнули, пробив к весне в балансе республике дыру в двадцать семь миллиардов рублей. Дыру эту можно было пополнить за счет зависшего трансферта, того самого, который замерз еще с прошлого года. Мао похлопотал, и деньги наконец перевели.

Лучше б он это не делал!

Оказалось, что все федеральные деньги бюджет должен отдать за школы и стройки, выстроенные по заказу Фонда. Фонд давно уже оплатил эти стройки, а взамен получил собственные векселя, и эти-то векселя Фонд и предъявил к погашению. И так как Фонд у одних покупал векселя за восемьдесят процентов, а других — и вовсе за пятьдесят, то Фонд заработал на этих стройках добрых полмиллиарда долларов, а республике считали, что и все десять миллиардов.

Джамал осыпал свою охрану подарками, дорогими машинами и деньгами за удачные операции; Джамал заходил с друзьями в бутик и платил продавцу за все, оптом, чтобы его люди могли выбрать себе все, что понравилось; Джамал платил за дороги для народа и за «лексусы» для товарищей, за операции инвалидам и за хрустальные люстры, он мог зайти на телевидение и, спросив, «как дела», вынуть из кармана связку долларов и протянуть ее генеральному директору, — а мог и приехать на строящуюся дорогу, померять толщину асфальта, — и тут же закатать дорогой «мерс» подрядчика катком в этот самый асфальт.

А Мао? Его жаба душила платить, да и нечем было.

Нету денег — нет и людей.

Джамал помнил имена своих охранников, имена их детей, жен и троюродных племянников. Христофор Мао пользовался услугами угрюмых, чувствующих на себе постоянные косые взгляды командировочных.

В республике был ОМОН — шестьсот до зубов вооруженных бойцов. В республике был АТЦ — два батальона отборных спецназовцев с тяжелым вооружением и бронетехникой. И ОМОН, и АТЦ были готовы умереть за Джамала, а охрана Мао не хотела умирать ни за кого. По правде говоря, она мало чего хотела, кроме денег и водки.

Даже раболепное предложение Джамалудина — поселиться в президентской резиденции — оказалось ловушкой. Первый вице-премьер жил в главном доме, с друзьями, женами, детьми и охраной. А кроме главного дома, были еще курятник с курами, клетка с павианом, и флигель с русским премьером, и каждый шаг этого русского премьера происходил на глазах бойцов АТЦ, охранявших резиденцию.

Власть уходила из рук Христофора Мао, как вода сквозь песок. Он не мог договориться с Сапарчи Телаевым, потому что каждый из них продавал должности, на монопольное право продажи которых претендовал другой. Он не мог опереться на врагов Джамала, потому что каждый из них считал, что не они должны опираться на русского премьера, а это на них должен опираться русский премьер. Он взял деньги у Дауда и назначил его главой РУБОПа — но что значил один Дауд против сотен бойцов и миллионов долларов?

В республике не было бюджета; в ней был Фонд, и единственным распорядителем Фонда был Джамалудин Кемиров. Нельзя было даже сказать, чтобы он из него воровал: как можно воровать из собственной тарелки? С нее можно только швырять куски, и Джамал их швырял — друзьям, чтобы иметь в них надежных стражей своей власти, и народу, чтобы иметь в нем верное орудие ее преумножения.

Джамалудин мог убить или купить любого человека в республике, а так не бывает, чтобы убивал один — а власть была у другого.

* * *

Ташов Алибаев вернулся в свой дом в начале февраля. Никто не знал, где он был, некоторые говорили — в Сирии, а некоторые — в Москве, но только однажды соседи увидели, что снег перед воротами нового кирпичного дома вычищен, и поверх этого вычищенного снега в рубчатой наледи отпечатались свежие следы шин.

Люди ходили мимо ворот и качали головами, и так прошла неделя, потом другая, и однажды вечером у дома Ташова остановился черный «хаммер», и из него вышли Шахид с Абреком. Шахид единственной оставшейся у него рукой надавил на кнопку звонка, замок в калитке еле слышно звякнул, и близнецы вошли внутрь.

Когда Шахид и Абрек вошли в дом, там никого не было. Только с кухни доносилось скворчанье масла. Шахид и Абрек прошли на кухню, и они увидели, что бывший начальник ОМОНа жарит яичницу. Ташов был в теплых шерстяных носках и шлепанцах с пушистыми розочками наверху, и его руки торчали из слишком коротких для него рукавов тренировочного костюма, как балки из-под сгоревших развалин. Ташов был без оружия, — только в углу, рядом с веником, рыльцем вверх стоял автомат.

Шахид и Абрек остановились на пороге, а Ташов продолжал возиться с яичницей.

— Джамалудин Ахмедович хочет тебя видеть, — сказал Шахид.

— Если Джамал хочет меня видеть, он знает, где меня найти, — ответил Ташов.

— Не стоит так отвечать, — сказал Шахид.

Ташов обернулся. Сковородка в его огромной руке потрескивала и шипела.

— Я не клялся Джамалу на Коране, — сказал Ташов, — как это сделали те, кого согнали в резиденцию в день соболезнования. Никогда не слышал, чтобы соболезнование превращали в политический балаган. В горах всегда было так, что соболезнование — отдельно, а политика отдельно. Я знаю Джамала лучше, чем ты, Шахид. Не понимаю, почему он присылает тебя передать приглашение.

Близнецы переглянулись друг с другом, и Шахид хотел еще что-то сказать, на Абрек повернулся и вышел, и брат его вышел вслед за ним.

Ташов Алибаев пожарил яичницу и съел ее, а потом он вымыл посуду и загрузил в стиральную машину белье. Когда Ташову было восемнадцать, он всегда стирал для матери белье, и многие смеялись за это над ним. Ташов это знал, но он никогда не обращал внимания на тех, кто смеется за его спиной.

Вот Ташов включил машину и подмел пол, и когда он подмел пол, за окнами прошуршали шины, и Ташов увидел, что возле его дома остановился черный «мерс».

Водительская дверца открылась, и из нее вышел Джамал Кемиров. Он был в черных брюках и кожаной куртке, и если он был вооружен, то с ним не было ничего тяжелей пистолета, потому что куртка была очень тонкая, и даже как бы раздувалась, когда Кемиров шел к воротам.

Когда Джамал Кемиров зашел на кухню, Ташов как раз развешивал белье. Джамалудин подождал, пока Ташов развесит белье, повернулся и пошел в гостиную. Ташов пошел вслед за ним.

Джамалудин сел в гостиной посереди дивана, взял в руки вазочку с цветами, стоявшую на столе, и потер ее пальцем, раз и другой, а Ташов стоял перед ним напротив, словно эта вазочка была глиняный кувшин, а Ташов — джинн, вызванный по велению хозяина.

— Я слыхал, ты встречался с Черным Булавди, — сказал Джамалудин.

— Было такое дело, — ответил Ташов.

— И что же тебе сказал Булавди?

— Он поклялся на Коране, что не убивал твоего брата. Клятвы на Коране нынче недороги.

Джамалудин оставил вазочку и вынул из кармана четки. Ташов знал, что когда Джамалудин вынимает четки, он часто это делает, чтобы не вынуть пистолет.

— А что еще он сказал?

— Мало ли какие глупости говорит человек по ту сторону смерти? — возразил Ташов.

— Перескажи мне твой разговор с Булавди, а я уж сам решу, что глупость, а что нет, — ответил Джамалудин.

— Он сказал: «Почему этот русский говорит: «чеченец»? Он что, может отличить чеченца от аварца? Он чеченца от еврея не отличит. Почему же он говорит: «чеченец»? Никто не видел этого чеченца, кроме русского». Он сказал, что Заура убили федералы из-за газового проекта, и что после того, как это произошло, во главе проекта стал федерал. Он сказал: «Кирилл Водров работает на ФСБ. Это он нажал на кнопку детонатора, а потом он выдумал чеченца, которого не было».

Джамалудин Кемиров сидел, не шевелясь, и только пальцы его перебирали белые дешевые четки.

— Я спросил, зачем он это рассказывает, — сказал Ташов, — и он снова стал клясться, что не убивал твоего брата. Тогда я сказал: «Ты говоришь так потому, что думаешь, будто я ненавижу Водрова. Ты знаешь, что он женился на женщине, которая была моей невестой, и думаешь, что я хочу ему отомстить. Я не желаю слушать всякую чушь, а со своими делами я разберусь сам».

В этот момент Ташов услышал, как в прихожей хлопнула дверь, и увидел два неясных силуэта. Джамал Кемиров приехал все-таки не один, и теперь люди, бывшие с ним в машине, зашли в дом, проверяя, все ли в порядке, но не стали навязываться хозяевам, а осторожно заглянули в гостиную и отступили назад.

— Этот ответ им не понравился, — сказал Ташов, — и один из чеченцев, его звали Анди, сказал, что меня надо убить. Они заспорили, и довольно многие, кто там был, согласились с Анди, но потом Булавди все-таки сказал, чтобы я убирался прочь. Я посоветовал ему уехать в Турцию, но мне не показалось, что этот совет пришелся ему по душе.

Джамалудин Кемиров некоторое время сидел молча, широко расставив колени и уперев в них острые локти, и белые бусины четок скользили меж смуглых его пальцев. Из-под кожаной куртки сверкнул белым золотом ободок «Патек Филиппа». Эти часы Джамалудину когда-то подарил брат, и шесть лет назад их разбила пуля при штурме роддома. С тех пор Джамалудин не носил других часов.

— Ты не клялся мне на Коране, — сказал Джамал, — что тебе мешает сделать это сейчас?

Ташов молчал. Ему было двадцать девять лет, и спортивная карьера его была окончена. Точку в ней поставили две пули, — одна повредила спину, когда убили его мать, а другая вошла ему под колено на Красном Склоне. Ташов оставался чудовищно сильным человеком, он мог гнуть подковы одной рукой и поднимать на спор железные балки, но рефлексы его, — вечно слабое место двухметрового джинна, — стали еще медленней, и он представлял слишком крупную мишень для пускай менее сильного, но зато проворного, молодого и тренированного соперника. Эти два месяца Ташов, то в Москве, то в Киеве, пытался возобновить свою карьеру, пользуясь старыми связями. Один поединок, на подпольных боях без правил, он, к своему стыду, проиграл. Другой не состоялся, потому что организатору матча передали, что Джамал Кемиров будет недоволен.

Джамал всегда занимался карьерой Ташова. Последние восемь лет он одевал Ташова и обувал его, он менял ему тренеров и дарил квартиры. Ташов никогда не считал себя чем-то отдельным от Джамала Кемирова. Ему всегда казалось, что вот есть Джамал, и у Джамала есть дом, и в этом доме есть разные вещи: «мерс» в гараже, автомат в «мерсе», и он, Ташов Алибаев, где-то вместе с «мерсом» и автоматом. Ташов стеснялся думать сам. Он всегда полагал, что думать за него должен Джамал, потому что у Джамала это получается лучше. Разве кулак может думать за человека, куда бить?

Самое страшное, что свалилось на Ташова за последние несколько месяцев — было черное, непредставимое одиночество. Сколько Ташов помнил себя, он всегда, как птенец в гнезде, жил в теплом и уютном соседстве других существ. Рядом всегда была мать и друзья, а когда мать погибла, вместо матери остался Джамал. Кемировы были его семьей раньше, чем он женился на Фаине. Он был вместе с Джамалом в роддоме и на Красном Склоне. Он жил у Кемировых, дружил с их друзьями и убивал их врагов. Когда Джамал выгнал его, враги остались врагами, а друзья повернулись спиной, и самые честные из них сказали, что боятся помогать ему, потому что Джамал это запретил. Правда, не все враги были кровниками: кто-то протянул щупальца, Сапарчи пригласил Ташова на встречу и предлагал ему какую-то должность в Москве, и даже Христофор Мао, похожий на осторожного кота, выставившего вперед вибриссы и тонко принюхивающегося: мол, можно или нельзя, — даже Христофор Мао предлагал какую-то сделку. Они разговаривали в кабинете, и у Ташова было такое чувство, словно они разговаривают в нужнике.

Одиночество было страшней смерти.

Когда Булавди передал Ташову, что хочет встретиться, Ташов не сомневался, что его просто хотят убить. Он и поехал-то туда, чтобы разом покончить дело, даже оружие оставил в машине, потому что он-то больше не хотел никого убивать. Но Булавди отпустил его, и Ташов до сих пор не понимал, почему. Не мог же чеченец надеяться, что отлученный начальник ОМОНа и в самом деле может убедить тех, кто выставил его за порог, что Булавди не убивал Заура Кемирова? В этом деле Джамал не поверит никакой клятве, даже если Булавди руку себе отрежет, Джамал поверит только фактам.

— Ты не клялся мне на Коране, — повторил Джамал, — так поклянись.

Один из бывших с ним людей прошел, неловко ступая, по ковру гостиной, и снял с полки старинную черную книгу. Ташов с беспощадной ясностью понимал, что ему предлагают. Его заперли в черный чулан, потому что он отказался убивать, и вот теперь ему приоткрыли дверь, — и в эту дверь бил лучик света, и тепло очага, и улыбки друзей, и гора еще не случившихся трупов.

— Клянусь Аллахом, Джамал, — сказал Ташов, — я никогда не изменю тебе, и буду служить тебе в жизни и смерти.

Они обнялись, и Джамал сказал:

— Кстати. Ты возглавишь Чирагский район.

* * *

Дело по факту гибели Заура Кемирова, президента республики Северная Авария-Дарго, было возбуждено по статье 205, часть 1, «центральный террор». Поручено оно было следователю по фамилии Пиеманис.

Новенький «шестисотый» «мерседес», в который была погружена мина, разлетелся на молекулы, но система «Поток» на выезде из Москвы зафиксировала его номера. Пиеманис послал запрос о номерах, и оказалось, что их выдала месяц назад ГИБДД города Торби-калы; и тут же стало ясно, что номера — фальшивые, а «мерс» — краденый.

Эксперты стали восстанавливать заводской номер «мерса». Заводской номер у «мерседеса» выбит на двигателе, на шасси, и на ребрах сиденья, и все это разлетелось в клочки, и не все клочки можно было найти, а те, что нашли, оказались, по заключению экспертов, перебиты опытным специалистом.

В Москве угоняют двенадцать тысяч автомобилей в год; но «мерседесов» из них меньше тысячи, а новеньких сверкающих «шестисотых» — меньше двухсот. Эксперты выдали список вероятных заводских номеров взорванной машины, и следователь Пиеманис сравнил этот список со списком номеров угнанных машин.

Черный «шестисотый», взорвавшийся ненастным февральским днем у шлагбаума аэропорта «Внуково», был украден за три месяца до этого у хозяина крупного рекламного агенства на улице Профсоюзная. Когда владелец сел за руль, в машину заскочили трое кавказцев. Один из кавказцев перебросил владельца назад, другой взлетел на водительское сиденье, а третий тоже сел сзади и всю поездку держал свои ноги на шее владельца. Они заехали за город и выкинули рекламщика где-то в лесу.

Это был классический почерк аварской или ингушской банды, специалирующейся на угоне дорогих иномарок. Таких банд в столице были десятки. Они приезжали на гастроли и уезжали обратно.

Следователь Пиеманис еще дважды допрашивал Кирилла, и Кирилл подробно рассказал ему о человека, который вышел из машины. По приказу Джамалудина Кирилл не назвал имени этого человека и умолчал, что тот уже опознан братом погибшего.

* * *

Зимой в республике взорвали Мурада Шавлохова. Его подорвали фугасом, а после расстреляли, и никто не думал в этом деле на Джамала. Думали на Шарапа Атаева, потому что Мурад был тот самый человек, который купил место начальника службы судебных приставов у Христофора, а Шарап был тот самый человек, который купил то же место у Сапарчи.

А согласитесь, если два человека купили одно и то же место, они же должны как-то выяснить, кто его займет?

За пост начальника таможни убили двоих; за замминистра финансов — троих, а с одним чиновником по имени Гамзат вышло и вовсе нехорошо: ему продали должность министра культуры, но Джамалудин Кемиров его очень не любил: кто-то сказал ему, что Гамзат написал в Москву донос и назвал там Джамала прихвостнем инсургентов.

Короче, Джамал велел привезти его в резиденцию в багажнике, и Гамзат сразу после этого путешествия подал заявление об отставке. После этого мало кто осмеливался купить себе должность, не согласовав это дело с Джамалом, а насчет Гамзата и доноса, все, как выяснилось, было вздор и клевета. Ничего такого про инсургентов Гамзат не писал, и вообще писать не умел, так что Джамал совершенно напрасно не утвердил его на должности министра культуры.

* * *

А к марту Джамал стал выбивать из-под Мао последнюю скамеечку, остававшуюся у федералов: закон.

В республике и раньше судили по адату. В горных селах кривой равнинный суд презирали настолько, что всякую свою беду сельчане несли к главе администрации села, и тот, если был человек совестливый, призывал имама мечети и объяснял, что вот так это дело будут судить по шариату, а так — по обычаю. Люди выбирали, как выгодней. Нередко обращались в таких спорах и к Зауру Кемирову — делегации старейшин или толпу кровников можно было встретить в резиденции каждую неделю.

Но все-таки такого еще не бывало в республике, чтобы каждую ссору можно было принести к Джамалудину. Чтобы каждого районного начальника милиции назначали на место со словами, что если ему ночью позвонит Джамал, то тот должен достать арестованного, про которого скажет Джамал, и освободить, или, наоборот, расстрелять. А не освободит и не расстреляет — поедет в Бештой в багажнике.

Судебная власть Джамалудина опиралась на силу и на адаты, и он делал все, чтобы возродить то, на что она опиралась. Джамалудин открыто одобрял случаи, когда мужья убивали неверных жен; потребовал от женщин носить платки, и в марте, выступая в новостях, он вкрадчиво сказал:

— Я не могу помешать людям заводить игральные автоматы. В нашем правовом государстве нет такого закона. Поэтому я прошу всех владельцев игровых автоматов считать меня своим личным врагом.

Назавтра все игровые автоматы исчезли с улиц Торби-калы.

Газовый комплекс строился стахановскими темпами; такими же темпами республика погружалась в шестнадцатый век.

Сапарчи Телаев, конечно, мог быть и.о. президента. Мао мог быть премьером. С таким же успехом он мог быть папой римским. Единственным действующим социальным институтом республики стал Джамалудин Кемиров.

* * *

Кирилл Водров занимался проектом двадцать пять часов в сутки. У него на руках было два объекта, и платформа, и завод, и еще ему пришлось разбираться с векселями Фонда, и Кирилл ушел в работу, как подводная лодка — в автономку, задраив люки, закачав воду в балластные цистерны, вжав глубоко в тело любопытный стебелек перископа.

Он не хотел слышать, что происходит в республике.

Обыкновенно он уезжал на работу в семь утра и возвращался поздно ночью. Он избегал ресторанов, соболезнований, неторопливых кавказских встреч за дружеским застольем, — встреч, на которых рождаются и тут же умирают сотни хвастливых предложений и проектов, на которых завязываются нужные и ненужные связи, на которых почти невозможно поговорить по делу, зато можно завести друга, который заверит тебя в своей вечной преданности и предаст тебя при первой выгоде, справедливо полагая, что и сам ты сделал бы то же самое.

Совещания, которые проводил Кирилл, продолжались не больше получаса, и если человек приходил на них без четкого доклада, его увольняли.

Они купили дом в Чираге, — большой, удобный, хороший, за настоящие деньги, Кирилл сам настоял, чтобы все было без посредников, и Диана хлопотала дома с утра до вечера. Диана всегда накрывала на стол и никогда за него не садилась при гостях, и когда в доме внезапно появлялся Джамал со свитой, он одобрительно кивал при виде ее платка и низко склоненной головы.

Мальчики — Саид-Эмин и Хас-Магомед, — уехали в Англию, в частную школу, а Алихан остался в Торби-кале.

Он был совершенно здоров после курса лечения в Германии, подрос на хорошей пище и очень сильно возмужал, но врачи предупредили Кирилла, что вероятность рецидива составляет не менее семидесяти процентов. Мальчик ходил под приостановленным смертным приговором, и Кирилл это знал, и Алихан это знал тоже.

Он учился в школе, в девятом классе, а после школы приезжал на стройку и вечером вез Кирилла домой. Вскоре он стал Кириллу необходим. Он был для него помощником, телохранителем, шофером и сыном.

Кириллу было тридцать восемь, Алихану — пятнадцать, если бы Кирилл женился тогда же, когда его кавказские друзья, у Кирилла был бы сын такого же возраста, и Кирилл гордился Алиханом. По правде говоря, и было чему гордиться. Мальчик не пил, не курил, держался почтительно со старшими, дотошно вникал во всякую инженерную вещь, и отстаивал интересы компании с тем же холодным фанатизмом, с каким он мог бы прятаться в скалах, высматривая в прорезь прицела федеральный БТР. Порой Водров не мог бы построить рабочих, как строил их пятнадцатилетний пацан.

Алихан теперь учился в одном классе с первенцем Джамалудина; там же учился средний сын Заура. Дети подружились, а на одном из школьных вечеров все только и говорили о том, как красиво танцевали лезгинку в кругу Алихан и Айгюль, младшая дочка покойного президента.

Но самое удивительное было то, что Алихан сошелся с Хагеном. То ли это был молчаливый приказ Джамала, то ли мальчик простил своим палачам, а только они были не разлей вода. Хаген возился с ним и учил стрелять, и они часто пропадали на тренировочной базе, Хаген, Алихан, молодые Кемировы и маленький волчонок Амирхан — девятилетний сын Джамала от Мадины. Мальчик был совершенно помешан на оружии. Ходили даже слухи, что Джамалудин брал его на спецоперации.

Иногда Кирилл улетал в командировки. Они были недолгими, день, два, и Диана никогда не летала с ним, но Алихан летал. После переговоров Кирилл обычно старался показать Алихану город; они видели Прагу и Рим, Дубай и Сингапур, Тель-Авив и Вашингтон. В Австрии после встреч Кирилл выделил целый день, но поехали они не в Вену, а в небольшую деревеньку, в которой жили чеченские эмигранты. Их приняли очень хорошо, и Кирилл имел тихую отдельную беседу с главой общины.

Кирилл выписал чек от имени Navalis Avaria — два миллиона долларов в рамках благотворительности. Еще Кирилл предложил всем жителям села сдать образцы в банк крови.

— Сейчас, если вайнахский ребенок заболеет лейкемией, и химиотерапия ему не поможет, он обречен, — сказал Кирилл. — Если так много детей умерло от бомб и мин, мы должны сделать все, чтобы те, кто выжил, не умерли от страшной болезни.

Община сдала кровь, но ни один образец не совпадал с тем, что требовалось Алихану.

Кирилл Водров знал, что происходит в республике.

Он знал это из неоконченных фраз и случайных встреч, из портретов Джамалудина, которые висели повсюду (один, в полтора аршина, висел у него самого в кабинете), и из изображений Джамалудина на майках охранников завода. Он это знал из двух глав районов, которые внезапно уволились с должности, а на вопрос Кирилла, почему, побледнели и стали уверять, что у них все хорошо, а их отношения с Джамалудином — просто прекрасные. Из записей, которые пересылали с мобильного на мобильный, и из того жутковатого трепета, который охватывал всех домашних, и самого Кирилла, когда хохочущий, веселый Джамалудин внезапно заезжал во двор.

Он знал об этом куда лучше Христофора Мао, потому что в республике было всего два достоверных средства массовой информации. Площадь у мечети после пятничной молитвы, и разговоры женщин на базаре. По стечению обстоятельств Кирилл имел доступ и к тому, и к другому, а Христофор Мао такого доступа не имел.

Уголовное дело по факту убийства девушек закрыли, но совесть Кириллу не закрывал никто. Он знал, на кого работает — и глушил совесть работой. Он приходил домой и проваливался в тяжелый сон без сновидений, он спал по четыре часа в сутки, чтобы не видеть сны, и кончилось тем, что он стал видеть сны наяву.

Кирилл стал молиться.

Если бы рядом была христианская церковь, он бы наверняка ходил в церковь, но рядом были только мечети, и Кирилл стал иногда заходить в мечеть. Потом его стали видеть на пятничной молитве.

Большинство чиновников республики были уверены, что русский притворяется, но Диана знала, что Кирилл иногда молится дома, когда этого никто не видит.

ГЛАВА ДЕВЯТАЯ

День рождения премьера

Жил-был парень по имени Исмаил. Он был из Тленкойского района и немножечко ваххабист, а на жизнь он зарабатывал угоном иномарок класса «люкс». До того, как стать ваххабистом, Исмаил не угонял иномарок, а имел собственный магазинчик, но когда он стал ваххабистом, менты отобрали у него магазинчик, и, чтобы содержать семью, ему пришлось угонять иномарки.

Это был почетный промысел в республике, почти такой же почетный, как торговля нефтью, украденной из трубы. На краже иномарок класса «люкс» специализировались целые бригады и роды, и все знали, что Джамалудин Кемиров по кличке Абхаз, новый хозяин республики, в свое время промышлял этим в Москве, но в последнее время угоном все чаще занимались ваххабисты.

Не то чтобы ваххабизм был такое религиозное течение, специализирующееся на угоне иномарок, но просто, когда легальный бизнес отбирают менты, люди начинают заниматься нелегальщиной.

Вот как-то Исмаил ехал по своим делам по горной части республики, и так получилось, что в этот день на дорогах было полно блокпостов. Менты повылезали на трассу, как угри, и один блокпост слупил с Исмаила сто рублей, а другой и вовсе двести. На втором посту ему рассказали, что сегодня премьер республики Христофор Мао празднует свой день рождения, и к нему из Москвы понаприлетало шишек. А на третьем посту Исмаила остановили.

— Эта машина краденая, — сказали менты.

— Э, — сказал Исмаил, — ты что, работать не хочешь? У меня брат начальник ГАИ!

— Брат не брат, — ответили менты, — а машина в розыске. Пошли-ка разберемся.

Вот менты загнали машину в загончик за будкой, а Исмаил взял из нее документы и пошел разбираться. Теперь надо сказать, что Исмаил чувствовал себя не очень уютно. Дело в том, что в багажнике машины лежал фугас, и если бы менты открыли багажник, у Исмаила было бы много хлопот. По правде говоря, хлопоты из-за краденой тачки было самое меньшее, что его ожидало.

Поэтому Исмаил набрал телефон брата, который действительно работал в ГАИ в Шамхальске, и попросил его помочь, а потом он зашел с ментами в будку и принялся показывать им документы. Они спорили минут двадцать или двадцать пять, и в конце концов менты плюнули и спустились в загончик, чтобы проверить номера на двигателе.

Но загончик был пуст.

— А где же машина? — изумились менты.

— Ах вы негодяи! — напустился на них Исмаил, — из-за вас у меня угнали тачку!

Тут возле поста затормозил черный джип, и из него вышел глава АТЦ Хаген Хазенштайн. Исмаил его знал немного: когда-то они вместе ходили в спортзал.

— Эй, Раджаб! — сказал Исмаил, — ты послушай, что случилось! Эти менты остановили меня и угнали у меня тачку, а теперь они говорят мне, что она краденая!

Увидев, что Хаген и Исмаил знакомы, менты стушевались и махнули рукой, а Хаген отворил дверь джипа и сказал Исмаилу:

— Садись. Подвезу.

Исмаил сел в джип к Хагену, и они вместе проехали все посты, а когда они доехали до развилки на резиденцию, Хаген свернул вправо, а Исмаилу надо было влево, в Торбикалу.

— Мне влево, — сказал Исмаил.

— Не беда, — сказал Хаген, — заедем в резиденцию, а потом я отвезу тебя в город.

Исмаил немного волновался, потому что, пока они ехали, он все время звонил брату, который должен был забрать джип с фугасом в багажнике, и телефон брата не отвечал. Но Исмаил рассудил, что и этот вопрос лучше будет решить из резиденции, нежели с улицы.

Вот они подъехали к воротам, и Исмаил увидел, что из-за дня рождения премьера резиденция буквально кишит охраной: там стояли и менты, и пэпээсники, и какие-то краповые береты, и у Исмаила немного отлегло от сердца, потому что он подумал, что при такой куче федералов с ним точно ничего не случится.

Джип проехал мимо вертолетной площадки, на которой бродили павлины, свернул за угол и въехал в подземный гараж. Исмаил завертел головой; и в эту секунду Хаген затормозил и вышел из машины, а охранник, сидевший сзади, упер в затылок Исмаила пистолет и сказал:

— Не шевелись.

Дверцу джипа рванули — и наступила ночь.

Когда Исмаил очнулся, он был уже не в гараже, а в подвале. Он висел за вывернутые запястья под балкой, и прямо под ним, задрав голову, стояли Джамалудин и Хаген.

Джамалудин постучал по бедру резиновой милицейской дубинкой, которую он держал в руках, и спросил:

— Я хочу узнать о том «мерсе», который ты угнал на Профсоюзной за месяц до гибели Заура.

Тут надо сказать, что Исмаил понял все еще до того, как Джамалудин открыл рот, и ему даже в голову не пришло запираться.

— Это был самый обычный заказ, — сказал Исмаил, — Дауд сказал нам, что ему нужен новый «мерс», и мы взяли этот «мерс» и пригнали его в Торби-калу; а Дауда к этому времени сняли, и он отказался брать машину.

— Кто перегнал «мерс» в Торби-калу?

Исмаил промолчал, и Джамалудин кивнул Хагену. Тогда Исмаил поспешно сказал:

— Мой двоюродный брат, Мага-ГАИ, перегнал эту машину и поставил ее во двор, и клянусь, мы больше не видели ее и не слышали о ней.

— Кому ты продал машину? — спросил Джамалудин.

— Косому Максуду. Дауд отказался ее брать, а через неделю пришел Косой, и спрашивает, «говорят, у вас есть лишний «мерс»? Ну, мы его и отдали.

– И куда вы привезли ему «мерс»?

Исмаил сказал, что адреса он не знает, но место указать может.

* * *

После этого Исмаила отвязал от балки, и он поехал показывать место. Они приехали к старым гаражам на западе Торбикалы, и Исмаил указал на один из гаражей, третий в пятом ряду, куда они загнали «мерс» на перебивку.

Люди из АТЦ открыли гараж и зашли внутрь, а немного погодя туда зашли Хаген и Джамалудин. В гараже пахло бензином, и еще чем-то, довольно мерзким, и служебная собака, которую ребята из АТЦ привели с собой, начала скрестись и рыть землю в углу гаража.

Принесли лопаты, и довольно быстро вырыли в углу труп. Была зима, и труп прекрасно сохранился. Он выглядел не хуже, чем мороженый сом, если зарыть его в снег.

– Это Бекхан, – сказал Исмаил, – мы взяли эту машину втроем, – я, Бекхан и Али.

– А где же Али? – спросил Джамалудин.

– Я не знаю. Я не видел его с того самого дня, когда мы привезли машину сюда. Ни его, ни Бекхана.

– Я так думаю, что это Али взорвался в машине, – сказал Хаген, – думаю, что было вот что. Максуд пришел к вам и попросил у вас тачку, а когда вы пригнали ее сюда, Максуд попросил Бекхана помочь ему с миной. Бекхан помог, да и получил пулю в затылок. А потом Максуд сел в эту машину и попросил Али поехать вместе с ним в Москву. Уж не знаю, что он вкручивал Али. А только думаю, что Али знал, что в машине – мина. Ведь вся ваша шайка – как есть ваххабисты, и мы знаем, что все лето ты провел с Булавди.

Тут Исмаилу стало окончательно страшно. Он упал на колени и закричал:

– Клянусь Аллахом, Джамал! Я не знал, зачем эта тачка, а Максуд даже не заплатил мне денег! Я решил, что деньги достались Али и Бекхану, и что они убежали с ними! Я искал их повсюду, чтобы взять свою долю!

Джамалудин ничего не ответил на это, а щелкнул предохранителем и приставил пистолет ко лбу Исмаила.

Исмаил схватился за штанину Джамалудина, заплакал и стал ее целовать, а Джамалудин спросил:

— Где Максуд?

— Я не знаю! Клянусь Аллахом, я не знаю, ведь он даже не заплатил мне денег! Я искал его тоже, чтобы спросить о деньгах!

* * *

Через три часа Джамалудин приехал домой к Дауду Казиханову.

Джамалудин навестил Дауда, во-первых, потому, что именно он был первым покупателем краденого «мерса», а во-вторых, потому, что тот знал Максуда. Более того, Дауд знал и Бекхана с Али. Эти двое тоже были уроженцы Тленкойского района и когда-то были его охранниками, но потом они разошлись во мнениях. Дауд все больше сотрудничал с ФСБ, а Бекхан с Али, наоборот, все чаще постреливали милиционеров. Ходили даже такие слухи, что это Бекхан с Али подложили Дауду фугас, во исполнение приговора шариатского суда.

Разумеется, Дауд был более уважаемым человеком, чем Исмаил, и к тому же новым начальником РУБОПа. Поэтому Джамалудин и не думал врываться домой к Дауду с автоматом наперевес, или подвешивать его для удобства беседы к гаражной балке.

Когда Джамалудин приехал к Дауду, Дауд как раз собирался на день рождения в резиденцию. Вереница машин уже стояла во дворе, и охрана Дауда запихивала в багажник одной из них огромную коробку, перевязанную розовой лентой. Но, конечно, как только Дауд увидел, кто заезжает к нему во двор, Дауд отложил поездку и повел мэра Бештоя в гостиную, где с постоянно накрытого стола спешно убирали бутылки водки и ставили бутылки с лимонадом «Кемир».

Несмотря на новое назначение, Дауд был мрачен и недоволен, и по обеим крыльям его носа легли две глубокие морщины, а плечи под кожаной тонкой курткой резко ссутулились. Вот они поговорили о том, о сем, и Дауд начал ругать новую власть.

— Это очень нехорошие люди, Сапарчи и особенно китайчонок, — сказал Дауд, — он взял с меня полмиллиона долларов за то, чтобы назначить брата главой Пенсионного Фонда, а через месяц он же сам прислал в Фонд проверку, и стребовал еще полмиллиона. Если человек берет за должность полмиллиона, он же понимает, что я обязан возместить себе расходы. Тогда чего же он посылает проверку? Это все равно как если бы супермаркет заставлял платить дважды за одну бутылку! Я уже не говорю о том, что он чуть не продал это место какому-то ичлийцу! Этот человек настолько чужой в республике, что не знает, что Пенсионным Фондом всегда заведовали выходцы из моего села! Твой брат не совершал таких ошибок! Он был замечательной души человек!

Джамалудин Кемиров хорошо помнил, что Дауд говорил про его брата, и он не очень-то расчувствовался.

— А что это за «мерс», от которого ты отказался? — спросил Джамалудин. — Говорят, его угнали для тебя в Москве.

На выразительное лицо Дауда мгновенно набежала тень.

— А, — сказал он с досадой, — по правде говоря, я заказывал этот «мерс», когда был главой Пенсионного Фонда. Ведь у нас такая власть, что чиновник может рассекать хоть на краденом «шаттле», и шиш кто ему предъявит. Но когда меня уволили, я подумал-подумал, и решил, что к этому «мерсу» могут прикопаться. Я не стал его брать, а купил в Эмиратах «порше-кайенн». Черт, как только перестаешь быть чиновником, самые простые вещи становятся втрое дороже!

— И как вышло, что об этом «мерсе» узнал Максуд?

— Да так и вышло, — с досадой сказал Дауд, — что эти двое, Бекхан с Али, они же мне предъявили, что я не плачу им денег! Вот я и искал, куда его пристроить.

Дауд нахмурился, и густые его брови опасно сошлись над переносицей.

— Они же совсем отморозки, — продолжал Дауд, — я их спас от тюрьмы, а они в благодарность меня взорвали. Ты же знаешь, что без меня весь Тленкой давно бы сошел с ума.

— Я знаю, — ответил на это Джамалудин, — что ты сам заврался. Тебе надо поменьше тереться с ваххабистами и с ФСБ, а то ты как змея, которая засунула себе голову в жопу и сама не разберет, где у нее хвост, а где глотка. Берегись, Дауд, это плохо кончится.

Но новый начальник РУБОП только расхохотался.

— Послушай, Джамалудин, — сказал он, — почему бы твоему Фонду не отремонтировать в Тленкое мост? Люди в селе были бы довольны, и сепаратистские настроения там бы уменьшились. А я бы охотно взялся за этот подряд.

Джамалудин ничего не ответил на эту просьбу. Он уже понял, что Дауд вряд ли знает о тех, кто заказал Максуду «мерс». Дауд был такой человек, что и сам бы не постеснялся убить президента республики, но, по счастью, у него не было мотива. И все-таки в этой истории было нечто, от чего густо несло двойным запахом экстремизма и госбезопасности.

— А давно ли ты видел Бекхана и Али? — спросил Джамалудин.

— Не видел после «мерса», — ответил Дауд, — я же говорю, они приезжали ко мне и требовали денег. Они просидели под забором весь день, а меня даже не было дома. На следующий день они приехали снова, и я вышел к ним. Мы немножко подрались, и я велел вытащить Бекхана из машины, а он прострелил мне ворота. Он ведь два раза покушался на меня, этот Бекхан, а если считать с воротами, так и все три. Не думаю, что у меня есть к нему другой разговор, кроме как из «стечкина». Так что Бекхан, говорят, убежал от меня и прячется, а у этих молодых чертей за главного теперь маленький Мурад.

Джамалудин встал и стал прощаться с Даудом, и на прощанье Дауд снова напомнил ему о мосте.

— Если ты не хочешь дать деньги из Фонда, — сказал Дауд, — почему бы тебе не походатайствовать об этом в правительстве?

Это бы стоило три миллиарда рублей, и один миллиард пошел бы мне, другой тебе, а на третий мы отремонтировали бы мост.

Джамалудин махнул рукой, да и выехал со двора.

* * *

В то самое время, когда Джамалудин и Дауд беседовали насчет недостатков новой республиканской власти, главный герой их разговора, премьер-министр республики Христофор Анатольевич Мао, восседал за банкетным столом в президентской резиденции возле Торби-калы.

Конечно, Христофору Анатольевичу было б проще отпраздновать день рождения в Москве, но он хотел показать свою власть над республикой. Три чартерных рейса привезли на день рождения премьера чиновников «Газпрома» и РЖД, сотрудников администрации президента, чекистов и генералов, и как только местные услышали, что на дне рождении ожидается целых три заместителя ФСБ и даже министр обороны, они повалили в резиденцию как лосось на нерест.

Сияющий председатель правительства сидел во главе стола, по правую его руку был министр обороны РФ, по левую – и.о. президента республики.

Как мы уже говорили, отношения между Христофором Мао и Сапарчи Телаевым к этому времени были неважные, и связано это было с тем, что их взгляды на принципы управления совершенно совпадали. Каждый из них полагал, что основная цель руководителя есть продажа как можно большего количества постов за как можно большее количество денег, разница же была в том, что с точки зрения и.о. президента, все посты в республике должен был продавать и.о. президента, а с точки зрения премьера, все посты был должен продавать премьер.

Это маленькое различие вылилось в большое количество трупов, потому что очень часто человек, которому продал должность премьер, убивал того человека, которому продал эту должность и.о. президента. И к тому же оно было совершенно непреодолимым. Ведь согласитесь, по поводу таких вещей, как место России в мире, или развертыванием американской ПРО, или отношение к исламскому экстремизму, даже очень большие противники могут найти компромисс, но нельзя же сделать вид, что миллион за должность достался Сапарчи Телаеву, если он достался Христофору Мао.

Но друзья – это люди, которых мы озаряем всегда, а враги – это люди, которых мы озаряем по праздникам, – и вот и.о. президента приехал поздравить своего премьера и поднес ему в подарок золотой кинжал с надписью из Корана.

– А где Джамалудин Ахмедович? – спросил министр обороны, наклоняясь к уху премьера.

Мао нахмурился.

Джамалудин Ахмедович, точно, пока не появился на этом празднике жизни. Даже и место для него было предусмотрено: где-то справа в зале, за одним из столов, – кто такой какой-то вице-премьер, чтобы сидеть за официальным столом вместо президента республики или министра обороны, – но Джамалудина Ахмедовича где-то черти носили.

Мао раздраженно пожал плечами, ничего не ответив министру, а на сцене мальчики затанцевали лезгинку, а потом ведущая в желтом коротком платье с открытыми плечами, захлопав в ладоши, провозгласила:

– А теперь – сюрприз! Встречайте божественную Антуанетту!

Гости вскинулись.

Проект «Я – суперМЛЯ» – стартовал на Первом Канале два месяца назад, в прайм-тайм. В проекте снимались двенадцать девушек, считавшихся самыми дорогими содержанками Москвы. В проекте принимали участие две депутатки Государственной Думы, уже неоднократно позировавшие для мужских журналов, одна аспиранка Финансовой Академии, представлявшая Россию на конкурсе «Мисс Вселенная» и состоявшая любовницей самого крутого питерского авторитета, и племянница олигарха, которая блядью вовсе еще не была, но надеялась стать. Девушки пели песни, рассказывали про жизнь на Рублевке и делились мыслями относительно великого будущего страны.

Безусловным хитом проекта было исполнение конкурсантками государственного гимна России. С тех пор, как гимн стали петь очаровательные девушки в бикини, его популярность резко возросла.

Парадный стол стоял в метре от сцены. В зале погас свет, и прямо перед Мао возникла тонкая фигурка в алом платье с глубоким вырезом. У Мао вспотели ладони, кто-то из генералов рядом крякнул, и через мгновение зал разразился аплодисментами.

Антуанетта запела.

Голос у нее был не очень хорош, да по правде говоря, пела и не она, а фонограмма, но рваный ритм песни бил в уши, и от алой фигуры на сцене била такая энергия, что Мао, как всегда, пробрала сладкая истома, и внизу живота стало жарко и томно.

Мао спал с Антуанеттой каждый свой приезд в Москву, и на деньги, которые она вытянула из него, уже образовались два трупа и один инвалид, — но сейчас, в окружении высших чинов ФСБ и всего правительства республики, Христофор понял, что каждый цент, заплаченный им, был не зря.

Замглавы ФСБ подмигнул премьеру и одобрительно показал ему большой палец.

Антуанетта пела, полупрозрачное алое платье таяло в свете софитов, и Христофор вдруг понял, что он победил. Он сидел в резиденции покойного президента, ел из его тарелок и пил из его бокалов, и брат покойника трусливо смылся прочь, а все остальные прибежали лизать сапог. У него, наконец, была власть. Власть, и все, что является ее главными атрибутами, — личный самолет с кожаными креслами, кортеж из черных бронированных «мерсов», замглавы ФСБ на твоем дне рождении, — и любовница из хитового проекта ОРТ.

Министр обороны наклонился к нему и прошептал:

— Дорогая девушка. Я такой дорогой девушки не могу себе позволить.

Мао раздулся от гордости.

И в эту секунду откуда-то из-за границы тьмы и света вылетели ленивые листочки и, порхая, стали спускаться вниз, к ногам залитой светом алой фигурки. Гости ничего не поняли и зааплодировали, а Мао нахмурился.

Листочки вылетали еще, и еще, а потом купол света сместился чуть вправо, и Христофор увидел Джамала Кемирова. Он стоял, в джинсах и каком-то черном свитере с зеленой искрой, а потом он снова взмахнул рукой, и пачка долларов, веером вылетевшая из его пальцев, запорхала в воздухе, как конфетти.

Христофор чуть не взвился из-за стола.

«Ах ты сукин сын!»

Музыка бухнула, буравясь в уши, зеленые листочки падали дождем, и Христофор заметил за Джамалудином Кирилла Водрова. Этот был, по крайней мере, при галстуке.

Ногти Христофора вонзились в ладони. Он знал, что должен ответить тем же: но у него не было под рукой денег, и вряд ли он мог одолжить наличные у министра обороны. Он привстал, завертел головой, обернулся — и внезапно поймал на себе пронизывающий взляд только что вошедшего Дауда Казиханова.

Чеченец стоял за его спиной, сложив руки на груди, Христофор чуть заметно изломил бровь и показал пальцем назад, на сцену, Дауд кивнул, повернулся и вышел.

Музыка смолкла, и Антуанетта опустила микрофон. Вся сцена под ней была в зеленых бумажках, они лежали так густо, как трава на пастбище в мае, и Антуанетта переступила по ним маленькими босоножками, — белые каблучки и красные ремешки, расшитые стразами. Почему-то это удивительно возбудило Мао.

Джамалудин подал Антуанетте руку и повел ее вниз. Все вытянули мобильники, снимая эту сцену. Антуанетта оглянулась на деньги, Джамал наклонился и что-то прошептал ей на ухо.

На сцену взбежали два охранника и стали собирать доллары. Они сгребали их, как сено, в охапки, и клали в большой белый пакет.

Через мгновение Антуанетта и Джамалудин оказались около стола Мао. Первый вице-премьер был небрит с утра, подбородок его зарос черной короткой щетинкой, и он цепко держал Антуанетту за запястье. Девушка млела. Кавказец выглядел точь-в-точь как Стенька Разин, своровавший персидскую княжку.

Мао покраснел от гнева, а министр обороны встал и перегнулся через стол, целуя тонкие пальцы девушки.

— Вы божественно поете, — сказал министр, — и наверняка победите в проекте.

— Победа стоит полтора миллиона, — улыбнулась Антуанетта, — нам так объявили. Участие — двести тысяч, а победа — полтора миллиона.

Сапарчи Телаев, тоже не сводивший глаз с девушки, рассмеялся.

— А они не сделают скидку народной артистке республики? А то вон, мы пошлем Джамалудина Ахмедовича разобраться.

— Можем послать и танки, — добавил министр обороны.

Антуанетта царственно улыбнулась.

Джамалудин положил руку ей на талию, и прямо на глазах Христофора эта рука стала сползать вниз, к обтянутым красным шелком ягодицам. Джамал смотрел на Антуанетту, и лихорадочный его взгляд сдирал с нее платье, как обертку с мороженого.

«Отцепись от нее!» — хотел заорать Мао, но слова застряли у него в глотке. А если Джамал ударит его в ответ? Ощущение физической угрозы, исходившее от худощавого горца в черном свитере, действовало даже сильней, чем белые груди Антуанетты, вскипающие из алого шелка. Христофор улыбнулся и сделал вид, что ничего не происходит.

— Осторожней, Антуанетта Михайловна, — сказал замглавы ФСБ, и голос его был сух от насмешки, — вот украдет вас этот горец и заставит выйти за него замуж.

— Так он же женат, — с легкой досадой сказала Антуанетта.

— А он у нас недавно издал указ, разрешающий многоженство. Правда, Джамалудин Ахмедович?

— Какой указ? — удивился Джамал. — Не нужно мне никаких указов. Я просто по телевизору выступил, и всем все ясно.

— А законы России? — спросил замглавы ФСБ.

— Я верный слуга России, — ответил Джамал, — что Россия прикажет, то и сделаю. Президент прикажет — я себе голову отрежу! Мы добровольно в Россию не входили и добровольно из нее не выйдем!

Замглавы ФСБ сморгнул, Христофор Мао нахмурился, а Джамалудин вдруг одним прыжком оказался на сцене, завертелся по кругу в лезгинке, подпрыгнул напоследок, захлопал в ладоши и закричал:

— Слава президенту! Слава президенту! Десять тысяч лет ему жизни!

И раньше, чем сидевшие за официальным столом успели встать, все бойцы Джамалудина подпрыгнули на месте, и в уши русским ударил железный рубленый крик:

— Слава президенту! Десять тысяч лет ему жизни!

Мао сидел, кусая губы. Антуанетта смеялась, запрокинув прелестную головку. Джамалудин соскочил со сцены и обнял ее за плечи.

— Сядем, — сказал Джамалудин.

— Но... — начал Христофор Мао, оглянулся и побледнел.

За парадным столом для Антуанетты не было места. Его не было в принципе, потому что по кавказским обычаям официальный стол был стол для мужчин, и Джамал Кемиров никогда бы не посадил за этот стол ни жену, ни сестру, и Христофор, устраивая празднество, бессознательно подражал Джамалудину.

Он предполагал, что Антуанетта посидит в сторонке: негоже это, чтобы рядом со всемогущим премьером сидела его телка, — пусть рядом сидит министр обороны. Но Кемиров-то сидел не за парадным столом! Вся кровь отлила от щек Христофора при мысли, что этот чертов террорист будет тискать на его дне рождения его любовницу, и еще орать при этом «Слава России!»

Антуанетта оглядела забитый чиновниками стол. Глаза ее опасно сузились.

— Садись, — сказал Христофор, — Леша, принеси даме стул.

Антуанетта небрежно вскинула голову.

— Пусть Антуанетта споет! — вдруг закричал Джамалудин, — пусть божественная Антуанетта споет гимн России! Эй, Иса, у тебя есть этот самый гимн?

Антуанетта заколебалась; она как-то не собиралась сегодня петь гимн России; но на сцене уже поправляли динамики. Бойцы Джамала захлопали и ободряюще засвистели, и Антуанетта, улыбаясь, снова взошла за сцену и взяла микрофон.

Антуанетта запела.

Она была в красном длинном платье, с обнаженными плечами и грудью, и когда луч света скользил по ней, всем сидящим в зале было видно, что под платьем на девушке нет ничего, кроме усыпанных стразами босоножек с красными ремешками и белыми каблучками, и весь парадный стол встал, когда участница проекта «Я — суперМЛЯ!» исполняла государственный гимн России по просьбе человека, захватившего на Красном Склоне российскую правительственную делегацию.

Она замолкла, и генералы в восторге захлопали. Христофор оглянулся, и увидел позади себя черную мрачную фигуру Дауда. Чеченец утвердительно кивнул, рука его встретилась с рукой Мао, что-то еле слышно брякнуло.

Христофор встал из-за стола, и пятно света переместилось с Антуанетты на него.

— Дорогая Антуанетта, — сказал Христофор, — мне сегодня надарили кучу подарков. Но самый большой подарок принесла мне ты, этой песней. И вот, в благодарность, от имени правительства республики Авария, для мирных процессов в которой ты так много сделала, и так поддержала нас своим присутствием, — прошу тебя, — принять!

И с этими словами Христофор Мао высоко поднял руку, и в ней закачались ключи от новенького «мерса».

Генералы снова захлопали. Антуанетта спрыгнула со сцены, и когда она брала ключи, Христофор поймал и поцеловал ее узкую ладошку. Взгляд его уперся в белые груди, всплывающие из красного платья. Христофору хотелось повалить ее прямо на стол, посереди закусок и водки, и взять на глазах всех этих чинуш.

— А это — от меня, — раздалось справа.

Вспыхнул свет, и Христофор увидел, что у стола стоит Джамал. Он куда-то исчез во время гимна, и Христофор думал, что он пошел переодеться, но он был по-прежнему в джинсах и темном с зеленой нитью свитере, а в руках он держал изрядный дипломат.

Джамалудин положил дипломат на стол и щелкнул замками. Внутри, ровными кирпичиками, лежали запрессованные в целлофан пачки денег. Христофор мгновенно опредилил, сколько там. Полтора миллиона долларов. Цена победы на конкурсе.

Один из бойцов Джамалудина подошел к столу с белым пакетом и вытряс его в дипломат. Пачки денег в пакете уже были перевязаны аккуратными тонкими нитками. По сравнению с дипломатом, их было не так много: тысяч сорок или пятьдесят.

Антуанетта ошеломленно переводила взгляд с премьера республики на его зама, и узкие ее пальцы намертво вцепились в ключи от «мерса». Платье сидело на ней, как целлофан на сосиске.

Джамалудин глядел на Антуанетту, и Христофор глядел на Антуанетту, а Антуанетта глядела на дипломат. Кончик розового ее языка слегка вынулся из-за белых зубов, и пробежал по полным красным губам.

— Пошли, — сказал Джамалудин.

Он защелкнул дипломат и подхватил его, а другой рукой, как клещами, сжал запястье Антуанетты. Женщину развернуло и потащило за ним. Христофор Мао хлопал глазами.

* * *

Не многие знали, но семейная жизнь Джамалудина Кемирова оставляла желать лучшего. Он женился на первой своей жене еще в Абхазии. Жанна родила ему четырех детей, и она прожила с ним в Москве в самые лихие годы, когда Джамал был еще не младший брат президента, а просто молодой парень с крупными кулаками и быстрой пушкой, и когда ей то приходилось прятать пистолет от обыска, то возить деньги ментам, то слышать, с замирающим сердцем, по «Дорожному патрулю» рассказ о бойне между этническими группировками Москвы.

Поэтому Жанна была очень рада, когда Джамал вернулся в республику, но радость ее была недолгой. Джамалудин Кемиров увидел четырнадцатилетнюю дочку своего старого боевого товарища Арзо и влюбился в нее без памяти. Жанну, разумеется, никто не гнал, более того, если Джамал и был с кем расписан, так это с абхазкой (брак его был зарегистрирован в столице непризнанной республики Абхазия прямо в его просроченном иностранном паспорте), но после того, как Мадина родила Джамалудину второго сына, Жанна тихо вернулась в Сухуми.

Мадина родила троих сыновей, – Амирхана, Магу и Зию. К моменту описываемых нами событий ей было всего двадцать четыре, и она оставалась все той же точеной красавицей, – гибкой, стремительной, маленькой, как статуэтка, с чуть тяжеловатым подбородком и огромными черными глазами, которые никогда не улыбались после гибели ее отца.

Мадина не сказала Джамалудину ни слова, когда он вернулся домой с Красного Склона, и Джамалудин никогда не считал себя ни в чем виноватым, но однажды, месяца через три, Джамалудин застал Амирхана играющим во дворе: тот возился с разряженным автоматом и довольно громко при этом бормотал.

– Что ты говоришь? – спросил Джамал.

– Что когда я вырасту, я накажу убийц дедушки!

– И кто же это научил тебя так говорить? – спросил Джамал.

– Мама.

Джамалудин поцеловал сына и зашел на кухню, чтобы поговорить с Мадиной. Она обернулась к нему. Она в это время разделывала тесто, на ней было траурное черное платье, и в обсыпанных мукой пальцах Мадина крепко сжимала длинный кухонный нож.

Джамалудин молча смотрел на жену, а Мадина смотрела на него, и летнее солнце сверкало в ее тяжелых иссиня-черных волосах, перевязанных черной косынкой. Джамалудин стоял и молчал, и Мадина тоже не говорила ни слова. Так прошло минуты две.

– Достаточно уже того, что я не трогаю твоих братьев, – сказал Джамалудин, повернулся и вышел.

С этого времени он жил в недостроенной резиденции в Торби-кале, а Мадина осталась в Бештое.

Джамалудин был молодой сильный самец, с бешеной энергией и бешеным же норовом. Частая стрельба и частые посты не улучшали его характер. Друзья видели, что он изнывает по Мадине, Хаген, великий охотник до женского пола, пытался развеселить его обычным образом, но Джамалудин сказал ему, что он не собирается спускать все, что он нажил постом, за одну ночь с проституткой в постели, и так это дело и зависло.

Месяца через три после того, как Джамалудин переехал в Торби-калу, он зашел в халяльной ресторанчик возле мечети. В глубине зала, за кисейной занавеской, хихикали и шебетали, и когда мужчины подошли поближе, он увидели, что там сидят тридцать или сорок девочек, молодых, очень хорошеньких, в длинных юбках и платках, под которые был убран каждый волосок. Оказалось, что это студентки исламского института, и одна из них справляет день рождения.

Хаген, который, как уже сказано, был охоч до этого дела, подошел к девочкам познакомиться, а вслед за ними подошел и Джамалудин. Девочки стали перешучиваться еще пуще, глазки их так и стреляли.

Джамалудин спросил что-то богословское; девочки захихикали, а одна, довольно невзрачная, в белом плотном платке и синем платье, ответила. Джамалудин спросил еще. Студентки засмеялись снова, а девочка в белом платке снова дала правильный ответ и сказала айят.

Джамалудин ушел и сел с друзьями в соседнем зале. Наутро в дверь пятиэтажки на окраине Торби-калы, где девушка жила с своими родителями, постучали: всесильный младший брат президента республики, портреты которого украшали стены домов и майки его охранников, прислал к Бурлият сватов.

Об отказе, разумеется, не могло быть и речи. Отец Бурлият тут же стал главой администрации Хушского района, мать завела маленькое кафе. Бурлият родила через девять месяцев после свадьбы, и снова ходила беременная, но люди, близко знавшие Джамала, говорили, что больше всего в этой женщине Джамалудину нравится то, что она знает наизусть Коран.

* * *

Антуанетта полагала, что они сядут поужинать, но Джамалудин тащил ее мимо столов, быстро, грубо, как кот перепелку, и через секунду Антуанетта, в сверкающих босоножках, шагнула с крыльца павильона на холодную плитку.

Над резиденцией, перекрывая свет звезд, били мощные фонари; далеко-далеко, у ворот, клубились машины и люди, и с неба косо летели первые снежинки, танцуя в лучах прожекторов: ночью в горах обещали метель. Антуанетта вспискнула и поджала пальчики.

Кто-то из бойцов накинул на нее длинную шубку из щипаной норки; мягко подкатился черный джип, и Джамалудин сгреб девушку в охапку и пронес ее несколько шагов до машины.

Через секунду джип сорвался с места и вылетел через распахнутые ворота резиденции на безлюдную ночную дорогу.

В натопленной машине скоро стало так жарко, что Антуанетта приспустила с плеч шубку. Джамалудин скосил взгляд, и девушка почувствовала его учащенное дыхание. Белые обнаженные плечи действовали на него, как водка на непривычного к выпивке человека. Глаза Джамала возбужденно блестели, и в значении его взгляда не ошибся бы даже слепой.

Дипломат лежал на заднем сиденье, его кинул туда кто-то из бойцов, и Антуанетта несколько раз взглянула на него, когда смотрелась в зеркальце, чтобы поправить губы.

Антуанетта плохо представляла себе географию республики и думала, что они едут на какую-нибудь городскую квартиру, но джип пролетел мелкий тоннель, потом резко повернул на крутом подъеме, и Антуанетта, оглянувшись, увидела справа и позади черную полосу замерзшего моря и колеблющееся пятно света, — стекающую по склонам Торби-калу. Снег падал все гуще и гуще, джип летел по горной дороге, и фары его выхватывали из темноты то белый монолит скалы, то черный провал, то нависшие над бездной кусты, обсыпанные искрящейся снежной пудрой.

— Куда мы едем? — спросила жалобно Антуанетта.

— В Бештой, — ответил Джамалудин.

Тут джип занесло так, что они ударились об отбойник, и Антуанетта увидела, как светящиеся в луче снежинки рушатся в пропасть без дна, к узкой речке в перине из снега. Если половина того, что Хрися рассказывал об этом человеке, была правда, то за каждым кустом внизу должен был прятаться кровник с гранатометом. «Он сумасшедший — подумала Антуанетта, — за ним охотятся по всей республике, а он рассекает ночью без охраны, в каких-то горах».

«Господи боже мой, — мелькнуло в ее мозгу через секунду, когда они едва разминулись с какой-то огромной фурой, — да он же убьется без всяких боевиков!» Джамал втопил газ, ускорение вжало ее в спинку кресла, и Антуанетта едва дышала, боясь отвлечь Кемирова от руля. «Мы упадем в пропасть!»

Но они не упали в пропасть и не впилились в скалу, и через полтора часа безумной гонки помчались по заметенным снегом улицам Бештоя. Хрущевские пятиэтажки пялились на нее убогими застекленными балконами, и частные дома, как мусульманские женщины, были завернуты в паранджу заборов.

Машина свернула на широкий проспект, пролетела мимо огромной, подсвеченной снизу мечети, и через две минуты въехала по широкой дорожке в сквер. Над сквером горели четырехугольные фонари, и посереди его, под стеклянной крышей, стояло совершенно разрушенное здание.

Джамалудин вышел из джипа и помог выбраться Антуанетте. Пальцы его защелкнулись на ее запястье, как волчья пасть. Шубка укрывала Антуанетту до земли, но ей было холодно из-за босоножек.

Они пошли по тщательно вычищенной дорожке к развалинам под стеклянной крышей, и Антуанетта обратила внимание, что дорожку вычистили только что: ведь на ней почти не было снега, а между тем снегопад был все гуще и гуще, фонари расплывались в летящей косой пелене, и Антуанетта снова содрогнулась, вспомнив, как крутило джип на мокрой и свежей трассе.

Они вошли под стеклянную крышу, и Антуанетта увидела обвалившийся коридор и лестницу, которая вела к небу.

— Ты знаешь, что здесь было? — шевельнулся за плечом Джамалудин.

Антуанетте было очень холодно.

— Да. Террористы захватили роддом. Ты... был во главе ополчения. Ты вел переговоры с террористами и вынес десять детей...

— Восемь, — сказал Джамалалудин.

— А?

— Их было восемь. Ваха сказал мне, что отдаст десять детей. Он отдал восемь и пришел вот сюда, в этот самый коридор, еще с двумя, и тут-то и был первый взрыв. Ваха стоял от меня в полутора метрах. Я вытащил пистолет и выстрелил.

— И... ты убил Ваху? — замирая, спросила Антуанетта.

— Нет. Я убил ребенка.

Джамалудин помолчал и добавил:

— Нас развернула взрывная волна, и моя пуля попала точно в грудничка. Ему снесло полчерепа.

Антуанетта смотрела на стены, изъеденные выстрелами, и на окно в середине стены. За окном шел снег, и мягко горели фары мощного джипа. Джип пищал из-за незакрытой дверцы, и на заднем его сиденье лежал дипломат с полутора миллионами долларов.

— Меня даже не ранило, — сказал Джамалудин, — пули летали, как пчелы на пасеке, а меня даже не ранило. Это было испытание, которое послал мне Аллах, и я провалил его.

Антуанетта зябко повела плечами. Как ни мало она знала о республике, Хрися все же говорил кое-что. И она знала, что человек, стоящий за ее спиной, выследил и убил всех, кто ушел тогда живым из роддома. Если он это называет проваленным экзаменом, то что же для него — пятерка?

— Когда я не знаю, что делать, я прихожу сюда и молюсь, — сказал Джамалудин, — потому что в этом месте живет Аллах.

Антуанетте казалось, что в этом месте живет только ужас и холод.

— Есть такие, которые спрашивают, если Аллах всемогущ и всеблаг, как же он допускает существование зла? Я прихожу сюда, чтобы услышать Аллаха. Потому что здесь был Ад, геена, и такого не бывает, чтобы Ад был — а Рая не было. Зло есть потому, что оно — пыль в глазах Аллаха. Потому что смерть — это песчинка, а Рай — бесконечен, и что такое песчинка рядом с бесконечностью? Это просто доказательство бесконечности. Если бы не было зла, мы бы не знали, что такое Аллах. Мы живем в этом мире, и когда я смотрю направо, и налево, и перед собой, я вижу зло, которое бесконечно и велико, но стоит поднять глаза наверх, и видишь, что это Аллах бесконечно велик, а любое зло в сравнении с ним бесконечно мало.

Антуанетте было очень страшно. И холодно. Ее усыпанные бриллиантами часики показывали час ночи, ее босоножки стыли на цементном полу, она не успела поесть на дне рождения, и чуть не умерла от этого жуткого ралли по ночным горам. Антуанетта вовсе не рассчитывала стоять заполночь в полуразрушенном здании со следами пуль на стенах. Она рассчитывала лежать в шелковой постели под самым сильным самцом, которого она когда-либо видела.

Этот человек был сумасшедший. Нет, определенно, он был полный псих. И вдобавок убийца.

Руки Джамалудина вдруг оказались на ее плечах.

— Прими ислам и выйди за меня замуж, — сказал Джамалудин Кемиров.

Шестое чувство удержало Антуанетту, чтобы не расхохотаться горцу в лицо. Она повернулась и молча обняла его. Они начали целоваться, жадно, как звери, сильное тело Джамала придавило Антуанетту к стене, и сквозь щипаную норку она почувствовала спиной круги и щербинки от пуль, и рукоять пистолета на животе Джамала больно впилась ей под ложечку. Руки горца сдирали с нее платье.

Антуанетта, хихикнув, сползла по стеночке ниже, и опытные ее руки скользнули под пряжку ремня.

— Не здесь, — задыхаясь, сказал Джамалудин.

Антуанетта удвоила старания. «Он мой, — молнией мелькнуло в голове, — он мой, и вилла в Ницце тоже моя, и дом на Рублевке, и вся Рублевка, и все эти сраные горы, а этот слюнявый садист Мао может отправляться в сортир. Я отомщу им всем».

— Не здесь, — повторил Джамалудин.

Антуанетта захихикала. Сознание будущей мести — и власти, и денег, — возбуждало не меньше, чем гладкая кожа мужчины, обтягивавшая стальные мускулы.

Джамал резко повернулся и бросился вон.

Антуанетта не поняла, куда он делся. Она моргала секунду, другую, — и тут на дорожке громко взревел мотор, и фары джипа описали сверкающую дугу в подбитой снегом ночи.

Антуанетта выскочила из роддома, как безумная. Красные габариты таяли в белой метели и черной ночи. На газоне, рядом со свежим шинным следом, валялся алюминиевый дипломат. Антуанетта подбежала к дипломату, раскрыла его, и увидела, что доллары все еще там.

Сначала Антуанетта решила, что это шутка, и что дикарь вернется с минуты на минуту. Но снег все шел и шел, стеклянная крыша над роддомом пылала призрачными бликами в свете фонарей. Ножки Антуанетты, в сверкающих босоножках с белыми каблучками и красными ремешками, свело от холода, в шубку из щипаной норки задувал ветер и снег.

Она стояла в двух тысячах метрах над уровнем моря, в сердце кавказских гор, в разрушенном здании со стеклянной крышей, в ночном городе, населенном террористами, уголовниками и просто кавказцами, в полуразорванном алом платье и норковой шубке из Милана, а в руках ее был дипломат с полутора миллионами долларов, а если считать с тем, что Джамал бросил ей под ноги во время первой песни, то еще тысяч на пятьдесят больше.

У нее не было ничего: ни мобильника, ни сумочки, ни даже обуви; только снег, ночь и скользкие босоножки на высоченных шпильках.

Антуанетта побежала по дорожке. Ей казалось, что цокот ее каблучков раздается по всему заметенному снегом городу. Когда она выскочила из сквера, она поскользнулась на тонкой подложке льда, вскрикнула и упала. Шубка распахнулась, бок мгновенно намок от тающего снега.

Антуанетта вскочила. Где-то за перекрестком мелькнул припозднившийся «жигуленок», Антуанетта запрыгнула за фонарный столб и затаила дыхание, но «жигуленок» сгинул, и Антуанетта побежала дальше, по заметенной снегом мостовой.

Она не знала, куда она бежит. В милицию? Упаси боже. В гостиницу? Здесь нет гостиниц. К телефону? Да и телефонов здесь тоже нет! Если б она свернула налево, она бы прибежала к освещенному подъезду больницы, но она свернула направо и побежала прямо к горам, огромным, сверкающим, облитым глазурью после только что кончившегося снегопада, и глухие, как тюремная стена, заборы потянулись по обе стороны улицы.

А потом Антуанетта увидела фары джипа. Джип ехал откуда-то поперек, свернул ей навстречу, и сразу же развернулся вослед. Антуанетта побежала вбок. Джип весело забибикал и наддал.

Антуанетта бросилась в тропку между заборами.

Джип вылетел на тротуар, и из него посыпались крепкие черноволосые парни.

— Стой! — орали они, — стой!

Тропка была вся в корнях и склизком мусоре. В ноздри било свежим снегом и человеческой мочой, за забором надрывалась собака, за спиной топотали сапоги.

Забор слева кончился: Антуанетта увидела пустой участок, весь в рытвинах и бетонных балках, дорожка повернула, и перед девушкой блеснул ровный откос горы и мост, перекинутый через узкую расщелину.

Точнее, моста не было. Вместо моста было бревнышко.

Антуанетта взвизгнула и бросилась вбок, по узкой дорожке между забором и склоном. Каблук ее зацепился о корень, она упала, но тяжелый дипломат она удержала в руках, вцепившись в ручку мертвой хваткой.

Антуанетта вскочила на ноги, и тут один из кавказцев поймал ее и дернул на себя. Антуанетта ударила его по голове дипломатом. Тот раскрылся, обтянутые целлофаном пачки посыпались в снег.

— Стой!

Антуанетта побежала дальше, — и через мгновение тропка кончилась. Она уперлась в глухой забор, и справа вырастал какой-то кирпичный дом, а слева откос превратился в отвесную стену, под которой шуршала зимняя речка.

Антуанетта обернулась и увидела, что по тропке бегут трое и все с оружием; один из них был без руки. Антуанетта закрыла глаза и медленно сползла по стеночке вниз, как была, в белой шубке и в босоножках из красных, украшенных стразами ремешков.

— Ребята, я вас очень прошу, не надо, — сказала Антуанетта, — я вас прошу...

Когда она открыла глаза, людей было уже четверо, и четвертым был Кирилл Водров. Позади него однорукий парень в камуфляже с удивительным проворством собирал с тропки пачки денег. Водров глядел на нее с какой-то странной жалостью, так, как не глядел никогда. Потом лоб его собрался в печальную складку, Водров протянул ей руку и сказал:

— Поехали. Джамал велел отвезти тебя в аэропорт.

* * *

Кирилл вернулся домой в пять утра. По правде говоря, это он приказал Шахиду ехать за Джамалудином в Бештой.

Кирилл понимал, что Джамал хочет выхарить председателя правительства даже больше, чем его любовницу, и, надо сказать, ему это удалось. Вряд ли он мог отмочить что-нибудь поэффектней. Но он знал Антуанетту и знал Джамала, и он понимал, что добром это дело не кончится. Откровенно говоря, он бы не очень удивился, если бы вместо Антуанетты нашел свежий труп.

Кирилла шатало от усталости, и Антуанетта билась в истерике у него на груди, и когда она хватала его за руки, у него было такое чувство, будто он зашел в общественный туалет.

Он посадил Антуанетту на самолет и своими глазами увидел, как самолет взлетел. Он отпустил охрану и строго-настрого велел ребятам отоспаться и не приезжать за ним раньше десяти.

Когда он добрался до дома, весь мир спал. Свежий снег искрился в фарах джипа, и шлагбаум у въезда был открыт. Это был въезд не собственно во двор, а в крошечный переулок, где кустом стояли четыре дома. Шлагбаум был тоже не обычная деревяшка, а сплошная стальная труба, намертво вгонявшаяся между двух опор, так, что ни один сумасшедший джип, груженый взрывчаткой, не мог бы прорваться через этот шлагбаум, а только расшиб бы о него лоб.

Но, как это часто бывает на Кавказе, где крайняя паранойя сочетается с крайней беспечностью, будочка в пять утра была пуста, шлагбаум загнан в сторону, и в свежем снегу под фарами Кирилла сверкал свежий шинный след.

Кирилл, засыпая за рулем, проехал через шлагбаум и свернул к черным угрюмым воротам, выпрастывающимся из кирпичной стены, — и тут он ударил по тормозам.

Немного справа от ворот, и прямо под стеной, стояли ржавые, темно-синего цвета «жигули». Над «жигулями» начинался подоконник с засохшими стебельками цветов, а над подоконником — стекло спальни, и там, в кровати, спала его беременная жена.

Стена дома была в два кирпича. Стекло было даже не бронированное.

Кирилл сидел в машине, в двух метрах от ржавых «жигулей», и страх муравьиными лапками полз вверх по позвоночнику. Ржавые «жигули» заезжают в охраняемые переулки только с одной целью. Сейчас подрывник нажмет кнопку, и, господи боже мой — какой, какой баран устроил спальню с окном на улицу?

Кирилл сидел, свежий снежок ложился на «жигули», и Кирилл вдруг с беспощадной ясностью понял, что охранники вовсе никуда не отлучались, — их трупы лежат там, в будке, а рядом ждет человек с «кенвудом», или черной коробочой «моторолы».

Он их достаточно повидал, этих раций, переделанных в самодельные взрывные устройства, дома у Джамала валялись целых три штуки, все — из которых его не взорвали. Боже мой, зачем он отпустил охрану? Хотя охрана вряд ли чем-то могла помочь против ржавых «жигулей».

Прошла еще секунда, другая, потом десять, — и вдруг Кирилл понял, что он жив. Он не знал, почему он жив, и что случилось с подрывником, и где он прячется, но Кирилл понял, что Аллах дал ему несколько секунд, и Кириллу даже не пришло в голову просить у кого-то помощи.

Он выскочил из джипа и открыл заднюю дверцу. Там, лихорадочно роясь, он нашел желтый буксировочный трос. Трос он выкинул на белый снег, развернул джип и зацепил трос за «жигули».

Он сел за руль, завел мотор и дернул. Он ожидал, что «жигули» сдетонируют рывка, но не тут-то было. Джип, взревывая, полз по заснеженной колее, и «жигули» шли вслед за ним. Они миновали стену дома и черные ворота, потом они миновали шлагбаум с будочкой, а потом Кирилл проехал еще пятьдесят метров и свернул на перекрестке, и «жигули» потащило на обочину, и они засели, рылом вверх, в огромном сугробе, загораживавшем подходы к какой-то заставленной машинами пятиэтажке.

Кирилл выскочил из джипа, отцепил трос, снова отъехал от «жигулей» и схватился за телефон, — и тут из пятиэтажки выскочил человек. Человек бежал, подпрыгивая, по свежему снегу, и полы его распахнутой куртки развевались, как крылья летучей мыши. У человека была черная кепка и седая бородка, и он был побит жизнью, как ржавые «жигули».

Человек подбежал к джипу и ударил колесо ногой. Кирилл выскочил наружу, и человек заорал:

— Ты что, окосел? Ты че с тачкой делаешь, а? Крутой, да? Крутой?

От него несло потом и спиртным.

— Ты... где... ее поставил? — медленно наливаясь яростью, процедил Кирилл, — ты ее у моего дома поставил, ты...

Человек ударил Кирилла по челюсти. Точнее, он попытался это сделать, но был чересчур пьян, и Кирилл легко уклонился, выхватил пистолет, и выстрелил в снег перед незадачливым владельцем «жигулей», раз и другой.

Человек сунул руку в карман. Кирилл выстрелил ему в ногу. Брань превратилась в истошный визг, пьяный повернулся и побежал от Кирилла прочь, прихрамывая, как дворняжка, которой отдавили лапу. Кирилл выстрелил поверх его головы, и стрелял, пока не закончились патроны, а потом он сунул руку в карман, и вытащил оттуда вместо новой обоймы какую-то россыпь мелочи и беленький квадратик.

Кирилл вгляделся в квадратик. На нем было написано:

Cyril V. Vodrov
Navalis Avaria
Chief executive officer

И телефоны лондонского офиса.

Кирилл стоял посереди снегопада, с пистолетом в одной руке и визиткой в другой, а незадачливый владелец «жигулей», визжа, улепетывал куда-то в подъезд.

Он, Кирилл Водров, кадровый дипломат, миллионер, владелец особняка в Кенсингтон Гарденс и управляющий директор «Навалис Авария», чуть не убил человека *из-за того, что тот запарковал свою машину на улице возле дома Водрова.*

Кирилл перезарядил пистолет, и, прицелившись, высадил четыре пули по колесам сползшей в сугроб «пятерки». Потом он шагнул к «жигулям», тут же погрузившись по колено в снег, и сунул под дворники белый квадратик визитки.

Когда он въехал в ворота, на пороге дома стояла Диана.

Она была без платка, и длинная шубка, впопыхах накинутая на плечи, едва сходилась на набухающей ягоде живота.

— Стреляли? — настороженно сказала Диана.

Кирилл обнял ее и зарылся лицом в черные душистые волосы.

— Я не слышал, — сказал Кирилл.

* * *

Кириллу снился сон.

Ему снилось, что он сидит вместе с Джамалудином Кемировым в московском ресторане «Черный бархат», и на сцене, в алом разорванном платье и шубке из щипаной норки, поет Диана. Джамал улыбается, оскалив белые зубы, и кладет в руку Кирилла «стечкин».

— Ты не должен жениться на шлюхе, — говорит Джамал, — убей ее.

Кирилл отталкивает руку со «стечкиным», и Джамал начинает стрелять сам. У Кирилла оружия нет, и он бежит от пуль вдоль какого-то забора, и в душе его один липкий страх, и когда он добегает до сцены, он видит там труп в алом. Он переворачивает труп, и это не Диана. Это Заур.

Лицо Заура разворочено, и из уцелевшего коричневого глаза в глаз Кириллу заползает червяк.

Кирилл закричал — и открыл глаза.

Стрелки на часах показывали половину седьмого утра; тяжелые шторы на окнах спальни были задернуты, и сквозь раскрытую форточку было слышно, как о молл бьется штормовое море.

Кирилл лежал на боку, крепко обняв Диану, и она была живой и теплой, и когда он осторожно положил руку на ее набухший, как капля, живот, он услышал, как там кто-то шевелится.

Он всегда засыпал и просыпался в одной и той же позе. Он ничего не мог с этим поделать. Джамалудин однажды спросил его, спит ли он с женой в одной спальне, Кирилл замешкался и не знал, что ответить. Тогда Джамалудин обронил, как бы между прочим, что он всегда спит один.

— А если в окно всадят гранату? — сказал Джамалудин. — Зачем женщине-то умирать?

Но Кирилл пренебрег этим разумным советом и всегда спал с Дианой, и когда у нее начинались боли, он всегда обнимал ее обеими руками, и тогда получалось, что они вынашивают плод как будто вместе, – а боли случались часто. Беременность протекала тяжело, потому что тогда, девять лет назад, у Дианы был выкидыш, и Кирилла каждый раз прошибал холодный пот, когда он думал, что с ней делали солдаты, и что было бы, если б село об этом узнало.

Диана услышала крик и проснулась. Кирилл тихо поцеловал ее плечо.

– Плохой сон, – сказала Диана, – да?

– Да.

– Тебе надо принять ислам.

«Мне надо жить там, где не убивают людей».

Кирилл промолчал.

– Ты очень несчастный человек, – тихо сказала Диана, – неужели ты в самом деле думаешь, что *там* ничего нет?

«Нет, конечно, есть. Там, за волосяным мостом, сидит Аллах с черной бородой и в чалме. И всякие идиоты, вроде меня, которые занимались химзаводами и банками, поскальзываются и падают с этого моста в геену огненную, а милые ребята, которые стреляют в затылок девушкам и держат уразу по три месяца, бегут по мостику прямо к гуриям».

Диана положила свою руку на его руку, и Кирилл с новой силой ощутил, как под тонкой кожей ее живота бьется новая – двойная – жизнь.

– Как ты их назовешь? – спросила Диана.

– Заур. Заур и Владимир.

«Их будут звать Заур и Владимир, и у меня будет пять сыновей. Заур, Владимир, Саид-Эмин, Хас-Магомед и Алихан. Черт возьми, у меня будет пять сыновей, и старшему из них шестнадцать, и даже по кавказским меркам это очень солидно. У меня впервые в жизни есть семья».

– Послушай, – сказала Диана, – Заур и Владимир сидят там, внутри, и им очень темно; и они никогда в жизни не видели света, и Заур говорит Владимиру, что вскоре они увидят свет. «Не может быть, – говорит Владимир, – что такое свет? Что ты выдумываешь про свет, который я никогда в жизни не видел?» «В мире есть свет, – отвечает Заур, – в нем есть воздух, и море, и солнце, и многое, что мы не видели и увидим, только когда родимся», а Владимир отвечает: «Ты глупец! В мире нет ничего, кроме материнской утробы, и как только мы выйдем из нее, мы умрем, потому что еще никто из ушедших из утробы не возвращался назад и не рассказывал ничего из твоих выдумок про свет, море и мир».

Кирилл улыбнулся в темноте и поплотней прижался к женщине. Кожа ее была жаркой и чуть влажной под одеялом, и от нее, как всегда, словно пахло горным пряным лугом.

— Ты очень переживаешь, что я не мусульманин?

— Как я могу не переживать? Если мы умрем, ты ведь не попадешь в рай, а умереть можно в любой момент.

Кирилл улыбнулся, и они принялись целовать друг друга, неловко повертываясь, так, чтобы будущие Заур и Владимир не очень мешали им.

— Кирилл, — сказала Диана.

— У?

— Этот человек... Мао.

Диана надолго замолчала, и Кирилл, улыбаясь, ловил ее теплое и глубокое дыхание.

— Это он тогда велел называть себя товарищ Ахилл.

Мир внезапно померк, и Кирилл увидел, как наяву, хлещущую из крана воду и напряженное, мертвое лицо Дианы в стальном зеркале. Глава «Навалис Авария» лежал, зарывшись лицом в черные душистые волосы, и рука его помнила тяжесть пистолета, дергающегося в руке от боевых выстрелов.

— Я приму ислам, — промолвил Кирилл.

* * *

Они приехали в Тленкой на следующий день, и там имам в старой мечети с каменной кладкой и квадратными окнами времен имама Шамиля услышал от Кирилла все причитающиеся слова, а потом уже дома объявил Диану его женой согласно шариату.

Из свидетелей были только охрана и еще несколько соседей. Не было даже Алихана — мальчик эти дни был в Москве, на обследовании в РДКБ. Кирилл знал, что Джамалудин не одобрит его поступок. То есть, разумеется, Джамалудин будет очень рад его обращению. Но Кирилл к этому времени достаточно много понимал в республике, чтобы знать, что Тленкой — село сложное, если не сказать — ваххабитское, что в селе живут отец и дед Булавди Хаджиева, и если слухи верны, то запросто иногда можно в нем застать и самого Булавди, и имам этого села иногда на пятничной молитве проповедует такие вещи, которые люди Джамала имеют обыкновение заталкивать обратно в рот их сказавшему вместе с его собственным, мелко нарезанным, языком.

Словом, отправившись в Тленкой, Кирилл как бы демонстрировал, что принимает ислам не из желания выслужиться перед Джамалудином; да это и гарантировало, что в Бештое не закатят никакого приема по случаю его обращения.

Когда Кирилл вернулся на завод, секретарша в предбаннике протянула ему трубку.

— Кирилл Владимирович! Вам звонят — из РДКБ.

Пальцы Водрова мгновенно помертвели, и он взял трубку.

На проводе был главврач. Он сказал, что Алихан прошел обследование, и все пока в норме.

— Вы знаете, Кирилл Владимирович, — продолжал голос в трубке, — вам очень повезло. Мы нашли донора. Три года назад у нас была чеченская девочка, больная лейкемией; тогда ее родственники сдавали кровь в госпитале им. Бурденко. Один из образцов подходит Алихану. Тут написано, что это человек, верный федералам. Собственно, он подполковник ФСБ.

Сердце Кирилла сбилось с ритма. Он лихорадочно шарил по секретарской конторке в поисках ручки.

— Записывайте. Бу-лав-ди. Да, Булавди Имранович Хаджиев. Вы слышите меня, Кирилл Владимирович?

* * *

Кирилл подождал ровно восемь дней. Он не торопился, во-первых, потому, что он понимал, что Джамалудин не в восторге от его поездки в Тленкой, а во-вторых, потому, что через восемь дней они пускали светомузыкальный фонтан.

Бог его знает, где Джамал углядел этот фонтан, то ли в Турции, то ли в Дубае, но выглядел он весьма впечатляюще — пятидесятиметровая овальная чаша воды, которая то била вверх подсвеченными струями, то вставала сплошной стеной, и тогда на эту стену, как на прозрачный экран, под музыку проецировались мерцающие лазерные клипы.

Джамалудин загорелся сделать этот фонтан прямо на центральной площади города, перед Домом Правительства, где раньше стоял памятник президенту Асланову. Потом памятник снесли, площадь загородили от террористов, да и устроили из нее ужасающую помойку. Кирилл был согласен, что помойка посереди города — не дело, но фонтан стоит пять миллионов евро, и все эти деньги стрясли с Navalis Avaria, и, как будто этого было мало, все, что касалось монтажа оборудования, тоже свалилось на его голову.

Джамалудин интересовался фонтаном каждую неделю и самолично отбирал все клипы, забраковав, впрочем, только два — с полуобнаженными индийскими танцовщицами и концертом Мадонны.

Фонтан открыли; площадь одели в свежую плитку, деньги на которую АТЦ выколотил со всех окрестных магазинов; на открытие сбежался весь город, все плясало и пело до трех ночи; а там, где раньше у входа на центральную площадь стояли бетонные надолбы, Джамалудин приказал устроить детский городок, — и вот на следующий день, после того, как все отплясались и отоспались, Кирилл поехал к Джамалудину.

Человек, который вылез из бронированного «мерса» во дворе некоронованного хозяина республики, ничуть не походил на того человека, который спустился шесть месяцев назад с трапа корпоративного самолета.

Он даже двигался по-другому, — плавно и вместе с тем быстро, как меж камней скользит змея, на нем вместо белой рубашки была черная глухая водолазка, и коротко стриженные волосы открывали высокий лоб с ранними морщинами и настороженными зеленоватыми глазами: такие глаза бывают только у людей, которые знают, что их в любой момент могут убить. Под пиджаком Кирилла висел «макаров».

Кирилл никогда не носил его на виду, и вообще это было глупо, щеголять оружием в окружении Хагена или Джамала, но он не расставался теперь с пистолетом и чувствовал себя неуютно, если ствола не было.

Не то чтобы ствол помогал против донных мин.

И все-таки ствол под пиджаком менял походку, и любой наблюдатель принял бы человека, вышедшего из «мерса», за местного, особенно учитывая его водителя, мальчишку лет шестнадцати. Явно сын, или близкий родич, заканчивающий школу и уже проходящий здешние университеты.

В гостиной все бросились с поздравлениями, Кирилл улыбался, а Алихан так просто сиял. Минут через пять Джамал оставил гостей и поднялся с Кириллом в кабинет.

— Отличный парень, — сказал Джамал, опускаясь в широкое кресло, — надо б его женить.

— Еще рано.

— Он же болен, — сказал Джамалудин, — если он умрет, так пусть хоть внук останется.

«Мне не нужен внук. Мне нужен Алик».

— Собственно, я об этом и хотел поговорить, — внезапно севшим голосом проговорил Кирилл, — видишь ли... Алихан... сейчас здоров. Но при этом типе лейкоза очень высок процент рецидива. Если будет рецидив, ему поможет только пересадка костного мозга. А для чеченца очень трудно подобрать донора, практически невозможно, если речь не идет о ком-то из родичей. В случае рецидива Алихан обречен.

— Мы все в руках Аллаха, — сказал Джамалудин, и лицо его потемнело и замкнулось.

— Послушай, Джамал, — сказал Кирилл, — ты видишь, как я отношусь к этому мальчику. Он для меня больше, чем сын.

— Я чем-то могу помочь?

— Три года назад уже был такой случай, болела чеченская девочка, и ее родичи все сдали образцы. Сдавали даже твои сыновья. От Мадины.

— Амир может помочь Алику? — широко улыбнулся Джамалудин.

— Нет. Это может сделать Булавди Хаджиев.

В кабинете наступила тишина. Чуть потрескивали поленья в камине, да снизу, из гостиной, доносились возбужденные голоса и перестук бильярда.

— И что ты хочешь от меня?

Голос Джамалудина тек легко, как горный ручей по камням. Хозяин республики лежал, расслабившись, в кресле, и белые сильные пальцы перебирали четки.

— Я никогда не обсуждал эту тему с тобой. Скажи, Джамал, — ты считаешь, что это Булавди убил Заура?

— А ты как думаешь?

В том, что случилось после смерти Заура, была некая странность. Она заключалась в том, что родичей Булавди не тронули. Застрелили того придурка, который вздумал приписывать себе теракт. Потерялся еще какой-то парень, по имени Исмаил, — Кирилл слышал разные жуткие слухи. В конце концов взяли даже родичей Максуда, подержали, но отпустили, — а вот родичей Булавди обошли стороной. В республике это объясняли тем, что Джамалудин и Булавди сами были родичами. Ведь Джамал Кемиров был женат на двоюродной сестре Булавди, ближе близкого, и Сапарчи даже как-то съязвил в парламенте, что если Джамал хочет извести своих кровников, ему проще всего начать с собственных сыновей.

— А ты как думаешь?

— Я думаю, что если бы ты думал на Булавди, тебя бы ничего не остановило. Я слышал много раз, как ты бранился на ваххабов. Но ты ни разу не бранился на Булавди. Ты восхищаешься им даже тогда, когда зовешь его «чертом». И еще я думаю, что Булавди было бы нелегко нанять Максуда, после Белой Речки: ведь всем стало ясно, что Максуд — стукач. Я думаю, что Булавди просто некуда идти. В Лондоне его не примут, потому что он — меченый Красным Склоном, а в Азербайджане его убьют. Здесь ему безопасней, чем где-либо, потому что здесь у него есть нора, оружие и даже немножко денег, а когда он куда-нибудь убежит, то нора и деньги кончатся.

Джамалудин резко вскочил.

— Как ты заступаешься за них! — закричал Джамалудин, — нет, ты только посмотри, как ты разеваешь рот, так ты только и делаешь, что жалеешь их! Мои люди у тебя — убийцы, для меня у тебя доброго слова нет, а как кто шарится в горах да взрывает ментов, — так ты сразу плачешь над ним, как Би-би-си! Ты федерал или кто, а?

— Я не об этом, — сказал Кирилл.

— А о чем?

Белые сильные пальцы ухватили его за пиджак.

— А о чем? Ты предлагаешь мне помириться с Булавди? С человеком, который приговорил мой род? И только потому, что какой-то мальчишка может умереть? Мне-то что?!

Жуткая улыбка скривила рот Джамала, и он проговорил:

— Подумай, Кирилл. Даже если бы я считал, что Булавди не убивал брата, неужели я когда-нибудь кому-нибудь дам понять, что я так считаю? До тех пор, пока не поквитаюсь с убийцей?

Дух захватило у Кирилла. Черные глаза смотрели ему прямо в душу, и в глубине этих черных глаз плавали багровые огоньки, похожие на пятнышки оптического прицела. Это был совсем не тот Джамал. Не бесстрашный полевой командир. Не фанатик, бросившийся на Красный Склон, не задумываясь о смерти. Не осиротевший волк, раздавленный горем после смерти Заура, и даже не разумный, дельный хозяин унаследованного им удела. Этот человек поставил на карту все, — чтобы получить сторицей, или пулю в лоб. И не только жизнь Алихана, но и самого Кирилла ничего не значили для этого человека, как для него никогда не значила ничья жизнь. «Неужели я кому-нибудь дам понять, что я не считаю Булавди убийцей?»

Кого же ты считаешь убийцей, Джамал?

— Иди, — сказал Джамалудин, — и если я узнаю, что ты... Не думай, что ты можешь играть в эту игру, если ты научился стрелять по ржавым «жигулям».

Кирилл вышел.

Его сын был обречен.

ГЛАВА ДЕСЯТАЯ

Весна

Весной, когда ледяная кора потекла с гор во взбухшие реки, когда на оттаявшем черноземе клумб возле частных особняков расцвели сиреневые и белые крокусы, а на склонах гор из-под прелой листвы вылезла сочная жирная черемша, которую можно жарить с маслом и без масла, а можно есть прямо в лесу, если голоден, — весной в республике начали убивать ментов.

Первый «газик» расстреляли через три дня после открытия фонтана. Кирилл ехал на встречу с какой-то московской комиссией и услышал новость по телевизору, вделанному в черную панель рядом со спутниковым телефоном и мини-баром.

В «газике» было четверо ментов, но не сотрудников АТЦ, а так, постовых, и ментов просто подождали у магазина, да и изрешетили в два автомата в упор. Четверо ментов — это было густо. Четырех ментов в республике давно не убивали.

Правда, месяц назад в ресторане на проспекте Ленина убили аж пятерых ментов, но это был не теракт, а просто не поделили певичку.

Московская комиссия приехала в республику изучать экологию и недропользование, и ее появление, как полагал Кирилл, было очередным результатом неутомимости Христофора Анатольевича.

Комиссия вела себя довольно учтиво, ибо знала, что предыдущей комиссии Джамал Кемиров за правильный отчет об экологии заплатил ровно миллион долларов. Правда, Джамал швырнул этот миллион в коллектор со сточными водами, а потом под дулом автомата заставил члена комиссии туда за ним нырнуть. Кирилл лично думал, что автомат был лишним. Член комиссии нырнул бы и так.

В середине заседания Джамалудин и Хаген получили какое-то известие и уехали, а Ташов, сидевший через стул от Кирилла, перегнулся к нему и прошептал на ухо:

— Еще одного человека убили. Зама у Хагена. Подошли два парня у дома и расстреляли в упор. Помнишь Асланбека, которого убили в феврале? Они за этого Асланбека поклялись убить сто ментов.

— Мы не можем допустить, — громко сказал Христофор Мао, — чтобы деятельность завода нанесла ущерб будущим поколениям! Мы обязаны беречь наших граждан!

* * *

Кирилл вернулся домой к одиннадцати вечера. Шахид и Абрек уехали на соболезнование. Алихан сидел за ужином очень задумчивый. В среду Торби-кала была вся полна патрулями, и не убили никого, а через три дня убили гаишника, и в тот же вечер патрульный «газик» наскочил на ведро со взрывчаткой.

* * *

А еще через день случилось покушение на Дауда Казиханова.

У дома Дауда снова нашли фугас, и так как речь шла о Дауде, то было не очень понятно, теракт это или бытовуха. Ведь с одной стороны, Дауд был давно приговорен к смерти шариатским судом за сотрудничество с ФСБ, а с другой стороны, было известно, что он только что стрелял в человека, который вместо него выиграл подряд на реконструкцию Тленкойского моста.

Короче говоря, Кирилл скорее думал на бытовуху, но еще через неделю машину начальника РУБОПа обстреляли из автоматов, и так получилось, что охрана застрелила одного из нападавших. Его показали по телевизору. Выстрел снес ему пол-лица, но председатель правительства Христофор Мао сказал, что это эмиссар, приехавший из-за границы с целью подорвать стабильность в республике.

За ужином Алихан рассеянно гонял по тарелке куски рыбы.

— Его звали Саид-Магомед, — вдруг сказал Алихан, — он из соседнего села. Его семья уехала в Бельгию, когда ему было десять лет, а он все просился приехать. Говорил, хочу школьных друзей увидеть. Вот он приехал, и сразу на следующий день убежал в горы. Он на год старше меня.

— И давно он приехал?

— Неделю назад.

Тут в столовую вошел кто-то из охранников, и Алихан замолчал.

Кирилл хотел поговорить с Алиханом об эмиссаре из Бельгии, но рухнул в постель и заснул, а в пять утра его растормошила Диана: надо было лететь в Москву.

* * *

Звонок из Генпрокуратуры раздался, когда он выходил из самолета. Следователь Пиеманис очень вежливо попросил подъехать на Технический, и осведомился, на когда удобно будет оформить повестку.

Кирилл не придал звонку значения. Его допрашивали уже несколько раз, все очень благожелательно, но Кирилл знал, что расследование смерти Заура Кемирова попросту толчет воду в ступе. Поэтому Кирилл сказал, что он в Москве, и так как назначенная ему встреча была недалеко от Технического, он будет сразу после встречи.

Он освободился к часу и сразу поехал в прокуратуру, и когда он подъехал, у стеклянных дверей будочки уже маялся какой-то белобрысый майор из следственной группы. Майор лихо выписал пропуск и повел его через рамку во двор. Рамка зазвенела, Кирилл с досадой выложил мобильный и снова прошел через рамку, но рамка зазвенела опять.

Кирилл сунул руку под пиджак и обомлел. Он очень устал и не выспался, и утром, переодеваясь, он механически взял с собой пистолет, а через час забыл отдать его охране, поднимаясь на борт самолета в Торби-кале. Кирилл вынул руку, сунулся снова в карман и извлек оттуда связку ключей.

— Да проходите, проходите! — поторопил майор.

Кирилл распихал по карманам мобильники, одернул пиджак и заспешил по довору к бетонному кубу с крыльцом, напоминавшим квадратную челюсть гиены.

Следователь Пиеманис был высоким и полным мужчиной лет сорока пяти; на жирной розовой щеке торчала бородавка, и одинокий длинный волосок торчал из нее, как кошачья вибрисса. Стена кабинетика, в котором он сидел, была увешана календарями с людьми в камуфляже, значками и вымпелами: чувствовалось, что следователь Пиеманис восхищался укрепляемой им по мере сил вертикалью власти.

Кирилл, чувствуя себе последним идиотом из-за пистолета, неловко присел на край стула. Пиеманис копался полчаса, вбивая в компьютер его данные и заполняя подписку о неразглашении. Потом снова принялся расспрашивать о взрыве: все эти показания Кирилл давал раз пять или шесть, и никакого оперативного интереса они уже не представляли.

Кирилл проголодался, вспотел в теплом пиджаке (снять его он не решался, памятуя о пистолете), и уже хотел было послать следователя к черту, когда тот спросил:

— Ведь я так понимаю, что после гибели брата Джамалудин Кемиров стал хозяином республики?

— Он мэр Бештоя и заместитель председателя правительства, — ответил Кирилл.

— А какие отношения были у Джамалудина и его покойного брата?

— Такие же, как между моей правой щекой и левой.

— Они не ссорились?

— Никогда.

— Насколько мы выяснили, накануне гибели Заура Ахмедовича Джамалудин Ахмедович демонстративно покинул ресторан, где гулял его брат. Разве этому не предшествовала ссора?

Кирилл сглотнул. Он слишком хорошо помнил, что случилось в ту ночь. Никогда в жизни не приходило ему в голову, что он будет отмазывать Джамала от убийства двух девушек, которым выстрелили в затылок из «стечкина».

— Нет.

— Ну что ж, — распишитесь и идите, — сказал следователь.

Из принтера вылезло два листа бумаги.

Кирилл взял их и прочел: «Отношения между президентом республики и его младшим братом были очень плохие. Заур Кемиров являлся твердым сторонником российской государственности, Джамалудин презрительно относился к России и проявлял себя исламским фанатиком. Накануне гибели Заура между ними произошла крупная ссора. После смерти брата Джамалудин Кемиров унаследовал его имущество и всю власть в республике».

Кирилл почувствовал, как краснеет от бешенства.

— Где здесь хоть слово, которое я сказал? — спросил Водров.

— Все как вы сказали, — отозвался Пиеманис.

Внутри Кирилла что-то хрустнуло. Рука его сама рванулась под пиджак, и в следующую секунду «макаров» в руке Кирилла уперся следаку в лоб. Сухо щелкнул предохранитель.

— Ты, сукин сын, — сказал Кирилл, — ты у меня сейчас сожрешь эту блевотину. И если ты еще раз напишешь что-то подобное, не думай, что ты спрячешься за начальством! Ты ответишь за это лично, понял? За каждую строчку, которую написал! Ты у меня дни будешь считать до ответа! Жить — и считать!

Кирилл вбросил пистолет в карман пиджака, повернулся и вышел.

Он пришел в себя только во дворе прокуратуры. Он шел из стеклянных челюстей к караульной будке, и его прошиб холодный пот, и кости в ногах вдруг растаяли, как сахар, брошенный в кипяток. Когда он подавал пропуск на входе, он вспомнил, что следователь не поставил ему отметку на пропуске, и ему представилось несомненным, что вот сейчас во двор выбежит группа захвата, и человек в камуфляже и шлеме-сфере заорет: «Стоять!»

Он отмочил самую большую глупость, какую только мог. Он пронес оружие в здание Генпрокуратуры. Он вытащил его в кабинете, который прослушивался. И, кстати, это оружие не было зарегистрировано в Москве; он вообще не имел права таскать этот ствол иначе, кроме как в Торби-кале.

Толстый сержант козырнул ему, отдавая паспорт, рамка зазвенела, пока он шел через нее к свободе, и черный бронированный «мерс» Кирилла уже выворачивался со стоянки, завидев своего шефа.

Он сел в «мерс» и вдруг понял, что его не арестовали. Вытащил ствол, вытер отпечатки и сунул водителю:

— Подержи пока у себя, — сказал Кирилл.

* * *

Следователь Пиеманис позвонил на следующий день. Он был очень вкрадчив. Он сказал, что у него есть ряд вопросов к Кириллу Владимировичу, и что он хотел бы договориться о встрече. Кирилл хотел было ответить «только повестка», — но что-то в тоне Пиеманис его удивило.

— Приезжайте в офис, — сказал Кирилл.

Андрис Пиеманис не хотел приезжать в офис. Он предложил встретиться на «нейтральной», как он выразился, территории.

Через два часа Кирилл вылез из «мерса» напротив мерцающего во тьме ресторана. Вместо одной машины сопровождения у него было две: на повороте на Климашкина к кортежу присоединился джип Хагена. Белокурый глава АТЦ прилетел в Москву по каким-то своим палаческим делам. Они обнялись, и Кирилл сказал:

— Спасибо, что приехал. Я боюсь, что он устроит какую-то подлянку.

— А что ты ему сделал?

— Ничего особенного. Разбил ему зубы «макаровым» в его собственном кабинете.

Белокурый эсесовец оглядел своего худощавого собеседника:

— Ты растешь, — сказал Хаген.

«Будем надеяться, что я все-таки не дорасту до того, чтобы вышибать мозги восемнадцатилетним девушкам».

Над белоснежными скатертями пылали серебрянные семисвечники; на сцене орал день рождения, и никакое, даже самое совершенное звукозаписывающее оборудование в мире не записало бы за их столиком ничего, кроме новой песни «Виагры».

Следователь явился спустя двадцать минут. Он нервно оглядел Хагена, кивнул Кириллу и присел не то чтобы на краешек стула, но и не посередине.

— Поужинаете? — спросил Кирилл.

Пиеманис кивнул, и Кирилл подозвал официанта. Выбор следователя пал на фуа-гра, черную треску со шпинатом, и белое Шабли восемьдесят девятого года. Разговор шел ни о чем: следователь рассказал пять анекдотов, шесть из которых Кирилл слышал еще в университете.

Андрей Пиеманис покончил с треской, вытер маленький рот ослепительно белой салфеткой с вензелем ресторана, заглотил последнюю каплю вина, наклонился к Кириллу и сказал:

— Вообще-то я хороший сыскарь.

Кирилл промолчал.

— Может, встретимся еще? — спросил Пиеманис.

— Зачем?

— Если захотите, — сказал следователь.

Он резко поднялся и пошел вглубь зала. На столе осталась папка, желтая, чуть потрепанная, которую он принес с собой, и теперь оставил, подтолкнув ее к Кириллу. Кирилл развернул папку. В папке была фотография черного «мерседеса». Они были сняты камерой слежения, довольно дешевой, крупноячеистой, и все же рядом с «мерсом» можно было узнать невысокого худощавого человека в черном пиджаке и черных брюках. Того самого, которого Кирилл видел за две минуты перед взрывом.

Следователь Пиеманис вернулся через десять минут. Папка по-прежнему лежала на столе. Следователь приоткрыл ее, но фотографии уже не было. Вместо нее лежали двадцать тысяч евро. Следователь как-то странно всхлюпнул ртом и облизнулся. Глаза его разбежались, как биллиардные шары после столкновения.

— Почему бы вам завтра не приехать в офис? — сказал Кирилл.

* * *

Следователь Пиеманис приехал в офис в десять утра. Он настороженно ступил на наборный паркет кабинета, оглядел великолепие отделки и круглый стол, такой большой, что будь он бассейном, в нем можно было бы утопиться, и двух сидевших за столом людей, — Кирилла Водрова, в темно-синем пиджаке и светло-синем галстуке, и белокурого начальника АТЦ, в черной со стальным отливом рубашке, перекрещенной рыжими подпругами кобур. На арийской голове Хагена красовалась зеленая круглая шапочка, украшенная звездой с нависшим над ней полумесяцем.

Следователь повертел головой и сел, и длинный волосок на его бородавке уставился на лежашую посереди стола коробку, буднично накрытую газетой. Кирилл снял газету, — под ней лежали два толстых, запрессованных в плотную пленку куба по сто тысяч долларов.

— Это что? — сказал следователь. Он ужасно напомнил Кириллу кота, принюхивающегося к новой банке «вискаса».

— Задаток.

— А окончательный расчет?

Хаген гибко потянулся и хлопнул себя по кобурам с торчащими из них рукоятями «стечкиных».

— Бери задаток и покажи товар, — сказал Хаген, — и не думай, что можешь впарить фуфло.

Следователь Пиеманис откашлялся и развернул принесенную им папку.

— Черный «мерседес» госномер У323НО был угнан у гражданина Буткина на Профсоюзной улице второго ноября в три часа дня, — сказал следователь.

Хаген невозмутимо слушал.

— Согласно показаниям владельца, его выкинули из машины трое кавказцев. Это стандартный способ действия аварских и ингушских банд, специализирующихся на грабежах автомобилей; таких банд в столице не одна сотня. Как правило, автомобиль сразу загоняют в мастерскую и перебивают номера, и если он предназначен для перепродажи в Москве, то в Аварии сообщник в ГИБДД обычно выписывает фальшивый ПТС и справку о продаже. А если его гонят на Кавказ, то следователь или гаишник садится за руль машины и отгоняет ее на Кавказ, и номера перебивают уже там. Никто ведь не проверяет машину, за рулем которой гаишник. Я проверил, кто выписал фальшивый ПТС на этот «мерс», и это оказался один аварский гаишник по имени Иса. Я захотел его допросить, но коллеги из республиканского МВД были на редкость не расположены к сотрудничеству. Да и сам Иса потерялся.

Следователь Пиеманис замолчал и выжидающе поглядел на Хагена, словно полагая, что начальник республиканского АТЦ даст какие-то пояснения, или прокомментирует ситуацию, но Хаген сидел молча, откинувшись коротко стриженым затылком к спинке кресла, и запустив большие пальцы рук под рыжие ремни кобуры.

— Что ж, — сказал следователь Пиеманис, — мне было отрадно видеть, что в своем расследовании... мы с коллегами движемся в одном направлении.

Хаген сунул руку в карман и извлек оттуда коричнево-синий «сникерс». С хрустом содрал обертку и откусил три четверти. Кирилл знал эту же привычку за Шахидом и Абреком: они оба ели довольно много шоколадных батончиков, как это привыкли делать люди, часами сидящие в засадах или нуждающиеся в срочных калориях во время горного перехода. Говорили, что когда боевиков было много в лесах, там тропинки были усыпаны обертками от шоколадок.

Следователю Пиеманис сникерс почему-то не понравился, он сморгнул и продолжил:

— Следующий раз система «поток» засекла наш «мерс», с новыми номерами, на въезде в Москву, уже второго декабря. Это довольно странное событие, потому что, как я уже сказал, если машину украли для перепродажи в Москве, ее не гонят на Кавказ, а если машину украли для Кавказа — она не едет обратно в Москву. И тем не менее этот «мерс» съезил в Аварию и вернулся в Москву, и снова пересек МКАД по направлению к Внуково в десять ноль пять.

Следователь Пиеманис извлек из папки и разложил перед Кириллом белую простыню с детализацией телефонных звонков.

— Через две минуты после пересечения МКАД пассажир «мерса» звонит по телефону. Он звонит еще три раза, на один и тот же номер, через десять, семнадцать, и девятнадцать минут. Третий звонок раздался за тридцать семь секунд до взрыва. В этот момент абонент находился в районе действия базовой станции «Аэропорт Внуково». Через две минуты наш абонент звонит снова. На этот раз он пересек летное поле и звонок ушел с соты «Ликова». Еще через минуту он делает новый звонок, на новый номер, из района действия базовой станции «Рассказовка». То есть он сидит в машине, которая движется по Боровскому шоссе.

И следователь Пиеманис расстелил карту, на которой отметил точку взрыва и маршрут ушедшего пассажира.

— Оба номера, которые набирал абонент, существовали всего два дня и использовались только для связи с киллером. Симкарта и телефон, с которых звонил киллер, больше не звонят никогда. Но с нее звонят два раза накануне, — вечером из района Неглинки. Мы сняли данные со всех камер, — и вот вам ваш черный «мерс», припаркованный накануне в трехстах метрах от клуба «Черный бархат».

Кирилл и Хаген вздрогнули и посмотрели друг на друга.

— Пассажир «мерса» покинул салон, как и на аэродроме, — продолжал Пиеманис, — и так как в районе Неглинки довольно много камер, он попал в их поле зрения.

Пиеманис выложил еще парочку фотографий и вопросительно посмотрел на собеседников. Кирилл и Хаген снова переглянулись, и Хаген безразлично сказал:

— Его зовут Максуд Шиханов. Мы это знаем.

— Не сомневаюсь. Разносторонний человек. Бывал, как я понимаю, везде. Незадолго до нашей с вами проблемы получил заказ на убийство одного товарища по имени Саша на Украине. Вы не знали?

— Нет. При чем здесь это?

— Дело в том, — сказал следователь Пиеманис, — что товарищ по имени Саша узнал о заказе. Он ликвидировал заказчика. Потом он попросил ФСБ РФ слушать все телефоны Максуда. В рамках коммерческого заказа. Когда мы стали проверять Максуда, мы выяснили, что ФСБ РФ писало все его звонки. Еще мы выяснили, что Максуд жил в Москве по фальшивому паспорту, и этот паспорт, судя по всему, был предоставлен ему его куратором из ФСБ. Я написал запрос, чтобы получить эти пленки, но мне ответили, что они уничтожены, как не представляющие оперативного интереса.

Хаген перестал жевать сникерс. Он сидел так прямо, словно вместо позвоночника ему вставили шомпол, и будь его зрачки буравчиками, они бы непременно продырявили в следователе две дырки.

Мелодично запел селектор. Секретарша напоминала Кириллу, что через десять минут у него встреча на выезде.

— И что это значит? — спросил Кирилл.

— Ничего, — ответил следователь Пиеманис, — как умные люди, вы должны понимать, что это не значит, что кто-то из руководителей ФСБ заказал убийство Заура Кемирова. Но это значит, что люди, которые слушали телефоны Максуда, наверняка сейчас знают заказчика.

В кабинете на несколько секунд воцарилась полная тишина. Первым заговорил Хаген.

— И кто эти люди? Ты выяснил?

Следователь Пиеманис пожал плечами и спокойно ответил:

— Есть обстоятельства, когда выяснять правду неразумно.

Кирилл и Хаген переглянулись, и Хаген сказал:

— Миллион, когда назовешь нам заказчика.

А после этого глава АТЦ потянулся, и большие его пальцы снова уперлись в рыжие ремни, перекрещивающие черную рубашку.

— И пуля, если соврешь, — добавил белокурый эсэсовец.

* * *

Двоих участников покушения на Дауда Казиханова застрелили через три дня. Так получилось, что когда охрана Дауда отстреливалась, она попала очень удачно: одного боевика, того самого «бельгийского эмиссара», убили сразу, а второго ранили, и он умер через неделю.

Это был молодой парень из Тленкоя, и когда он умер, ребята в тот же день повезли труп в село. Родичи попросили их остаться, но ребята отказались, помылись, поели и снова пошли в лес. Они не прошли и двухсот метров: на окраине села их ждали люди Хагена.

Вечером трупы убитых показали по телевизору. Одному было восемнадцать, другому — двадцать один.

* * *

Московская комиссия приехала на стоpойку двадцать третьего марта, и вместе с ней приехали Мао и пять телекамер. Премьер и москвичи осмотрели гидроочистку и ректификацию, резервуары и каталитическое хозяйство. Премьер Мао выбранил Кирилла за то, что рабочие живут в антисанитарных условиях и произнес длинную речь об уникальных отечественных разработках, которые, как сообщил телезрителям Мао, должны были быть внедрены на химзаводе. Подтянутый, улыбающийся, с круглым свежим лицом, он очень хорошо смотрелся с колодкой

Ордена Мужества на фоне сверкающих минаретов ректификационных колонн.

«Товарищ Ахилл. Товарищ Ахилл».

Не обнаружив ни свинств, ни нарушений, комиссия заскучала, и порешила осмотреть будущие участки. Кирилл посадил возглавлявшего ее зампрокурора в свой джип и сам сел за руль; на переднее сиденье рядом с Кириллом взгромоздился Христофор Мао. За джипом пошла машина сопровождения с федералами, а за ней поехали операторы и фотографы.

Территория будущего завода была с самого начала разбита на квадраты, — двести гектаров по три квадрата, вдоль моря, и между седьмой и восьмой линией стройку по-прежнему пересекала старая двухрядная дорога. Чтобы переехать с одного квадрата на другой, надо было взъехать на песчаный откос, изрытый колесами огромных КамАЗов, перевалить дорогу и снова съехать вниз, и так как за восьмой линией строительства еще не было, дорогу никто не трогал.

Но зампрокурора пожелал увидеть отдаленные участки, и Кирилл развернул машину и стал выезжать на дорогу. Тут же справа от него возник огромный серебристый джип. Кирилл решил, что джип пропустит правительственный кортеж, и втопил газ.

Джип тоже увидел вереницу из трех машин, и тоже втопил газ, чтобы успеть раньше.

Они даже не побились. Кирилл дернул руль влево и чуть не улетел в кювет, а джип шарахнулся в сторону, обогнул их по пологой параболе, и с визгом затормозил.

Кирилл распахнул дверцу и вылетел вон, как пробка из шампанского.

— Глаза разуй! — заорал Кирилл.

Из джипа выскочили трое. Все трое были при оружии и в камуфляжных штанах, заправленных в высокие шнурованные ботинки. Кирилл видел их впервые в жизни. Впоследствии ему сказали, что за рулем джипа был начальник охраны бывшего мэра Торби-калы, крепкий тридцатилетний чеченец по имени Эльдар, но тогда Кирилл этого не знал. По правде говоря, Кирилл решил, что эти ребятки откуда-то из АТЦ.

— Куда прешь! — заорал Эльдар.

И в эту минуту из машины сопровождения выскочили автоматчики.

Как только чеченец увидел пятерых вооруженных до зубов федералов, настроение его мгновенно переменилось. Он больше не тратил времени на слова. Он развернулся и врезал первому спецназовцу по зубам. Тот улетел в нокаут.

Второй чеченец выхватил автомат.

— Не двигаться! — заорал он.

Спецназовцы стояли столбом. Эльдар развернулся и пнул второго русского — ботинком в коленную чашечку. Спецназовец тоже упал. В эту секунду Кирилл заметил третьего чеченца. Он поднимался из машины, с пассажирского сиденья, и в руке его был «стечкин». Похоже, он был обдолбан куда больше Эльдара, и главное — он собирался стрелять.

Кирилл подскочил к нему и изо всей силы хлопнул дверцей машины, зажав руку чеченца между салоном и ребром. Тот нажал на курок, но пули уходили вверх. Чеченец дергался, пытаясь повернуть ствол к Кириллу, Кирилл навалился на дверцу всем телом, а третий боец, тот, кто был с автоматом, принялся вызывать подмогу по рации.

Еще через секунду Кирилл увидел бегущих к ним охранников завода. Чеченец со «стечкиным» нырнул в машину и заорал:

— Валим!

Водитель заскочил за руль и втопил газ, автоматчик, прокричав что-то, бросился на заднее сиденье, и джип помчался по дороге, немедленно скрывшись в облаке желтой вонючей пыли.

Четверо вооруженных до зубов федералов пялились им вслед. Пятый, с разбитым лицом, шевелился в пыли. Кирилл обернулся к машине, и увидел, что из нее выползает Мао, белый, как пастила, и на штанах его расплывается мокрое неровное пятно.

При виде этого пятна все мысли вдруг вылетели из Кирилла, как пробки при коротком замыкании, он сжал кулаки и шагнул к председателю правительства, — и тут Христофор заорал прямо в подоспевшую камеру:

— Это покушение! Это теракт!

* * *

Через четыре часа после злополучной перестрелки в республику, в дополнение к зампрокурору, прилетел вице-премьер, курировавший силовые структуры, и два замдиректора ФСБ.

— Это третье покушение на высшее должностное лицо за неделю! — заявил преседатель правительства Христофор Мао на расширенном заседании силовых структур, — очевидно, что местное МВД не может справиться с разгулом бандитизма и террора! Есть случаи, когда под маской правоохранителей скрываются явные террористы!

На следующее утро на авиабазе в Бештое сели два транспортных самолета с солдатами из дивизии им. Дзержинского и ростовским ОМОНом.

Через два часа началась зачистка села Тленкой.

* * *

Кирилл понимал, что любая зачистка в республике неминуемо начнется с Тленкоя. В конце концов, «бельгийский эмиссар» был родом из Тленкоя, Булавди был родом из Тленкоя, ребята, покушавшиеся на Дауда, тоже были из Тленкоя, и село было... а, что говорить!

Кирилл сам прекрасно помнил, как после свадьбы он заехал в дом к главе администрации, и они кушали за столом курицу, а по ковру катались дети, — а потом один из мальчиков выпрямился, посмотрел на Кирилла, и спросил его по-чеченски:

— А ты русский?

— Русский, — сказал Кирилл.

— А почему мы тебя не убили?

В общем, Кирилл понимал, что со Старым Тленкоем надо что-то делать, но сильно сомневался, что это что-то можно сделать БТРами.

В суматохе он не заметил, что Алихан не вернулся из школы; потом он срочно ему понадобился, но сотовый его был выключен. Связь в республике вообще была неважная. Кирилл не обратил на это внимания и послал с поручением другого человека.

Звонок раздался в пять часов вечера. Звонил какой-то майор из Ростова. Голос у него был усталый, простонародный и издерганный.

— Кирилл Владимирович, — сказал майор, — белый крузер с московскими номерами, семь-ноль-семь — это ваша машина?

Это была машина Алихана.

— А что? — спросил Кирилл.

— Мы тут в Тленкое проводим проверку. Машина стоит во дворе главы администрации села, он говорит, что вы машину селу подарили.

— Дайте-ка мне главу администрации, — сказал Кирилл.

— Кирилл, дорогой! — заговорил в трубку глава администраци, — я как раз тебе собирался звонить, сказать, спасибо за доброту! Чудо машина, зверь, не машина, а эти теперь пришли и говорят, что машина краденая...

— Рад, что понравилось, — сказал Кирилл, — слышите, майор? Перестаньте бочку катить. Это село моей жены. Как там у вас обстановка?

— Да никого нет, — сказал майор, — они все ушли в горы.

Майор что-то еще растерянно крякал в трубку. Кирилл ответил ему, положил телефон и уставился невидящим взглядом перед собой.

Машина Алихана стояла в оцепленном селе, а самого Алихана в селе не было. Куда может деться человек из оцепленного села без машины?

«Когда-нибудь ты поймешь, что они не дети. Но будет уже поздно».

Кирилл Владимирович Водров, президент компании Navalis Avaria, бывший спецпредставитель России при ООН, бывший топ-менеджер «Бергстром и Бергстром», совладелец вертикально-интегрированного производственного мегакомплекса по переработке и утилизации природного газа с потенциальной капитализацией в двадцать миллиардов долларов, невысокий худощавый человек в темном пиджаке и поддетой под него глухой водолазке, положил голову на полированный стол и тихо, сквозь зубы, застонал.

«Боже мой. Что я скажу Диане?»

* * *

Вечером в горах над Старым Тленкоем началась спецоперация. По предполагаемым местам укрытия боевиков била РСЗО «Град», небо стало сплошным морем огня с фиолетовыми прожилками, и вертолеты закладывали круги над селом, а на площади возле мечети сидели люди.

Они сидели и ждали, зная, что те, кто обстрелял машину Дауда и взорвал «газик», ушли из села, чтобы не подвергать сельчан опасности, и что сейчас они сидят там, в горах, под рвущимся «градом» и стягивающейся цепью из ростовских омоновцев и солдат внутренних войск.

* * *

Новости о спецоперации последовали наутро. В восемь утра Христофор Мао сообщил, что в горах возле села Тленкой окружена и разгромлена банда Булавди Хаджиева; потери боевиков убитыми составили предположительно до семи человек. Погибли и трое милиционеров.

Кирилл не спал всю ночь. Диане он сказал, что Алихан срочно улетел в Москву. Диана обняла его и расплакалась.

Когда Кирилл услышал о семи мертвецах, он схватил трубку и побежал звонить, но вовремя одумался. Если Алихана среди трупов не было, позвонить — значило выдать его.

Когда Кирилл вернулся, Диана сидела перед телевизором, белая, сложив руки на спеющей ягоде живота. Кирилл сел рядом, и, пытаясь сделать бодрый вид, принялся хлебать кофе.

Во время «Норд-Оста» родичи заложников ни на шаг не отходили от телевизора. Кирилл Водров много раз представлял себя на их месте. Он никогда не представлял себя в такой же ситуации на месте *родственника террориста*.

В полдевятого Кирилл отправился на работу. Одеваясь, он перепутал пуговицы рубашки. Когда он садился в машину, Шахид сказал, безразлично глядя в сторону:

– Это вранье насчет боевиков. Никаких трупов боевиков нет. Потеряли троих мусоров, вот и прикрываются.

«Убью сучонка собственными руками, – подумал Кирилл, – как вернется, так и убью».

Впрочем, было куда вероятней, что за него это сделают ростовские омоновцы.

На работе Кирилл слушал новости каждые полчаса, но новостей не было. Зачистка продолжалась. Успехи росли. В селе было выявлено одиннадцать краденых машин, два лица без прописки, и пятеро были задержаны за нарушение какого-то там режима.

Зашел один из инженеров, сам родом из соседнего Хуша, и рассказал, что омоновцы разбили палатки и установили позади них сортир, и так как палатки они разбили над селом, то сортир они выкопали на кладбище.

Кирилл заехал в правительство; Христофор Мао ходил гоголем, вокруг него вились москвичи и сияющий Дауд Казиханов.

Кирилл вернулся домой в восемь вечера. На ужин были черемша и жижиг-галныш. Лицо Дианы превратилось в белую маску. В село никого не впускали и никого не выпускали. Глава администрации позвонил еще раз, чтобы поблагодарить за машину и сказать, что с машиной пока, насколько он знает, *все в порядке*.

Телефон Алихана по-прежнему не отзывался.

Настал вторник, двадцать седьмое марта, село сидело под зачисткой, по телевизору показывали бравых ростовских милиционеров.

Кирилл не спал уже две ночи.

В пять вечера позвонил Джамалудин. В телефонной трубке слышалась музыка и шум дружеского застолья.

— Эй, Кирилл, ты меня совсем забыл. Заезжай, праздник все-таки. День Внутренних Войск. У нас тут артисты московские, отдохни, расслабься.

* * *

Причина, по которой Джамалудину вздумалось праздновать День Внутренних Войск с московскими артистами, оказалась удивительно проста: двадцать седьмое марта был день рождения маленького Амирхана. В зале бегали человек сто детей. Амирхан стоял на сцене, в черной черкеске и барашковой шапке, и московские артисты поздравляли его с девятилетием.

Парадный стол пустовал. Джамалудин с Хагеном сидел где-то сбоку, вместе с двумя красавицами, затянутыми от запястий до белых бальных туфелек в ослепительно красивые наряды горянок, с черными волосами, убранными под кружевные косынки, и рядом с ними сидела еще какая-то заезжая звезда, а дети на сцене плясали лезгинку.

— А где Алихан? — спросил Джамал, увидев, что Кирилл приехал один, — почему он не приехал поздравить моего сына?

— Алихан в Москве. На обследовании, — ответил Кирилл, и ему показалось, что Джамалудин и его личный палач мгновенно переглянулись.

Кирилл сел рядом с Джамалудином. Тот хохотал, то и дело переходя на аварский, и Кирилл очень искренне смеялся вместе с ним, а потом московский певец спросил Джамала Кемирова, как тот относится к милицейской зачистке в Тленкое.

— Мне-то что, — расхохотался Джамалудин, — если козлы бабки не поделили.

— Как — бабки? — не понял москвич.

— Бабки за Тленкойский мост. Там из казны выделили два миллиарда на реконструкцию, этот Дауд пришел к подрядчику и говорит: «С тебя миллиард, если хочешь жить. На помощь Аллаху». А потом приходят эти, младшенькие, и говорят: «С тебя миллиард. Это мы тут уполномоченные по Аллаху». Ну вот и не разошлись.

— Ты правда думаешь, что это все из-за денег? — спросил Кирилл.

Джамалудин расхохотался.

— Все в этом мире из-за денег, — ответил он, — просто некоторые из-за денег строят заводы, а некоторые — их взрывают.

Со сцены грянула новая песня, и через минуту Джамалудин поднялся и ушел, и вместе с ним ушла вся силовая головка. Кирилл посидел две минуты и тоже пошел в резиденцию, однако, когда он вошел в дом, начальник охраны сказал ему, что Джамал занят, и поговорит с ним попозже.

Кирилл понял, что первый вице-премьер Джамалудин Кемиров озабочен милицейской зачисткой в Тленкое куда больше, нежели можно предположить из его застольного смеха.

* * *

Пошел четвертый день, и пятый.

Над Старым Тленкоем кружили боевые вертолеты, и в горных лесах рвались кассетные бомбы, но было уже ясно, что боевики — ушли. Они просочились куда-то сквозь дыры в оцеплении, или их выпустили за деньги; ФСБ официально заверило, что двое боевиков убиты, но трупов не показали и фамилии не назвали. Неофициально генерал Шершунов сказал, что убит Булавди Хаджиев, по городу шептались, что трупа-то и нет, а просто притащили какого-то переносного мертвеца из морга. Некоторые говорили, что мертвец был не из морга, и не мертвец.

Кирилл срывался и кричал на подчиненных по каждому поводу.

Вечером пятого дня, когда Кирилл был на объекте с экспертами из «Лурги», на площадку заехал черный «мерс», и из него вылез Шахид с рацией в руке. Шахид подошел к Кириллу и тихо сказал:

— Алихан вернулся.

Лицо Кирилла стало цвета стирального порошка. Он попрощался с экспертами и сел в машину.

Дом за кирпичной стеной сиял, как рождественская елка, на высокой веранде пили чай охранники, и стеклянные двери в прихожую были распахнуты настежь.

Посереди мощеного плиткой двора бил фонтан, и возле него уже набухали бутоны роз — розовых и желтых на черной жирной земле. Кирилл выскочил из машины и побежал по лестнице наверх, и когда он был уже у стеклянных дверей, он оглянулся.

Ворота во двор, — огромные, кованые глухие ворота, челюсти которых никогда не разжимались, кроме как для того, чтобы пропустить хозяина и доверенных гостей, и которые должны были закрыться сразу по проезду кортежа, — были распахнуты настежь, и в эти распахнутые ворота заезжали, одна за другой, белые «десятки» без номеров.

Кирилл смотрел, открыв рот, и в эту секунду все четыре двери передней «десятки» распахнулись, словно лепестки, и оттуда выскочил Джамалудин, в черной кожаной куртке и каких-то ржавых штанах, и хищные проворные люди в камуфляже и с автоматами.

Тут же выскочили еще, и еще, и Кирилл, оцепенев, смотрел, как мирный двор с журчащим фонтаном вдруг заполняется вооруженными людьми, и как широкий протектор колеса вминает в черную землю розовые бутоны. «Вот так оно и бывает, — мелькнуло в мозгу Кирилла, — человек сидит у себя во дворе, и смотрит на фонтан, и пьет чай, а потом во двор заезжает «десятка» без номеров, и на следующее утро на вопрос, куда пропал человек, Джамалудин, улыбаясь, отвечает: «Сбежал».

Кирилл никогда не думал, что это может случиться в его доме.

Из-за стеклянных дверей донесся дикий женский крик, и Кирилл опомнился, повернулся и бросился к дверям, чтобы добежать до беременной жены раньше черных людей с автоматами, но в эту секунду Абрек, стоявший позади него, схватил Кирилла поперек живота, и потащил назад.

Кирилл отчаянно лягнулся, но Абрек был куда сильнее его. Кирилл сунул было руку за пояс, но эту руку перехватили, и завернули за спину, а потом Шахид протянул единственную свою пятерню и вытащил из-за пояса Кирилла «макаров».

Люди в камуляже взлетели по лестнице, легко, как гепард взлетает в прыжке над степной травой, и из дома снова раздался женский крик.

Абрек отпустил Кирилла, и Кирилл побежал наверх.

Алихан лежал в постели, свернувшись калачиком, и лицо его был серым и грязным на фоне белоснежных углов подушки. Глаза были полузакрыты. В комнате стояли пятеро или шестеро со «стечкиными», и у самого края постели — Джамалудин. Диана стояла перед ним на коленях. Она вцепилась ему в высокие шнурованные ботинки, так, что огромный ее живот упирался прямо в покрытые грязью мыски, и отчаянно кричала:

— Нет! Нет! Нет! Он не виноват!

Джамалудин сделал шаг в сторону, протащив женщину за собой, и сдернул с Алихана одеяло.

Мальчик сумел раздеться. Он лежал на белой простыне, весь в каких-то царапинах и синяках, и первое, что бросилось в глаза Кириллу — это широкий несвежий бинт, вокруг живота. На боку из-под бинта торчали клочья бурой ваты, и сам бинт на боку тоже был бур.

Диана по-прежнему стояла на коленях, обняв сапог хозяина республики. Спецназовцы молчали. Алихан слегка приоткрыл глаза, и взгляд его был больным и мутным.

— Это ты расстрелял «газик»? — спросил Джамал.

Голос Алихана был неровный и как будто сонный.

— Нет.

— Кто это сделал?

Ответа на последовало. Бурая повязка на боку мальчика то вздувалась, то опадала в такт тяжелому дыханию. Кирилл сел рядом с Дианой, и не стал поднимать ее с пола, а просто обнял ладонями низ живота.

— Как ты оказался в Тленкое? — спросил Джамалудин.

— Я хотел уговорить их сдаться, — еле слышно ответил Алихан.

Кирилл и Диана вздрогнули вместе.

— Что значит — сдаться? — спросил Джамалудин.

— Я... сказал ... что это глупо. Я... сказал... что они получат 208-ю. Они получат два с половиной года, а отсидят полтора. Я... сказал: «вы хотели убить своего мента? Ну хорошо, вы его убили. Теперь пожалейте своих матерей».

— Это кто тебе сказал, что Мурад отсидит полтора года? — спросил Джамалудин.

— Я. Сам сказал. Я сказал, что... договорюсь.

Смуглое неправильное лицо Джамалудина было совершенно неподвижно. Диана сидела тихо-тихо, как мышь в мышеловке.

— Я сказал им, — продолжал Алихан, — что вы делаете? А Мурад сказал: «Аллах купил у верующих их жизнь и имущество в обмен на Рай». Он сказал: «Мой отец пришел домой, и дома не было. Вместо дома была яма, а у ямы стоял русский БТР». Я ему сказал: «Твой отец взял в руки оружие, и он снова построил дом. А зачем стреляешь ты? Чтобы снова пришел БТР, и чтобы дома не было снова?»

Алихан замолчал. Лицо его было по-прежнему серым, и Кирилл вдруг заметил черные ободки под обломанными ногтями.

— А потом... прибежал один парень, и сказал, что на перевале идут БТРы. У нас было еще... минут пятнадцать, и этот парень сказал, что надо быстро уходить из села. Я сказал: «Давайте я кого-нибудь вывезу». У меня на стекле «непроверяйка», они пальцем не посмеют тронуть машину. Мурад сказал: «Эта тварь в сговоре с кяфирами. Он доедет до них и нас сдаст». Тогда остальные сказали, что я трус и чтобы я уезжал. Я пошел с ними, чтобы доказать, что я не трус.

«Пошел с ними, — подумал Кирилл. — Блин. В лес. По грибы».

— Ты кого-нибудь убил? — спросил Джамалудин.

— Нет. Они не дали мне оружия.

Алихан помолчал и сказал:

– Мы шли вдоль скалы, а потом начали взрываться снаряды. Некоторые взрывались внизу, а некоторые прямо по пути. Но у нас не было выбора, как идти, и мы читали ду'а и шли. Али, брат Мурада шел впереди, я за ним. Снаряд взорвался, и Али разнесло на куски. Совсем. А меня вот... осколок.

«А о сестре ты подумал? Маленький мерзавец, а о беременной сестре ты забыл? «У нас не было выбора, как идти, и мы читали ду'а и шли». Тебе мало было Белой Речки?»

– И где остальные? – спросил Джамалудин.

Алихан не ответил.

Джамалудин стоял несколько секунд, словно чего-то решая, а потом шагнул к открытой двери и отдал распоряжение. В спальню зашел парень с алюминиевым чемоданчиком.

Хаген ушел в ванную и долго возился там под струей воды. Когда он вернулся, на руках его были хирургические перчатки.

Джамалудин сел у изголовья и придержал Алихана за плечи, а Хаген наклонился над ним и разрезал бинты. В раскрытом чемоданчике тускло блеснули медицинские инструменты.

Рана была вздувшаяся, темно-красная, и не очень большая на вид. Выходного отверстия не было. Диана охнула, и Кирилл прижал ее к себе и успокаивающе погладил по голове. Хаген и Джамалудин переглянулись.

– Не стоит ехать в больницу, – сказал Джамалудин, – время непонятное.

Ехать в больницу и вправду не стоило. В прошлый раз, когда Алихан попал в ЦКБ с пулей в плече, Хаген выдал ему справку насчет огнестрела. Но вряд ли даже Хаген был способен накатать справку о том, что мальчик получил случайное осколочное ранение, балуясь со стадвадцатидвухмиллиметровым снарядом во дворе собственного дома. Это была какая-то уже совсем невероятная справка.

Рану обкололи промедолом, и один из бойцов сел мальчику в ноги, а Джамалудин прижал его плечи к постели, – и через минуту, покопавшись, Хаген вытащил хирургическими щипцами из раны перекрученный, весь в крови, комочек стали.

– Держи, – сказал Хаген, – скоро соберешь коллекцию.

Алихан вряд ли почувствовал боль. Промедол окончательно добил его, и мальчик лежал, запрокинув голову, и глаза его были как у снулой рыбы. Джамалудин заправил на нем одеяло, встал и сказал:

— Я пришлю врача.

Помолчал и спросил:

— Так что же ответил тебе Мелхетинец? Насчет дома и БТРа?

Веки мальчика были опущены. Он то ли спал, то ли был в забытьи. Кирилл уже решил, что тот не слышал вопроса, когда губы Алихана шевельнулись, и он полусонно проговорил:

— Он сказал: «Моджахед будет вознагражден даже за шаги его лошади».

Джамалудин помедлил, потрепал Кирилла по плечу и вышел. Вместе с ним испарились люди в камуфляжных штанах, заправленных в высокие шнурованные ботинки, и черных куртках. Через мгновение Кирилл услышал звук выезжающих со двора машин.

Кирилл по-прежнему сидел, обняв жену. Диана зашевелились и застонала, и когда Кирилл посмотрел вниз, он увидел на ее серой юбке большое мокрое пятно.

— Камиль, — тихо проговорила Диана, — позвони, пожалуйста, Джабраилу Магомедовичу. У меня опять живот как каменный.

* * *

Что было дальше, Кирилл не очень запомнил. Диана стонала в «скорой», сначала тихо, потом, забываясь, все громче и громче.

Кирилл держал ее, положив на живот ладони, но пятно на юбке становилось все больше и пахло кровью, в больнице врачи бегали с капельницами и шприцами, белые лампы сияли мертвым светом, и Кирилл не отходил от нее и не выпускал из рук, и главврач Джабраил Алиев, присев перед ним на корточки, объяснял, как маленькому, что самолета не надо, что все решится в течение ближайших двух часов, и вообще резкий перепад давления — худшее, что сейчас может быть.

Как-то, — Кирилл не понял, — как, все обошлось. Схватки затихли, живот роженицы снова стал мягкий и теплый, и она лежала в отдельной палате, под рогатыми капельницами, с бледным лицом и расплескавшимися по подушке волосами, а Кирилл стоял на коленях и плакал, уткнувшись носом ей в бок. Когда он однажды поднял глаза, ему показалось, что он видит в темном стекле огромный черный силуэт, но когда он обернулся, силуэт пропал.

Кирилл вышел во двор в четыре часа утра. Он был растерян, и измучен, и крупные звезды горели над ним, и далеко внизу, под горой, расстилалась сверкающая подкова огней, обжавшая черное весеннее море.

Джабраил Алиев вышел вместе с ним, и когда Кирилл взялся за дверцу машины, главврач подошел и тихо сказал:

— Я с вами. Посмотрю Алихана.

Кавказские горы, наверное, были сделаны из стекла. В этих стеклянных горах всегда все всё знали, и что самое удивительное — эта всеобщая информированность никак не касалась федеральных властей.

* * *

Когда Алиев спустился вниз, Кирилл сидел, как пришел, в гостиной, не скинув даже ботинок и упершись локтями в полированную столешницу из карельской березы. Перед столом беззвучно разевала рот ведущая CNN.

Алиев сказал, что с мальчиком все с порядке, и спросил, не нужна ли помощь самому Кириллу.

— Я не на сносях и в меня не стреляли, — сказал Кирилл.

Алиев ушел, и Абрек и Шахид уехали вместе с ним.

Кирилл еще некоторое время сидел без движения, а потом открыл холодильник и стал искать там водку. Но водки не было, и вообще, как запоздало сообразил Кирилл, в доме не было даже пива.

В конце концов Кирилл вспомнил, что кто-то в прошлом месяце принес ему ящик французского коньяка, для подарков, пошел в подвал и действительно нашел там этот ящик. Коньяк был по три тысячи долларов бутылка, и Кирилл с удивлением подумал, что когда-то это имело значение.

Он поднялся с бутылкой в гостиную, запрокинул голову и выхлестал из горлышка грамм двести, а потом сел в кресло, и добил еще половинку.

В голове стало тепло, и мысли окончательно поплыли. Кирилл сделал еще глоток, разулся и поднялся на второй этаж. Алихан лежал в постели, оглушенный двойной дозой усталости и наркотиков. Белый фонарь на причале заливал комнату неверным светом, и далеко-далеко над уходящей в море косой горело, как в Голливуде, имя Аллаха.

Кирилл вышел на галлерею и увидел, что он не спит не один. На галлерее стояла старая Айсет, и руки ее шарили в воздухе.

— Мовсар, — сказала Айсет, — Мовсар.

Кирилл взял старуху и отвел ее в комнату. Она мало соображала, но вреда от нее не было.

— Баркала, Мовсар[1], — сказала старуха.

— Мовсар вау со, Кирилл ву[2].

— Нохчийн це ма яу иза[3], — проговорила старуха.

— Камиль ву со. Бусулба дин мIе а аьуна, цIе хийцина аса.[4]

Коньяк ударил ему в голову, и комната крутилась вокруг него, как самолет, вошедший в штопор.

Он уложил старуху и спустился вниз, и когда он спустился вниз, он увидел, что в гостиной действительно кто-то есть. У притолоки, там, где выстроились в ряд мужские ботинки и женские сапожки, стоял, упираясь макушкой в слишком низкий для него потолок, огромный человек со спутанными ба-

---

[1] Спасибо, Мовсар. *(чечен.)*

[2] Я не Мовсар, я Кирилл. *(чечен.)*

[3] Это не наше имя. *(чечен.)*

[4] Я Камиль. Когда я принял ислам, я взял себе имя Камиль. *(чечен.)*

рашками черной бороды, — Ташов Алибаев. Кирилл понял, что он видел правильно, и что Ташов был в роддоме.

Кирилл подошел к нему и пихнул его в грудь бутылкой коньяка.

— Чего ты пришел сюда, — спросил Кирилл, — а? Чего ты ходишь за мной?

— Я пришел пожелать тебе счастья, — сказал Ташов, — тебе и Диане. Я рад за тебя, Кирилл. У тебя трое сыновей, а будет пятеро. Это большое дело для мужчины.

— А у тебя ни одного, — грубо сказал Кирилл. — Че ты пришел в мой дом? Иди в свой. Чего ты пляшешь за моей женой?

Ташов ничего не ответил. Кирилл пошатнулся, и, чтобы удержать равновесие, ухватился за Ташова. Он хотел уцепиться за плечо, но не смог его достать, и схватился за пояс. Он был как десятилетний мальчик, вцепившийся в папу.

— Ты думаешь, я не знаю? — сказал Кирилл, — она тебя любит. Она до сих пор тебя любит. Сукин сын, что ты сделал, чтобы она тебя любила? Вы растоптали ее. Вы даже не дали ей денег на операцию.

Ташов молчал.

— Ты помнишь, что ты говорил мне на Красном Склоне? — сказал Кирилл.

На Красном Склоне Ташов пытался дозвониться Диане. Потом он подошел к Кириллу и попросил кое-что передать ей, если Кирилл останется в живых, но Кирилл никогда не передавал Диане его слов. Да и как он мог передать? Ведь это Кирилл после штурма уехал из республики, а Ташов остался и женился на другой.

— Ты сказал, что в раю все будет по-другому, и что в раю у вас будут дети, — сказал Кирилл, — а потом ты даже не позвонил ей. Убирайся из моего дома. Вон!

Ташов не шелохнулся.

Кирилл замахнулся на него бутылкой и попытался ударить, снизу вверх, но ифрит легко перехватил его руку, вырвал бутылку и поставил ее на подоконник.

— Ты предал ее! — заорал Кирилл, — ради ваших дырявых понтов! Господи, как я ненавижу ваши понты! Почему моя жена не может сидеть со мной за столом? А эта... Фарида? Девочка, которую изнасиловал этот майор? Ты скажешь, это брат ее убил? Ты думаешь, а я не знаю? Не знаю, что Джамал приказал это сделать? Сначала мужу, а потом ее брату? Вы кричите, что вы мужчины, вы вытираете ноги о ваших женщин, а что ты можешь сделать такого, что женщина не делает? Убить? Большая вещь, убивать! А рожать ты можешь, а, Ташов?

— Это правда, — сказал Ташов, — что Булавди может помочь Алихану?

Кирилл вздрогнул и уставился вверх, открыв рот. Мысли, приправленные коньяком, путались у него в голове.

— Что? Откуда ты знаешь?

— Допустим, я увижусь с Булавди, — повторил Ташов, — что мне ему сказать?

«Ты? С Булавди? О Аллах, да он всадит в тебя пулю раньше, чем ты заговоришь!» Перед Кириллом встало лицо Алихана — белое, отрешенное, под призрачным светом причального фонаря и пылающим именем Аллаха.

— Ты можешь сказать ему, — услышал свой голос Кирилл, — что я купил дом. В Дубаях. Что я... перевезу туда его жену. Детей. И его мать. Я... положу на счет миллион. Нет. Пять миллионов. Евро. А... как ты думаешь? С этими зачистками... Постой, а если они его поймают? Он же должен бояться, что федералы сейчас его поймают!

Ташов помолчал, кивнул, и вышел из двери. Кирилл молча смотрел, как он наклоняется, чтобы не задеть притолоку. Над двором сверкали равнодушные звезды, и в черной земле возле фонтана понемногу расправлялся крошечный розовый куст.

«Моджахед будет вознагражден даже за шаги его лошади».

«Пусть идет! Если он согласен идти — пусть идет!»

— Ташов! Подожди!

Ифрит послушно остановился. Кирилл, как был, в носках, выскочил на холодную плитку двора, подбежал к нему и задрал голову наверх. Его макушка почти упиралась в бороду Ташова.

– Ташов, – сказал Кирилл, – я... знаю, что ты спас Алихану жизнь. Ты им всем спас жизнь тогда... детям. Ташов... мы ведь не может все изменить, а? Это такое время. Это не лечится. Но мы должны пытаться. Помочь тем, кто рядом. Любой ценой.

* * *

Бывшему начальнику республиканского ОМОНа, а ныне главе Чирагского района Ташову Алибаеву понадобилось три дня, чтобы договориться о встрече с Булавди.

Был ранний пятничный вечер, когда Ташов остановил белую «ниву» у небольшого кафе километрах в семи от Бештоя.

Кафе располагалось на берегу горной речки; перед ним пустовала стоянка на пять-шесть машин, и от домика веревочный мост вел к противоположной стороне ущелья, поросшего густым ельником. По ущелью прыгала на камнях речка.

По правде говоря, эта встреча была безумием. Она была безумием и зимой, когда Ташова вышвырнули из ОМОНа, и между бывшим ментом и всеми его кровниками не стояло ничего – даже мести со стороны бросившего его покровителя.

Но даже тогда, несмотря на смерть Заура, в республике был мир. Хрупкое равновесие, которое невольно и уважительно соблюдали обе стороны. Боевики редко устраивали взрывы, а если устраивали – то исключительно за деньги или из-за личной мести, а Джамалудин Кемиров держался в рамках: он не брал в заложники их родичей, не расстреливал родню, и многие всерьез были убеждены, что Кемировы нарочно не ловят Булавди. Мол, пока есть Булавди, есть чем пугать Москву, а пока есть чем пугать Москву, Москва никогда не снимет Заура с поста президента.

Теперь же, когда каждый день был то обстрел, то подрыв, когда по паркам и улицам лущили из автоматов ментов, когда озлобленные федералы вламывались в дома и устраивали зачистки, а озлобленные жители в ответ обстреливали блокпосты, – встреча эта была даже не безумием, а самоубийством.

И тем не менее Ташов пошел на нее, потому что Булавди передал просьбу о встрече, и Ташов полагал, что сейчас это важно, как никогда. Ташов, как и все окружение Джамалудина, прекрасно понимал, чего добивается Христофор Мао.

Власти.

Он попытался получить власть, став премьером — и она ускользнула из пальцев, как чешуя золотой рыбки.

Он попытался получить власть, продавая должности — и право распределения должностей ушло от него, потому что никто в республике не осмеливался получить должность без благословения Джамалудина.

Тогда он придрался к первой попавшей разборке, к расстрелянному «газику», к обдолбанным придуркам, палившим по зампрокурора, — и ввел в республику пять тысяч федералов, официально — потому, что местные власти не справляются со взорванными газиками и обдолбанными придурками.

Бороться с взорванными «газиками» зачистками было все равно, что бороться с пожаром бензином, и Христофор Мао прекрасно это знал. Любая свара на блокпосту, любой пьяный патруль, обстрелявший гражданскую машину, увеличивали количество взорванных «газиков» в геометрической прогрессии, — но они же и увеличивали власть Христофора Мао.

В республике взрывают ментов? Значит, надо защитить ментов и ввести войска.

Джамал Кемиров против ввода войск? Значит, он на стороне боевиков.

Тень войны, — войны неизбежной, следующей за взаимным террором, войны, вытекающей из обстрелянных блокпостов и зачищенных сел, войны, затеянной ради удовлетворения жажды власти одного человека, и притом очень мелкого человека, нависла над республикой, и было жизненно важно понять, как в преддверии этой войны поведут себя те, кто уже два года бегает по горам.

Кто живет надеждой на эту войну.

Ташов запарковал свою «ниву», очень аккуратно, между стеночкой и забором. Он зашел в кафе и спросил у хозяина курзе. У него было еще довольно много времени, но он решил не рисковать, и когда хозяин спросил его, где он будет есть, на том берегу или на этом, Ташов попросил его принести еду в беседку на том берегу.

Потом Ташов перешел речку по подвесному мосту. Мост скрипел и раскачивался под его ногами, и когда Ташов глядел вниз, он видел белые брызги и оголовки камней. Пена била так высоко, что залетала Ташову в лицо, и на сорокаметровом мосту, провешенном к покрытому ельником склону горы, огромный Ташов представлял из себя великолепную мишень.

Ташов без помех добрался до беседки на том концу мостика, и вскоре хозяин принес ему чай и варенье, а потом и лепешки. Ташов стал рвать лепешки руками и есть.

Вокруг была ранняя весна, птицы пели, заглушая рев водопада, и деревья разворачивали первые свои зеленые листочки. От беседки дороги не было, — эта часть ущелья была совершенно непролазной, но между покрытых новой зеленью кустов и густых лап ельника змеились какие-то тропки, скорее всего звериные, — волки должны были приходить в это место на водопой.

Беседка была забрана узорчатыми рейками, так что с нее открывался прекрасный вид на водопад, но с того берега было не видно, что делается в беседке.

Ташов ел лепешки и запивал их чаем, и он едва не пропустил момент, когда ветви ельника раздвинулись, — и через секунду на скамейку напротив скользнул Булавди Хаджиев. Зато он очень хорошо заметил блеск оптики из-за опустившихся ветвей. Булавди пришел не один, как и следовало ожидать.

За время, прошедшее с их последней встречи, Булавди облысел еще больше. Кожа на лбу свалялась в сухие складки, и даже густая черная борода не могла скрыть ввалившихся щек. Но руки Булавди, с крепкими длинными пальцами, были попрежнему сильны, и взгляд его был как взгляд бродячей собаки — настороженный и жуткий одновременно. На Булавди был очень чистый, но ветхий камуфляж, и «стечкин» в расстегнутой кобуре. Автомат его был перекинут через плечо дулом вниз.

— Салам, Булавди, — сказал Ташов, — может, поедим сначала? Я взял курзе на двоих.

Булавди поколебался и взял лепешку, а через некоторое время налил себе чаю. Он ел быстро и аккуратно, но Ташов хорошо видел, что Хаджиев очень голоден. Осенью, говорят, его отряд жрал листики, — а зимой и листья пропали. Ташов не думал, что Булавди часто может покушать лепешку.

На другом конце мостика показался хозяин кафе, — с тарелкой шашлыка в одной руке и с новой порцией лепешек в другой, и Булавди напрягся, а потом расслабился, и когда хозяин вошел в беседку, спокойно ему кивнул. Хозяин чуть не сел на пол.

Булавди сделал знак рукой, и из-за ельника в беседку вошли двое ребят. Один был со снайперкой, другой с автоматом.

— Они пойдут с тобой на ту сторону, — сказал Ташов хозяину, — чтобы глупостей всяких не было.

Хозяин кивнул. Двое ушли по мостику за ним. Ущелье на том берегу было все так же пустынно, и «нива» Ташова скучала во дворе одна.

— Помнишь маленькую Айгюль, у которой была лейкемия? — спросил Ташов.

Булавди видимо удивился. Вряд ли он ожидал, что на этой встрече речь пойдет о его давно умершей племяннице.

— Когда она заболела, вы все сдали кровь для анализа, — продолжал Ташов. — Я не знаю, помнишь ты или нет, но когда чеченец болеет лейкемией, это много хуже, чем когда ей болеет русский или еврей. Потому что при лейкемии нужна пересадка костного мозга, а для этой пересадки нужен донор, а донора ищут в европейских банках данных. И так получается, что для русского легко найти соответствие, а для нас соответствий там нет. Единственная надежда, это если проверить всех родичей.

— Я помню, — сказал Булавди.

— Твоя кровь не подошла маленькой Айгюль, но она подходит Алихану, сыну Кирилла Водрова.

Черные глаза Булавди вонзились в Ташова.

— Это дело между мной, тобой и Кириллом, — продолжал Ташов, — никто больше не будет в него замешан. Кирилл купил себе дом в Дубае, и он оформит его на твое имя. Он перевезет туда твою семью, и он положит на счет пять миллионов евро. Это достаточно, чтобы достойно жить, или чтобы заняться бизнесом. Если ты согласен, это лучше делать быстро, потому что ты видишь, что происходит в республике. Джамал никогда не трогал твою семью, но что будет, если завтра федералы застрелят твою мать и скажут, что она снайперша?

Басок Ташова звучал мягко, но невысказанная угроза повисла в воздухе: а что, если это будут не федералы, а Джамалудин, который возьмет твою семью в заложники и потребует сдаться?

На мостике показался один из бойцов Булавди. Он шел, придерживая автомат одной рукой, а в другой он тащил пластиковый пакет с харчами. Похоже, ребята решили подкормиться.

Булавди молча смотрел перед собой, в тарелку, от которой поднимался сводящий с ума запах масла и сыра. Ташов угадал правильно — Булавди не ел почти пять дней, и три из них он просидел в земляной яме в Новокарском, — а наверху, над ним, грохотали сапоги и ворочались БТРы, — какому-то костромскому ОМОНу угораздило устроить именно в этом доме штаб.

Гончис федералов были ближе, чем сами знали.

— Вот, кстати, дом, — сказал Ташов, — если тебе не нравится, можно купить другой.

Пачка бумаг легла на деревянный стол, и Булавди, перелистнув их, увидел сначала контракт, на арабском и с переводом на русский, а потом снимки дома. Дом был двухэтажный, с высокой оградой и двориком внутри, и над домом ослепительно горело дубайское солнце, а в узорчатом дворике бил фонтан.

Булавди смотрел на эти фотографии и вдруг вспомнил, как три года назад, когда Арзо был в почете у федералов, они поехали на Новый Год отдыхать в Дубай, и как они жили в отеле за три тысячи долларов ночь, и вечером пляж был залит огнями, и занавеси и джакузи в отеле были точь-в-точь, как внутренняя отделка дома на фотографиях. Он вспомнил Москву, сверкающую, как елка, Лубянку, и дорогие вина у карточных столов «Националя». Тогда, в «Национале», они играли вместе с генерал-полковником, замглавы ФСБ.

Казалось, что это было с каким-то другим человеком. Не тем, который сидел три дня в земляной яме, ходил в ведро и слушал, как наверху бранится пьяный майор из Костромы. Наверное, этот майор даже не знал того генерал-полковника. Наверное, он бы умер от страха, если б его увидел.

Это было очень хорошее предложение, и Алихан был настоящий чеченец. Булавди бы с радостью спас ему жизнь.

Поистине, не было лучшей уловки Шайтана, чтобы заставить моджахеда бежать с поля битвы.

— Тебе не надоело служить твоему хозяину? — спросил Булавди. — Он баба, а не горец. Русня убила его брата и взорвала роддом, а он бегает за ней и лижет ей сапоги. Если они ему велят, он перестреляет еще половину республики.

Ташов чуть побледнел.

— Послушай... — сказал бывший начальник ОМОНа.

Булавди выстрелил.

Он стрелял из-под стола, не из «стечкина», который открыто висел у него на поясе, а из старого «ТТ», который лежал в кармане широких брюк, так что Булавди было достаточно сунуть руку под стол и нажать на курок.

Первая пуля попала Ташову в живот, и он слегка покачнулся, а Булавди мгновенно вскочил, выбросил руку вперед, и нажал на курок, снова и снова, посылая пули в широкую грудь, обтянутую черными свитером.

Ташов пошатнулся и стал вставать. Булавди выстрелил еще раз.

Ташов вцепился руками в деревянный столик, рванул его в воздух, и всем этим столиком крепко и страшно огрел Булавди. Булавди не ожидал, что человек, в которого он всадил пять пуль, способен так драться.

Удар пришелся прямо по руке с пистолетом, Булавди поскользнулся и рухнул на пол, тяжело ударившись затылком о деревянную перекладину, а пистолет вылетел у него из рук, провальсировал по полу, и выпал куда-то к черту из беседки.

Ташов поднял стол и ударил еще раз, обрушив его прямо на темя чеченца. Словно кувалдой огрело по голове, досочки с треском подались, и шея Булавди оказалась в деревянном щербатом ошейнике.

Булавди сорвал с пояса «стечкин» и выстрелил, но ошейник мешал поднять руку выше, и пуля вошла Ташову в колено. Он закричал и сделал шаг вперед. Булавди выстрелил снова. Ташов заревел, как бык, наклонился вперед, и взялся двумя руками за голову чеченца.

Булавди чудовищным усилием пробил деревянную планку и вскинул руку к самому лбу Ташова. Ташов отпустил голову своего противника и попытался перехватить пистолет. Грохнул выстрел.

Ошметки мозга и черепной кости брызнули в лицо Булавди. Ташов медленно постоял, разжав руки, так, словно нервные импульсы были у него как у динозавра, и тело гиганта еще не осознало, что мозг его мертв, а потом Булавди нажал на курок еще раз, черноволосый ифрит взмахнул кулаками и медленно-медленно осел на доски пола.

Булавди гибко вскочил, кое-как сдирая с себя столик.

В домике напротив затрещала автоматная очередь, и через несколько мгновений Булавди увидел своего бойца. Тот бежал по подвесному мостику, размахивая автоматом. «Зря хозяина убили», — отметил про себя чеченец. Хозяин был хороший человек, а лепешки его были просто замечательны.

Из кустов выскочили еще двое. Во время драки они не стреляли, видимо опасаясь попасть в Булавди.

Чеченец оглянулся. Бывший начальник республиканского ОМОНа, двукратный чемпион мира по боям без правил, бывший зять Кемировых Ташов Алибаев лежал на полу беседки, раскинув огромные руки, и тело его было буквально развороченно выстрелами. Кровь шла изо всех дырок. Голову его располовинило, вместо черепа было сизое месиво, и только правый, открытый глаз черноволосого гиганта глядел на чеченца с каким-то немым вопросом. «Зачем? Зачем это все?»

Булавди не знал ответа на этот вопрос.

Он знал только одно: он презирал тех, кто служит Джамалудину. Он презирал тех, кто женился по его приказанию и убивал по его приказанию. В том мире, который строил Джамалудин, можно было быть либо рабом, либо трупом, и Булавди Хаджиева не устраивала роль раба.

Два года он бегал по лесам; он жрал кору, его травили, как дикого волка, и он не мог допустить, чтобы все это было зазря. Чтобы через сто лет про него, Булавди, рассказывали, что был такой человек, который сначала воевал, потом служил Русне, потом опять воевал, а потом один из рабов Джамала Кемирова захотел купить его на запчасти для своего приемного сына, — и купил, а люди его кто сдался, кто погиб.

Ни один человек, которым восхищался Булавди, ни один человек, которым восхищался Джамалудин, не сдавался русским. Все, кем они восхищались, были убиты ими. Ни про одного из тех, кем они восхищались, не рассказывали, как они жили на вилле в Дубае. Про всех рассказывали только одно — как они умерли.

Отель в Эмиратах снился ему по ночам, и Булавди не видел жены уже два года, а он ее очень любил. Ну что же. Когда он будет в раю, его душа будет летать по раю зеленой птицей, и джакузи в Раю будет не хуже, чем в том отеле.

Булавди оглянулся еще раз, сунул «стечкин» в кобуру и бросился вон из беседки.

Мертвый Ташов лежал на полу. Из-под разломанного столика ветер трепал листы купчей, на арабском и английском, и глянцевые фотографии внутреннего дворика с синей глазурью колонн и пальмами вокруг узорчатого фонтана.

* * *

Кирилл Водров прожил эти три дня счастливой жизнью будущего отца. Диана была в роддоме, и Кирилл заезжал к ней каждое утро, а иногда еще и вечером, и он садился на корточки у кровати жены, и целовал ее в губы и туда, где уютно ворочались будущие Заур и Владимир, и советовался с Дианой, стоит ли брать на работу племянника Ахмеда, от которого из-за побоев ушла жена, или троюродного брата Мусы, который три года назад ограбил сберкассу.

Алихана все-таки забрали в больницу. Главврач сказал, что рана заживает хорошо, но Кирилл видел, что главврач чем-то обеспокоен, и это ему не очень понравилось. Алихана положили в отдельной палате, и за юридические подробности Кирилл не волновался. Осколка в ране уже не было, а Бештойская больница была вотчина Кемировых. Кирилл не позавидовал бы тому спецназу, который попытался бы в нее войти без позволения Джамалудина.

Заодно на обследование положили и старую Айсет.

На третий день Кирилл поехал на заседание объединенного комитета силовых структур. Оно было посвящено итогам спецоперации под Тленкоем, — докладывал о ней премьер Мао.

С тех пор, как Диана сказала Кириллу, что человек, который изнасиловал ее, когда ей было четырнадцать лет и премьер республики — одно и то же лицо, Кирилл выяснил довольно много. Он никогда больше не говорил об этом с Дианой, но он навел справки и постарался отыскать солдата, который тогда выпустил женщин, и оказалось, что эта история была куда мрачней, чем можно было подумать. Во всяком случае, оказалось, что солдат погиб в ту же ночь, и хотя официально считалось, что его убили боевики, Кириллу что-то мешало поверить официальной версии.

Кирилл отыскал родителей солдата и перечислил им деньги.

Что делать дальше, Кирилл не знал.

Если бы он жил на Западе, он подал бы в суд. Наверное, это был бы страшный процесс. Кирилл хорошо представлял себе, что бы случилось на Западе с политиком, которого крупнейший бизнесмен региона обвинил в пытках, изнасилованиях и бессудных убийствах местного населения. Такой политик сел бы на двадцать лет, и уж точно перестал бы быть премьером. Но они не были на Западе.

Если бы Кирилл был Джамалом, он выгнал бы жену вон, а то и пристрелил бы, — но Кирилл еще не был Джамалом, и, иншалла, надеялся им никогда не быть.

Поэтому Кирилл не знал, что ему делать, — и вот он сидел, как суслик, на заседании правительства, — и торжествующий Мао делал доклад, и согласно этому докладу, антитеррористическая операция под Тленкоем увенчалась оглушительным успехом. В результате ее было уничтожено шестнадцать бандитов, включая эмира Тленкойского района Мурада Кахаури, и пятеро их пособников. Были также неопровержимо установлены связи боевиков с западными и арабскими спецслужбами.

— Так, один из боевиков был связан с ЦРУ через Бельгию, а двоюродный брат Мурада, Али, завербован разведкой государства Катар, — чеканя слог, докладывал Мао.

Али был единственный, кто погиб под Тленкоем. Он был чемпион мира среди юниоров по вольной борьбе, и связь его с катарской разведкой заключалась в том, что эмир Катара лично предлагал ему место в национальной сборной.

Чтобы уничтожить Али, понадобилось перевезти с места на место пятьсот семьдесят человек из Ростова, Пскова и Москвы, выпустить двести пятьдесят тонн стадвадцатидвухмиллиметровых осколочно-фугасных снарядов и поднять в воздух пять вертолетов МИ-8. Охрана Дауда, застрелившая мальчишку из Бельгии, явно управилась куда более эффективно. В процессе она не устраивала полуторакилометровых пробок у Куршинского туннеля, не расстреливала ларьков с водкой, не избивала случайно подвернувшихся водителей на дорогах и не рыла сортиров на кладбище.

— Кроме этого, в селе Тленкой проверены тысяча шестьсот домовладений, — продолжал Христофор Мао, — изъято двенадцать автоматов, семь пистолетов, и пять гранат системы РГД. По фактам незаконного хранения оружия возбуждены уголовные дела.

«Ты что, идиот, зачем ты поджигаешь республику? Ты что, не знаешь, что солдаты ограбили Чанкиевых, а в до-

ме Аслана они швырнули на пол пятилетнего мальчишку и приставили ему к виску СВД?»

— Население массово выражало благодарность нашим войскам за избавление от диктата со стороны террористов. Удалось установить три иномарки, находящиеся в розыске, и задержать двоих человек, укрывавшихся от алиментов.

«Ты что, не знаешь, что Мурад звонил в село сверху, когда вы переворачивали дома и таскали сушеную колбасу из подвалов, — и говорил: «ну что, не надоело терпеть власть кяфиров?»

Но Кирилл, разумеется, не вскочил, и не закричал ничего подобного, потому что вскочить означало вызвать вопрос: «А ты это откуда знаешь? Кто *тебе* это рассказал?»

И еще потому, что Христофора Мао не интересовала действительность.

Не то чтоб картина мира, которую он рисовал, совершенно не соответствовала реальности. Наоборот, некоторые детали в ней были точны. Убитый Саид-Магомед действительно жил в Бельгии, а убитый Али Айтанов действительно имел катарский паспорт.

Но Христофор Мао и не пытался по этим деталям понять мир. Разобраться в чувствах, мыслях, и истинных пружинах действий окружающих его людей, понять, что именно двигало семнадцатилетним чеченцем, который жил себе в Бельгии в благополучной семье, и три года ныл и просился у родных повидать старых друзей, а приехав, взял автомат и убежал в горы.

Все эти детали, — Бельгия, Катар, эмир, — складывались в голове Христофора Мао в фантастический мир, населенный заграничными шпионами, эмиссарами «Аль-Каиды», работающими рука об руку со своими заокеанскими хозяевами, и кровожадными террористами, убивающими людей исключительно за деньги. Никаких других мотивов для убийства Христофор Мао не допускал, что, конечно, немного говорило о мире, но много говорило о самом Христофоре Анатольевиче.

Этот человек, казалось, не мог допустить, что люди женятся, потому что любят, дружат, потому что дружат, и занимаются бизнесом, потому что от этого получаешь прибыль. Во всем он видел второе дно: люди женились, потому что искали подходы и концы, дружили, потому что искали выгоды, а вот бизнесом занимались, наоборот, не ради прибыли, а питая темные замыслы по расчленению России.

Не то чтобы Джамал Кемиров был менее жесток, чем Мао: возможно, даже более. Джамал, ни секунды ни колеблясь, застрелил бы Алихана на глазах его беременной сестры, если бы выяснилось, что Алихан участвовал в рейдах боевиков. Но когда он узнал правду, он оставил Алихана в покое. А вот Мао... холодный пот полз у Кирилла по спине, когда он думал, что будет, если Мао узнает о похождениях Алихана.

Это Джамалу были нужны факты. А Христофору Мао был нужен крючок. Это Джамал был готов убивать за правду. А Христофор был готов убивать за ложь.

– За неделю федеральные силы добились больших успехов, чем так называемая местная милиция, являющаяся, по сути, прибежищем для боевиков, – продолжал Христофор Мао.

У Джамалудина зазвонил телефон, он поднялся и вышел.

«Я убью тебя, – вдруг понял Кирилл, – я убью тебя, Христофор. Я убью тебя сам, как кровник кровника. А может, найму киллера. Знаешь, в чем прелесть системы, которую ты создаешь? В полной безнаказанности. Безнаказанности любого, кто решится нажать на курок».

В это время зазвонил телефон у Хагена. Еще через минуту вышли замы Хагена, потом пулей вылетел и.о. начальника ОМОНа, потом Гаджимурад Чарахов.

– Мы должны дать отпор террористам и проходимцам всех мастей, которые поджигают нашу мирную республику. Мы должны быть беспощадны.

Глава Ахмадкалинской администрации сгреб бывшие при нем телефоны и заторопился к дверям. Кирилл выскочил вслед за ним.

Коридор Дома на Холме был пуст.

Кирилл бросился по лестнице, перепрыгивая через три ступеньки, вылетел из дверей, – и там, на широком мраморном крыльце, у белой лестницы, спускающейся к огромной площади, посереди которой был вверх пенные струи фонтана, а по бокам — на торцах драмтеатра и здания УФСБ — вставали огромные портреты братьев Кемировых, Кирилл увидел хозяина республики.

Джамалудин стоял на ступенях, с сотовым, и лицо его было серым, как кусок необожженной глины. В последний раз Кирилл видел у Джамалудина такое лицо в день похорон Заура.

Кирилл бросился вниз, расталкивая вооруженных людей. Джамалудин повернул к нему пустые, как у мертвеца, глаза и сказал:

— Ташова расстреляли.

— Кто? Где?

— Булавди, — сказал Джамалудин, — это сделал Булавди.

К фонтану с ревом вынесло черную кавалькаду. Кирилл сделал шаг на подгибающихся ногах и сказал:

— Я с тобой.

Джамалудин обернулся, и в следующую секунду молниеносным, отточенным движением ударил Кирилла чуть ниже солнечного сплетения. Русского отбросило назад.

— Ты и твой...

Джамалудин не договорил, стремительно повернулся и побежал вниз по лестнице.

* * *

Так получилось, что Кирилла не было на соболезновании.

Он спустился вниз и велел ехать за Джамалудином, но Абрек повез его домой, и когда Кирилл увидел, что они едут домой, он потребовал остановить машину у магазина.

Абрек остановился, и Кирилл зашел в магазин и спросил водки. Продавщица ответила, что водки нет. Кирилл бросил на прилавок сто долларов, но продавщица повторила, что водки нет. Водка наверняка была, но продавшица видела за его плечом Шахида и Абрека, и она не хотела продавать водку на глазах личной охраны Джамалудина.

Кирилл остановился у ларька, но в ларьке водка тоже спряталась.

Тогда Кирилл поехал домой, потому что он вспомнил про коньяк в кабинете, и когда он приехал домой, Абрек и Шахид высадили его у ворот, развернулись и уехали.

Кирилл поднялся в гостиную, и обнаружил, что дома он совершенно один. Диана лежала на сохранении. Алихан был в больнице. Саид-Эмин и Хас-Магомед были в Лондоне. Старую Айсет тоже увезли в больницу.

Его большая чеченская семья испарилась, как дым, и он остался один, в огромной гостиной, со стенами, отделанными карельской березой, и коньяком по три тысячи долларов бутылка.

Кирилл поднялся в кабинет, и долго сидел там, без движения, час или два. Потом он включил новости.

Потом он приволок в кабинет ящик коньяка и открыл первую бутылку.

* * *

Кирилл не знал, сколько он пил, и сколько он выпил. Он совершенно точно пропил похороны, и следующий день, и еще день. Однажды ночью ему показалось, что у притолоки стоит Ташов, но когда он с криком побежал к нему, это оказалась просто раздутая ветром занавеска. Он пропил совещание, и conference call с Америкой, и какой-то благотворительный вечер в Москве. Он никогда не баловался спиртным, а последние полгода и вовсе не пил ни капли, и его выворачивало наизнанку. Он блевал, в туалете или в гостиной, как придется, полоскал горло и снова пил.

На второй день он открыл глаза и увидел Шахида. Шахид деловито, одной рукой, охлопывал его пиджак, и прежде чем Кирилл сообразил, что тот делает, Шахид вытащил у него из-под пиджака ствол. Шахид выщелкнул обойму, проверил, нет ли в стволе патрона, и засунул ствол обратно. Кирилл пожалел насчет ствола. Ствол почему-то не пришел ему в голову.

Однажды охрана принесла ему телефон со словами «Это Диана», но Кирилл уронил трубку. Он попытался ее взять и встал на колени, но почему-то повалился на ковер и заснул.

В какой-то момент, — наверное, это было на четвертый или даже на пятый день, — Кирилл обнаружил, что он сидит на стуле в кухне, отделенной от огромной гостиной мраморной барной стойкой, и в метре от него стоит Джамалудин.

Джамалудин методически вытаскивал из ящика бутылки коньяка и бил их о край раковины. Бутылок оставалось немного. Ящик опустел почти на две трети.

— Палач, — сказал Кирилл.

Джамал достал очередную бутылку и грохнул ее о мраморный край. Желтая как моча жидкость побежала вниз.

— Упырь, — сказал Кирилл. — Фашист.

Джамалудин молча разбил еще одну бутылку. Он разбивал дорогой коньяк с таким же равнодушием, с каким нажимал на спусковой крючок «стечкина».

— Они мертвы, — сообщил Кирилл Джамалудину, — они все мертвы. Заур. Ташов. У кого была совесть, те мертвы. А выживают только те, у кого совести нет. А, Джамал? Почему это так устроено? У кого совесть есть, тот попадает в морг. Или сначала в лес. А потом в морг. А у кого совести нет, тот рассуждает, что плетью обуха не перешибешь, и целует ноги, и выцеловывает себе заводы и миллиарды. А?

Кирилл встал на ноги и пошатнулся. Он схватился за барную стойку, но ноги его как-то нелепо подвернулись, он схватился снова, на этот раз за ручки шкафчика, висящего над ванной, и его вывернуло наизнанку.

Он чуть не упал лицом в собственную блевотину и осколки бутылок, но Джамалудин поймал его за плечи и держал, пока Кирилла трясло.

Потом он отпустил Водрова, и тот повалился на колени перед раковиной.

— Ты думаешь, меня тошнит от выпивки? — сказал Кирилл. — меня тошнит от тебя. Помнишь, что ты меня спросил на той корпоративке? Зачем Аллах создал гомосексуалистов? У тебя других вопросов к Аллаху нет? Ты не хочешь спросить Аллаха, зачем он позволяет людям убивать друг друга? Зачем он позволяет тебе убивать людей?

Кирилл вскарабкался на ноги. Мир кружился, как незакрепленная нефтяная платформа. Кирилл пошатнулся, попав в особо сильную волну, но все-таки попал задницей на стул, схватил стоящую на столе бутылку и хлебнул было из горлышка, но Джамалудин отобрал у него бутылку и тоже хряснул ее о раковину.

— Дай выпить, — сказал Кирилл.

— Ты принял ислам, — ответил Джамалудин, — Аллах запретил пить.

Кирилл расхохотался.

— Знаешь, почему я принял ислам? — сказал Кирилл, — мне нравятся ваххабисты. Эти парни правы. Мы все прокляты. Завод, а? К черту завод. Разве заводом передаешь души? Разве душа — это природный газ, который можно разложит на метанол и аммиак? Нас всех надо убить. И построить здесь... черт его знает, неважно. Сначала нас надо зачистить.

Джамал покончил с бутылками и подошел к Кириллу. Он смотрел на распростертого на стуле русского, сверху вниз, и глаза его были как дырки в никуда.

— Ведь ты бы убил его, — сказал Кирилл, — ты бы убил моего сына. На моих глазах. На глазах Дианы. А он... он пошел туда ради тебя.

— Спрашиваться надо, — ответил Джамалудин.

— Когда чеченцы спрашивались, а?

Джамалудин молча кивнул, и неведомая, но могучая сила подхватила Кирилла за воротник и вытащила из кресла. Кирилл обернулся и увидел где-то над головой белокурую шевелюру Хагена. Джамалудин шагнул вбок, и Хаген повел Кирилла на улицу.

Кирилл сделал несколько шагов сам, но у порога колени его подогнулись, Хаген перетащил его через порог и поволок дальше, кулем. Джамалудин шел за ними.

На улице было сыро и ветрено, по морю гуляли стада белых барашков, и под узким мостиком, ведущим с причала, стоял черный «порше кайенн» с открытой дверцей.

— Палач, — снова сказал Кирилл, адресуясь не то к Джамалу, не то к белокурому эсэсовцу.

Ноги его, в мягких домашних тапочках, волоклись по холодной плитке. Далеко внизу, у «порше», полукругом стояли шестеро парней в камуфляжных штанах, заправленных в высокие шнурованные ботинки, и черных куртках с перекинутыми через плечо автоматами.

Джамалудин уже молча шагал вперед, туда, где за краем пирса взбесившийся ветер, как волк, гонял по морю белых барашков. Запах соли и водорослей ударил Кириллу в лицо.

— Убить меня хочешь? — сказал Кирилл, — за Ташова? Правильно. Убей. Это я его убил. Я послал его на смерть.

Хаген остановился и подхватил Кирилла под мышки, Джамалудин — под ноги.

— Не-на-ви-жу, — по слогам сказал Кирилл.

Тело его взмыло в воздух, — и через секунду бизнесмен обрушился с высоты в полтора метра в белую пену весеннего Каспия. Температура воды составляла едва пять градусов.

Кирилл с воплем вынырнул, и тут же новая волна накрыла его с головой и чуть не шваркнула о бетонную сваю. Хмель вышибло из головы, как пробку из шампанского. Кирилл попытался уцепиться за обросший мидиями бетон, его пронесло мимо, потом поволокло назад, намокшая одежда мгновенно потащила его ко дну, правую ногу, как электрический разряд, свела судорога.

«Я тону», — мелькнуло в мозгу Кирилла. Ноги ткнулись в что-то твердое, песчаное, Кирилл оттолкнулся от дна и попытался всплыть, но вместо этого просто выпрямился над водой. Глубина моря у пирса едва составляла метр. Кирилл задрал голову и увидел в вышине черный силуэт Джамалудина.

Набежавшая волна потащила Кирилла вперед, его не то повело, не то поволокло, он замолотил по воде руками и тут же почувствовал под коленями острую гальку.

Через несколько секунд он выскочил на берег. Ветер прямой наводкой ударил в лицо, и по промокшей насквозь одежде, и Кирилл с громким воплем ломанулся в дом, мимо черного «порше» и безучастно стоящих автоматчиков. Джамалудин, по веранде, отправился за ним.

В спальне, на втором этаже, Кирилл остервенело дергал за ручку ванной. Ручка не подавалась. Зуб у Кирилла не попадал на зуб.

— Тебя ждет жена. И сын, — сказал ему Джамалудин. — Через десять минут мы едем за твоей семьей. У тебя пять минут на то, чтобы переодеться, и еще пять минут на молитву. Это поможет.

— Поможет? Это чему-то может помочь?

— Поможет, — заверил Джамалудин, — почему, ты думаешь, я молюсь?

Помолчал немного и добавил:

— Клянусь Аллахом, Кирилл, я добуду Булавди живым, и он проживет ровно столько, сколько нужно твоему мальчику. Я ему клетку поролоном обобью, чтобы он себе башку не разбил.

Кирилл всхлипнул и опустился на колени. С него текло ручьем.

— Я прошу Аллаха, — негромко заговорил Джамалудин, — только одного. Пусть он даст мне вырастить Амирхана. Пусть я доживу до того времени, когда Амирхану станет пятнадцать, а если меня убьют до этого, Кирилл, обещай мне, что ты ему будешь не меньше отец, чем своему мальчику.

ГЛАВА ОДИННАДЦАТАЯ

Новый инвестор

После убийства Ташова зачистки продолжились с новой силой.

Внутренние войска вошли в село под названием Джарли, — и там вышло нехорошо, там БТР снес дом и при штурме шальная пуля убила девочку, а на следующий день кто-то обстрелял из автомата блокпост, выставленный рядом с Джарли.

В Торби-кале на въезде Ростовский ОМОН остановил «ниву». Бог его знает, что в той «ниве» было, или взрывчатка, или оружие, или везли кого-то в багажнике, а только «нива» не захотела останавливаться, и в нее с перепугу стали стрелять. «Нива» огрызнулась длинной очередью, воткнулась в бетонный блок и загорелась, и чтобы не выглядеть идиотами, ОМОН доложил, что в карманах пассажиров «Нивы» обнаружены планы захвата аэропорта.

Какой-то пензенский мент подружился с девочкой и вечером подъехал с товарищем к ее дому: они договорились пойти втроем ресторан. В соседней квартире жил ваххабист. Увидев двух федералов, он решил, что пришли за ним, и стал палить; дом обложили тройным кольцом и принялись садить из танка.

Так получилось, что танк попал не только в этот дом, но и в соседний, и было как-то неудобно заявить, что из-за одного двадцатилетнего парня с автоматом устроили танковое сражение в центре города. Это как-то нехорошо говорило о боевом духе. Поэтому, чтобы поднять боевой дух, председатель правительства Христофор Мао заявил, что в доме был ликвидирован «так называемый эмир Торби-калы», который готовил захват школы в Новых Чиражах.

На следующий день на авиабазе в Бештое приземлились еще два транспортных самолета. Бойцов Краснодарского и Череповецкого ОМОНа посадили на БТРы и повезли по городам республики, где их планировали разместить в школах, чтобы охранять их от захвата.

Дорога от авиабазы шла вдоль горной речки, такой прозрачной, что даже с БТРов был виден каждый камешек на дне. Скалы вокруг были как отполированная сталь изнутри пушечного жерла. На пятом километре ложе ущелья сужалось до десяти метров, речка шла вровень с дорогой, и в немыслимой вышине черные оголовки утесов, казалось, приникли головами друг к другу.

В тот момент, когда головная машина поравнялась с Чертовой Пастью, под ней взорвался фугас. Через мгновение в замыкающий БТР всадили гранату из «Мухи».

Бой занял около шести минут. Все эти шесть минут снимали на видео, и вскоре по всей республике люди пересылали друг другу ролик с Булавди. Булавди плясал вокруг подбитого БТРа, а потом он схватил свисающий с машины труп за обгоревшую руку. Рука оторвалась, Булавди сунул ее прямо в глазок камеры и заорал:

— Джамал вас продал! Я вас спасу!

Прозрачная речка стала красной, и желтое пламя от пылающих БТРов плясало и складывалось в имя Аллаха.

Вся республика замерла. По республике ходили самые дикие слухи. Рассказывали, что это Джамалудин дал Булавди наколку насчет Чертовой Пасти. Рассказывали, что его сейчас снимут, а вице-премьером назначат Дауда. Еще рассказывали, что это Джамалудин дал федералам адрес дома в Торби-кале, где жил ваххабит, потому что у этого человека был влиятельный род, и он не хотел плодить кровников.

Эти слухи распространяли специальные люди, потому что со слухами у Мао было лучше, чем с делами.

* * *

Дней через пять после боя у Чертовой Пасти к стальной трубе, перегораживавшей съезд на дорогу, ведущую к резиденции, подъехал старенький чистый «форд» с двигателем, переделанным ради экономии на газ, и водитель, приспустив стекло, сказал, что он едет к Джамалу.

— Ты кто? — спросил караульный.

Вместо ответа водитель вынул мобильный и набрал номер Джамалудина.

— Салам, — сказал водитель, — я приехал поговорить.

В трубке молчали несколько секунд.

— Ты где?

— У ворот. Скажи-ка, чтобы меня пропустили.

Водитель отдал трубку охраннику. Через минуту стальную трубу отогнали в сторону, и старенький «форд» медленно покатился по дороге к рыжему рогу горы, на котором пылало белым имя Аллаха.

Когда он подъехал к резиденции, его уже ждали. У закрытых ворот стоял Хаген, насвистывая сквозь зубы какую-то песенку, и когда водитель вылез из машины, оказалось, что он в тесных джинсах и облегающей футболке с короткими рукавами, под которой явно ничего нельзя было спрятать.

— Руки на ворота и не шевелись, — приказал Хаген.

Водитель подошел к воротам и стал там, как велел Хаген, раздвинув ноги и уперевшись в кружевное литье на створках белыми квадратными ладонями, а двое бойцов, выскочивших из ворот, отвели машину на стоянку и стали ее там обыскивать.

Когда, через пятнадцать минут, Хаген завел водителя внутрь резиденции, он повел его в столовую, и водитель увидел, что Джамалудин Кемиров сидит, один, за белоснежным столом, уставленным снедью, зеленью и бутылками с газировкой.

— Салам алейкум, Шамиль, — сказал Джамал, — ты давно не был у меня дома. Садись-ка, поешь.

Полная пожилая женщина внесла в столовую тарелку с дымящейся бараниной, и Джамалудин, приподнявшись, взял один из шампуров и счистил его на тарелку гостя. Другой шампур он взял себе.

Гость несколько секунд смотрел на тарелку, потом отодвинул ее в сторону и сказал:

— Когда ты ездишь на химзавод, ты сворачиваешь у поста на Дадаева. Там в куче мусора лежит ведро со взрывчаткой. Оно лежит уже второй день, и вчера, когда ты ехал, подрывник нажал на кнопку. Только прошла гроза, и все отсырело. А так бы тебя вчера взорвали.

— А кто нажимал на кнопку? — поинтересовался Джамалудин.

— Я.

Хаген, стоявший за спиной гостя, усмехнулся, а Джамалудин сказал:

— А что передумал?

— Три часа назад федералы арестовали Махам-Салиха. Он сейчас на базе в Бештое. Я прошу тебя: вытащи его оттуда.

Джамалудин Кемиров молча рассматривал своего гостя. Это был мужчина лет тридцати пяти, невысокий и очень крепкий, с квадратными ладонями, поросшими выше запястий черным жестким волосом, с мощными складками на бритом затылке. Голова его формой напоминала крупную картофелину, под густыми бровями прятались жесткие отчаянные глаза.

— Если бы Салих хотел, чтобы его кто-то откуда-то вытащил, ему не надо было снимать маску, когда он всадил пулю в этого вашего полпреда, — медленно сказал Джамал.

— Они не знают, кого поймали. Он ехал в автобусе, и на блокпосту водитель не заплатил за проезд. Они начали вытаскивать из автобуса людей, и у кого были деньги, забирали деньги, а у кого денег не было, они забрали людей.

Джамалудин помолчал.

— Ты был у Чертовой Пасти?

— Да, — сказал Шамиль.

— А Мурад Мелхетинец там был?

Шамиль презрительно фыркнул.

— Мурад, — сказал он, — мальчишка. Булавди оставил его в лагере варить кашку, да только и кашка сгорела.

— А где Булавди? — спросил Джамалудин.

— Он назначил мне встречу сегодня вечером, — ответил Шамиль.

* * *

Но так получилось, что вместо Булавди они взяли совсем другого человека — Джаватхана Аскерова. Джаватхан был очень уважаемый человек и в свое время даже был заместителем министра по налогам и сборам, но так сложилась его судьба, что он был вынужден убить полпреда Российской Федерации.

Если бы он его не убил, он бы перестал считать себя мужчиной.

По правде говоря, после этого убийства Джаватхан стал очень известен в республике. Ролик с убийством пересылали с мобильника на мобильник, а фотография Джаватхана, взятая с этого ролика, висела на каждом блокпосте, и если бы Джаватхан, скажем, вздумал баллотироваться в депутаты, то ему была б обеспечена стопроцентная узнаваемость.

Тем не менее, несмотря на историю с убийством полпреда, Джаватхана нельзя было назвать экстремистом. Он довольно спокойно жил в родном селе вместе со своей русской женой и тремя детьми, а когда в село приехала зачистка, ему пришлось уйти в лес. По дороге он расстрелял кое-кого, но никто не говорил, что он нажал на курок раньше, чем его вынудили.

Когда его спрашивали: «Ты суфий или ваххабист?» он всегда отвечал: «Я мусульманин». Даже бегая в лесу, он всегда порицал людей, которые убивают мусульман, называя их муртадами или мунафиками. Он всегда говорил, что убивать можно только федералов.

Его поймали на явочной квартире, и, как мы уже сказали, засада сидела вовсе не на Джаватхана. Она ждала Булавди, однако вышло так, что Булавди послал вместо себя лезгина. Когда Джаватхан зашел в прихожую, ему навстречу вышел Шамиль, пригласил его к ужину и помог ему снять пояс со взрывчаткой, который Джаватхан всегда носил на себе.

Джаватхана взяли без единого выстрела, но, так как он вышвырнул одного из омоновцев через окошко с третьего этажа, то квартира, конечно, накрылась. Нечего было и думать, что Булавди туда придет.

Весть о том, что Джаватхан арестован, побежала по республике, как огонь по фитилю, и его сын, которому было всего двенадцать лет, места себе не находил от беспокойства. Наутро он пришел к резиденции Джамала и попросил, чтобы его отвели к отцу. Ребята, которые стояли в карауле, сказали ему:

— Иди прочь, мальчик.

Тогда сын Джаватхана посмотрел на них и сказал:

— А я все-таки сделаю так, чтобы меня отвели к отцу.

С этими словами он вытащил ножик и всадил его в живот одному из охранников.

После этого сына Джаватхана отвели к отцу.

Оказалось, что его отец не сидит в подвале и не висит под балкой. Он беседовал с Джамалом Кемировым там же, где накануне Джамал беседовал с Шамилем. Они говорили уже часов пять, а после того, как к Джаватхану привели сына, они проговорили еще три часа, но Джаватхан так и отвечал «нет» на все, что требовал Джамалудин.

Ближе к вечеру Джаватхана и его сына вывели во двор. Им связали руки и загнали в багажник, и когда через час их выпустили из багажника, оказалось, что они стоят на какой-то горной дороге.

Джаватхана и его сына заставили стать ровно и надели на них широкие пояса с закрепленной в кармашках взрывчаткой. Когда такая вещь срабатывала, человека разрывало на куски, а через пару часов приходили волки и подъедали мясо. Это был очень надежный способ, чтобы человек исчез без следа. Он назывался — «пустить на сникерсы».

Вот на этих двоих надели пояса шахидов и погнали по тропинке вверх. Было самое начало вечера, и солнце огромным красным шаром висело между двух вершин горы, похожей на ракушку, и легкие облака в небе были как пряжа, намотанная на далекие пики заснеженных гор. Внизу была уже весна, но здесь, на высоте, между черных истлевших листьев еще лежали клочки снега, и Джаватхан почувствовал, что руки у него совсем замерзли.

Они дошли до какой-то полянки. Она кончалась острым скальным гребешком, и снега там не было, а из-под спутанной старой травы росли желтенькие цветы. Заходящее алое солнце заливало их каким-то трепещущим светом.

Джаватхан стоял и смотрел на эти желтенькие цветы и на звериную тропку, уходившую под корявые деревца, и тут сзади заговорил Джамалудин.

— Послушай, брат, — сказал Джамал Кемиров, — это мое последнее предложение. Все знают, что ты взорвал полпреда, и я не могу предложить тебе пост в ОМОНе или в правительстве. Но если ты выступишь на процессе и заклеймишь позором ваххабистов, которые тебя к этому вынудили, то тебе дадут не больше пяти лет, и клянусь Аллахом, ни одного дня из них ты не будешь сидеть в тюрьме. Ты будешь жить в моем доме и ездить со мной, и я без колебаний доверю тебе мою охрану.

Джаватхан усмехнулся и сказал:

— Может, ты еще и женишь меня? Говорят, что все твои бойцы женятся по твоему выбору, а если ты им велишь, они и замуж выйдут.

Хаген Хазенштайн побледнел от таких слов, а на скулах Джамала заходили желваки, и он ответил:

— Поберегись. Как бы я не выдал замуж твою вдову. Сразу за весь ОМОН.

— Дай мне помолиться перед смертью, — сказал Джаватхан. Джамалудин кивнул, и Джаватхан отошел от них метра на три и стал молиться. А сын его стал за ним. Ему было всего двенадцать, и он был очень растерян.

Вот Джаватхан с сыном сказали первый ракат и встали с колен, и в этот момент Хаген спустил курок. Плечи Джаватхана вдрогнули, он постоял несколько секунд, а потом он опустился на колени и стал делать второй ракат.

Когда он кончил намаз, он обернулся и посмотрел на труп своего сына, а потом он поднял глаза на Джамалудина, который сидел, скорчась, на краешке скалы, и сказал:

— Я молюсь, чтобы Аллах не тронул тебя в этом мире, потому что это облегчит твои муки в аду.

Джамалудин поднял пистолет и выстрелил.

После этого он повернулся и пошел по тропинке назад, не оборачиваясь, а люди его задержались на поляне. Грохнул взрыв, двойной, да такой сильный, что на Джамалудина посыпались сухие веточки, а эхо принялось гулять между гор. Джамалудин шел и смотрел на скалы у себя под ногами.

Через несколько минут его догнал Хаген, а еще минут через пять они расселись по джипам. Шамиль Салимханов сидел в джипе на заднем сиденьи, и вряд ли он был доволен собой. Джамалудин довольно сильно замерз и тут же включил печку, чтобы согреться.

— У него еще остались сыновья? — спросил Джамалудин.

— Нет, — ответил Хаген.

* * *

В то самое время, когда Джамал и его люди возвращались с гор, в другом конце республики, в равнинном Шамхальскѐ, от одной из пятиэтажек отъехала неприметная синяя «четверка».

За рулем ее сидел Алихан, а в пассажире, скорчившемся на заднем сиденье, любой омоновец, если бы он заглянул внутрь, узнал бы Мурада Кахаури, но так получилось, что омоновцы не остановили машину и не заглянули в нее, и часа через два «четверка» въехала в Торби-калу.

«Жигули» благополучно миновали блокпост на «Тройке», проехали еще два квартала и притерлись к тротуару. Мурад пересел вперед; остальные пассажиры немного расслабились, и с заднего сиденья даже донесся нервный смешок. Зазвенел телефон; Мурад вслушался в разговор и спросил Алихана:

— Ты что, улетаешь?

— В Швейцарию. На обследование.

— Ну и чем тебе помогут эти кяфиры? — недовольно сказал Мурад, — езжай-ка ты лучше в горы. Там теперь есть один человек, он исповедует истинный ислам и Аллах дал ему дар; только взглянет — вылечит.

Они едва успели шарахнуться к обочине, когда мимо «шестерки» пронесся белый «порше» Хагена, утыканный антеннами спецсвязи, как ежик иголками, и Алихан лишний раз порадовался, что он не поехал за ребятами на своей машине. Вряд ли бы дело кончилось добром, если бы Хагену вздумалось выйти и поздороваться.

Мурад проводил «порш» ненавидящим взглядом.

— Клянусь Аллахом, — сказал Мурад, — я убью за Джаватхана сто муртадов. Это клянусь я, амир Шамиль-калы.

Шамиль-калой Мурад и его ребята называли Торби-калу. Грозный они называли Джохаром, а республику — Вилайетом

Дарго Эмирата Кавказ, и когда Джаватхана схватили в пятиэтажке, они написали на своем сайте в интернете, что мобильный отряд моджахедов вступил в бой с оккупантами в пригороде Шамиль-калы вилайета Дарго. По их описанию можно было подумать, что стороны применяли тяжелую артиллерию.

По команде Мурада Алихан свернул влево и притормозил около центрального рынка. Окна новых киосков были залеплены объявлениями, и на троттуаре стояли женщины с черемшой и цыплятами. Толпа была густой, как сметана, в которую можно втыкать ложку. Один из парней, сидевших позади, вышел и вернулся через пятнадцать минут с новыми симками и дешевыми «нокиями».

— Перед тем, как уедешь, - приказал Мурад, - устроишь нас рабочими на завод.

— Зачем тебе завод? — сказал Алихан, - это ведь, по-твоему, козни оккупантов.

— Это дело рук евреев и американцев, - отозвался Мурад, — им мало поработить наши горы, им надо развратить наши души; научить людей служить деньгам, а не Аллаху, и Аллах в своей мудрости изберет этот завод орудием своего возмездия. Все знают, что этот муртад Джамал ходит по стройке без охраны, как шайтан по аду.

— Я не устрою никого на работу, - ответил Алихан, - и не поеду никуда дальше. Ты позвонил мне и сказал, что ранен, а эта твоя рана была вранье, как все ваши глупости про Эмират Кавказ. Назови-ка мне хоть одну мечеть этого эмирата, в которой ты можешь открыто встать на намаз. А правда была та, что ты перессал после того, как схватили Джаватхана. Прощай. Я улетаю в Швейцарию, а ты живи себе в Вилайете Дарго.

— Вилайет Дарго существует в наших сердцах, - отозвался Мурад, — и победа будет за нами; и здесь не будет места ни заводам, ни телевизорам, ни всем вашим дьявольским штучкам.

— Ты уверен, что людям хочется без завода и телевизора? — не удержавшись, съязвил старшему Алихан.

— Какое мне дело до того, что хочется людям! — закричал Мурад, — Народ пребывает в состоянии джахилии, и знаешь ли ты, сколько людей на нашей стороне? Ты никогда и не заподозришь тех, кто с нами!

Стекло «шестерки» поехало вниз, и Мурад закричал:

– Муса, подойди!

Алихан удивленно всмотрелся. На троттуаре, между перевернутыми ящиками с зеленью и фруктами, стоял толстый гаишник с авоськой, раздувшейся от оранжевых апельсинов. Ему было лет пятьдесят, и Алихан вдруг узнал в нем Мусу из соседнего села. Этот Муса был совершенно под каблуком свой вздорной жены и два дня танцевал, когда купил должность, и Алихан даже представить себе не мог, что этот человек тоже в сопротивлении. Он никогда об этом даже не подозревал.

– Муса!

Гаишник с апельсинами вытянул голову и шагнул навстречу машине; на улице темнело, он никак не мог разобрать, кто в ней сидит. Оранжевые апельсины в авоське смешно били его по ногам.

Гаишник склонился к машине, Мурад выхватил пистолет и выстрелил в него в упор.

Алихан в панике втопил газ. Машину вынесло на перекресток перед тяжелым грузовиком; в зеркале заднего вида Алихан видел, как прыгают под колеса машин оранжевые апельсины.

Через пять минут бешеной гонки «жигули» завернули в глухой двор. Алихан выскочил из машины, Мурад – за ним. Мурад хотел что-то сказать, но Алихан размахнулся и швырнул ему ключи, а потом он сунулся в карман, выгреб бывшие там деньги с размаху тоже швырнул их на землю перед Мурадом. Повернулся, и, ни говоря ни слова, пошел к выходу со двора.

– Алик! – закричал третий парень, выскочивший из машины, – Алик! Стой!

Алихан уходил.

– Он вернется, – сказал Мурад.

Четвертый мальчишка ползал по земле, собирая деньги. Руки его тряслись. Мурад наклонился и вынул из рук того парня, который сидел за ним, мобильник, на который тот записывал все, что происходило с того момента, когда Мурад подозвал гаишника.

— Он вернется, - повторил Мурад, - а если нет, Аллах покарает его. Джамал убьет его, когда увидит эту запись.

* * *

Кирилл Водров мог совершенно точно сказать, во что его компании обошелся бой у Чертовой Пасти.

В два с половиной миллиарда долларов. Именно таков был второй транш синдицированного кредита, который компания должна была получить в апреле. Займ был организован Merrill Lynch, Morgan Stanley и Deutsche Bank, и именно Morgan Stanley первым потребовал пересмотра условий сделки в связи с увеличением угрозы терактов — одним из форс-мажорных обстоятельств, прописанных в договоре.

Кирилл провел три встречи с кредиторами. Одна была в Лондоне, другая в Люксембурге, а третья в Швейцарии.

Банкиры были непреклонны. По счастью, пленки, на которой Булавди плясал вокруг БТРа, у них не было (у Кирилла она, разумеется, была, но он не стал ей делиться), но зато у них была целая куча сообщений информагентств о захвате школы, предотвращенном доблестными спецслужбами.

Уверения Кирилла в том, что местные сепаратисты никогда не будут захватывать мусульманскую школу в мусульманской республике, были встречены с плохо скрытым скептицизмом.

— О том, что террористы планировали захват школы, — сказал один из банкиров, недавно руководивший инвестиционным подразделением Merrill Lynch в Бразилии, а теперь поменявший Бразилию на всю Восточную Европу, — сообщил премьер вашей республики. Вы хотите сказать, что ваш премьер не знает, что говорит?

Кирилл хотел сказать именно это, но прикусил язык. По его личному мнению, премьер Христофор Мао был куда большим кредитным риском, чем террорист Булавди Хаджиев, но делиться этой своей идеей с кредиторами Водров не собирался.

— За последние пять месяцев, — сказал человек из Deutsche Bank, — в республике произошло три крупных теракта. — Исламские радикалы взорвали президента Кемирова, уничтожили военную колонну и чудом не захватили школу. Это совершенно очевидно, что власти не могут справиться с ситуацией.

– Ситуацию в республике контролирует Джамалудин Кемиров, – ответил Кирилл, – полностью.

– А почему бы, собственно, нам не услышать это из собственных уст Джамалудина Кемирова? Мы бы хотели поговорить с ним лично. А не только читать о нем в очередной жалобе в Страсбургский суд.

Кирилл поднял глаза и встретился взглядом с вице-президентом Сережей.

Две недели назад они сидели с Джамалом в ночном клубе; черт дернул Сережу заговорить об ипотечном кризисе. Джамал спросил банкира, какие у него ставки по кредитам на покупку жилья; тот ответил, Джамалудин возразил, что ростовщичество не дозволено Аллахом, да и влепил Сереже в челюсть. Тот был не столько зол, сколько изумлен. Надо было честно признать, что на следующий день Джамал извинился и сказал, что сам не знает, что на него нашло, а все-таки Кириллу не хотелось, чтобы Джамалудин делился своими взглядами на процентные ставки с представителями инвестиционного сообщества.

– Я представляю Джамала во всех финансовых вопросах, – ответил Кирилл.

– Ваш Джамал, – заявил вице-президент Morgan Stanley, – нарушает все нормы права, какие существуют, и даже Москва не в силах справиться с этим чудовищем. Мы не можем финансировать чудовище под одиннадцать процентов годовых.

– Нам нужно хотя бы тринадцать процентов, – поддержал его представитель Deutsche Bank.

* * *

Merrill Lynch был скорее на их стороне; Morgan Stanley ссылался на кризис, Deutsche Bank грозил отказаться от обязательств, и Кирилл совсем уже собрался улетать, когда ему позвонил старый приятель, вице-президент ЕБРР, и сказал, что у него есть крупный частный клиент, который хотел бы поговорить о кредите.

Черный «майбах» с тонированными стеклами привез их в старинный замок.

В огромной гостиной в камине уютно горел огонь, а на мраморном полу лежали шкуры медведя и тигра. На малахитовом столике перед камином лежали чертежи газового комплекса, все в колонках долларов и кубометров. Из кресла у камина поднялся высокий худой силуэт, и Кирилл узнал в нем Семена Семеновича Забельцына.

— Спасибо, Франц, — сказал Семен Семенович приехавшему с Кириллом вице-президенту, — вы можете идти.

Франц распрощался и ушел.

Вышколенный слуга неслышно скользнул к ним с серебряным подносиком; на подносе сверкали белые чашки и расписной глобус чайника. Ноздри Кирилла защекотал запах свежих тостов. В дольки лимона были воткнуты аккуратные палочки, и из завитков сливочного масла в хрустальном блюдечке вырастала горка икры. Тут же, на подносе, стояла початая коробка толстых, с красной нашлепкой, сигар. Семен Семенович выбрал одну из сигар, слуга расставил приборы, поклонился и исчез.

— Вы проделали потрясающую работу, — сказал Семен Семенович, — я так понимаю, что вы собираетесь пустить первые две очереди шестого октября. На два месяца раньше срока.

За три прошедших дня ни один из кредиторов не упомянул, что работы идут с опережением графика. Кирилл молча ждал, что будет дальше. Забельцын сел, легко вдевая свое тело в бархатные ножны кресла.

— Курить не предлагаю — вы бросили. Кофе? Чай?

— Он у вас с молоком или с полонием?

Семен Семенович засмеялся, и налил Кириллу теплый ароматный напиток, а сам занялся длинной гаванской сигарой калибром 14,5 мм.

Рубенс строго глядел на них со стены гостиной, и за переплетом окна сверкала на солнце альпийская деревенька белыми домиками и раскормленными пестрыми коровами.

— Так вот о заводе, — сказал Семен Семенович, — Российская Федерация не может допустить, чтобы в жизненно важном для нее регионе хозяйничали иностранцы. Контрольный пакет завода должен принадлежать государству. На этих условиях мы согласны оставить вам месторождения.

— Это невозможно, — ответил Кирилл, — контрольный пакет завода принадлежит компании Navalis. Если вы начнете отбирать его, я вам гарантирую колоссальные неприятности. Лично вам. И этой недвижимости.

— Но ведь у завода есть не только контрольный пакет. Есть еще тридцать пять процентов, которые принадлежат частным владельцам. Вам и Джамалу. Почему бы вам не уступить этот пакет?

— Кому? Российской Федерации?

Семен Семенович, не торопясь, обрезал сигару специальным приборчиком, и тщательно раскурил ее от золотой зажигалки, украшенной гербом РФ.

— Кирилл Владимирович, вы сами видите, каково положение в республике. Что будет с вашим заводом, когда в нее введут войска? Вот что.

И Забельцын поднес зажигалку с гербом России к лежавшим на столике чертежам. Бумага вспыхнула. Нарисованные установки и нарисованные миллиарды опали черными хлопьями на малахитовый столик.

— Ваш Джамал, — продолжал Семен Семенович, — кажется мне в основе своей весьма разумным человеком. И вы, и покойный Заур много раз объясняли ему, что основа мира — это экономика. Есть завод — есть мир. Нет завода — нет мира. И притом, ваш Джамал много раз говорил, что деньги для него ничто. Ну так пусть и докажет это. Либо он отдает личные тридцать пять процентов и получает в обмен пост президента и мир в республике. Либо он оставляет их себе, и по его родному селу будут бить танки.

Семен Семенович встал.

— Я приеду на открытие завода, — сказал Семен Семенович, — и если все документы будут в порядке, то в этот день

Джамалудин Кемиров станет президентом республики. И передайте ему, что я не сделаю ошибки, которую сделал Углов. Вашему приятелю не удастся повторить фокус на Красном Склоне.

Кирилл тоже встал. За переплетом окна две девушки в купальниках играли в бадминтон, и черно-белые коровы на склонах позванивали колокольчиками. Коровы с непривычки казались Кириллу невероятно большими, — дома коровы были маленькие, но прыгучие.

— И кстати, что это за имя — Камиль? — спросил вдруг Семен Семенович.

— Это имя, которое я взял, когда принял ислам. Я им не пользуюсь.

— А почему вы приняли ислам?

Кирилл пожал плечами.

— Жена просила.

Семен Семенович усмехнулся.

— Вы не похожи на человека, который находится под каблуком у жены. Менять веру предков — большой грех, Камиль.

Кирилл поднял голову и мягко произнес:

— Однажды, — сказал он, — один человек умер и попал на суд к Аллаху. Аллах спросил его, заслужил ли он рай. «Конечно, — ответил этот человек, — я пять раз совершил хадж, и поэтому заслужил рай». «Нет, — ответил Аллах, — этим ты не заслужил рай». «Я пять раз ходил в джихад, — ответил человек, — и этим я заслужил рай». «Нет, — ответил Аллах, — этим ты не заслужил рай». Тогда человек опустил голову и вздохнул, потому что не знал, что добавить, а Аллах сказал ему: «Помнишь тот камень на дороге, который мешал путникам, и ты взял и оттащил его в сторону? Вот тем, что ты оттащил этот камень, ты заслужил рай». Я не думаю, Семен Семенович, что на том свете, если он есть, нас будут считать по количеству свечек или по количеству трупов. Нас будут считать по камням, Семен Семенович, и что-то подсказывает мне, что вам нечего будет предъявить.

Кирилл повернулся и вышел. Его чай остался нетронутым.

* * *

— Вот такой его ультиматум. Либо завод, либо война.

Кирилл Водров и Джамалудин Кемиров сидели, совершенно одни, в открытой беседке, нависшей над морем.

По случаю воскресного дня Джамалудин был в спортивках: на нем был ослепительно белый тренировочный костюм, белые, ни разу ни надеванные кроссовки, и белая кепка козырьком назад, из-под которой лез короткий черный волос.

Кирилл чрезвычайно редко бывал с Джамалудином один на один; Джамалудин вообще почти ни с кем не оставался наедине, если, конечно, речь не шла о каком-то особо кровавом приказе. В таком случае Джамалудин обычно оставался наедине с Хагеном.

Но сейчас даже Хагена с ними не было, они сидели вдвоем, и понятно, почему, — все-таки эти тридцать пять процентов принадлежали именно им, тридцать — Кемирову, и пять — Кириллу Водрову, — и им и предстояло решать. Судьбу собственных денег, как и собственных детей, не решают с чужих слов.

Даже маленького Амирхана, который играл со своим отцом, Джамалудин выпроводил из беседки. На полу у выхода стояла пара крошечных коричневых ботиночек, а посереди стола лежал брусок обоймы. Амирхан, по обыкновению, выпросил у отца его пистолет, — черный, чуть поцарапанный, с витой надписью из Корана, и Джамалудин разрядил ствол и отдал его мальчику.

Собственно, решать было нечего. Ставки были несоизмеримы. Если бы речь шла о национализации контрольного пакета только что выстроенного иностранцами предприятия, — что ж, это была б катастрофа. Но речь шла о частной доле, принадлежащей частным фондам, и эта доля могла быть передана в совершенно камерном порядке.

Конечно, это означало, что часть будущих доходов от завода уйдут из республики. Печально. Но не смертельно. Потому что останется завод, останутся зарплаты, товар и смежники, и более того, было ясно, что после того, как Семен Семенович получит пакет, он будет заинтересован в процветании республики.

Было ясно, что как только это произойдет, из республики выведут войска и вышвырнут Христофора Мао. Что Джамалудин получит карт-бланш, а проект — госгарантии, а это было немаловажно в ситуации, когда мировые финансовые рынки сокращались медленно, но верно, как шагреневая кожа, и когда те самые люди, которые еще недавно, смеясь, хлопали Кирилла по плечу и говорили, что для хорошего заемщика деньги всегда есть, теперь вдруг выражали озабоченность каким-то взрывами и терактами и спешно уезжали на переговоры о продаже собственных банков.

Собственно, рынки чувствовали себя так, что одно громкое слово Семена Семеновича могло бы поставить крест на всех будущих кредитах, и Кирилл только теперь в полной мере оценил тот факт, что Семен Семенович этого слова не сказал.

Надо было соглашаться.

Они были загнаны в угол, и поставлены в ситуацию, когда грубой силой было ничего не решить. Грубой силой можно было только испортить. Собтственно, так и планировал Заур: создать в республике ситуацию, при которой грубая сила становится бесполезна. Собственно, этим и воспользовался Семен Семенович.

В предложении Семена Семеновича было очень много плюсов. Минус был только один.

Отдавая Семену Забельцыну тридцать пять процентов акций «Навалис Авария», Джамал Кемиров делал в точности то, что хотел Семен Забельцын.

Тот человек, который хладнокровно поставил республику на грань войны. Тот человек, из-за которого у Чертовой Пасти расстрелял сорок три омоновца. Тот человек, из-за которого погиб Ташов Алибаев: ибо настоящим убийцей Ташова был не Булавди, и даже не Кирилл, который послал его в лес на верную смерть, а серый, незаметный человек с простоватым, чуть раскосым лицом, расчетливо и беззастенчиво подставивший республику под топор, чтобы пополнить свои оффшорные счета.

Тот человек, который — Кирилл был в этом совершенно убежден, — заказал убийство Заура.

Джамалудин поднялся и встал у окна беседки. Он долго смотрел на далекое море и берег, на котором играли дети. Как всегда, заводилой был маленький Амирхан. Он построил на песке своих братьев и племянников, а в конце шеренги он приспособил трех взрослых охранников, и четвертым в этом строю стоял Хаген. Босоногий, в камуфляжной курточке Амирхан вышагивал вдоль строя с отцовским пистолетом в руке, и начальник АТЦ одобрительно улыбался мальчику во все шестьдесят четыре белых своих волчьих зуба.

Кирилл подошел и встал рядом. Старая, еще советских времен фотография улыбающегося Заура висела в рамке над окном, и за спиной Кирилла висел другой портрет — красного шариатиста Амирхана Кемирова. Их было трое Кемировых, на одного европейца Водрова, если, конечно, Водрова еще можно было назвать европейцем.

— Есть у нас выход? — спросил Джамалудин.

— Выхода нет. А поторговаться можно.

Кирилл вдруг подумал, что у Джамала Кемирова никогда не будет виллы в Швейцарии. Джамал возил деньги не мешками, а багажниками; он швырял толстые пачки направо и налево, он дарил друзьям «порше каейнны» и бросал пятитысячные купюры под ноги пляшущих лезгинку красавиц. То, что творилось с финансовой отчетностью в Фонде, было полный караул, а как иногда эти деньги вымогали, было лучше вообще не вспоминать.

Но в одном Кирилл был уверен: у Джамала не было ни цента за рубежом. Кирилл знал это совершенно точно, потому что именно он занимался счетами. Да и зачем? Судьба Джамала была — либо власть, либо пуля. Чего бы ни хотел в жизни Джамалудин Кемиров — швейцарская вилла и рубенс в гостиной явно не значились среди его целей.

— Я уверен, — сказал Кирилл, — что мы опустим его до двадцати пяти процентов.

Амирхан, на берегу, засунул пистолет за пояс штанишек, но ствол был слишком тяжелый, а штанишки, — слишком маленькие, рукоять «стечкина» перевесила, и пистолет хлопнулся в песок.

— Амир! — закричал Джамал, — а ну иди сюда!

Все, что произошло потом, случилось прямо у него глазах, — время снова замедлилось, хлещуший его поток разбился на капли мгновений, и каждое мгновение навсегда застыло в памяти Кирилла, – как летящий в воздух гаишник и желтый шар в зеркале заднего вида, на том месте, где только что была машина Заура.

Девятилетний мальчик обернулся и сделал шаг. Он наступил на рукоять, ствол провернулся в теплом песке, и, так как Амирхан был бос, крошечный его пальчик надавил на курок.

Бог его знает, где Амирхан стащил обойму, видимо, она была припасена у него с самого начала, оружия в резиденции было довольно, и не всегда оно лежало под замком. Во всяком случае, после того, как Джамал разрядил пистолет, Амирхан схватил его и побежал с ним на берег моря, и, стало быть, обойма уже была тогда у Амирхана.

Хаген рванулся к мальчику. Грянул выстрел. Маленькая фигурка в камуфляжной курточке упала на песок. Джамалудин выпрыгнул из беседки и побежал к берегу.

Кирилл с шумом обрушился с двухметровой высоты вслед за ним, больно ударился, упал, вскочил, и бросился, увязая в песке, к кромке воды.

Когда Кирилл добежал до берега, Джамалудин стоял на коленях и держал на руках сына. Белый костюм хозяина республики был весь залит кровью. Кирилл и не подозревал, что в маленьком мальчике может быть столько крови. Пуля вошла в тело снизу, через пах, пробила почку и селезенку, прошла легкое, отразилась от кости и выскочила из плеча. Амирхан был еще жив. Глаза его закатывались, изо рта текла тонкая струйка крови.

На мягком теплом песке, на солнце сверкал «стечкин» с вороненым стволом и витой надписью из Корана.

– Врача! – закричал Джамалудин, – врача!

От ворот со всех ног бежали охранники.

* * *

Амирхан умер через неделю. Его оперировали сначала в Бештое, а потом в Москве, и все эти дни Джамал не отходил от постели сына, и целый этаж в Бурденко был забит охраной и холуями.

На седьмой день, до захода солнца, Амирхана похоронили. В республике был объявлен национальный траур.

Через час после похорон Кирилл Водров позвонил в приемную Забельцына.

* * *

Кирилл прилетел в Швейцарию через три дня. Семен Семенович выразил соболезнование в связи с трагической смертью мальчика.

— У Джамала пять сыновей, — ответил Кирилл.

— Но я так понимаю, что на этого возлагались самые большие надежды?

Кирилл промолчал, и они прошли в гостиную.

— Наши условия очень просты, — сказал Кирилл. — Все зачистки прекращаются завтра. Все менты из Пензы и Ростова покидают республику завтра. Любые операции против боевиков имеет право проводить только республиканское МВД. В день, когда Джамал становится президентом, мы передаем вам блокирующий пакет. Подпись в обмен на подпись.

Фигура Семена Семеновича тонула в темных углах кресла, и за полураскрытым окном, задернутым тяжелыми вишневыми портьерами, раздавались крики и смех девочек: целая стайка их снова играла в бадминтон.

— А ты не боишься, что он убьет тебя? — вдруг спросил Семен Семенович.

Вопрос застиг Кирилла врасплох.

— Что?!

— Отчего ты ему служишь? — повторил Семен Семенович, — ты-то не родился в горах. Ведь он убивает, как кролик срет. Часто и где угодно. В башку его волчью стукнет — он и тебя убьет.

Семен Семенович резко перегнулся через столик. Его светло-коричневые, словно выцветшие глаза глядели прямо в глаза Кирилла.

— Ведь ты же не будешь служить мне, как ему? Ведь ты меня считаешь вымогателем и тварью. А я не убиваю людей.

Кирилл молчал.

– Хорошо, – сказал Семен Семенович, – менты улетят. Я приеду в республику шестого октября. На открытие завода. Да, кстати. ФСБ России совместно с Минобороны планирует провести в эти дни антитеррористические учения «Кавказ: мир и порядок». Я официально приглашаю ОМОН и АТЦ республики принять участие в этих учениях в качестве... условного противника.

Кирилл чуть побледнел.

Семен Семенович встал.

– Ну-ну, Камиль, – сказал Семен Семенович, – не переживайте. Это учения, а не война. Никто не собирается лупить «Градом» по нашему заводу.

Собрал бумаги в стопку и закончил:

– Как я уже сказал, это всего лишь разумная предосторожность.

* * *

Христофор Мао услышал о том, что Семен Семенович Забельцын приезжает на открытие завода, в тот же день. Об этом сказал начальник УФСБ республики на коллегии силовых структур, и Христофор Мао сразу понял, что это означает.

Его предали.

Его и Россию.

Этот негодяй, этот кремлевский интриган, не думающий ни о чем, кроме своих заграничных счетов, попросту использовал Мао. Он использовал его желание изобличить врагов России для того, чтобы сговориться с этими врагами.

А теперь он заберет себе завод и назначит Джамалудина президентом. Христофор Анатольевич представил себе, что сделает с ним *президент Кемиров*. В горле стало кисло.

Когда коллегия кончилась, Христофор Мао прошел в кабинет и набрал номер спецсвязи.

Разговор продолжался минуты две. Христофор Мао положил трубку, нажал кнопку селектора и приказал начальнику охраны задержать рейсовый самолет, вылетавший в Москву через полчаса.

Ну нет. Он, Христофор Мао, не допустит, чтобы коррумпированный кремлевский чиновник вступил в сговор с боевиками их западными хозяевами. Он не допустит, чтобы этот завод принадлежал врагам России. Он не допустит, чтобы он принадлежал кому-нибудь, кроме Христофора Мао.

* * *

Через три часа после коллегии самолет Христофора Мао приземлился в аэропорту Внуково.

Человек, в кабинет которого вошел Христофор Мао, так же, как Семен Семенович, был выходцем из силовых структур. Так же, как Семен Семенович, он занимал высшие посты в федеральной власти: если быть более точным, он руководил личной охраной президента России.

Кроме личной охраны президента, он руководил половиной российской контрабандной рыбы, двумя миллиардами долларов черных потоков таможни, крупным государственным концерном, недавно разработавшим уникальную российскую систему космического ориентирования (система весила втрое больше своего европейского аналога, четкость имела впятеро меньшую, а стоила столько, сколько подержанный «мерседес»). Кроме того, он был бенефициаром маленькой швейцарской фирмы, которая продавала около двух третей российского газа.

И, наконец, этот человек был принципиальным и непримиримым идеологическим противником Семена Семеновича. Их взаимное непреодолимое идеологическое противоречие заключалось в том, что фирма Мартына Мартыновича по прозвищу Мама экспортировала, как уже сказано, две трети российского газа, а фирма Семена Семеновича по прозвищу Эсэс — две трети российской нефти, и Мама всегда считал, что его фирма тоже должна экспортировать нефть, а Эсэс всегда считал, что его фирма тоже должна экспортировать газ.

То есть был один пункт, по которому они были совершенно согласны: а именно, и Мартын Мартынович, и Семен Семенович считали, что вертикаль власти требует, чтобы экспорт нефти и газа был сосредоточен в одних чистых руках. У них было только маленькое разногласие по поводу того, чьи эти чистые руки.

Семен Семенович считал, что руки чисты у него, а Мама, со своей рыбой, таможней, и спутниковым проектом суть страшный коррупционер; а Мартын Мартынович, наоборот, считал, что руки чисты у него, а Эсэс, со своей нефтью, сельским хозяйством и Кавказом — должен был поставлен к стенке и выжат, как губка.

Поэтому Мартын Мартынович давно присматривался к ситуации на Кавказе (тем более, что газ был строго по его профилю), и вообще воспринимал поведение Семена Семеновича как попытку залезть в его домен. Но так уж случилось, что никто из кавказских игроков не обращал на авансы Мартына Мартыновича внимания, а лезть самому было накладно: и вот теперь, получив звонок Христофора Мао, Мартын Мартынович одновременно обрадовался и напрягся.

Он знал Христофора Мао за креатуру Эсэс и полагал, что тот едет подложить ему свинью.

Тем не менее Мартын Мартынович согласился на встречу, и через полчаса после приземления Христофор Мао вошел в кабинет его роскошного особняка на Рублевке. Мао был не один — с ним был высокий, мрачный кавказец, от которого буквально исходило физическое ощущение угрозы и силы — Дауд Казиханов.

Христофор Анатольевич представил Дауда Мартын Мартыновичу, и когда гости расселись вокруг стола, бухнул, как арбузом о стол:

— Мы здесь для того, чтобы предотвратить заговор против России.

— И кто заговорщики? — спросил Мартын Мартынович.

— Семен Забельцын, Джамалудин Кемиров, и завербовавшая их британская разведка в лице филиала МИ6 — компании Navalis.

Тут надо сказать, что Мартын Мартынович всегда очень чутко относился к заговорам против России. В своей прошлой жизни — офицера пятого управления КГБ — он только и умел, что раскрывать заговоры против России, и раскрыл их добрый десяток. Конечно, в последнее время он научился торговать рыбой и газом, но все-таки про заговоры он не забыл. Можно было даже сказать, что рыба и газ — это хобби, а заговоры — это основное.

Вообще Мартын Мартынович очень трепетно относился к целостности России, потому что согласитесь, если Россию расчленить — то куда же денутся рыба и газ?

Поэтому Мартын Мартынович заинтересованно кивнул, а Христофор, в свою очередь, тут же вытащил на белый свет портфель, а из портфеля извлек целую кипу разных бумаг, — в основном донесений, справок, и протоколов допросов, а чаще и распечаток из интернета.

— Все началось с того, — сказал Христофор Мао, — что около года назад бывший президент республики Заур Кемиров продал лицензию на освоение шельфа британской компании «Навалис», и в республику приехал ее представитель — Кирилл Водров. На первый взгляд это выглядело обычной коммерческой сделкой. Республике нужны деньги, Западу — газ, вот Запад и забирает газ в обмен на деньги.

Но дальше начались странности. Конкурс, в котором должны быть, казалось бы, заинтерсованы крупнейшие компании мира, — Тексако, Экссон, Шеврон, выигрывают не они, а небольшая компания «Навалис». «Навалис» — британская компания, которая активно пытается заниматься бизнесом ровно в тех странах, которые некогда были частью Советского Союза, — например, в Узбекистане. По странному совпадению, глава этой компании, некто Мартин Мэтьюз, был удостоен рыцарского звания вскоре после того, как президент Узбекистана предоставил аэродромы своей страны для удара союзников по талибам. Не менее интересно то, что после того, как узбекский президент разочаровался в своих западных союзниках, — он вышиб «Навалис» из страны. Пресса прямо обвиняет «Навалис» с британской разведкой. И в том, что нефтяные интересы «Навалис» в Узбекистане служили лишь ширмой для ее главной задачи — организации масштабной торговли афганскими наркотиками.

Мао остановился и улыбнулся.

В связях с британской разведкой «Навалис» обвиняла статья, ссылавшаяся на сайт в интернете. Автор сайта в интернете, в свою очередь, опубликовал досье, предоставленное ему Мао. Досье Мао написал сам, высосав его из пальца, но когда он увидел перепечатку в газете, он понял, что догадался правильно. Газеты не станут же печатать всякую чепуху!

— Более того, — продолжал Мао, — консультантом «Навалис» в этой сделке оказывается небезызвестный Кирилл Водров. Казалось бы, в чем дело? Почему нельзя взять другого человека? Что, свет сошелся на Водрове? Но президент «Навалис» требует именно Водрова. И президент республики требует именно Водрова.

А между тем Водров — фигура зловещая. Появление Водрова в республике в прошлый раз кончилось настоящей трагедией. А именно: Джамалудин Кемиров, полевой командир, который всю жизнь был вполне лоялен России и охотился исключительно на бандитов, взорвавших роддом в его родном Бештое, вдруг резко поменял цель и захватил в заложники российскую правительственную делегацию. Почему? Ему была представлена насквозь фальшивая информация, что это Россия заказала взрыв роддома в Бештое. Кто предоставил информацию? Агент английской разведки Кирилл Водров.

Христофор Мао наклонился к Мартын Мартыновичу, понизил голос и доверительно добавил:

— По нашим данным, Водров работает на английскую разведку еще со времени своей карьеры в ООН, где его завербовали на его пристрастии к маленьким мальчикам.

И Мао брезгливо усмехнулся.

— Итак, — продолжал Христофор Мао, — прошлое появление Водрова в республике кончилось превращением Джамалудина Кемирова в международного террориста. Но на этот раз ситуация еще тревожней. Что первое делает наш иностранный консультант? Ответ: он женится на чеченке. Трогательная, романтическая история, если не знать, что двоюродный дядя этой чеченки — один из самых кровавых террористов, которых знала Россия. Поразительная женитьба! Если уж Кирилл Водров, который, как я уже сказал, был завербован МИ6 на почве склонности к мальчикам, влюбился в свою новую пассию, ему было совершенно не обязательно жениться. Нет — этот брак — политический. Брак по расчету. Это брак английской разведки на чеченском терроризме.

— Международном терроризме, — сказал Дауд Казиханов.

Христофор Анатольевич оглядел своего мрачного высокого спутника и согласился.

— Именно. Международном терроризме. Ибо браком дело не кончилось, и подтверждением тому — последующие события. В то самое время, когда развивается якобы стремительный роман между молодой чеченкой и иностранным консультантом, на границе Чечни и Аварии происходит бой с бандой боевиков. Уцелевшие террористы попадают в руки Джамалудина Кемирова. И что же происходит с ними?

Христофор Мао замолчал, давая своему собеседнику возможность переварить информацию. Мартын Мартынович аж подался вперед. Развертывающаяся перед ним картина заговора потрясала воображение.

— И что же? — спросил Мартын Мартынович.

— Их отпускают! Их отпускают по личной просьбе Кирилла Водрова, потому что среди этих террористов — брат его будущей жены!

— Взятый в плен с оружием в руках? — поразился Мартын Мартынович.

— И раненый в бою, — подтвердил Мао.

— И где он сейчас?

— Где ж ему быть, — с презрением сказал Мао, — как не в постели Водрова? Я же и говорю, что его завербовали на мальчиках.

— Это всем известно, — проговорил Дауд, — что Кирилл таскается с этим парнем как с писаной торбой! И этакую-то пакость терпит Джамал!

— Джамалудин Кемиров, — продолжал Христофор Мао, — позиционирует себя как опора России. Как охотник на террористов! Но как он на них охотится, если во главе одного из отрядов стоит любовник Водрова? Если этот любовник покушался на Дауда? И если Джамал такой уж охотник на террористов, почему он не может два года поймать главного террориста республики, Булавди Хаджиева? Быть может, мы легко поймем ответ на этот вопрос, если вспомним, что Черный Булавди — двоюродный дядя его детей!

— В республике, — сказал Дауд, — царит атмосфера террора. Люди Джамала ездят по дорогам, вооруженные, и творят беспредел. Они могут любого убить, изнасиловать, отобрать бизнес. Все дома завешаны портретами Джамала, в парламенте публично поют ему хвалу, но женщины пугают именем Кемирова своих детей!

— Но при чем здесь Семен Семенович? — спросил Мартын Мартынович.

Гости его переглянулись.

— А вот это-то и есть самое главное, — сказал Христофор. — Как вы понимаете, с момента моего назначения в республику я испытывал чудовищное давление. На меня покушались трижды! Один раз — дали яд. Другой раз — стреляли, а третий раз — они якобы чуть не затравили меня собаками! Но я не сложил руки. Я продолжал бороться. Мне удалось добиться проверок и спецопераций! Мы окружили банду Алихана Водрова! Мы ранили его под Тленкоем! Мы начали масштабную зачистку республики! И что же, вы думаете, произошло?

— И что?

Христофор наклонился еще ближе к Мартын Мартыновичу и проговорил тихо-тихо.

— Кирилл Водров встретился в Швейцарии со своим покровителем Семеном Забельциным, и тот приказал прекратить зачистки.

— Федеральные силы, — сказал Дауд, — оказались в беспомощном положении. Они ничего не могут. Люди Джамала открыто над нами издеваются. Боевики Джамала стреляют в моих людей и кричат: «Вам не стыдно служить русским»? Знаете, кого он назначил новым начальником ОМОНа? Шамиля Салимханова, брат которого убил полпреда!

Христофор Мао наклонился к Мартын Мартыновичу и проговорил:

— Все знают, что Джамал сам застрелил своего сына. Он застрелил его из-за того, что тот сказал, что вырастет и будет дружить с Россией. А брата он убил из-за того, что тот был не согласен передать шельф Западу. Он чудовище, этот человек.

– А Забельцын?

– Семен Забельцын, – сказал Христофор, – это предатель в самом центре Кремля. Он перешел на их сторону и получил взамен тридцать пять процентов проекта ценой двадцать миллиардов долларов.

И Христофор Мао замолчал, довольный произведенным эффектом.

Тут надо сказать, что Мартын Мартынович был стреляный воробей. Он был вам не какой-нибудь наивный Вася, или новичок-лейтенант, которому покажешь палец, и скажешь, что это смородина, и он обрадуется, что ему объяснили скрытые причины пальца, и побежит об этом составлять доклады и записки. Он жил в мире, где таких аналитических записок ему клали на стол каждый день добрый десяток, и если бы он верил этим запискам, то ему бы себя самого пришлось считать агентом всех разведок мира, включая разведку звезды Альдебаран.

Мартын Мартынович гордился своим умением фильтровать информацию. Вот и сейчас он без колебаний отмел все, что касалось гомосексуальных связей, узбекских аэродромов и убийства собственного сына. Знал он этих разведчиков! Не могут обойтись без того, чтобы, найдя пуговицу, не пришить к ней пиджак. И, поразмыслив, Мартын Мартынович выделил ключевые места из рассказа собеседников:

– Итак, сын Водрова был взят в плен с оружием в руках?

– Дважды, – ответил Дауд.

– И Кемиров назначил начальником ОМОНа находившегося в розыске террориста?

– Да, – ответил Христофор.

– И вы полагаете, что тридцать пять процентов мегакомплекса принадлежит Семену Забельцину?

– Я точно знаю, что после визита в Швейцарию Кирилл Водров позвал юристов и приказал готовить бумаги для передачи этих акций юристам, которые всегда представляли интересы Забельцына.

– И они хотят провозгласить независимость? – спросил Мартын Мартынович.

Дауд нехорошо улыбнулся.

— Я готов засвидетельствовать, — сказал Дауд, — что Джамал собрал нас, всех силовиков, и объяснил, что мы должны устраивать теракты, дестабилизирующие ситуацию, потому что, как только завод будет построен, под предлогом его защиты в республику будут введены войска ООН. А Кремля, мол, не надо бояться — там Забельцын, мол, получит свою долю в заводе.

* * *

Через три дня Мартын Мартынович прилетел в резиденцию президента отдыхал в Сочи.

Все эти три дня Мартын Мартынович проверял сказанное. Кое-чему он нашел подтверждение; кое-чему нет, а кое-что и вовсе превзошло самые худшие его ожидания, ибо любой майор и полковник умеет чутко улавливать настроение начальства и знает, когда ожидания лучше превзойти.

Можно даже сказать, что майоры и полковники ведомства, в котором работал Мартын Мартынович, уже долгие годы специализировались на том, чтобы превзойти ожидания начальства.

В некоторых аналогичных ведомствах в других странах их коллеги специализировались на том, чтобы добывать информацию, а в ведомстве Мартына Мартыновича специализовались на том, чтобы превзойти ожидания начальства.

Мартын Мартынович по прозвищу «Мама» был очень могущественный человек. Он занимал очень важную должность в Кремле. Точный статус этой должности мы, из уважения к вертикали власти, опустим, точно так же как мы опустили, что без сомнения заметил читатель, точный статус Семена Семеновича, — а вместо того скажем, что и Мартын Мартынович, и Семен Семенович занимали одну и ту же должность под названием: «Сегодня-Президент-Мне-Поручил». И точно так же, как в республике Северная Авария-Дарго кадровая политика сводилась к тому, что одну должность продавали двум канидадам и смотрели, как они выясняют с помощью автоматов, кто ее займет, так же в двух тысячах километров от Кавказа, в Кремле, вся политика сводилась к тому, что партия Мама соперничала с партией Эсэс, и каждый политический аналитик все время гадал, какая из партий одержит победу.

Однако никакая из партий победу не одерживала, потому что как только какая-то из них ослабевала, президент России сразу поддерживал слабую сторону.

К Христофору Мао, как и ко всем пособникам Семена Семеновича, Мартын Мартынович не испытывал ничего, кроме брезгливости. Собственно, Мартын Мартынович не испытывал ничего, кроме брезгливости, и по отношению к собственным холуям. Мартын Мартынович не сомневался, что они предадут его за лишний серебряник. Было б странно в такой ситуации уважать Христофора.

Но в одном Христофор Мао был прав. Если в республике готовится военный переворот, то он, Мартын Мартынович, должен сделать все чтобы предотвратить его.

И если войскам удастся одержать полную победу над заговорщиками, выжечь в горах их змеиные гнезда, выкурить их из нор, — что же, это означает совсем другую конфигурацию власти. Это означает, что тот, кто выкурил их из нор, становится хозяином России.

Он, Мартын Мартынович, выкурит их из нор.

Мартын Мартынович всегда знал, что Семен Семенович — мелкий человек. Только мелкий человек хочет поменять свою власть на активы, — на активы в Сибири, активы в Поволжье, активы на Кавказе.

А великий человек не будет разменивать власть ни на что.

Мартын Мартынович всегда знал, что он великий человек.

Мартын Мартынович улыбнулся, поправил подмышкой папку, и, низко согнувшись, нырнул, как утка за червяком, в распахнутые двери резиденции, украшенные каменными статуями охранников ФСО.

* * *

Хаген Альфредович Хазенштайн, Герой России и кавалер Ордена Мужества, всегда испытывал необычайную нужду в деньгах.

Черт его знает, как это получалось! Джамал баловал Хагена, дарил ему то «лексус», то «мерс», а за одну из особо удачных операций подарил даже дом в центре города. Хаген потом подарил этот дом любовнице, а когда Джамалудин приказал, чтобы Хаген на этой женщине женился, Хаген завел себе вторую любовницу и подарил ей магазин, а когда магазин разорился, Хаген подарил ей сразу какого-то коммерсанта, чтобы она не забивала себе глупую женскую головку делами.

В общем, деньги таяли в руках Хагена, как снег на плите, и однажды, когда Джамал узнал, что Хаген собрал его именем по пять тысяч рублей с бойцов АТЦ и проиграл эти деньги в казино, хозяин республики был взбешен не на шутку.

Деньги бойцам пришлось вернуть, а-таки они были нужны: и тогда Хаген украл сына председателя местного Россельхозбанка. За сына председатель заплатил миллион, а всю историю списали на боевиков. Джамалудин, разумеется, дознался, как было дело, но Хагена не выбранил. Председатель Россельхозбанка был не то чтобы человек Христофора, но заплатил Христофору за место.

Другой раз Хаген украл сына Шарапудина Атаева, а третий раз он украл племянника министра ЖКХ. За этого племянника Хаген попросил миллион, и министр пожаловался Джамалу. Джамалудин был очень недоволен. Племянника привезли в резиденцию, и Джамалудин лично отдал его министру и напустился на Хагена. Он срамил его при всех так, что Хаген то бледнел, то краснел. Он даже закричал, что Ариец стал совсем как русский полковник: что ему легче воровать детей, чем бегать по горам за ваххабистами.

После этого Джамалудин замолчал, повернулся и жестом приказал Хагену следовать за ним. Они поднялись в кабинет, и Хаген совсем уже было решил, что Джамалудин решил его пристрелить или побить. Но вместо этого Джамал отпер сейф в углу кабинета, достал оттуда миллион долларов и положил эти деньги перед Хагеном. А поверх денег он положил ключ и сказал:

— Вот тебе ключ от моего сейфа. Если тебе когда-нибудь понадобятся деньги, ты можешь прийти взять, сколько тебе надо. Но чтобы я больше никогда не слышал, что ты воруешь людей за деньги.

* * *

Полмиллиона от миллиона Хаген спустил в казино, а на другую половину он купил бронированный «порше-кайенн», и этот «порше» он подарил одному человеку в Москве.

Этот человек умел ценить подарки и не был чужд благодарности, — и он в ответ, по просьбе Хагена, назначил одного московского паренька министром связи республики. Министр назначил бы и Хагена; но, во-первых, у Хагена уже была должность, а во-вторых, Хаген не очень разбирался в телекоммуникациях. Он всегда считал самым доходчивым средством сообщения пистолет системы «Стечкин».

Короче — этого москвича, а его звали Вадик, — назначили министром связи, и он поговорил с Джамалудином и получил от него карт-бланш. Джамалудин сказал ему, что в республике должно быть цифровое телевидение и не меньше трех сотовых компаний, и сказал, что если кто-нибудь будет Вадика обижать, тот всегда может обратиться к нему.

Но после того, как Вадик разобрался, какие бумаги ему придется подписывать, он подумал, да и уволился. К этому времени он познакомился с Кириллом и перешел к нему замом в «Навалис Аварию». Дело в том, что Вадик окончил Уортонскую школу бизнеса, и ему было двадцать пять лет, и Кириллу были очень нужны такие люди.

Вот прошел месяц, другой, и третий: и миллион у Хагена давно кончился, а лазить в сейф к Джамалу он считал неприличным. Это было для него неприемлемо, как для мужчины: жить за счет друга, в то время, как у него были две руки, две подмышки, и два «стечкина» в кобурах у этих подмышек.

Короче говоря: Хаген прислал к Вадику своего двоюродного брата с какой-то бумагой. Но Вадик не только не подписал бумаги, но еще и велел не пускать больше этого человека на территорию завода.

После этого Хаген прислал к нему управляюшего щебеночным карьером. Но так получилось, что Вадик не подписал и эту бумагу. После этого Хаген услышал, что Вадик ищет себе зама в финансовый департамент, и прислал к нему мужа своей сестры, — и что вы думаете? Вадик отказал и этому человеку.

Хаген считал себя миролюбивым человеком. Он стерпел отказ и первый раз, и второй. Но третий раз он не выдержал оскорбления. Он приехал на завод и зашел в кабинет, где сидел Вадик. Это был очень славный кабинет, с пластиковым столом и современным компьютером, и по американскому обычаю этот кабинет был отделен прозрачной стеклянной дверью от операционного зала, где сидел весь персонал финансового отдела.

— Салам, Вадик, — сказал Хаген, — я слыхал, тебе нужен зам. Так чего же ты не взял на работу моего шурина? Или ты нарочно хочешь оскорбить меня?

— Я ни в коем случае не хотел оскорбить вас, — ответил Вадик, — и с удовольствием взял бы вашего шурина замом, но у него только пять классов образования.

— А чем тебе не понравилась щебенка, которую предлагал Али? Почему ты не заключил с ним контракт?

— Мы ни с кем не заключаем отдельных контрактов, — ответил Вадик, — а проводим редукцион и берем у того, кто предлагает наименьшую цену. Пусть Али приходит на конкурс; только я должен сказать, что цена, которую он предложил, была ровно в пять раз выше цены наших поставщиков.

Слова «редукцион» Хаген не знал и поэтому воспринял его как тонкое хамство, но так как он пришел не ссориться, а дружить, он сдержался и положил ему на стол еще одну бумагу.

— Слушай, Вадик! — сказал Хаген, — я ведь хочу тебе только помочь. Ты ведь возглавляешь финансовый департамент. У вас есть электронный документоооборот?

— Да, — ответил Вадик.

— Отлично, — сказал Хаген, — я тут нашел ребят, которые за три миллиона улучшат вашу программу; или продадут вам свою.

Вадик пролистал бумаги, которые дал ему Хаген, поднял на Арийца глаза и сказал:

— Хаген Альфредович, у нас в компании ни один человек не подписывает контрактов лично. Когда речь идет о покупке услуг, она происходит в два этапа. Сначала одна команда составляет список надежных поставщиков, а потом другая проводит среди них тендер; эта фирма вряд ли попадет в список, потому что человек, на которого она оформлена, всю жизнь проработал пастухом в селе Хуш. Он что, программированием там занимался?

Тут Хаген понял, что этот человек не понимает по-хорошему. Он взял Вадика за голову и ударил его этой головой о пластиковый стол, так, что стол разлетелся, а Вадик упал на пол. Когда он падал, офисное кресло выкатилось из-под Вадика и полетело к окну, Хаген подхватил это кресло за стальную ножку и всем этим креслом крепко огрел Вадика по спине. Он ударил Вадика еще пару раз, перевернул его на спину, стал ботинком на руку, засунул Вадику в рот «стечкин» и сказал:

— Ты, сукин сын. Ты мне по жизни должен. Ты сейчас подпишешь мне и щебенку, и бухгалтерию, и будешь подписывать все, что я скажу, потому что здесь тебе не Уортон.

Через полминуты Хаген вышел из кабинета с подписанными бумагами, сел в «мерс» и уехал, а сбежавшиеся сотрудники департамента застали молодого Вадика без сознания в луже крови и в обломках стола.

* * *

Как мы уже сказали, Вадику было двадцать пять лет, и половину из них он прожил в Америке. Из-за этого у него были неправильные представления о жизни.

Он очнулся в больнице на следующий день, и когда он увидел, что никто не берет у него показаний, он позвонил по телефону «02». Через час в больницу приехал начальник охраны завода и глава Чирагского РОВД.

Вадик написал заявление, обернулся к начальнику охраны завода и сказал:

— Мне нужна круглосуточная охрана, потому что я не собираюсь платить по этим контрактам.

— Послушай, — сказал начальник охраны завода, — какая охрана? Мои ребята друзья Арийца, если Ариец придет снова тебя бить, им надо будет ему помочь. Или ты хочешь, чтобы тебя били трое вместо одного?

— Эй, да вы слышите, что он говорит? — вскричал бедный Вадик, поворачиваясь к начальнику РОВД.

— Нет, не слышу, — ответил тот.

Вадик похлопал-похлопал глазами, да и сказал:

— Что ж, я тогда, пожалуй, уволюсь.

— Вот это правильное решение, — одобрил начальник милиции.

* * *

Вот прошло два дня, в Торби-калу вернулся Кирилл Водров, и через час после того, как он приехал в офис, к нему в кабинет зашел Вадик и положил заявление об отставке.

— Это почему? — спросил Кирилл.

— Я решил уехать на стажировку в Лондон, — ответил Вадик.

Кирилл оглядел молодого человека, и, так как Кирилл был человеком внимательным, он сразу заметил, что лоб у него в бинтах, рука в люльке.

— Ну-ка выкладывай! — приказал Кирилл.

* * *

Через два часа после этого разговора «мерс» Кирилла остановился у ворот дома Хагена в его родном селе. Это были очень хорошие ворота: трехметровые, бронированные, такой толщины, что по воротам этого дома можно было лупить из подствольника без всякого для них вреда, и с красивой арабской надписью под клубками колючей проволоки.

Ворота отпозли вбок, пропуская бронированый «мерс», и Кирилл вылез из машины и пошел по мощеному плиткой двору к наружной лестнице, туда, где на веранде второго этажа под раздувающимся парусом навеса стоял статный голубоглазый блондин с двумя рыжими кобурами, крест-накрест перечеркивающими черную рубашку.

Вадик остался у подножья лестницы, а Кирилл поднялся вверх. Хаген ждал.

— Где у тебя тут сортир? — спросил Кирилл.

— А что?

— Я привез тебе туалетную бумагу, — ответил Водров, и швырнул на пол перед Хагеном контракты, которые он держал в руках.

Ветер подхватил листки и поволок их по полу, туда, где дальний угол веранды был весь в черных пятнах от падающих ягод, и где сквозь резные листья шелковицы сверкал на солнце минарет старой сельской мечети.

— Слышь, Кирилл, — сказал Хаген, — я вложил в этого лоха лимон и хочу отбить свои бабки. Если он тебе нужен, заплати его долг и будем считать, что он твой.

— Я не собираюсь тебе платить, — отозвался Кирилл, — и я знаю, что сделает Джамал с тобой за эти бумаги. Он тебя порвет.

— Что ж, — усмехнулся Хаген, — неужели ты меня заложишь? Никогда не знал, что ты стукач.

— Я не стукач, — ответил Кирилл, — и поэтому я даю тебе три дня сроку. За эти три дня ты должен сам прийти к Джамалу и рассказать, что случилось.

С этими словами Кирилл повернулся, спустился во двор, и уехал, и Хаген, со второго этажа, задумчиво смотрел, как машины вьются вниз по серпантину.

Их было три, бронированный «мерс» и два крузера, все набитые людьми, как стручки горохом, однако Кирилл зашел к нему во двор один, и разговаривал один, не считая, конечно, «стечкина» у него за поясом.

* * *

Вот прошел день, и другой, а Хаген все не ехал к Джамалу. По правде говоря, он понимал, что влип, и крепко влип, потому что Джамал много раз говорил ему не воровать людей и не трогать завод, и Хаген даже подумывал о том, чтобы пристрелить, тишины ради, этого дурака Вадика, но чего уж там! Стрелять надо было раньше.

Два дня Хаген прятался в селе, словно нашкодивший щенок, а вечером третьего он приехал в резиденцию.

Джамалудин Кемиров смотрел телевизор у себя, на втором этаже. Новый начальник ОМОНа, Шамиль, сидел на диване, а Джамалудин лежал, поигрывая пультом и положив ноги в чистых черных носках на колени Шамиля, и по телевизору танцевали какие-то девочки и шла реклама мужского одеколона. Джамалудин щелкал каналами.

— Это реклама или порнуха, — в сильном раздражении сказал Джамалудин, — ни одного канала нельзя найти вечером! Мы тут решили пустить два вечерних часа на передачу об исламе, а куда ее, спрашивается, поставить, между сисек, что ли?

Тут Джамалудин снова щелкнул каналом, и попал на рекламу прокладок. Шамиль расхохотался, а Хаген сказал:

— Есть разговор.

Шамиль вышел, а Хаген достал из кармана мобильный телефон и передал его Джамалудину.

— Маленький Алихан обманул нас, — сказал Хаген.

Джамалудин молча проиграл запись, которая была на мобильном.

— Он ни в кого не стреляет, — сказал Джамал, — и здесь нет слов.

— Конечно. Он просто ехал с Мурадом в одной машине и снова уговаривал его сдаться, а Мурад высунул ствол и убил мусорка.

Джамалудин по-прежнему лежал, удобно устроившись на диване. Черная рубашка сбилась вверх на его животе, открывая чистую белую майку, поперек которой торчала темно-бурая рукоять «стечкина». Улыбаясь, он протянул мобильник Хагену, а потом махнул рукой.

— Дай-ка мне побеседовать с парнем.

— Тебе ведь нужен не парень, а его отец? — мягко спросил Джамал. — Посадишь мальчишку в подвал, а потом скажешь Кириллу, чтобы он забыл о Вадике?

— Так он все-таки настучал! — воскликнул Хаген.

Джамал резко встал. Улыбку как смыло с его лица.

— Запомни, Ариец, в этой республике два миллиона человек. А это значит, что в этой республике у меня четыре миллиона ушей, не считая двоих ушей Наби, которые ему отрезали, и двоих твоих ушей, которые не слушают, что им говорят. У тебя голова или подставка для шляпы? Я тебе говорил — отстать от завода, или нет?

— Да при чем тут завод! — закричал Хаген, — этот шайтанчик был на Белой Речке! Он был с Мурадом, когда они стреляли ментов! Кирилл его прикрывает, он с ума сошел на своем чеченке! Какого черта его понесло в Тленкой принимать ислам? Если он хотел принять веру, почему он не мог сказать об этом мне или тебе? Что он забыл в Тленкое? Тамошнему имаму давно пора отрезать язык, да и башку заодно!

Хаген в бешенстве ударил кулаком о кулак и заорал так, что на столе зазвенели чашки:

— Он — стреляет — в мента! После зачистки в Тленкое! Ты хочешь, чтобы он выстрелил в твоих детей?

Джамалудин Кемиров молчал с полминуты. Потом он подошел к окну и распахнул тяжелое бронированное стекло. В гостиную ворвался шум ночного моря и тяжелый, чуть сладковатый запах зверинца. Там, запертые в клетках, сидели бойцовые собаки; за ними в сарайчике тосковал здоровенный павиан, а рядом с павианом стояли еще две клетки, в которых иногда держали вовсе не зверей, — как очень хорошо узнал на своей шкуре уполномоченный по правам человека Наби Набиев.

На лужайке темной массой стояли бойцы, и где-то в ночи жалобно кричал павлин.

— А что, — спросил Джамал, — сарайчик-то свободен?

Хаген взблеснул улыбкой.

— Да.

— Хорошо. Ты сейчас пойдешь и посадишь туда одного человека.

— Алихана? — уточнил Хаген.

— Себя.

Часть третья

ТЕРРОРИСТ

Единственное, что отличает войну от учений, — это то, что происходит в последний час последнего дня.

Генерал Бен-Порат

ГЛАВА ДВЕНАДЦАТАЯ

Переговорный процесс

Кирилл Водров, президент компании Navalis Avaria, стоял у КПП химзавода, и по разбитой подъездной дороге на него шли танки.

Рыжие горы вверху были как сухари, сожженные в печке осени. На раскаленном асфальте, казалось, можно было жарить яичницу, между лопаток Кирилла бежала струйка пота, и пистолет, засунутый за ремень брюк, елозил по мокрой коже.

Уже две недели, как в республику сплошным потоком шли войска. Они шли эшелонами в Бештой и Торби-калу; все пути были забиты, гражданские составы запаздывали, пассажирский поезд «Москва-Торби-кала» пришел с опозданием на двенадцать часов; на станциях с огромных платформ съезжали похожие на зубила желто-зеленые БМП и новенькие Т-90.

Согласно сценарию учений «Кавказ: мир и порядок», группа международных террористов в количестве тридцати двух человек проникла на химзавод, забаррикадировалась в одном из помещений и, захватив в заложники часть персонала, потребовала создания на территории Кавказа шариатского государства.

Разумеется, антитеррористическая операция не требовала участия крупных войсковых соединений. Поэтому, согласно легенде, на помощь террористам поспешили военные силы соседнего государства.

Десять тысяч солдат, три мотострелковых полка, один артиллерийский и один танковый, усиленная полковая группа ВДВ, сто шестьдесят три танка, триста три БТРа, семнадцать вертолетов, восемь «Градов», шесть «Ураганов», двадцать семь САУ «Акация», десять «Точек-У», должны были нанести удар по горам вдоль Каспия, где высадилась морская пехота противника, а самолеты стратегической авиации в это время должны были кружить над морем, чтобы не допустить эскалации агрессии.

Танки и БТРы шли по дороге кильватерной колонной; в воздухе стоял рыжий хвост пыли. Люди вдоль дороги ничего не говорили и не кричали, а только молча смотрели на бронетехнику.

На броне ехали люди в камуфляже и касках, а впереди ржавого облака шел высокий, крепко сложенный красавец с голубыми глазами и белокурыми волосами. Он был как германский раб перед колесницей триумфатора.

Головной танк остановился метрах в тридцати от Кирилла, и бойцы стали соскакивать с брони. Кирилл ожидал, что танк развернется. Но то ли случайно, то ли намеренно, он застыл на месте, и пушка его так и осталась нацеленной в огромный портрет, висящий над проходной.

* * *

Полковник Валерий Аргунов, из Центра особого назначения ФСБ РФ, спрыгнул с брони головного танка у КПП.

С обеих сторон от ворот висели два огромных портрета, Заура и Джамалудина. За портретами начиналась трехметровая кирпичная стена, увенчанная колючей проволокой и телекамерами, и через каждые сто метров в стене стояли вышки автоматчиков.

Перед КПП лежали два бетонных блока, и у блоков караулили крепкие черноволосые ребята в высоких шнурованных сапогах и черных беретах, украшенных звездой с нависшим над ней полумесяцем. Полковник Аргунов помнил некоторых из этих ребят по Красному Склону. Тогда, правда, на них были не черные береты, а черные повязки смертников.

Сводная группа соскакивала с брони за его спиной, Аргунов гаркнул «смирн-на!», шагнул к премьеру и отрапортовал о прибытии. Потом он слегка повернулся, и глаза его пробежали сверху вниз по худощавому человеку в летних брюках и белой рубашке, такой легкой, что ее намокшая от пота ткань не скрывала очертаний засунутого за пояс пистолета.

— Ну здравствуй, Кирилл, — сказал полковник, — давно не виделись. Это твой завод мы будем освобождать?

— Мой.

— А ты не хочешь принять участия в учениях? На стороне твоих друзей?

Бронетехника растекалась по полю, охватывая завод в кольцо.

* * *

За те полгода, которые Христофор Мао провел в кресле премьера республики, он очень изменился. Его лицо как будто разгладилось и стало значительным; походка — упругой, тело — подтянутым, Христофор теперь носил часы только на правой руке, и носил он, как Джамал, «Патек Филипп».

В любом салоне бизнес-класса или на партийном съезде его бы легко приняли за преуспевающего коммерсанта или, допустим, американского сенатора, — такая у него была белозубая улыбка, такой холеный вид, — истинная же правда заключалась в том, что Христофор Анатольевич окончательно, бесповоротно спятил.

Бессонница мучила его постоянно; он заливал сон водкой, и набрасывался на охранников. Один раз он вздумал из окна стрелять по корове, в которой почудились ему агенты Джамала, другой раз выстрелил в повара, который, как вдруг понял Мао, бы нанят его отравить.

Он и раньше подозревал весь мир вокруг в заговоре — но это был заговор против России. Теперь заговорищики, — и это было совершенно точно, — ополчились против самого Мао. Он и раньше знал, что окружающие намеренно замалчивают его, Мао, величие. Теперь выяснилось, что заговором по замалчиванию руководил Джамалудин.

Джамалудин не пускал его на местное телевидение. Сюжеты с участием Мао либо снимали с эфира, либо Мао представал в них в идиотском виде: или его показывали, когда он ковырял в носу, или когда смешно оговаривался, пьяный. Мао завел свои собственные новости. Их делали два десятка журналистов, которым отдали этаж в доме правительства; новости эти не пускали в эфир, но поздно вечером Мао смотрел выпуск, который был специально смонтирован для него одного, и лишний раз убеждался из СМИ в своей руководящей роли в поднятии экономики и правопорядка в республике.

Мао пытался, разумеется, пробиться на федеральный уровень, но там тоже был заговор: оказывается, никто не хотел отражать эту самую руководящую роль без денег, — продажные твари были эти журналисты. За минуту в новостях о встрече с президентом России надо было заплатить миллион, и столько же стоила сама встреча. Дециметровые каналы шли дешевле, а всего дешевле были глянцевые журналы из тех, где вместо рекламы «Хьюго Босс» рекламировали депутатов и бизнесменов. Мао ежемесячно оплачивал целую кучу таких журналов, они все назывались «Элита России», «Лучшие люди», «На верном пути», — на их обложках красовалась его фотография с орденом славы на груди, на фоне гор или заводских установок, — и Христофор просто дивился, сколько же должны отдавать все эти теннисистки и топ-модели, чтобы их фотографии помещали на обложку.

Христофор всюду возил с собой эти журналы и очень любил их читать. Он изучал по ним свою основополагающую роль в развитии России.

Еще Христофор любил смотреть записи, которые Дауд приносил из подвалов РУБОПа. Он смотрел их по многу раз, а иногда делал записи сам.

* * *

Через пятнадцать минут после того, как танки и БТРы взяли завод в кольцо, участники учений собрались в заводоуправлении на совещание. Половина здания была любезно предоставлена Штабу, и в кабинете Кирилла Водрова на столе лежала утыканная булавками карта, отображающая будущие успехи федеральных сил.

Командующий учениями генерал Хобочка сидел на месте Водрова, и за спиной его висел огромный портрет Джамалудина Кемирова. Генералу было за пятьдесят, и, несмотря на кондиционеры, он дышал с присвистом, как вскипающий чайник.

Оригинал портрета сидел напротив командующего. Хаген застыл на подоконнике, привалившись стриженым затылком к потолку и свесив длинные сильные ноги, затянутые в высокие шнурованные сапоги.

Глаза полковника Аргунова внимательно перебирали присутствующих, как кухарка перебирает по зернышку мокрый рис.

Первым заговорил премьер республики Христофор Мао. Он теоретически обосновал необходимость учений укреплением вертикали власти и рассказал о том, что усилия тех, кто заинтересован в дестабилизации России, обречены на позорный и оглушительный провал. Хаген дождался конца его речи, снялся с подоконника, подошел к распростертой на столе карте и спросил:

— Почему снаряды боевые?

Мао вопросительно поднял голову.

— Сегодня к Куршам ушел 136-й полк. По плану учений он должен взять под контроль Куршинский тоннель. Почему у него снарядов половина боевых, половина учебных?

— Потому что в горах полно боевиков, — с неудовольствием сказал генерал Хобочка.

— Роль условного противника будут играть мои люди. Что мешает вашему полку расстрелять моих людей настоящими снарядами?

Генерал Хобочка обиженно покачал головой. Мао захихикал.

— Хаген Альфредович, да у вас паранойя. Вы уж не в клетке ли заразились? От павиана?

— Какой клетке? — быстро спросил Аргунов.

Хаген стал пунцовым, как рак, которого бросили в кипяток, метнул ненавидящий взгляд на Водрова, замолчал и сел.

Они определили секретные частоты и согласовали взаимодействие частей, и Джамал Кемиров сказал полковнику Аргунову, что тот может разместить своих людей на «Снегире».

— Спасибо, — ответил Аргунов, — я, пожалуй, останусь на федеральной территории.

— Здесь все федеральная территория, — воскликнул Джамалудин, — каждый листик укропа и каждый абрикос в республике растут на федеральной земле. Если бы это была не федеральная земля, то, клянусь Аллахом, они засохли б от горя!

— Джамал, не паясничай, — сказал полковник. — И моли своего Аллаха, чтобы не случился какой-нибудь рамс.

* * *

Так получилось, что колонну «Уралов», которые ехали от аэропорта к Бештою, сопровождали десять автоматчиков и местный ОМОН во главе с Шамилем Салимхановым. На входе в Куршинский тоннель головная милицейская машина сломалась. Колонна остановилась; впереди был круглый торец тоннеля, на скалах, подковой обжавших въезд, дежурили менты.

Вскоре показались местные жители. Они прибывали, как вода в паводок, и начали оттеснять солдат от «Уралов». Солдаты были вооружены, но стрелять не стали: их ведь не убивали, както было неловко начинать стрелять.

Командир колонны принялся вызывать подкрепление, но связи в этом месте не было. Солдат отогнали, и люди начали тащить с «Уралов» военное снаряжение. За пять минут толпа обглодала «Уралы», как термиты — труп. Командир бился в истерике и орал, что Шамиль за это ответит. Шамиль бросил ему на колени сто тысяч долларов и сказал:

— Не думаю.

Командир все-таки пожаловался комдиву 43-й дивизии генерал-лейтенанту Баркасову. Генерал-лейтенант надеялся по итогам учений получить генерал-полковника и меньше всего хотел, чтобы повышение сорвалось из-за каких-то раздраконенных «Уралов». К тому же недавно комдив получил от Джамала бронированный «мерс».

Короче, комдив запретил упоминать об этом инциденте.

Ведь он был генералом армии, которая вот уже шестьдесят лет не побеждала.

* * *

С завода Джамалудин Кемиров поехал на базу АТЦ «Снегирь». Она располагалась на море между заводом и Торби-калой. По дороге в трех километрах от базы они заметили «Град» в боевом положении на горке над побережьем. То есть сначала они думали, что это «Град», но когда они подъехали ближе, они поняли, что это «Ураган». У «Урагана» было меньше стволов, но снаряды его были мощнее и предназначались специально для разрушения укрепленных пунктов противника.

Джамал Кемиров один раз видел удар «Урагана» по селу. На свете было немного вещей, которые ему снились, кроме роддома, и этот удар был одним из них.

На базе Джамал помолился вместе с бойцами, а когда они встали, Хаген спросил:

— Какие будут приказания?

— Сегодня понедельник, — сказал Джамал, — а учения в пятницу. Пусть те, кто не занят в учениях, едут по селам и молятся там. Нечего им делать в городе.

— Ты неправ, Джамал, — сказал Хаген, — тот, кто первым выстрелит им в ответ, станет хозяином республики.

— Ты хочешь выстрелить первым? — спросил Джамал, поворачиваясь и в упор глядя на главу АТЦ.

* * *

После конца совещания Аргунов отправился по заводу. Он потратил час на экскурсию, а когда он вернулся в кабинет, он увидел, что командующий учениями и премьер республики пьют водку. Третьим с ними был грузный пожилой кавказец, в хорошо пошитом синем костюме и барашковой шапке, натянутой ниже ушей. Из-за того, что шапка была натянута по самые уши, Аргунов не сразу заметил, что ушей у человека нет.

— Познакомься, Валера, — сказал командующий учениями, — это наш уполномоченный по правам человека Наби Набиев. Он верный Кремлю человек, и развернул очень эффективную программу: его банк выдает фермерам ссуды, можно сказать, половина зерна в республике посеяна под его кредиты. Те, кто хочет дестабилизировать республику, не могли простить ему этих созидательных действий. Три дня назад боевики поймали его сына, побили, и сказали, что Наби должен завтра привезти на стадион десять миллионов долларов наличными. А иначе вырежут всю семью.

— А что МВД? — спросил полковник Аргунов.

— В это МВД бесполезно обращаться! — горячо воскликнул Наби, — эти органы пропитаны бандитами и террористами! Если я обращусь туда, меня убьют еще до того, как я выйду из дома.

Полковник Аргунов оглядел Наби Набиева, и Наби ему не глянулся. Особенно ему не понравились отрезанные уши Наби. Человек либерально мыслящий при виде этих ушей заключил бы, что их отрезали плохие люди. Но полковник был человек циничный, и он заключил, что вряд ли тот, у кого отрезали уши, был хороший человек.

— Ты, Валера, обязан защитить права человека, — сказал замглавы антитеррористического Штаба Христофор Мао, — это приказ.

* * *

Полковник Аргунов выехал в город через полчаса.

Широкая трасса была пуста, вдоль обочин стояли неисправные БТРы. На выездном кругу выстроилась очеред из легковушек, и сержант с блокпоста крутил руки хозяину «жигулей». Рядом стояли трое с автоматами.

Аргунов остановился, вылез из машины, и спросил:

— В чем дело? — спросил Аргунов.

— Они документы на магнитолу требуют, — сказал лежавший на земле водитель.

— Какие-такие документы на магнитолу? — спросил полковник.

Сержант бодро вскринул руку к козырьку и отрапортовал:

— У нас есть приказ, что среди местных процветает воровство. Если документов нет, значит — ворованная.

Аргунов смотрел на сержанта несколько мгновений, а потом размахнулся и врезал ему под дых. Тот упал, как подрубленный.

— Проезжай, — сказал Аргунов водителю.

Тот соскребся с земли, и во взгляде, который он кинул на российского полковника, не было ни благодарности, ни тепла, — одна глухая ненависть. У Аргунова руки зачесались остановить его и обыскать машину, но было уже поздно. В кармане его зазвонил телефон, и когда Аргунов взглянул на номер, он увидел, что это Джамал Кемиров.

— Валера? — сказал Джамал, — ты уже уехал? Давай пообедаем.

— Я сыт, — ответил полковник.

Он остановился у придорожного магазина, купил какую-то шаурму из собачатины и долго, с ожесточением жевал. Напротив магазинчика стояли три солдата и просили на хлеб.

Полковник сел за руль и задумался.

Полковник Аргунов ненавидел Джамалудина Кемирова. Он ненавидел его по трем причинам.

Во-первых, Джамалудин Кемиров олицетворял собой позор России. На глазах Валерия Аргунова этот человек пустил пулю в голову заму генерального прокурора, и то, что зам был сволочью и заслуживал пули, дела никак не меняло. Джамалудин поставил ультиматум России, и получил все, что потребовал. Никто не имел права ставить ультиматум России.

Во-вторых, Джамалудин Кемиров был врагом, а врагов уничтожают. Он был достойным врагом, но это только усугубляло опасность, потому что достойный враг опасней недостойного.

И в-третьих, Джамалудин был фанатиком. Аргунов видел, как вели себя люди Джамалудина на Красном Склоне. Они были уверены, что через час окажутся в Раю, а ничего хорошего не бывает, когда полтораста вооруженных до зубов кавказцев уверены, что после смерти они окажутся в Раю. Бог знает, что им взбредет в голову для этого своего Рая. Полковник Аргунов тогда сам не сомневался, что тоже через час окажется в Раю, но это был совсем другой рай, христианский, а не мусульманский, и Аргунов знал, что никого из кавказцев там не будет.

Словом, полковник Валерий Аргунов, получивший за Красный Склон две пули и одну медаль, ненавидел своего бывшего боевого друга. Если бы Кремль приказал Аргунову пустить Кемирову пулю в лоб, полковник сделал бы это без колебаний.

Он был готов выполнить любой приказ. И замглавы Штаба Христофор Мао был тот человек, который имел право отдавать приказы.

Вот только маленькой проблемой было то, что Христофор Мао не сражался на Красном Склоне.

* * *

Полковник бросил обертку от шаурмы, завел машину и поехал по дороге дальше. Солнце уже закатывалось за горы, рыжие их вершины пылали, словно облитые кровью, и высоко над миром, на роге горы, сверкало белое имя Аллаха.

Завод кончился, и Аргунов внезапно свернул. Они оказались на свежей асфальтовой дороге. Слева бежали драные пятиэтажки, справа из-за сплошных заборов вздымались высокие крыши новых особняков.

— А где здесь дом Водрова? — спросил полковник, когда джип притормозил возле играющих на перекрестке детей.

Через пять минут его джип подъехал к тупику, перекрытому шлагбаумом из прочного стального рельса.

Навстречу вышли бойцы АТЦ. После недолгих переговоров рельс откатили в сторону, и джип проехал в тупик. Справа от него шла высокая кирпичная стена, кончавшаяся глухими воротами с кружевной резьбой наверху.

Створки ворот дрогнули и разошлись в обе стороны, и Аргунов заехал внутрь. За воротами начинался богатый кавказский двор, мощеный серой и красной плиткой; посереди двора из клумбы бил фонтан, и вдоль забора тянулся длинный навес; к навесу примыкала еще одна беседка, с мангалом и водопадом.

У ворот на корточках сидели два босых паренька в камуфляже и с автоматами; посереди двора с криком носились двое чеченят. Аргунов принял их за детей поварихи или охранника.

— Мичахо ву кху цIийнан да?[1] — окликнул Аргунов чечененка.

Тот остановился, оглядел русского и ответил:

— Дада кеста чу вогIур ву[2].

Хлопнула дверь, и Аргунов увидел, что на крыльцо вышла молодая чеченка. Тяжелая волна ее черных волос была перехвачена полупрозрачной косынкой, и красное платье, усеянное какими-то крупными цветами, приподнималось на разбухшем, как ягода, животе.

Женщина спустилась вниз, и Аргунов увидел ослепительно белое, правильное лицо, с чуть тяжеловатым подбородком и счастливыми глазами.

— Он приедет через двадцать минут, — сказала чеченка, не называя мужа по имени при посторонних, — проходите.

Полковник ЦСН посмотрел на чеченских детей и на беременную чеченку, а потом на босоногих охранников с «калашни-

---

[1] Где хозяин двора? *(чечен.)*.

[2] Отец скоро будет. *(чечен.)*.

ковыми», и на богатый кавказский двор с навесом, под которым стояли серебряномордые джипы и сидели черноволосые парни, чуть усмехнулся и сказал:

— Я попозже заеду.

Развернулся и выехал со двора.

* * *

Полковник Аргунов не принял предложение Джамалудина Кемирова, но командующий СКВО был не столь щепетилен. Он со всеми своими помощниками поехал в резиденцию, и там они сели в беседке, на самом взморье, и прямо под ними прыгал на волнах белый прогулочный катер, и пестрый павлин недовольно ходил вокруг сверкающего «лексуса» и время от времени подпрыгивал и клевал свое отражение в начищенном до блеска титановом ребре.

Командующий Хобочка похвалил «лексус», и Джамалудин подарил этот «лексус» ему. Командующий Хобочка похвалил катер, и Джамалудин подарил этот катер ему. Командующий сказал, что вот всю жизнь он так и мечтал, — сидеть на море и наслаждаться светом и ветром, и Джамалудин сказал, что он как раз купил особняк на побережьи в Сочи и будет счастлив подарить его командующему.

И тут досадная мелочь подвела генерала армии Хобочку. На Джамалудине, несмотря на жару, была черная рубашка с длинными рукавами, и на правом его запястье из-под рукава виднелся сверкающий ободок «Патек Филипп». Командующий очень любил дорогие часы. Он всегда принимал просителей в кабинете, надев на руку простые командирские часы, и если проситель приходил с дорогими часами, тысяч за пятьдесят, или за сто, то генерал Хобочка, установив с ним контакт, снимал свои часы с запястья со словами:

— Эти часы мне вручил президент! Дарю!

И посетителю ничего не оставалось, как обменяться часами.

И вот, когда командующий уже получил и «лексус», и особняк, и помощник его отошел куда-то в сторону деликатно договориться насчет бани и девочек, пришедщий в хорошее расположение духа генерал Хобочка снял с запястья часы и сказал:

— Джамал, мы близки, как два брата! Эти часы мне подарил президент, и я хочу поменяться с тобой!

Тогда Джамалудин Кемиров засучил рукав, и командующий увидел, что двусоттысячный «Патек Филипп», с турбийоном и бриллантами, разбит пулей, и время в нем навсегда остановилось на четырех часах сорока двух минутах.

— Извини, — сказал Джамал, — их разбила пуля в роддоме. Я с тех пор не ношу других .

Командующий стушевался и перевел разговор на другую тему.

* * *

Как мы уже отмечали в нашем повествовании, Хаген Альфредович Хазенштайн, Герой России и кавалер Ордена Мужества, всегда испытывал необычайную нужду в деньгах.

После истории с Вадиком ему пришлось просидеть неделю в той самой клетке, в которой когда-то сидел Наби Набиев, а потом месяц он провел, бегая по горам и луща боевиков, чтобы загладить вину, — и хотя за этот месяц у него прибавилось кровников, денег-то так и не привалило.

Однажды Хаген Хазенштайн получил из ФСБ секретный доклад, согласно которому американский Госдеп профинансировал группу Алавди Дукаева на пять миллионов долларов, а через день Хаген накрыл этого Алавди. Какие там пять миллионов! Хаген постеснялся бы мыть свой «мерс» тем тряпьем, в котором этот Алавди ходил.

Вот, с приближеньем учений, Хаген вернулся с гор в Торбикалу, потому что самое интересное должно было происходить в Торби-кале, и там к нему обратились братья Мусаевы.

Эти люди приехали из Москвы, чтобы купить в Торби-кале сеть супермаркетов. Продавцы земли, которую они покупали, потребовали деньги наличными. Братья Мусаевы обналичили десять миллионов долларов в банке, который назывался «Баракат», и так получилось, что банк опрокинулся, а деньги пропали.

Братья Мусаевы пришли к Хагену жаловаться. С одной стороны, они хотели вернуть деньги, а с другой, боялись потерять жизнь. Ведь хозяином банка был уполномоченный по правам человека Наби Набиев. Братья опасались, что Наби их убьет, только из-за страха, что они будут расследовать это дело. Хаген послушал братьев и посовещался со стариками, и в конце концов он сказал им:

— Не беспокойтесь, я верну ваши деньги. Только половина от них будет моя.

После этого он поймал сына Набиева и забил его отцу стрелку на стадионе. На этот раз Хаген ничего не боялся, потому что он никого не воровал и не грабил, а только приносил обществу пользу.

* * *

На следующий день, к десяти утра, Хаген подъехал на стадион на семи машинах. Так как Наби был человек подлый, и от него всегда можно было ждать каверзы, Хаген за два часа до того послал проверить стадион, но никто ничего подозрительного не увидел. На всякий случай Хаген посадил на чердаке парочку снайперов, но строго-настрого велел им не стрелять в Наби.

— Убить-то я его всегда успею, — сказал Хаген, — а мне надо получить с него.

Вот машины Хагена вылетели на строящееся поле, и когда они подъехали, Хаген увидел, что Наби уже там. Он стоял посереди искусственного газона, и рядом с ним было человек двенадцать родственников. Все они были вооружены, но ни у кого из них не было ничего крупнее «Калашникова».

Бойцы Хагена выкатились из машин и оцепили поле кругом, а трое гранатометчиков взяли на прицел бронированные «мерсы», в которых приехал Наби с родственниками.

Наби выглядел очень смущенным и все время оглядывался по сторонам, словно ожидая кого-то. Когда он увидел, что на поле, кроме них, никого больше нет, он приуныл, стал как-то меньше ростом, и сказал:

— Послушай, Хаген, чего нам делить друг с другом? Ты мусульманин и я мусульманин. Наша вражда только радует неверных, гори они в Аду. Зачем нам ссориться?

— Какой же ты мусульманин, — ответил Хаген, — если ты держишь банк и ссужаешь деньги под проценты? Пророк запретил ростовщичество, а ты еще осмелился назвать банк чистым названием, испачкал хорошее слово!

— Послушай, Хаген, — возразил Наби, — мой банк никогда не ссужал деньги под проценты. Он занимался чисто обналичкой, а нигде в Коране ты не найдешь, чтобы пророк запретил обналичку!

Хаген пожал плечами и сказал:

— Вот на обналичке-то ты и кинул меня. Те десять миллионов, которые ты взял у братьев Мусаевых, — это на самом деле мои деньги, и та трешка, которую ты взял у Фархада, тоже моя. С тебя тринадцать лимонов, и еще семь за моральный ущерб.

— И в чем же моя вина? — удивился Наби.

— Ты взял у Мусаевых деньги, — сказал Хаген, — и объяснил им, что обналичишь их под три процента. Да и кинул их.

— Э, — сказал Наби. — А Мусаевы сами виноваты. Кто ж видал обналичку под три процента? Если считать по исламу, то я не виноват в том, что держал банк, потому что мой банк не занимался кредитованием, а если считать по понятиям, то я не виноват, что Мусаевы остались без денег. Я хотел кинуть, и кинул. Если это твои деньги — спрашивай с них.

Тут Хаген понял, что он, точно, не прав, потому что если бы Наби занимался бизнесом, но прогорел, он был бы виноват и должен был бы вернуть деньги. Но так как он не занимался бизнесом, а изначально и был настроен на кидок, вины на нем, по понятиям, не было.

— Мы тут живем не по понятиям, — сказал Хаген, — а по российским законам, и я, глава Антитеррористического центра, не допущу, чтобы всякие мошенники их попирали.

С этими словами Хаген размахнулся и зарядил Наби прямо в пятак, да так, что тот отлетел на два метра и влетел спиной в контейнер для мусора, который стоял со всем своим содержимым прямо на строящемся поле.

Наби перевалился через контейнер и упал туда ногами вверх. Хаген подскочил к нему, чтобы выволочь его из контейнера и бросить в багажник, но тут вместо Наби из контейнера выскочили два мужика в масках и со снайперками.

Кто-то из людей Хагена в панике нажал на курок; зазвенело, оспыаясь, стекло чьей-то «девятки».

— Не стрелять! — заорал Хаген.

— Не стрелять! — заорал полковник Аргунов, выныривая из-под трибун стадиона.

Он предусмотрительно посадил туда людей еще с полуночи, задолго, прежде чем ленивый Хаген прислал бойцов пробить адресок, и, конечно, Аргунову было очень интересно послушать все, что происходило на поле. Полковник Аргунов, хоть и был фанатом футбола, ни разу еще не получал на стадионе столько впечатлений.

Тут изо всех щелей на поле повалили бойцы с надписями ЦСН ФСБ на спине, и Хаген, когда увидел это, совсем рассвирепел. Он схватил Наби за ногу и выдернул его, как репку, из мусора, а потом он снова сбил его на землю и наподдал так, что Наби полетел по полю, как футбольный мяч.

— Ты покойник! — заорал Хаген.

— Вы слышали, — закричал Наби, бросаясь к полковнику, — он мне угрожает! Арестуйте его!

Хаген снова пнул Наби, а Аргунов посторонился, чтобы не мешать ему.

— Так нечестно! — заорал Наби, — у меня нет этих денег! Все бабло забрал Мао! Эй, помоги мне! Мао сказал, что ты в доле!

Тут вместо того, чтобы помочь Наби, Аргунов поднял его за шкирку, и лицо у него было при этом не очень хорошее.

— Я сам тебе заплачу! — заорал Наби, — двести тысяч!

Аргунов размахнулся и швырнул Наби Хагену.

Хаген пнул банкира, раз и другой, а потом он наклонился над ним и выхватил из голенища нож.

— Тебе уши уже резали? — спросил Хаген, — а? Что тебе еще отрезать?

В одно мгновение Хаген вспорол ремень на круглом животе Наби, и, как кожуру с банана, сдернул с него штаны. Тут Аргунов шагнул вперед и сказал:

— Довольно.

— Отойди, — сказал Хаген, — ты видишь, что это за баран? Это конденсатор, а не человек, чего он бегает туда-сюда? Я возьму его с собой и вытрясу из него двадцатку, и половину из нее я отдам тебе.

— Ты не заберешь его никуда, — ответил Аргунов, — может, он и баран, но это не значит, что ты можешь его резать.

Хаген был не очень-то доволен; но он не собирался устраивать перестрелку с ЦСН ФСБ, тем более что их высыпала на поле целая рота. Они еще немножко попинали людей Наби, забрали в счет долга машины, на которых он приехал, а у многих посрывали с рук часы.

Когда Хаген уехал, Наби некоторое время лежал на земле, а потом он встал и напустился на Аргунова. Потом он попросил подвезти его с друзьями до дома.

— Возьми такси, — процедил полковник ФСБ.

* * *

В то самое время, когда уполномоченный по правам человека Наби Набиев пытался разъяснить главе Антитеррористического центра особенности банкинга по понятиям, в ста сорока километрах от моря, высоко в горах, на залитой светом поляне с покосившимися пустыми ульями, происходило другое собрание.

Пасека эта была место известное, — рядом была пещера, в которой раненый Байсангур отлеживался после того, как имам Шамиль сдался царю, а потом во время первой войны в пещере держали русских пленников; двое из русских тогда так и померли, зато за третьего заплатили два миллиона.

Булавди Хаджиев задержался в дороге и пришел на Шуру последним, и, по правде говоря, когда он раздвинул ветви и шагнул на выцветшую от жары поляну, ему не очень-то понравилось то, что он увидел. Слишком много на этой Шуре было пустых мест.

На этой Шуре не было Джаватхана, вместе с которым Булавди воевал еще в первой войне. Все знали, как погиб Джаватхан, и все знали, отчего он погиб. Он погиб оттого, что отказался стать палачом.

На этой Шуре не было Шамиля, который сидел на прошлой Шуре бок-о-бок с Булавди, и все знали, отчего нет Шамиля. Его не было оттого, что он согласился стать палачом.

Некоторые распускали слухи, что семью Шамиля взяли в заложники, что Шамиль стал начальником ОМОНа в обмен на жизнь брата, но Булавди знал, что это глупость. Никто не доверяет человеку оружие и такой пост в обмен на жизнь брата.

Джамалудин назначил Шамиля начальником ОМОНа, потому что знал, что Шамиль никогда не пойдет к федералам, — у тех на него было досье с кирпич толщиной, — и никогда не вернется к боевикам, потому что предателей не прощают. У Шамиля остался один выход в жизни — убивать всех, на кого укажет Джамалудин, потому что только кровью бывших товарищей Шамиль мог заслужить право оставаться в живых, и Булавди не сомневался, что новый начальник ОМОНа будет служить не за совесть, которой у него не было, не за страх, которого он никогда не знал, — а потому, что у него не было другого выхода.

И на этой Шуре не было Магомед-Салиха, брата Шамиля, потому что Магомед-Салих, единственный оставшийся в живых участник расстрела полпреда, сделал то, от чего отказался Джаватхан. Он выступил по телевизору и заклеймил позором иностранных наймитов, пытающихся взорвать республику, а потом он получил какой-то смешной срок, и жил сейчас вместе с семьей в гостевом домике в резиденции. А брат замаливал его грехи в ОМОНе.

Джамалудину Кемирову надо было продемонстрировать, что он может больше, чем федералы. И он это демонстрировал. И был совершенно при этом беспощаден. Потому что федералы могли перестрелять кучу народу, и иногда в этой куче они и в самом деле могли застрелить боевика, но никогда никакой Мао, никакой спецназ и никакое УФСБ не могли заставить бывшего полевого командира выступить перед камерами.

ФСБ убивала людей, а Джамал их ломал. И хруст их костей был слышен по телевизору.

На этой Шуре не было тех, с кем дружил Булавди. Тех, кого он считал равными. Они или лежали в могиле, или играли в бильярд с Джамалом. Зато были другие. Им было по двадцать лет, а то и по восемнадцать. У них были железные сердца, чугунные мозги и стеклянные глаза, в которых навсегда застыли две-три вытверженные ими фразы из Корана.

Когда этим мальчишкам было восемь, школы не было, а была война, и вместо школы были рассказы о боях и героях. Эти мальчики выросли в мире, который был на тысячу лет младше того мира, что в Америке и даже в Москве, они не видели ничего, кроме войны, и не думали ни о чем, кроме как о том, чтобы убить своего мента и отомстить за своего отца.

Три дня назад эти молодые придурки, во главе с Мурадом Мелхетинцем, заехали в Бештой, чтобы присмотреться, нельзя ли убить Джамала, да не в сам Бештой, а в родовое село Кемировых, и на выезде из села их заприметили мальчишки, которые играли в футбол. Мальчишки окружили машину и стали спрашивать у моджахедов, кто они, и когда они стали звонить охране, модхажеды перепугались и открыли огонь.

Им было достаточно уехать, и все, а они расстреляли троих пацанов, младшему из которых было десять лет, и весь Бештой стоял на ушах, а Мурад, вдобавок, имел глупость заявить публично, что он отбился от засады агентов ФСБ, хотя решительно все в республике знали, что мальчишкам было по одиннадцать лет, и у одного отец был врач, а у другого — мелкий чиновник в мэрии.

О да, *этих* Джамал не мог бы перевербовать. Да и не хотел.

Вопрос был в том — зачем они Булавди?

Булавди обнимался с людьми и говорил «Салам», а когда он дошел до края поляны, он увидел там Мурада Мелхетинца. Тот сидел на полупустом рюкзаке, — высокий, сильный, с черными счастливыми глазами над черной небольшой бородкой, и точил десантный нож. Многие на поляне беспокойно оглядывались, заметив, что Мурад не встал, и один из моджахедов даже дотронулся до его плеча. Но парень так и не поднял голову, и рука его, с зажатым в ней ножом, все так же ходила по бруску — вверх-вниз.

— Я слыхал, — сказал Булавди, останавливаясь перед Мурадом, — что ты сделал большое дело. Ты застрелил мента, который гулял в парке, а потом ты застрелил еще какого-то человека по имени Али. Правда, он был не мент, а пожарный, но все равно на нем была форма.

— Они сами выбегают на меня, — сказал Мурад, — едешь — а вот он мент.

— Так зачем ты убиваешь мусульман? — спросил Булавди.

Он стоял перед мальчишкой, в камуфляже и с тяжелым рюкзаком за плечами. На широком поясе, стягивавшем камуфляж, теснились карманчики для обойм и гранат, и в кобуре на поясе сидел «стечкин», а за плечом его болтался «калашников», — а бывший чемпион мира по боксу среди юниоров по-прежнему сидел, вытянув ноги, и нож в его руке ходил — вжик-вжик — по бруску.

— Я убиваю не мусульман, — ответил Мурад, — а кяфиров и муртадов.

— Ты убиваешь мусульман, и убиваешь их без разбора. Тебе все равно, кто этот человек, пожарный или гаишник, была б на нем форма, и ладно. Ты как маньяк. Даже Джамал не делает такого, потому что еще никто не слышал, чтобы Джамал ехал по городу, высунулся в окошко да и убил. Джамал знает, кого убивает. А когда ты убиваешь мусульманина, ты только множишь ряды тех, кто ненавидит нас. Зачем ты делаешь это? Или тебе заплатила Русня?

— Если тебе так нравится твой шурин, — засмеялся Мурад, — почему бы тебе не наняться ему в палачи? Чо ты делаешь здесь? Ступай в ОМОН.

Мурад был еще очень молод: ему не было и двадцати. У него было гладкое белое лицо и необычные для горца зеленовато-голубые глаза, и Булавди вдруг вспомнил их общего односельчанина — маленького Алихана.

Говорили, что сын Исы сменил фамилию. Два месяца назад, когда ему исполнилось шестнадцать, он получал паспорт и попросил написать в паспорт другую фамилию. Добро бы он еще попросил написать «Водров». Но он попросил написать *двойную фамилию*. В знак того, что у него два отца.

А ведь этот мальчик мог сейчас сидеть здесь. Рядом. Кирилл Водров украл у сына Исы не только имя, но и душу.

Неужели Водров был прав? И надо было принять его предложение? Ведь это было не только его предложение — но и ультиматум Джамала. Никогда бы Ташов не пошел на ту встречу, если бы ему не разрешил Джамал.

— Я не собираюсь договариваться с Джамалом, — ответил Булавди, — потому что с Джамалом нельзя договориться. Перед ним можно только встать на колени. Кто выбирает Джамала, тот теряет честь и свободу. Я хочу умереть так, как умерли те, кому я завидую, а те, кто останутся живы и будут лизать сапог Джамала, будут завидовать мне. И мне будет завидовать сам Джамал, когда он будет лизать сапог в Кремле.

В этот момент человек, пришедший с Булавди, положил ему руку на плечо и сказал:

— Ладно вам собачиться, надо дело решать.

— А мы и решаем, — ответил Булавди. Снова повернулся к Мураду и спросил: — Почему ты не встал перед старшим, щенок?

— Коран не велит вставать перед чекистом, — ответил Мурад.

В следующую секунду Булавди ударил его ногой. Твердый, как железяка, мысок его горного ботинка поддел парня прямо под подбородок. Мурад опрокинулся назад и захрипел, зажимая руками горло. Нож вылетел из его рук, закувыркался в воздухе.

Кто-то из товарищей Мурада вскинулся, выхватывая оружие, — грохнул выстрел, парень выронил пистолет и закричал, тряся окровавленными пальцами.

Булавди подошел к корчащемуся на земле Мураду, взял его за шкирку и поставил стоймя.

— В ФСБ меня кое-чему научили, — сказал Булавди, — кроме того, чтобы стрелять в затылок раззявам. Русня начинает учения в пятницу. Что ты будешь делать, щенок? Стрелять из рогатки по самоходкам? Клянусь Аллахом, ты будешь слушаться меня, от а до я, потому что ты ничего не знаешь, кроме пары айятов, да и не умеешь ничего, кроме как лущить гаишников.

* * *

Джамалудину запись с Шуры принес Шамиль, командующему учениями ее принес Христофор Мао.

— Булавди — родич им обоим, и Джамалу, и Водрову! — Сказал Нао. — Разве неясно, в чем состоит его план? Это английская разведка хочет создать на Кавказе Эмират со столицей в Торби-кале, а Булавди и Джамал суть оба ее агенты!

— Мы дадим провокаторам достойный отпор! — вскричал командующий.

Он еще не забыл позора с часами.

* * *

Сначала сентября акции «Навалис» подешевели на тридцать два процента. Финансовые аналитики полагали, что у «Навалис» слишком много проектов и слишком много кредитов под эти проекты. Во вторник акции упали так сильно, что KLSE сняла их с торгов. Перед отлетом в Лондом Кирилл заехал в резиденцию.

Когда он вошел в гостиную, там никого не было, и на огромном, в пол-стены телевизоре, посереди высохшей речки в глубоком ущельи пылал БТР. БТРа никто не подбивал: просто водитель не справился с управлением и летел до самого дна. Но в Москву доложили, что БТР подбили боевики, и Кирилл смотрел в телевизор и гадал, во сколько обойдется компании «Навалис» сообщение о расстреле боевиками БТРа в республике Северная Авария-Дарго.

Джамалудин появился в гостиной вскоре после ночного намаза. Во дворе захлопали дверцы машин, резиденция ожила, и через мгновение Джамал появился в гостиной, — гибкий, худощавый, поджарый, в черном костюме и черной рубашке без галстука, и следом за ним вошли Шамиль и Хаген.

Кирилл обнялся с Шамилем и сдержанно кивнул Хагену. С того времени, как Хаген вышел из клетки, он, сталкиваясь к Кириллом, пользовался любым случаем, чтобы подчеркнуть свою безусловную преданность Джамалу и особый при нем статус.

Вот и сейчас он, осклабясь на русского особенной белозубой улыбкой, опустился на колени у ног хозяина республики. В своем крупноячеистом камуфляже он напоминал сытого, гибкого леопарда, — совершенную, созданную самой природой машину для охоты и убийства, и опоясывающий его талию пояс топорщился от черных плашек обойм.

Кириллу не очень-то хотелось, чтобы ссора между ними перешла в перестрелку. Хаген стрелял куда лучше.

— Я попросил Кирилла подумать, какие есть варианты у условных террористов, — сказал Джамал, — чтобы нанести заводу наибольший ущерб. Ты что скажешь, Кирилл?

Кирилл развернул экран бывшего с ним компьютера лицом к троим зрителям.

— Наихудший сценарий, — сказал Кирилл, — заключается в следующем. Террористы скрыто проникают на завод и подходят к установкам АН-23 и АН-24. Это — пятитысячекубовые емкости, в которых хранятся этилен и пропилен, которые являются промежуточными газами на нитке производства полимеров. Террористы проделывают в обеих емкостях дыры, и газ начинает выходить из них с большой скоростью, так как хранится под давлением в пятьсот атмосфер. Этилен и пропилен по весу близки к воздуху, и они растекаются над землей, образуя газовоздушную смесь. Затем террористы устанавливают взрывное устройство, которое должно сработать через двадцать минут, и уходят. За десять минут газа натечет достаточно для того, чтобы любая искра вызвала объемный взрыв. За двадцать натечет столько, что взорвется около пяти гектаров.

Кирилл замолчал. Шамиль и Хаген переглянулись. В гостиной на несколько секунд наступила мертвая тишина.

— Эй, Кирилл, — сказал Хаген, и голос его был ледяным, — я правильно понял, что твой чертов завод может сгореть от любой дырки?

— Нет. Малейшая разгерметизация емкости — это уже сигнал в системе безопасности завода. Если сигнал есть, насос переключается на реверс, и вся его сила идет на понижения давления. Поэтому перед терактом условные боевики вручную заблокируют работу насосов.

— А что, охраны у насосов нет?

Тон Хагена был лениво-вызывающим.

— Охраны нет, но есть система безопасности. Она построена по карточному приницу, как и на любом современном заводе. У всех работников есть карточки, и в каждую карточку заложен уровень допуска. Если вы хотите переключить вентиль в ручное управление, вы подходите к вентилю и кладете карточку в считывающее устройство.

— А если карточки нет? — спросил Хаген.

— Нет и допуска.

— А откуда террорист возьмет карточку с допуском?

— Хаген, — сказал Кирилл, — Джамал попросил меня рассказать, как будет действовать условный противник. Navalis Avaria не первый раз задается этим вопросом. Мы отдаем отчет в том, что нанести серьезный вред современному химическому заводу без досконального знания технологических цепочек — нереально. Мы также отдаем себе отчет в том, что если террористы будут знать эти цепочки, то как-нибудь они получат доступ и туда, где программируются карточки.

Кирилл замолчал, а Хаген вдруг рассмеялся. Он хохотал все громче и громче, запрокинув голову, а потом он в восторге влупил по коленке и закричал:

— Джамал, мы их сделаем! Мы их сделаем, как щенков! Ты понял, что он сказал?

— Он сказал, что у него на заводе стоит несколько емкостей с начинкой для вакуумных бомб, — проговорил Джамалудин, — и такая бомба взорвется, если найдется кто-нибудь умный, чтобы понять это и не поджечь емкость, а предварительно смешать ее содержимое с воздухом.

— Я утру нос ихней «Альфе», — захохотал Хаген, — Джамал, а?

Джамалудин, не отвечая, щелкнул «ленивчиком». На экране телевизора опять горел БТР. Черно-красное пламя подымалось вверх, в чреве машины рвались патроны. Джамал несколько секунд смотрел на этот БТР, а потом метнулся к столу и нажал кнопку селектора.

— Я что сказал, — заорал Джамал прямо по громкой связи, — сколько это можно показывать? У нас что, пять БТРов сегодня сгорело? Двадцать сгорело? У нас что, вся ихняя армия там сгорела, ети ее мать? Что вы это размазываете, как кашу по тарелке? Что, других событий нет? Еще раз увижу в новостях этот гребаный БТР, будете показывать, как горит ваша студия!

Глава местного ГТРК что-то булькал в ответ.

Джамал швырнул трубку мимо селектора, повернулся и вышел из кабинета.

* * *

Взорвавшийся БТР исчез из новостей, но за те несколько дней, которые шло развертывание войск, случилось несколько других историй. В селе Ахмад-кале на мине подорвался танк; в Куршах солдаты срубили на дрова плодовые сады, а командир батареи, расположенной возле Бештоя, открыл огонь по склону ближней горы, на котором паслось стадо баранов. Никто не знал, зачем он это сделал, а только залпом, кроме баранов, накрыло и пастушонка, и одиннадцилетнего мальчика с оторванными взрывом ногами показало и CNN, и BBC.

Российские телеканалы историю с пастушонком осветили тоже: премьер Христофор Мао заявил, что против республики развязана информационная война, и что командир батареи отвечал огнем на провокацию со стороны боевиков.

Часа через три после этого заявления Кирилл Водров приехал в резиденцию. Джамал, как всегда, был не один. Он сидел в беседке с Шамилем и Хагеном, и третий с ними был полковник Аргунов. На столе лежал сотовый телефон, а на нем — ролик Булавди, который пересылали с мобильника на мобильник. На нем Булавди клялся, что за каждого убитого ребенка он убьет по сто русских солдат.

Джамал протянул Кириллу телефон и спросил:

— Что скажешь?

— Если он это сделает, мы банкроты.

Джамал взбух желваками и бросил телефон на стол, а Аргунов недоуменно сощурился, пытаясь понять связь между стрельбой по овцам в Бештое и кредитными ставками Сити.

— Мы занимали деньги под проект под залог будущих финасовых потоков, — пояснил Кирилл. — А дополнительным обеспечением служил сам завод. Из-за нашего проекта «Навалис» оказалась одной из самых перекредитованных нефтегазовых компаний. Если рынок гавкнется еще на десять процентов, по нам прозвенит марджин колл.

— А что такое марджин колл? — спросил Хаген.

— Это когда у вас в банке актив заложен под кредит, и стоимость этого актива упала так, что вам надо либо отдать актив, либо доплатить разницу.

— Э! — сказал Хаген, — это не по шариату. Эти шайтаны на Западе делают, что хотят. Почему бы не съездить в Лондон и отучить их беспредельничать?

Джамалудин вопросительно посмотрел на Кирилла. Видимо, по его лицу он понял, что это плохая идея.

— Езжай-ка ты лучше в Тленкой, — сказал Джамалудин Кемиров, — и забери там семью Булавди. Всех. Родичей жены тоже забери. У них там есть дед со стороны отца. Вот он пусть идет и передаст Булавди, что если он хоть рыпнется, я лично их всех перестреляю.

* * *

Утром следующего дня Мао влетел в штаб учений.

— Джамал начал действовать! — закричал Мао с порога, — он поселил родичей Булавди на базе «Снегирь», чтобы мы не могли до них добраться, и обеспечил им комфорт и защиту!

— И что же нам делать? — встревожился командующий.

— Нам надо создать структуру, способную пресечь любые провокации и попытки разжечь войну!

* * *

В тот же день командующий учениями подписал приказ о создании в рамках учений Штаба для засадных и заслонных опеарций. Начальником Штаба командующий назначил премьера республики Христофора Мао.

Новый начальник Штаба приказал выделить резервы для решения внезапно возникающих задач и создать группы прикрытия. Мао приказа обеспечить наличие во всех войсках боевых патронов помимо холостых и имитационных средств. Кроме того, начальник нового Штаба приказал ввести на территории завода дополнительные войсковые подразделения.

Через полчаса после появления приказа Джамалудин Кемиров вылетел в Москву. Еще через три часа он был в резиденции президента России.

Он прождал пять часов, а через пять часов ему сказали, что президент улетел в Японию.

* * *

Алихан пробыл в Германии две недели, и так получилось, что он вернулся в Москву в тот самый день, когда Джамалудин Кемиров поехал к президенту.

В Шереметьево его встретил большой черный джип из московского представительства «Навалис», и как только он сел в джип, на трубку ему позвонил Хаген. Хаген сказал мальчику, что они улетают в республику ночью, и если он хочет лететь с Джамалом, то пусть приезжает в Жуковку в ресторан.

Алихан поехал в Жуковку, и увидел втором этаже ресторана целое выездное заседание правительства, — на удобных низких диванчиках, придвинутых к деревянным столам, сидели двое министров, пятеро глав районов, и человек пять или шесть начальников РУВД.

Ресторан вообще был очень домашний, свой, с этаким гламурным уютом, который стоит невероятных денег, с плетеными циновками на стенах и связками лука под потолком, и за столиком у самого входа на второй этаж сидели трое подростков: две девочки и мальчик, очень аккуратные, такие же дорогие, как ресторан, — видимо, детки каких-то московских чиновников или олигархов. Подростки курили кальян, и стол перед ними был уставлен японской едой.

Странное дело. Еще год назад Алихан не знал, что есть такие места и такие цены, а если бы знал, то фыркнул бы и сказал, что все это место не стоит хвоста лошади моджахеда, — а вот теперь он стоял, и спокойно смотрел на этот ресторан, и на девочку с длинным кальяном, и на другую девочку, с короткой стрижкой и коктейлем в руке, которая склонила набок голову и и улыбнулась незнакомому шестнадцатилетнему пареньку.

Джамалудин обернулся и увидел Алихана, и все стали вставали, а девочка улыбнулась еще лукавей и облизала вишенку из коктейля.

Место Алихану нашлось сильно наискосок от Джамалудина. Джамал был очень весел. Он хохотал громче всех, а официантки так и летали, с круглыми деревянными лотками, заставленными десятками разноцветных суши, с зеленью, и с киндзой, и с крошечным молодым теленком на вертеле.

Вот прошло еще минут двадцать, и Джамалудин поднялся со своего места и сделал знак Хагену и еще одному человеку, и они отсели в отдельный кабинет, и Алихану сквозь полуприкрытые занавески было видно, как они о чем-то спорят.

Алихан сидел, откинувшись на диванчике, и рассеянно жевал какие-то водоросли. Компания за другим столиком выросла до двух мальчиков и трех девочек, как раз его возраста, и девочка с коктейлем снова улыбнулась ему поверх вишенки. Потом она наклонилась к своей подружке и что-то сказала, и они обе лукаво засмеялись.

Далеко внизу играла живая музыка, кто-то праздновал день рождения, успех был разлит в воздухе, как яблочный дым кальяна, и послезавтра они пускали завод, — Иншалла, даже подумать об этом год назад было немыслимо, и вдруг Алихан вспомнил себя всего одиннадцать месяцев назад. Вспомнил умирающего мальчика, с «макаровым» в кармане, спускающегося через придорожные кусты к мерцающим в свете месяца белым камням смерти. О вы, те, которые говорите, «весь мир не стоит улыбки Аллаха», — видели ли вы этот мир? Знаете ли вы, что он не исчерпывается грязью, и кровью, и белыми камнями, на которых в пятнадцать лет умирают мальчишки?

Человек, с которым Джамалудин сидел в кабинетике, вышел, и вместо него зашел другой, а когда тот, другой, вышел, он подошел к Алихану и тронул его за плечо.

— Джамалудин Ахмедович просит тебя подойти.

Алихан зашел в кабинет.

Джамалудин улыбался посереди стола, и рядом с ним пировали Хаген и Шамиль. Из зеленых кружев салата выпрастывались белые ножки омара, посереди стола горел низкий витой подсвечник, и пламя его дробилось в крошках льда, прилипших к раковинам устриц.

Алихан хотел спросить, о чем Джамалудин договорился с президентом России; но спросить впрямую у старшего было слишком невежливо, и Алихан молчал, зная, что Джамалудин похвастается сам.

Но Джамалудин только веселился и хохотал, когда Хаген рассказывал, как он подрался с каким-то русским танкистом. По рассказу Хагена, конечно, выходило, что Хаген голыми руками завязал танку ствол.

— А ты давно видел Мурада? — внезапно спросил хозяин республики, перегибаясь через стол к мальчику.

Алихану показалось, что даже воздух вокруг застыл.

— Я не видел его... после Тленкоя, — выговорил он негнущимися губами.

Джамал достал из кармана телефон — тяжелый платиновый Vertu, тысяч за пятьдесят долларов, положил его перед Алиханом и нажал на кнопку воспроизведения видео.

— Зачем ты лжешь, а? Алик. Твой отец будет очень расстроен.

Алихан молчал.

Шамиль вдруг резко перегнулся через плечо Джамала и сказал:

— Где он? Как нам его найти?

— А что ты спрашиваешь меня? — ответил Алихан. — Ты мог бы взять всех оптом, если бы не поторопился продать Джаватхана в розницу.

Глаза Шамиля налились кровью.

— Вышли. Оба, — сказал Джамалудин.

Начальник АТЦ и глава ОМОНа, не сказав ни слова, выскользнули за занавеску. Хозяин республики и шестнадцатилетний подросток остались одни. Между ними билось пламя витого светильника. Алихан вдруг вспомнил про Муция Сцеволу и спокойно улыбнулся.

Джамалудин снял с телефона заднюю крышечку и вынул оттуда сим-карту.

— Это та симка, — сказал Джамалудин, — которую мы нашли у тебя после Белой Речки. Та, с которой ты звонил Булавди. Ты знаешь, с кем ты говорил? Ты с Шамилем говорил.

Мир как будто померк перед Алиханом, и в ушах воцарилась странная, звенящая тишина.

«Ты с Шамилем говорил».

Алихан хорошо помнил, о чем он тогда говорил.

— Найди мне Мурада до пятницы, — сказал Джамалудин, — и позвони мне. С этого телефона. Держи. Это подарок.

Алихан сидел совершенно неподвижно, и пламя свечи билось на столе, так, словно невидимые палачи били по нему электрошоком. Джамалудин встал и потрепал мальчика по плечу:

— Об этом никто не узнает. Тем более твой отец.

Алихан сидел за занавеской еще минут десять. Потом он сунул платиновый Vertu в карман и вышел.

Снаружи был все тот же вечерний довольный мир: люди внизу, за балюстрадой, праздновали день рождения, и девочка в белом свитере улыбнулась Алихану. На ней не было ни одной шмотки дешевле тысячи долларов. Как, впрочем, и на нем самом.

Алихан пошел мимо этой компании вниз, но девочка улыбнулась снова и подвинулась, и Алихан машинально присел на диванчик рядом с ней. По правде говоря, его не держали ноги.

— Ты с ними? — спросила девочка. В глазах ее был простодушный интерес. Она смотрела на компанию за соседним столом с той же неподдельной любознательностью, с какой когда-то в селе наблюдали за приездом Водрова.

— Да, — Алихан слышал свой голос как будто отдельно от ушей, — мой отец строит химзавод.

— Я думала, ты чеченец, — чуть обиженно сказала девочка.

— Я чеченец.

Девочка наморщила лобик, пытаясь понять, где этот чеченцы строят химзаводы. Она была красавица. Почти такая же красавица, как племянница Джамала, молодая Айгюль. Алихан хотел посвататься к Айгюль. Он даже подумывал о том, чтобы украсть ее, если Джамал будет несогласен.

— А я знаю, — вдруг сказал один из подростков, — ты сын Кирилла Водрова, они с отцом старые друзья. Они вместе еще в «Альфе» работали.

«Я сын Кирилла Водрова. И у меня в кармане лежит симка, по которой я договоривался, как его своровать. И Джамал расскажет об этом моему отцу, если я не продам ему Мурада Мелхетинца».

Пузатый кальян сверкал синим и оранжевым, внизу плясали и пели, и девочка Лиза в белом свитере улыбалась Алихану почти как Айгюль. Он был — свой. Он был аккуратно подстрижен, он знал, как есть палочками и где вкуснее суши, и его белая куртка из тонкой, усеянной дырочками кожи стоила столько же, сколько трехлетнее пособие по инвалидности. Этот мир был так же красив, как мир «Матрицы», и в реальности его не было. В реальности были белые горы и белые камни, на которых в пятнадцать лет умирают мальчишки.

Может быть, он умер еще тогда? Может, он лежит на белых камнях, а Иблис захотел пошутить над ним, показав ему кусочек Рая?

Алихан наклонился и тихо попросил:

— Послушай, ты можешь отвезти меня в Шереметьево?

* * *

Красный двухдверный CLK остановился у стеклянных дверей Шереметьева через сорок минут. Девочка Лиза, кажется, сначала не поверила насчет аэропорта и решила, что это такой предлог. Но к тому времени, когда они выехали на Ленинградку, она нахохлилась, задумалась, и то и дело искоса поглядывала на сидящего рядом Алихана. Он наблюдал за вечерними фонарями на кольцевой дороге и ни о чем не думал.

— У тебя проблемы? — встревоженно сказала Лиза.

— У чеченца всегда проблемы, — пошутил Алихан.

Когда машина остановилась, Лиза вдруг перегнулась через сиденье, и через секунду ее губы впились в губы Алихана. У мальчика захватило дух. Он не успел отпрянуть, а потом он вдруг начал целоваться, растерянно и жадно, как щеночек, ищущий материнский сосок, а Лиза засмеялась, нажала на газ и проехала чуть дальше, когда перед ними замахал палкой желтый гаишник.

Лиза написала ему телефон, и вопросительно подняла брови, когда Алихан не стал давать ей своего. Алихан сидел в машине совершенно растерянный. Поцелуй выбил его из колеи.

— Послушай, — вдруг сказала Лиза, — а деньги у тебя есть?

— Есть.

Денег было достаточно. Он прошел в здание аэропорта и долго стоял там, задрав голову и глядя на расписание рейсов. Оно было большим и черным, и белые буквы на нем перевертывались, сменяя друг друга, и хотя Шереметьево был главный международный аэропорт, рейсов из Москвы было гораздо меньше, чем из Майями или из Франкфурта.

А из Торби-калы международных рейсов не было совсем, только в декабре летали чартеры с паломниками в Мекку.

Алихан точно знал, какой рейс ему нужен.

Вена.

Он улетит в Вену, а оттуда он уедет в маленькую альпийскую деревеньку, где между гор стоят аккуратные домики, и в этих домах живут люди, которые говорят и думают по-чеченски. И если вечером выйти на улицу и глядеть на Альпы, то можно подумать, будто вокруг — Чечня, почти настоящая Чечня с аккуратными дорогами и белыми домами за чистенькими заборами, такая Чечня, которая могла бы быть...

Рейса в Вену не было, но через полтора часа был рейс на Зальцбург, и это было еще лучше.

Алихан повернул налево и подошел к стеклянной будке австрийских авиалиний. У будки была очередь, но небольшая, — два человека. Тот человек, который стоял у кассы, хотел поменять билет на бизнес-класс, но он не говорил по-русски. Алихан помог ему с переводом, и пассажир благодарно кивнул ему. Вторая женщина купила билет, и девочка сказала Алихану:

— Слушаю вас.

Алихан помедлил и отошел от кассы.

Он стоял, глядя на людской муравейник вокруг, и секунды сменяли друг друга, и на рейс еще вполне можно было успеть. Он улетит, и Джамал его не достанет. А как он будет объясняться с отцом?

Алихан не помнил, чтобы в их роду был человек, который придумал украсть отца. Однажды, это было давным-давно, Алихан видел человека, который убил своего отца. Этот человек когда-то был в отряде Лабазанова, и когда он приехал в Тленкой, он выглядел очень хорошо: он был в камуфляже, и с оружием, и с несколькими бойцами. Они искали кого-то, кого им поручили украсть. Они шли по улице, и каждый человек, мимо которого они шли, качал головой и шептал вслед: «вот этот человек убил своего отца».

Потом отцеубийцу тоже убили. И всех, кто был с ним.

Алихан снова подошел к кассе, и обнаружил возле нее мента. Мент был толстый и веселый, и он встал перед Алиханом, оглядел его с головы до ног и спросил:

— Ну и че ты здесь ошиваешься?

— Где хочу, там и ошиваюсь, — ответил Алихан.

— Паспорт, — сказал мент.

Алихан протянул ему заграничный паспорт. Мент молча пролистал многочисленные визы, а потом дошел до первой страницы и принялся придирчиво сличать фотографию черноволосого подростка со стоящим перед ним парнем.

— А че за фамилия длинная? — нахмурился мент.

— Она двойная, — ответил Алихан, — приемного отца и родного.

— Так ты жид или чех?

В следующую секунду Алихан выписал ему точно в пятак.

Мент пошатнулся, из носа его вылетели кровь и сопли. Падая, он выхватил плотную резиновую дубинку, — и тут же откуда-то сзади на Алихана обрушился страшный удар.

* * *

Его свалили на пол еще в зале, ударили по ребрам раз, и другой, а потом, когда вокруг всклубилась толпа, трое ментов завернули подростку руки и потащили в какую-то неприметную дверь.

— Он террорист! Он террорист! — надрывался мент, — да он хотел тут все взорвать!

Алихана приволокли в отделение, бросили на пол и начали бить. Он быстро потерял сознание, и один из ментов, думая, что он притворяется, взял его за волосы и ударил зубами о железный край стоявшей в отделении раковины. Зубы брызнули белой крошкой, но паренек даже не вскрикнул.

Менты бросили его на пол и содрали с него куртку. Тот мент, которого Алихан ударил, вытащил из куртки бумажник, и у него зарябило в глазах, когда он увидел там россыпь кредитных карточек и толстую пачку наличных.

— Да этот чех украл бумажник! — заявил мент.

Другой патрульный внимательно рассматривал белую кожаную куртку и аккуратные ботиночки мальчика.

— А курточку он тоже украл? — процедил патрульный.

В этот момент в караулку прибежали двое чекистов. Чекистов в Шереметьево, строго говоря, было больше, чем ментов, и рапорт о том, что в пассажирском зале поймали какого-то чечена, долетел до отделения за три минуты.

Тот мент, которого ударил Алихан, проворно вытащил из бумажника деньги, а сам бумажник бросил на пол.

— Он оказал сопротивление, — заорал мент, — у него с собой была взрывчатка!

Капитан ФСБ, присев над неподвижным телом, щупал пульс.

— Где его паспорт? — спросил деловито чекист.

Мент мгновенно принял единственно правильное решение.

— Нет у него паспорта, — заявил он. — Я ему «паспорт», а он — в кулаки!

Второй чекист, профессионально охлопав лежащего, вытащил у него из внутреннего кармана российский паспорт и недешевую «нокию». В кармане куртки оказался второй мобильник, вообще из платины. Платиновый мобильник сильно насторожил чекиста. По его жизненному опыту, задержание людей с телефонами за пятьдесят тысяч долларов обычно не кончалось ничем хорошим. Люди, которые заплатили пятьдесят тысяч долларов за телефон, вполне могли заплатить сотку за то, чтобы того, кто их задержал, сняли к черту с должности.

Но этот-то был не человек. Этот-то был чеченец.

— Да че ж вы его забили-то? — презрительно сказал капитан ФСБ, — сдох он.

— Да мамой клянусь, мы его два раза ударили! — возмутился мент.

— Ага. Вон зубы-то по всему полу разбросаны, — процедил капитан. — Ты и убил!

— Да что я, — холодея, закричал сержант, — что я, все били.

Он сел на корточки возле Алихана и перевернул тело на спину. Паренек лежал, крепко закрыв глаза, и тело его было каким-то неестественно деревянным. Черт побери! Он и вправду был мертв!

Мысли вертелись в мозгу капитана одна за другой. Выбросить к черту! Закинуть в машину, выкинуть где-то на Ленинградке, пусть думают, что зарезали бандиты. Нет, не годится. Скандал в зале видели слишком многие, да и камеры наблюдения были везде.

Если бы речь шла о простом чечененке, вопросов бы не было. Но у парня был платиновый мобильник и золотая «виза», а когда у шестнадцатилетнего пацана есть платиновый мобильник и золотая «виза», вряд ли он нажил ее в этой жизни сам. Эти цацки подарил отец, и капитану Семенову не очень хотелось иметь дело с чеченцем, который дарит своему сынку платиновые мобильники.

Капитан Семенов принял решение.

— Пиши протокол, — сказал он сержанту. — Совместным патрулем из сотрудников линейного отдела ОВД «Шереметьево» и прикомандированных сотрудников ФСБ при попытке совершения теракта в аэропорту было задержан уроженец Кавказа, паспорта при себе не имел, билета тоже не имел, при проверке документов оказал отчаянное сопротивление...

* * *

Они бросили труп на полу в кабинете и долго составляли рапорт в соседней дежурке. Капитан Семенов позвонил по секретной связи и доложил о задержании опасного преступника.

Ответный звонок с Лубянки раздался через две минуты. Капитан Семенов выслушал инструкции и положил трубку.

— А птица-то большая, — сказал капитан Семенов, — все начальство едет.

Начальство не начальство, а приехали быстро. Через двадцать минут в дежурку ОВД «Шереметьево» вошел высокий красивый шатен, сверкнувший зубодробительной корочкой, еще один, с погонами генерал-майора, и третий, штатский, не представившийся никак, но выглядевший увереннеи их всех, в белой рубашке и летнем костюме серо-стального цвета.

— Ну, где твой террорист? — оборотился штатский к капитану Семенову.

«Ну, что сейчас начнется», — подумал капитан.

Высокая делегация прошла по коридору, и капитан Семенов распахнул дверь в кабинет.

Пол в кабинете был измазан кровью, и под башмаком капитана хрустнула крошка зубов.

Кроме крови, в кабинете ничего не было.

— А... э... — сказал капитан Семенов, — он же сопляк... Плевком перешибешь...

Штатский, забрав мобильник террориста, деловито просматривал список звонков. На втором мобильнике, из платины, никаких звонков не было. Штатский уже шарил по телефону в поисках файлов. Брови его изумленно задрались.

— Ты посмотри, что он таскал с собой, — сказал штатский, протягивая мобильник генерал-майору.

* * *

Когда Алихан очнулся, он обнаружил, что лежит лицом вниз. Губы его горели, и, похоже, ему сломали парочку ребер. После Белой Речки ему пришлось куда хуже, а главное, он тогда долго не терял сознания.

Алихан приподнял голову и пошнырял вокруг себя глазами. Пол кабинетика был весь во въевшейся грязи; Алихан заметил шкафчик, ножки стола и восемь ножек от стульев. Человеческих ног на полу не было.

Алихан ухватился за ножку соседнего стула и встал. Дверь была заперта, но Алихан открыл ее канцелярской скрепкой. За дверью был коридорчик, и в конце его, спиной к Алихану, стояли два крупных мента. Чуть наискосок Алихан заметил дверь туалета.

Алихан осторожно скользнул через коридор.

Туалет был мрачный, мерзкий, две открытых кабинки и железное рыло раковины. Запах был совершенно нестерпим, и к нему добавлялась вонь от керосина, которую задувал ветер через выкрашенное масляной краской окошко. Окошко было слишком узким для взрослого мужчины, но в Алихане было сорок два килограмма, и он был тощ, как сушеный лещик.

Алихан подошел к умывальнику и наскоро ополоснул лицо. Оно было все в крови, как и футболка. Потом он одним движением вскарабкался на высокий подоконник, просочился через окно и спрыгнул на жаркий, пропитанный солнцем и керосином бетон летного поля.

Минут через десять он вышел, никем не спрошенный, через служебный ход на автостоянку. На нем была легкая ветровка, позаимствованная из чьего-то катавшегося по ленте чемодана, и кепка с надписью «адидас».

Когда он вышел на шоссе, он поднял голову и оглянулся. Над ним, с ревом набирая высоту, взмывал в воздух лайнер австрийских авиалиний.

ГЛАВА ТРИНАДЦАТАЯ

Тяжело в ученье

Кирилл разминулся с Алиханом на сутки. Его самолет сел в Шереметьево на следующий день, и прямо из аэропорта Кирилл поехал в офис. Днем в офис заехал Шамиль Салимханов.

С тех пор, как он вышел из леса, Шамиль основательно отъелся; брюшко его набрякло и оттягивало складки черной футболки с потретом Джамалудина, на коротко стриженом затылке вспухла жировая складка, похожая на арабскую букву «лам», но его крепкое, как чурбанчик, тело, двигалось по-прежнему с непостижимой ловкостью, в которой навыки бывшего борца были помножены на инстинкты боевика.

Когда-то Кирилл думал, что Хаген — самый страшный человек, с которым ему приходилось сталкиваться в жизни. После того, как у Джамала появился новый начальник ОМОНа, Кирилл переменил свое мнение.

Шамиль зачем-то выпросил у Кирилла ключи от квартиры, но пробыл там недолго, вернулся к четырем в офис и развалился в предбаннике, положив плотное сильное тело на зеленоватое кожаное кресло, и заставляя нервно оглядываться то и дело сновавших через кабинет юристов.

К трем в офис приехал вице-президент Сережа вместе с людьми Семена Семеновича. Они долго согласовывали бумаги, и Сережа старательно делал вид, что они еще друзья.

— Мой-то балбес, — сказал Сергей, когда они прервались, чтобы выпить кофе, — вчера твоего видел.

— Алихана?

— И его, и всех. Как он? Не балуется? Не курит?

— Нет, — ответил Кирилл, — не пьет и не курит. Даже не ругается.

«Иногда мы подбиваем русские танки и попадаем под артобстрел, но чтобы пить и курить, этого нет».

— Повезло тебе с парнем, — с легким вздохом сказал Сергей.

В шесть вечера в офис приехал следователь Пиеманис.

— Вы бы поосторожней были, — сказал следователь, кося одним глазом на дверь, за которой сидел начальник ОМОНа, а другой пытаясь запустить в прозрачные папки с договорами. — Там какая-то движуха вокруг непонятная, — звали меня в Кремль, спрашивали, не Джамал ли Ахмедович своего брата грохнул. За нежелание бунтовать против России.

Кирилл молча ждал, что будет дальше. Прессинг на них — неприкрытый, наглый, все увеличивался, и что самое забавное, большую частью этих команд давал даже не Семен Семенович. Ее давали всякие местные шавки, которые хотели угодить Семену Семеновичу, а потом стрясти с Кирилла деньги за улаживание ситуации.

Он получал в среднем один звонок в час. Ему позвонил сенатор от Арханельской области, который предложил решить проблему, сведя его, Кирилла, со знакомым полковником ФСБ, который «курирует весь Северный Кавказ». Другой раз ему позвонил майор МВД, который-де поймал убийцу Заура, а третий раз — экстрасенс, который всего-то за миллион долларов предложил вывести из республики войска. Кирилл спросил его, как он это сделает, и экстрасенс ответил, что он умеет двигать танки по воздуху.

Нажиться хотели все — майоры, полковники, генералы, сенаторы, депутаты, мошенники, — все они предлагали свое посредничество, все были не очень в теме, все хотели кусок завода и никто из них не мог решить проблемы, но многие могли ее создать.

Все это не значило ничего. Значил один Забельцын. Как только двадцать процентов завода окажутся в его руках, он будет кровно заинтересован в том, чтобы в республике был мир и порядок. Подпись в обмен на подпись. В соглашении о продаже акций Кирилл, совершенно не стесняясь, написал: «Данное соглашение вступает в силу с момента назначения Джамалудина Кемирова президентом республики».

Поэтому идиоты, которые тягали Пиеманиса и спрашивали его, не убил ли Джамал Заура, а потом пытались забить Кириллу стрелку и продать ему ситуацию, Кирилла совершенно не интересовали. Он и так спал за последние три дня два с половиной часа.

— Еще что-то? — спросил Кирилл.

Пиеманис долго думал, словно осознавая ту печальную истину, что он не получит вознаграждения за сообщение о том, что Джамала подозревают в подготовке восстания, а потом достал из портфеля белый конверт, а из конверта — лазерный диск и пачку распечатанных с него снимков.

— Максуд Шиханов, — сказал следователь Пиеманис, — за четыре дня до покушения попал в пьяную драку на ВДНХ. Его замели менты, нашли пистолет. Максуд сказал им, что он секретный агент, и менты съездили ему по роже. Тогда

Максуд позвонил, и через сорок минут за ним приехал вот этот человек.

С этими словами Пиеманис протянул Кириллу снимки.

С размытого изображения на Кирилла глядел светловолосый, широкоскулый человек. Его звали Марк Сорока, и Кириллу было трудно его не узнать.

В конце концов, они провели вместе два предыдущих рабочих дня, потому что подполковник Сорока выполнял при Забельцыне ровно ту же роль, которую сам Кирилл выполнял при Джамале – роль финансового consiglieri.

* * *

Весь день перед учениями Джамалудин провел на базах АТЦ и ОМОНа. Он побывал на них всех: в Торби-кале, в Бештое, и на нескольких милицеских постах в горных селах. Из соображений безопасности он ездил без всякого сопровождения, в белой старой «шестерке», и хотя у него был с собой спецпропуск, он предпочитал платить на блокпостах по сто рублей.

Они обогнали сто двадцать километров танков и заплатили десять тысяч рублей.

* * *

Кирилл приехал домой в три часа ночи.

Шамиль, в гостиной, спал в кресле перед телевизором, и на экране показывая какой-то платный порноканал. Кирилл подобрал ленивчик, упавший на ковер, и выключил телевизор, а потом поднялся на второй этаж и упал в постель, как камень в пруд.

Им надо было вставать в пять утра, потому что самолет Семена Забельцына улетал из Жуковского в половине седьмого, и оба они должны были лететь на нем. Все документы были готовы, в шкафу висел свежий отглаженный костюм, и Кирилл, уже проваливаясь в сон, вспомнил, что за весь день сын не позвонил ему ни разу. Но с чего ему было звонить? Он улетел вчера на личном самолете Джамалудина, и верно ему было чем заняться, — ведь Алихан месяц не был дома.

Кирилл представил себе жену, и ее тонкие пальцы на белой ягоде живота, и через секунду он спал, смотрел какой-то особенный сон и улыбался во сне.

* * *

В ночь накануне учений Джамалудин Кемиров снова встретился с полковником Аргуновым. Они поговорили минут двадцать и разошлись, а Джамалудин остался в кабинете со своими командирами.

На письменном столе вместо бумаг и финансовых отчетов лежала штабная карта, и горы Аварии на этой карте были пригвождены к дереву крошечными булавками, символизирующими расположение русских полков и артдивизионов.

— Ты слеп или что? — сказал Хаген, — посмотри на их позиции! Они стоят для войны, а не для учений. Если 692-й полк наносит удар, он наносит его по Бештою! Если 23-ая разведывательная бригада ГРУ наносит удар, она берет под контроль Куршинский тоннель! Я тебе сейчас по карте могу сказать, какое подразделение будет бить по какой территории!

Джамалудин молча, без всякого выражения, смотрел на карту.

— А армию ты их видел? — продолжал Хаген, — у них траки отваливаются! Один танк идет, три «бешки» на сцепке тащит! Их колонна потеряла половину техники, прежде чем доехала до Торби-калы.

— И какое это имеет значение? — поднял глаза Джамал.

* * *

В одиннадцать вечера полковник Валерий Аргунов подъехал на своем «уазике» к Дому на Холме.

На въездах в город уже стояли блокпосты, и новенькие дороги были разбиты танками, но здесь, в самом городе, над улицами сверкали реклама и фонари, а посереди центральной площади бил светомузыкальный фонтан.

Аргунов вылез из «уазика» и замер, раскрыв рот: посереди гранитных плит стояла сплошная стена воды, и на ней под музыку в лазерных лучах сплетались в танце мерцающие голограммы.

На скамейках украдкой целовались молодые парочки, и молодые мамы выгуливали детей, — детей было необыкновенно много, несмотря на поздний час, они носились по плитке с игрушечными автоматами, катались на тут же устроенных горках, кувыркались и визжали. Каждый раз, когда Аргунов приезжал на Кавказ, его сердце сжималось, когда он видел прыгающих повсюду, как горох, детей, и каждый раз, когда он приезжал к матери в Курган, ему казалось, что в Кургане детей вообще нет.

Город словно упрямо цеплялся за мир, и отчаянно пытался жить так, как он жил последние два года, и черноволосые парни с автоматами у входа на площадь улыбались детям и присаживались на корточки, чтобы шестилетний мальчишка мог погладить черный, сверкающий в бликах фонтана ствол.

На первом этаже элитного жилого комплекса, глядящего прямо на диковинный фонтан, был устроен банкетный зал, и в зале пировали военные.

Командующий СКВО сидел во главе стола; справа от него сидел премьер Христофор Мао, а слева — Наби Набиев, снова в своей барашковой шапке, натянутой на самые уши.

Тут же откуда-то подлетел официант, наливая полную стопку. Аргунов прикрыл стопку рукой и сказал:

— Я встречался с Джамалом. Он хочет отменить антитеррористическую часть учений. Он предлагает, чтобы вместо этого мои люди вместе с АТЦ устроили засады в местах, где боевики могут атаковать наши колонны.

Командующий округом завертел головой, а Мао сказал:

— Это лишний раз доказывает, что он заодно с боевиками! Он заманит ваших бойцов в в горы и убьет!

— Вряд ли он заодно с боевиками, — возразил Аргунов, — иначе бы он не взял в заложники семью Булавди.

— Да вы, полковник, похоже, просто боитесь черножопых! — с гневом сказал командующий, — иначе бы вы расстреляли этих бандитов прямо на стадионе!

Аргунов помолчал несколько секунд. Высохшее его лицо было как костяной абажур, обтянутый обветренной кожей.

— Может, тогда не стоило принимать в подарок «лексус»? — спросил Аргунов.

— Это был обманный маневр, — гордо сказал генерал Хобочка.

* * *

Контртеррористическая операция по отработке действий всех ведомств, участвующих в защите населения от терроризма, началась в 4 часа 30 минут утра.

По замыслу огранизаторов учений, группа вооруженных лиц проникла на промышленное предпрятие — Торбикалинский химический завод имени Заура Кемирова. Согласно сценарию, группа террористов предварительно провела разведку на территории завода, составила маршруты движения и отхода, и при первом столковении с сотрудниками милиции сумела отойти и скрыться.

Она захватила несколько заложников из числа работников предприятия и пригрозила взорвать аммиакопровод, что угрожало отравлением лиц, находящихся на территории комбината. Для демонстрации решительности намерений террористы взорвали на территории завода фугас, от которого условно пострадал директор завода и два его охранника.

Решением оперативного штаба территория, прилегающая к заводу, была объявлена зоной контртеррористической операции. На весь период проведения КТО на этой территории был введен соответствующий правовой режим.

В 5.20 утра, услышав об отчаянном положении террористов, на помощь к ним поспешили военные силы соседнего государства.

* * *

Этим утром Булавди Хаджиев встал, как всегда: к утреннему намазу. Они помолились на горной поляне, возле старой пещеры Байсангура, а потом они спустились в Тленкой.

Когда они шли по залитой утренним светом улице, Булавди заметил звено МИ-24, разворачивающееся над селом в лучах восходящего солнца. Вертолеты летали в эти дни довольно часто, патрулируя местность в поисках боевиков, но на троих людей, бредущих по сельской улице, пилоты вряд ли обратили внимание. Может, они их и не видели.

Булавди Хаджиеву был тридцать два года, и за эти тридцать два года он умирал шесть раз.

Свой первый раз он умирал в марте 95-го. Тогда они воевали в Ведено, и так получилось, что паренек, которого убили вместе с ними, был из Ачхой-Мартана. Его надо было похоронить до захода солнца, и Булавди с товарищем положили тело на заднее сиденье машины и повезли его через всю Чечню. Возле Аргуна у них спустило колесо, и пока они его меняли, к ним подъехала какая-то русская БМП. Из БМП вышел майор.

— Что вы делаете? — спросил он, а его люди наставили на них автоматы.

— Труп везем хоронить, — ответил Булавди.

Майор посмотрел на труп, а потом на самого подростка, грязного, взъерошенного, с перевязанным какой-то тряпкой плечом.

— Ну езжай, — сказал майор после долгого молчания.

И Булавди уехал.

Второй раз он умирал два месяца спустя. Тогда в Тленкое была русская врачиха, а у врачихи — сын, ровесник Булавди, и «жигули». Как-то, спустившись с гор, Булавди услышал, что «жигули» украли, а сын исчез. Булавди поспрашивал и узнал, что те, кто украл сына и «жигули», воюют под Бамутом. Бамут был в это время осажден, а единственная дорога, через которую можно было проехать, была такая плохая, что водитель нарочно загнал машину в яму. Он думал, что Булавди вернется назад. Булавди забрал автомат и ушел, и к трем часам утра он нашел Хайхароева и попросил у него «жигули» и своего русского одноклассника.

— «Жигули» у нас точно бегают, — ответил Хайхароев, — а пленных русских нет.

Хайхароев предложил ему остаться в Бамуте, но Булавди сказал, что хотел бы забрать «жигули», и ему дали машину и даже водителя. Дело в том, что единственная дорога, по которой можно было уехать, вся насквозь простреливалась «Градом», и как только по ней что-то двигалось, русские начинали стрелять. Езда по ней называлась у защитников Бамута «русской рулеткой».

Хайхароев не думал, что Булавди сумеет проехать по дороге один, и поэтому он послал в «жигулях» водителя. Они ехали, и Булавди сначала не понял, почему за ними такой густой стеной встала пыль. Потом из нее начал разлетаться асфальт, а потом они влетели в Аршты. Уже потом, через три года, Булавди узнал, что те парни, которые украли «жигули», убили Мишку в тот же день. Булавди тогда вернул «жигули» Марине Алексеевне, но она потом все равно умерла с горя.

Третий раз он умирал в июне. За день до смерти Булавди подъехал к дому, где жила девушка, которую он очень любил. Айсет вышла к роднику, и они наговорились всласть, и Айсет спросила, куда он уходит. «Ты узнаешь из новостей», — сказал Буладви.

На следующий день он был в Буденновске. Он ехал обратно в автобусе с каким-то профессором, и тот рассказывал ему о лекциях, которые он читает в МГУ. Булавди очень понравились, как профессор рассказывал о свободе и ответственности. Булавди спросил его: «А можно я после войны послушаю ваши лекции?» Профессор дико поглядел на него и сказал: «Конечно».

Четвертый раз он умирал в августе девяносто шестого. Перед смертью он снова спустился с гор к молодой жене, и она сказала ему, что беременна.

На следующий день Булавди вошел в город Грозный. Булавди не знал, будет ли у Айсет сын или дочь, и просил Аллаха, чтобы это был сын. Ведь он совершенно точно знал, что умрет. Никто из вошедших в тот день в Грозный не входил туда, чтобы победить. Все они шли, чтобы умереть, но так получилось почему-то, что они победили.

Когда Булавди вернулся, оказалось, что русский самолет сбросил бомбы на его село, и Айсет уже похоронили, вместе с ее матерью и нерожденным ребенком во чреве. Булавди достал из погреба двух русских солдат, которые уцелели при налете, и перерезал им горло.

После этого Булавди перестал считать случаи, когда он умирал, и жил так, как будто он уже умер.

* * *

Булавди долго обдумывал предстоящую операцию. Он не заблуждался насчет своих сил. Он мог подстеречь колонну — с невероятной беспечностью они все таскались без прикрытия и без разведки, и устроить еще одну Чертову Пасть. Он мог взорвать танк, вырезать блок-пост или спровоцировать перестрелку между русскими и муртадами. Но у него не было возможности взять кого-то в заложники и не было требований, которые можно выставить Русие.

Независимость? Булавди сомневался, что многим в республике сейчас нужна независимость. Похоже, им куда больше был нужен этот химзавод. Этот их чертов западный завод был такой же ширк, как их чертова западная демократия.

Булавди давно не знал, зачем он воюет. За свободу? Это было глупо, воевать за свободу. Чтобы получить свободу, не надо было бегать с оружием в горах. Надо было помогать Джамалу строить этот чертов завод. Все, кто воевал за свободу, либо лежали в земле, как Джаватхан, либо перебежали к Джамалу, как Шамиль.

За Аллаха? Булавди уже даже не помнил, как он начал воевать, но он смутно помнил, что когда он начинал воевать, он воевал не за Аллаха. Он воевал потому, что на его землю пришла война, и в республике пропали деньги и появились танки. Теперь

Джамал сделал так, что танки ушли, а деньги вернулись. За что же воевал он, Булавди? За то, чтобы деньги слова исчезли, а танки снова пришли?

Он был кровник Джамалу — вот и все.

Булавди знал, что у него есть силы только на один выстрел. И он не сомневался, в кого стрелять. В Джамалудина Кемирова.

Если убить Джамалудина, хозяином республики останется Христофор Мао. Если хозяином будет Христофор Мао, Русня потеряет Кавказ через год.

* * *

Далеко внизу, на белом песке серпантина, показался военный «уазик». Это был русский сержант из части, которую разместили в селе. Сержант был неплохой человек, только много пил. Он продавал оружие и жаловался на начальство, которое торгует родиной.

Сержант вышел из машины и открыл заднюю дверцу. Весь задок машины был забит цинками с патронами, и еще сверху лежали три выстрела к гранатомету.

Сержант дружески хлопнул горца по плечу и сказал:

— И на что вам столько патронов?

— На свадьбу, — ответил Булавди.

— И когда свадьба?

— Сегодня, — сказал Булавди, — хочешь, покажу?

— Садись, — ответил сержант.

Булавди сел в «газик», и тот поехал вверх.

* * *

Кирилл и Шамиль чуть не опоздали на самолет. Они приехали в Жуковский через шесть минут после Забельцына, и начальник его охраны матерился, запихивая «стечкин» Шамиля в специальный опечатанный мешок.

Кирилл ожидал, что они полетят военным транспортником. Но это оказался ЯК-42, с роскошной люксовой отделкой, — со спальней для вип-лица, панелями розового дерева, глубокими кожаными креслами и тонкой перегородкой, отделявшей обитателей головного салона от охвостья в хвосте.

Самолет начал катиться по исхлестанной дождем полосе, и струйки дождя на стекле из прямых стали косыми, а потом легли поперек иллюминатора.

* * *

Село только-только просыпалось; женщины в черных платках выгоняли индюков и коров, и однажды им пришлось долго стоять, пока по улице шло целое стадо баранов; они блеяли и воняли, и на самом последнем, толстом баране ехал мальчишка лет семи — похоже, он и был единственным пастухом.

Разбитая улица вертелась штопором, резко шла вверх, горы были как стены обрушившегося мира, огромные, рыже-серые, отвесные, на яростно-синем небе не было ни облачка, и они выпадали из этой синевы, словно в небе кто-то проделал прореху, и оттуда упали камни размером с вечность, и только на востоке горный склон был изрезан маленькими террасами, на которых, как в кадках, росли абрикосовые деревья.

Трудолюбие местных поражало сержанта Терентьева. В селе, где он родился, дома давно сгнили, а заборы покосились, и когда Терентьева забирали в армию, там на все село было двое призывников, а в соседнем селе и вовсе оставались три старушки. В этом селе было пять тысяч человек, и из них едва ли не треть были дети, и в каждом дворе стояли латаные «жигули», и сержант, что ни говори, понимал, что все эти «жигули» нажиты не разбоем и не мошенничеством, а каторжным трудом на горных террасах.

Терентьев подумал, что многое изменилось с тех пор, как неделю назад его взвод оказался в селе. Сначала между ними была глухая стена, мальчишки швыряли в них камнями, — а теперь им все время носили хлеб из пекарни, и позавчера Терентьев обедал у какого-то старика, а его солдаты починили старику забор, — а вот теперь его пригласили на свадьбу. Сержант вдруг подумал, что он бы хотел приехать в эти бескрайние горы еще раз, уже без оружия и без солдат, и посидеть за столом с вежливым, очень сдержанным имамом, и поспорить с ним, кто лучше, Бог или Аллах, — эти люди были золотые люди, если ты приходил к ним как гость, а не как враг.

Он был очень доволен. За неделю учений он заработал восемь тысяч долларов, и эти чертовы хачи уже не казались ему такими негодяями.

Они заехали в ворота и стали посереди крошечного двора. Справа, из распахнутой дверцы, терпко тянуло курятником. Над ними росло огромное дерево, и из зеленой листвы торчали оранжевые шары хурмы.

Его люди стали разгружать оружие, а Терентьев пригнулся и шагнул вслед за Булавди в распахнутую низкую дверь. За дверью обнаружилась крошечная прихожая, а за прихожей — гостиная. Над работающим телевизором висела вышитая Кааба, а на противоположной стене — черный коврик с золотым именем Аллаха. Посереди гостиной тянулся стол, уставленный картошкой и мясом. За столом сидели человек шесть молодых парней. Сержант Терентьев рассмеялся, обернулся к Булавди и спросил:

— А кто же невеста?

— Ты, — ответил бывший подполковник ФСБ.

* * *

В 5.30 утра, услышав о высадке иностранных военных сил, командующий СКВО генерал армии Хобочка принял решение нанести ответный удар.

Артиллерия и авиация нанесли сокрушительный удар по предполагаемому месту продвижения противника. С аэродромов взлетели самолеты стратегической авиации, призванные противостоять государству-агрессору, спецназ ГРУ в течение получаса высадился над Куршинским тоннелем, и 143-й полк выкатился из Бештоя-10, перерезая дорогу вероятному противнику, вторгающемуся с горных перевалов из сопредельного государства.

Бештойской частью операции руководил полковник Александр Лихой.

Тесть Лихого, генерал Ставрюк, являлся одним из богатейших людей России; в его управлении находились три цементных завода, семнадцать заводов, выпускающих бетонные блоки, сто четыре кирпичных завода и еще восемь тысяч четыреста семнадцать объектов, которые должны были обеспечивать армию мясом, молоком, жильем и обмундированием. Нельзя сказать, чтобы они успешно справлялись с этими функциями, но семью Александра Ивановича они обеспечивали.

Полковник Лихой в тридцать два года уже курировал снабжение всех частей СКВО, но ему хотелось боевых орденов, и тесть выхлопотал для него участие в учениях.

В семь часов утра полковник Аргунов доложил командующему учениями, что террористы блокированы на заводе. Он отсалютовал и повернулся, чтобы уйти, и в этот момент в кабинет влетел Христофор Мао.

— Булавди в Тленкое! — закричал Христофор.

— Это точно? — спросил командующий.

— Вот это они сделали с блокпостом!

И Мао выложил на стол запись, которую пришла Дауду по мобильному от его агента. Командующий нажал на кнопку «воспроизведение» и позеленел. Лихой бросился в туалет, а Христофор Мао смотрел с каким-то особым вниманием.Рот премьера слегка приоткрылся, розовый, покрытый каким-то белым пушком язык, непрестанно облизывал губы. Казалось, что Мао смотрит не резню, а порнофильм.

Запись шла пять минут. Наверное, это был только кусок. Наверное, офицеры умирали дольше. Лихой вернулся в кабинет, утирая мокрый рот.

— Товарищ полковник, — сказал Христофор Мао, — вы были правы. Снимите своих людей с учений и уничтожьте их.

— Мне нужен письменный приказ командующего учениями, — отозвался Аргунов.

Генерал армии опустил взгляд. Это было слишком сильное

решение — отменить учения и начать войну. Генерал не привык к таким решениям.

— Я поймаю Булавди, — закричал полковник Лихой.

— А если это ловушка, — спросил Аргунов, — если они нарочно прислали пленку, чтобы заманить в засаду колонну?

— Я поймаю Булавди! — повторил Лихой.

«Идиот, ты думаешь, Хаджиев будет ждать тебя там, в селе? У него наверняка выставлены посты. На чем ты, интересно, подберешься скрытно к Тленкою?»

— С богом, Александр Васильич, — промолвил генерал Хобочка.

* * *

Через пять минут после того, как он покинул кабинет командующего, начальник штаба защитных и заслонных операций Христофор Мао вызвал к себе Дауда Казиханова. Приказание Мао было кратким и исчерпывающим.

— Нет, — ответил Дауд.

— У тебя нет выбора. Если Джамал станет президентом, я найду, как получить у него прощение. Напомнить, как?

Дауд молчал несколько секунд, а потом кивнул и спустился во двор. Через пять минут Христофор увидел из окна второго этажа, как начальник РУБОП, вместе со своими сыновьями, выезжает с завода.

* * *

Кирилл проснулся через полтора часа. Золотистое, как поджаренная хлебная корочка, солнце заливало салон самолета янтарным светом, за соседним столиком наворачивали блины с икрой, и Шамиль сидел напротив Кирилла, согнув крепкие кривые ноги и играя в какую-то стрелялку на телефоне.

Семен Семенович, сидевший наискосок в глубоком кожаном кресле светло-салатного цвета, поднял голову от бумаг и поманил Кирилла пальцем, и Кирилл пересел к нему, а Марк Сорока, в безукоризненной белой рубашке и серо-стальном костюме, наоборот, поднялся и пересел к Шамилю.

Семен Семенович был в темно-сером, чуть обвисающем на нем костюме, и на его худом бело-розовом носу сидели узкие, с золотой переносицей очки: он страдал дальнозоркостью. Остатки волос Забельцына были тщательно зачесаны назад, открывая большой выпуклый череп с плотно прижатыми ушами; глаза за бесцветными стеклами бегали по бумаге, как сканер.

– Сэр Мартин, как я понимаю, уже прилетел? – спросил Семен Семенович.

Сэр Мартин прилетел наверняка и должен был привезти с собой кучу журналистов. Официальное открытие сверхсовременного завода ценой три миллиарда долларов должно было произвести превосходное впечатление на рынки; в условиях, когда FTSE улетел вниз до 4500 пунктов, а общий объем долгов материнской компании превысил 17 млрд. фунтов, сэр Мартин сильно нуждался в положительных впечатлениях.

Кирилл кивнул. Самолет под ними вздрогнул; пилоты уже готовились к посадке.

«Если я все сделаю правильно, – подумал Кирилл, – ты не получишь завод. Раньше у нас были подозрения; теперь – доказательства. Но мне надо быть очень и очень осторожным. Мне надо уговорить Джамала отказаться от мести. Мне надо объяснить ему, что в условиях фондового рынка правила кровной мести не действуют».

Самолет накренился, и компьютер, лежавший перед Семеном Семеновичем, пополз к Кириллу. Стюардесса поспешно убирала с соседнего столика икру и фрукты. Крошечная полоска берега в иллюминаторе укрупнялась на глазах, и уже можно было различить вдоль дороги светло-серые коробочки БТРов.

– А кстати, где ваш сын, Кирилл Владимирович?

– Дома. Он прилетел вчера, вместе с Джамалом.

– О да. Он полетел с Джамалом, на подаренном вами самолете, но в списках пассажиров его нет.

Внутри Кирилла все мгновенно захолодело. Их самолет уже выпустил шасси, земля разрасталась, как под увеличительным стеклом.

– О чем вы, Семен Семенович?

Семен Семенович резко развернул к Кириллу экран компьютера. Запись, снятая с телефона, шла крупными зернами. Алихан был за рулем какой-то «четверки», и рядом с ним сидел Мурад Кахаури. «Четверка» притормозила возле румяного мента, который тащил авоську с апельсинами, Мурад окликнул мента и выстрелил в него в упор. «Четверка» уехала дальше.

Кирилл хорошо помнил, когда застрелили мента с апельсинами. Это было *после зачистки Тленкоя.*

– Я думаю, Кирилл Владимирович, – раздался голос Забельцына, – что у вас неприятности с сыном. Вы ведь не ладите с Хагеном, Кирилл Владимирович?

Их самолет с глухим стуком коснулся взлетной полосы, опустил нос и побежал вперед, туда, где расстилалась красная ковровая дорожка, по обеим сторонам которой торчали БТРы.

* * *

Джамалудин Кемиров и сэр Мартин Мэтьюз встречали их на аэродроме, и через минуту после того, как самолет Забельцына приземлился, Семен Семенович уже сидел на переднем сиденье бронированного «мерса», а за рулем был Джамал.

Кортеж хозяина республики летел со скоростью сто пятьдесят километров в час; блокпосты торчали через каждые двести метров; у поворота на завод в поле вперемешку стояли кунги и приземистые серые танки, вдоль огромной площади перед заводоуправлением стояла линия оцепления, а за оцеплением стоял народ.

Их было не десять тысяч, не пятьдесят, и, видимо, даже не сто. Их было двести тысяч, а может, и триста. Обочина шоссе по направлению к городу, сколько хватал глаз, была забита разноцветными коробочками машин и автобусов.

Люди, как муравьи, облепили отрог горы; они махали зелеными флагами, и когда ревущая кавалькада несла их вдоль линии оцепления, Семен Семенович увидел что, все, кто стоят за ней, стоят в черных майках с портретом Джамала. Он даже успел удивиться, откуда столько маек, как вдруг заметил небольшой грузовичок: задние дверцы грузовичка были распахнуты, и в них стояла толстая тетка в белом платке и синей юбке, и раздавала эти майки, к которым в давке тянулись десятки рук, а люди тут же сбрасывали свои майки и надевали эти, новые.

Джамал затормозил у ворот и первым выскочил из машины, и и Семен Семенович увидел над проходной огромный экран, и на экране — своего спутника, приветственно машущего рукой.

— Джа-мал! Джа-мал! — заорала толпа.

Они были в машине вчетвером — Джамал, Забельцын, сэр Мартин и Кирилл Водров. Как только они вылезли, Кирилл попытался отвести Джамала в сторону, но Джамал стремительно шел вперед, к зеленой ленточке, трепетавшей перед воротами, по красной ковровой дорожке, вдоль которой стояли закованные в бронежилеты спецназовцы и трехногие телекамеры.

— Джамал! Джамал!

Молодые ребята стаскивали с себя майки с изображением Джамалудина, и размахивали ими, как на рок-концерте.

— Джа-мал! Джа-мал!

Перед воротами, в инвалидной коляске, сидел и.о. президента республики, Сапарчи Телаев.

Семен Семенович не видел Сапарчи с момента назначения и поразился, как изменился председатель парламента. Еще полгода назад это был терминатор: Брюс Уиллис и Сильвестр Сталлоне в одном лице, случайно прикованный к инвалидному креслу, так что, казалось, сейчас он упрется в стальные поручни одним движением накачанных мышц, встанет, и пойдет, а если надо, то и кресло понесет за собой на одном пальце.

В лице его, хитром и жестоком одновременно, всегда кипела жизнь, оно непрестанно менялось, глаза подмигивали, брови хмурились, крепкие желтые зубы, казалось, были готовы отхватить от жизни все, несмотря на увечье. И какой там аэропорт! Не то что без ног в аэропорт приехать, а и без крыльев полетать Сапарчи было — плевое дело.

Теперь на площади перед телекамерами сидел тяжело больной человек с осунувшимся лицом и глубоко запавшими глазами. А плазменный экран поверх него показывал смуглое лицо Джамала.

Они подошли к президенту, и Семен Семенович крепко пожал ему руку. Сверкали фотовспышки, и звукооператоры протягивали к ним черные камышины микрофонов на длинных сверкающих шестах.

— Джа-мал! Джа-мал!

Джамалудин поднял руку, и толпа замерла, как кипящая кастрюля, которую ловкая хозяйская рука убрала с огня. Забельцын заговорил. Он говорил что-то подобающее случаю, по увеличение ВВП и единство России, а потом за ним заговорил сэр Метьюз. На микрофонах, протянувшихся к нему со всех сторон, было написано BBC, CNN и Fox News.

Откуда-то явилась серебряная подушечка, на которой вместо ножниц лежали два остро наточенных горских кинжала. Один кинжал взял Семен Семенович. Другой — Сапарчи Телаев. Один из помощников подкатил его к ленточке, и Забельцын поднял кинжал, чтобы перерезать ее одновременно с и.о президента.

И тут Сапарчи поднял голову.

— Не так режем, — сказал Сапарчи. — Джамалудин, это проект Заура. Тебе и резать.

Джамалудин вежливо покачал головой.

— Джамал, — сказал Сапарчи, — я настаиваю. Этот завод начал строить твой брат.

Джамалудин заколебался. И тут кто-то из его людей громко захлопал в ладоши, а Шамиль заорал:

— Джа-мал! Джа-мал!

Джамалудин взял нож и пошел к ленточке. Он шел навстречу иностранным телекамерам, своей быстрой рысьей походкой, чуть вразвалочку, немного наклонившись вперед, в светлом, цвета стали костюме, и белой манишке, над накрахмаленным воротом которой сидело неправильное, смуглое лицо с волчьими угольями глаз, — то самое лицо, которое сейчас глядело на толпу с экрана и с плаката над проходной, лицо, впечатанное в десятки тысяч маек, которыми размахивала на площади обезумевшая толпа.

«Как ему это удается? — подумал Семен Семенович, — ведь он же покойник. Он же приговорен. В республике не сотни, а тысячи людей, которые мечтают о его смерти. Ну да, он согнал эту толпу, он привез ее в автобусах, он раздал им майки, но неужели он не боится, что в этой толпе найдется хоть один киллер? Он что, считает, что он уже умер?»

Джамалудин подошел к ленточке, поднял сверкающий золотом кинжал и улыбнулся Забельцыну. И тут Сапарчи заговорил снова.

— Семен Семенович, — сказал он, — я, как исполняющий обязанности президента республики... Я уже стар, и болен... Я ухожу. И прошу назначить президентом Джамала.

— Ни в коем случае, — сказал Джамалудин, — вы старше меня, Сапарчи Ахмедович, и куда опытней. Кто должен быть президентом республики — решать не нам, а России.

Сапарчи вздернул рот в улыбке и вдруг, твердой рукой взявшись за рычаг, крутнул его так, что инвалидное кресло вылетело из-за ограждения и застыло прямо посереди площади. Похоже, этот человек все-таки хотел решать сам: даже там, где решение касалось вопроса о том, как уйти.

— Семен Семенович, — громко сказал Сапарчи, и три громадных экрана показывали собравшемуся народу его набрякшее, тяжелое лицо, а голос его разносился над площадью, усиленный десятком динамиков, — я настаиваю. Братья Кемировы построили этот завод. Джамал — единственный человек, который достоин быть президентом республики.

Семен Семенович молча смотрел на плошадь, полную черных людей в черных майках. Сапарчи выбил у него из-под ног почву для торга. Камера сменила ракурс, показывая их, всех троих, возле зеленой ленты, и тут на площади оглушительно засвистели, а начальник ОМОНа выскочил вперед и заорал:

— Джа-мал! Джа-мал!

Джамалудин полоснул по ленточке. Забельцын раскрыл рот, и в эту минуту раздался первый выстрел. Стреляли вверх — даже не из пистолета, а из ракетницы, и разноцветная новогодняя хлопушка пошла вверх и, несмотря на дневное время, разорвалась довольно ярко, обдав толпу огненными брызгами.

Через минуту в небо палили так, как будто хотели взять его штурмом.

— Джа-мал! Джа-мал!

Забельцын в панике оглянулся и увидел на плазменном экране свое бледное, растерянное лицо. Охрана сомкнулась вокруг него, отрезая от выстрелов; подхватила и поволокла к проходной. Фотовспышки сверкали, как трассеры. Толпа палила. Из пистолетов, хлопушек, дедовских дробовиков, автоматов Калашникова, где-то зазвенело, кто-то вскрикнул, возможно раненый рикошетом, стреляли и бойцы АТЦ, по всей видимости, холостыми, уверенно посылая в небо очередь за очередью, люди стаскивали с себя майки и размахивали ими, как флагами, над толпой реяли зеленые полотнища со смуглым неправильным лицом и черными рысьими глазами с вишневой искрой в зрачке, и все это кричало, вопило, орало:

— Джа-мал! Джа-мал!

Джамалудин Кемиров стоял, подняв обе руки, и толпа бесновалась, словно привязанная нитками к его белым сильным пальцам.

Семен Забельцын не собирался попасть в ту же ловушку, что и его предшественник на Красном Склоне. Он не собирался оказаться с двумя десятками охранников заложником у головорезов Джамала.

Он пригнал в республику десять тысяч солдат.

Но только здесь, на площади, было двести тысяч.

* * *

Петя Ростовских сидел у самого борта «Урала», сжимая в руках автомат, и никогда еще Пете Ростовских не было так страшно, как сейчас.

Петя считался контрактником. Предполагалось, что он не просто попал по набору, а сделал сознательный выбор, записавшись в армию на три года, в обмен на зарплату в восемь тысяч рублей. Однако на самом деле это было не совсем так.

Просто когда Петя, с другими новобранцами, прибыл в расположение в/ч 12398, под Улан-Удэ, их выстроили на плацу в половине шестого утра, и сказали, что никто не пойдет в казармы, пока не подпишет контракт. На улице было минус тридцать, а солдаты были без шинелей, и контракт все подписали достаточно быстро. После того, как они подписали контракт, им должны были выдать карточки, на которые государство ежемесячно перечисляло по восемь тысяч рублей, но карточки забрали себе офицеры.

Петя очень переживал, что из-за подписанной им бумаги ему придется служить не год, а три, но все оказалось не так плохо. Спустя два дня после подписания контракта их погрузили в грузовик и отправили на цементный завод, и там, на заводе, Петя работал от звонка до звонка, и только на ночь возвращался в часть.

На заводе их кормили неплохо, не хуже, чем таджиков-гастарбайтеров в соседнем цеху, и кошмар начинался только тогда, когда Петя возвращался в часть. Ночью деды били его и требовали с него денег, и больше всего Петя боялся, что когда-нибудь они опустят его, и он больше не будет работать на заводе, а офицеры будут сдавать его, как проститутку, внаем, потому что за тех, кто работал проститутками, платили больше, чем за тех, кто работал на заводе.

Петя знал, что деньги за него получает ротный, прапорщик Евстигнеев. Ротный получал за него пятнадцать тысяч рублей в месяц, восемь — зарплата конрактника, и еще семь — за работу на заводе, и несмотря на то, что Петя приносил офицерам пятнадцать тысяч рублей, деды все равно били его и заставляли писать домой, чтобы мать присылала по двести рублей. Если бы деды не били его, Петя, может быть, задумался бы о том, почему он не получает деньги, причитающиеся ему после подписания контракта, но деды били раз в неделю, а то и чаще, и Пете некогда было задумываться над такими вещами.

Он думал только о том, чтобы выжить.

Сколько Петя помнил последние пять месяцев, ему всегда было страшно. Ему было страшно тогда, на плацу, в половине шестого утра, когда они стояли раздетые, и командир части матерился перед ними и орал. Ему было страшно, когда он однажды заболел и не пошел на работу, а вместо этого пошел в санчасть, и вскоре в санчасть пришел пьяный сержант и избил Петю за притворство. Ему было страшно, когда однажды на его глазах опустили молоденького солдата; деды занимались с ним самым скотским образом, и было видно, что самому главному заводиле, здоровенному, широкоплечему Андрею это доставляет явное удовольствие, но почему-то потом именно Андрей больше всех гонял опущенного, и больше всех издевался над ним, называя «петухом» и «пробитым», хотя казалось бы? Ведь это Андрею нравился секс с мужчинами, а этот мальчишка потом пошел и через неделю удавился.

Но никогда еще Пете не было так страшно, как сейчас.

Неделю их везли в плацкарте; старшие пили беспрерывно и блевали тут же, на пол. Потом их выбросили около шоссе, в чистом поле, без палаток, и даже без еды, и старшие заставили Петю стоять вдоль дороги просить сигареты.

А два часа назад их погрузили в «Уралы» и повезли в горы, и по пути ротный сказал, что они едут ловить какого-то чечена. Здоровенный Андрей, который верховодил во взводе, сказал, что все чечены звери, и что чечен, которого они едут ловить, однажды вырвал у живого русского печень и съел. Андрей рассказывал это, чтобы поднять боевой дух, но, по правде говоря, Петя от этого рассказа совсем сник.

Все пять месяцев службы Петя работал на цементном заводе, и он не представлял себя победителем чечена, который вырывает у живых русских печень. Пете гораздо проще было представить себя в виде печени.

* * *

Утро пятницы Алихан встретил в кабине трейлера, ехавшего по трассе «Ростов-Баку». До Ростова он добирался на попутках, а под Ростовом Алихану необыкновенно повезло: грузовик, который остановился, ехал в Бештой. Вез рамы для детского садика. Дорога была забита, они ехали три часа, а после этого водитель со своей фурой свернул в какую-то деревеньку, и оказалось, что там его дом.

Алихан вымылся, выстирал футболку и сделал намаз, а потом жена водителя накормила их пышными блинами и яичницей из больших, с крупным оранжевым желтком яиц. Потом она принесла Алихану футболку их сына. Сын уже вырос и учился где-то в Ростове, и Алихану было странно видеть дом без детей.

В пятницу выехали затемно. Вокруг, в свете луны, были одни бескрайние поля, то с пшеницей, то с сорняками, и лесополоса вдоль дороги была забросана целлофаном и бутылками. Водитель был крупный мужчина лет пятидесяти, крепкий и полный, с простодушным круглым лицом и чуть оттопыренными ушами. Звали его Алексей.

Когда стало светать, Алихан беспокойно завертелся туда-сюда, а потом не выдержал и спросил водителя:

— Нельзя ли остановится? Я хочу сделать намаз.

Водитель остановился и подождал, пока Алихан помолился прямо в поле, а потом Алихан забрался в кабину, и они поехали дальше.

— А не тяжело так вот пять раз каждый день? — спросил Алексей.

— Нет, не тяжело, — ответил Алихан. — Мы же совсем одни в мире. Каждому человеку трудно, когда он один. Ему хочется с кем-то поговорить. А тут пять раз в день говоришь с богом. Это же совсем другой человек, тот, который говорит только за стойкой бара, или который пять раз в день меряет и чистит свою душу.

— Это вообще-то правильно, — сказал водитель. Вздохнул и добавил: — А у нас как в селе церковь разрушили, так никто и не молится.

— И давно ее разрушили? — спросил Алихан.

— Да в семнадцатом.

Водитель помолчал, вздохнул и сказал:

— Слава богу, теперь у нас Россия возрождается. Вчера по ящику сам слышал.

Они проехали еще километр, когда показался пост ГАИ, и водителю пришлось выйти и поговорить с ментами, и когда он вернулся, он обтер ветошью руки, сунул в кармана кошелек и со вздохом сказал:

— Менты совсем оборзели. В прошлый раз помидоры вез, так на каждом посту по ящику забирали.

— Не били? — спросил Алихан.

— Племянника в прошлом году убили.

— Менты?

— Нет, скины какие-то. Сестра-то в ментовку пошла, там мент сидит, говорит, пошла вон, у нас твой случай двенадцатый. Двенадцать человек, оказывается, за полгода убили. А они даже не регистрируют.

— А он же русский, племянник? — удивился Алихан.

— Да русский, а толку-то? Ночью ножиком истыкали, пойди доказывай, что ты русский...

Шумно вздохнул и сказал:

— Нет, все-таки хорошо, что мы встаем с колен. Если бы мы еще и на коленях стояли перед Западом, было бы совсем обидно.

Алихан чувствовал себя не очень хорошо. Грузовик трясло и подбрасывало, и когда в следущий раз Алихан попросил остановить машину, его долго и тяжело рвало, и когда он возвращался обратно, он чуть не упал у колеса.

Водитель, наверное, решил, что мальчишка переел от голода, но когда Алихана вырвало во второй раз, он подозрительно на него посмотрел и спросил:

— А ты, пацан, не болен?

«Болен. Я даже узнаю симптомы».

— Да нет. Я с ментами подрался.

Водитель с сомнением посмотрел на бледное заострившееся лицо мальчика и промолчал.

— У тебя отец-то есть? — спросил он через некоторое время.

Алихан улыбнулся и ответил:

— Даже два. Один родной, а другой приемный.

— И сколько вас у родного было?

— Шестеро. А осталось двое. Остальных убили. И отца убили.

— Просто так?

— Нет, не просто так, — покачал головой Алихан. Помолчал и добавил: — А братьев просто так. Они еще маленькие были. Младшему три года было.

— А приемный отец тоже воевал? — спросил водитель.

— Он русский, — сказал Алихан.

— Никак ты от него сбежал?

Алихан покачал головой.

— Нет. Я не от него сбежал. Я... я от себя сбежал.

Они проехали еще немного. Солнце скакало над лесополосой, как желтый мячик. Год прошел, как не бывало, и жизнь, которая была этот год, исчезла тоже. От этой жизни осталась лишь узкая белая полоска на запястье, в том месте, с которого менты в «Шереметьеве» сорвали дорогие часы.

— Не очень-то твой отец о тебе заботится, — с осуждением сказал Алексей.

Алихан улыбнулся.

— Очень.

— Что ж — очень? — с возмущением сказал водитель, — ты ж вон, больной. Ты вот что, Алеха. Если ты никого в Бештое не найдешь, я обратно поеду, у меня знакомая в железнодорожной больнице работает.

«Вряд ли мне поможет железнодорожная больница в городе Ростове».

— А то вон, — сказал водитель, — у Ломакиных-то, через два дома. Девять дней сын болел. Девять раз ему «скорую» вызывали, те брать его отказывались. На десятый раз тоже отказались, мать вернулась в комнату, смотрит — а сын мертвый.

К восьми утра они доехали до границы Ставропольского края, и оказалось, что на границе большая очередь. Очередей на границе давно не было, потому что Кемировы убрали все посты и шугали чужие, но оказалось, что в республике проводят какие-то учения, и по этому поводу у границы стоял военный патруль и собирал со всех по сто рублей.

За блокпостом вдоль дороги торчали БТРы, а в одном месте Алексей увидел платформу с танком. Над платформой висел огромный плакат зеленого цвета. Это был портрет Джамалудина Кемирова на фоне серебряных труб химзавода.

Алексей купил у прохожей торговки два пирожка и стал возмущаться на очередь, а потом подумал и спросил:

— А что, завод-то этот, правда строят?

— Правда, — ответил Алихан.

— Не, врут наверное. Они наверное, только говорят, что построят, а сами бабки в кулак и... ищи ветра в Ницце.

— Его сегодня открывают, — сказал Алихан.

— Это что, — спросил Алексей, — и завод, и учения?

И покачал головой. Такое совпадение ему показалось странным.

Когда подошла их очередь, Алихан не стал искушать судьбу, а вышел из кабины и прошел пропускной пункт, прибившись к каким-то женщинам, спешившим в село. Потом он подождал, пока Алексей проедет, и снова сел в кабину. Алексей знал, что у мальчика нет паспорта, но все равно такой маневр ему не очень понравился.

— Послушай, а твой отец тебя не ищет? — с сомнением спросил он.

Сначала дорога, по которой они ехали, была пуста, а потом на ней чем дальше, тем больше стали попадаться солдаты. Они стояли у дороги и стреляли сигареты, и Алихан долго не мог понять, почему у них такие черные лица, пока не понял, что им, наверное, не завезли палаток, и лица были черные от автомобильных покрышек, которые они жгут по ночам.

— Вон завод, — сказал Алихан, и водитель увидел, как далеко внизу, за поворотом, у синей полосы моря встали серебряные трубы, переплетенные, как десять тысяч змей, и чуть подальше, за коробочками БТРов и спичками строительных кранов, на выгнутой ладони горы взблеснуло белым имя Аллаха.

Там была резиденция Кемировых, и совсем неподалеку, в трех километрах — его собственный дом. Дом, в который ему заказан путь. Было невероятно, что они построили этот завод за год. Он так хотел увидеть, как завод начнет работать. Как пионер, честное слово.

Алексей посмотрел на серебряные трубы далеко справа, потом на мальчика. Видимо, что-то было написано на лице у Алихана, потому что водитель вздохнул, собрался с духом и сказал:

— Слушай, Алеха, не делай этого.

— Чего?

— Я же вижу. Сбежал из семьи, едешь в горы. Паспорта нет, рожа побита. Я вот тебя везу, а ты ментов стрелять начнешь.

Они проехали поворот на завод, возле которого скопилась целая куча бронетехники, и какой-то блокпост, и еще один, а потом Алексей увидел впереди пожар.

Пожар был прямо у поста ГИБДД, и Алексей притормозил и вышел посмотреть. Горели два военных «Урала», а перед ними стояла раздавленная легковушка. Вокруг «Уралов» копошилась толпа, и когда Алексей стал спрашивать, в чем дело, ему сказали, что тот «Урал», который первый, спьяну раздавил легковушку.

— А стрелял-то по ним кто? — спросил Алексей, потому что бок «Урала» был, несомненно, разворочен гранатой.

— Да нас тут всех перестреляют, пока Джамал будет лизать сапоги Русне, — заверещал женский голос за спиной Алексея, и тут же в ответ брякнули:

— Че ты мелешь? С поста и стреляли!

В эту секунду послышалось завывание сирен: к посту подлетели белые «десятки», и из них начали сыпаться люди в камуфляже и с надписью «АТЦ» во всю спину, и первым из машины выскочил высокий красавец с зеленым беретом на белокурой голове.

Толпа начала разбегаться.

— Алеха, где ты? Алеха! — позвал Алексей, но черноволосого мальчика нигде уже не было. Он растворился вместе с толпой, взбудораженной зрелищем горящих «Уралов».

* * *

Булавди Хаджиев лежал за истлевшим пеньком на высоком склоне Тленкойского ущелья, и смотрел, как армейская колонна ползет по серпантину внизу. Ему казалось, что он лежит в Раю.

Дорога в этом месте проходила над горным озером, с водой прозрачной и неподвижной, как ограненый халцедон. От озера вверх шла влага, и тут, над водой, обычно голые стены ущелья поросли высоким лесом с влажными шелковистыми полянами; густую стену берез и елей рассекал вертикальный шрам недавнего селя, и Булавди сидел у самого края вздыбленных камней.

Внизу и чуть справа, там, где сель снес асфальт, Булавди заложил два соединенных между собой фугаса. Если бы Булавди охотился на обычную дичь, он бы наверняка использовал радиодетонатор, но Булавди полагал, что дичь поедет с джаммером, и поэтому от фугасов протянули провод.

Рядом с Булавди в засаде сидели еще семь человек. Колонна внизу шла, как на ладони. Пулемет головного БТРа был развернут влево, а пулемет следующего — вправо, броню обсели солдаты в камуфляже, и за БТРом шла белая «нива», а за «нивой» — два здоровенных «Урала».

Это была очень хорошая добыча. Не хуже, чем та, которую они взяли у Чертовой Пасти. Было забавно думать, что эти люди едут в село ловить Булавди. Эти БТРы распугали всех ящериц на двадцать километров вокруг. Можно подумать, горцы глупее ящериц.

Скошенная морда головного БТРа поравнялась с засадой. До разрушенного селем участка дороги им оставалось метров пятьдесят. Колонна шла так близко, что дальнозоркий Булавди без всякой оптики видел скрючившихся солдат на броне и щетки, которые мотались на «ниве» туда-сюда, отскребая от стекла поднятую БТРами пыль.

Молодой Ади, — младший брат Анзора, убитого Джамалом месяц назад, — повернул голову и умоляюще поглядел на амира. Их было семеро. Они могли добыть колонну. По крайней мере, они могли сделать так, чтобы она не прошла в Тленкой.

Булавди чуть заметно покачал головой. Сегодня они охотились на более крупную дичь, чем два «Урала» с восемнадцатилетними кяфирами. «Уралы» были не цель.

«Уралы» были приманка.

* * *

Пока они ехали, они покуривали анашу: у взводного нашлось с собой, но так он, конечно, не дал, а продавал по сто рублей, а к концу пути — по триста. У Пети трехсот рублей не было, и он взял в долг. Взводный сказал, чтобы Петя отдал после зачистки.

На въезде в село Пете стало совсем страшно. Горы нависли над ним вертикальной стеной, жара давила так, что мозги растекались.

Взвод выбрался из «Урала», и взводный повел их на улицу Садовая, потому что, по достоверным данным, боевики были именно там, но тут выяснилась досадная вещь: все улицы в селе были без табличек. Они хотели было спросить у жителей, где улица Садовая, но жители куда-то попрятались.

Взводный вышиб ногой дверь в один из домов и зашел внутрь. Петя думал, что там, за дверью, боевики, и что они ответят очередью, но за дверью были только куры и женщины, и они сразу подняли крик.

Взводный спросил их, где боевики, и женщины ответили, что боевиков нет. Взводный пошел наверх, а Петя попросил у женщин сто рублей. Ему ведь надо было отдать деньги взводному за анашу, а дом был такой бедный, что Петя рассудил, что трехсот рублей в нем, наверное, нет.

Женщины заплакали и отдали сто рублей. Петя понял, что они боятся еще больше, чем он. Это его возбудило. Они проверили документы и ушли.

Во втором доме боевиков тоже не было, а был какой-то старик и бутылка водки. Петя и его товарищ забрали водку и к ней — сушеное мясо, которое было в подвале, а когда они вышли на улицу, они увидели, что из соседнего дома деды тащат отличный телевизор с плазменной панелью. Такой телевизор стоил штуки две баксов, не меньше.

Петя спросил, откуда телевизор, и деды сказали, что у телевизора нет документов.

— Какие документы? — спросил Петя, — мы же у людей проверяем документы.

— Дурак ты, — ответили ему, — ты проверяй документы на людей и на технику. Если нет документов, значит, она ворованная.

В соседнем доме нашелся ворованный мобильник, а еще через два дома — ворованная корова. Во всяком случае, когда Петя потребовал предъявить документы на корову, их не было, и когда Петя потащил корову на улицу, вместо документов владельцы отдали пятьсот рублей.

Постепенно Петя повеселел. Анаша, водка и снова анаша привели его в дикое возбуждение, а страх и откровенная ненависть возбуждали еще больше. В одном из домов Петя подстрелил щенка, и вдруг оказалось, что это очень смешно, когда щенок идет, волоча за собой кишки. К щенку бросились дети, и Петя выстрелил в воздух, а когда дети побежали врассыпную, Петя ударил каблуком по щенку и вбил его, вместе с кишочками, в развороченные камни перед мечетью.

На площадь уже выводили первых боевиков. То есть, во всяком случае, это были здоровые мужики, с бородами и кривыми оглоблями рук, и эти сволочи наверняка бы задушили Петю этими самыми руками, если бы у Пети не было оружия. У них тут по всему селу были ворованные коровы и ворованные телевизоры, а как только к ним приходят наводить порядок, эти гады хватаются за автоматы.

Петя подскочил к одному из них и ударил его прикладом:

– Убью, сука, – заорал Петя, – пасть порву!

Какие боевики? Какие, к черту, боевики? Мы этих боевиков одним пальцем! Мы их печенку сожрем! Мы на куски их порежем!

Сельский магазин оказался заперт, угол пришлось снести БТРом. В магазине нашлась водка, но немного: Пете почти не досталось.

После этого магазин стали бить и растаскивать, а Петя побежал за взводным в соседний дом, откуда из-за ворот выглядывала настоящая ведьма, сухая, маленькая, в огромном черном платке.

Петя потребовал водки, но ведьма притворилась, что не понимает по-русски. Петя отшвырнул ее с дороги и прошел в комнату. Там все было чистенько; на стенах висели вытертые ковры, на полках стояли книги. Петя спросил у старухи, где деньги, а та только стала браниться. Взводный между тем швырял книги на пол, чтобы найти заначку, и когда одна из книг шлепнулась вниз, Петя увидел, что она не русская, непонятная, с длинными страницами, покрытыми каким-то идиотским письмом, словно червяк прополз.

Старуха бросилась к этой книге и стала ее поднимать, а Петя понял, что в книге заначка и отшвырнул старуху. Петя потряс книгу и стал рвать из нее листы, думая, что между ними деньги, а старуха завопила еще пуще и кинулась на солдата. Петя ударил ее прикладом, а книгу он бросил на пол и стал топтать, от досады.

Ведьма схватила книгу, прижала ее к груди, и бросилась вон.

Петя замешкался в доме, потому что он искал деньги, а когда он вышел на улицу, он увидел, что перед воротами стоит изрядная толпа, а ведьма орет и трясет книгой. Когда Петя вышел, толпа вспучилась, словно пиво, с которого сорвали крышку, и впереди толпы был высокий, тридцатилетний, с царской осанкой мужчина в вышитой шапочке и с черной аккуратной бородой. «Боевик», — понял Петя, и раньше, чем он это понял, руки его сами сдернули автомат с предохранителя, и первая же пуля отбросила имама Тленкойской мечети в толпу.

* * *

В ту самую секунду, когда Семен Забельцын сказал Кириллу, что Алихан не прилетел домой, Кирилла словно что-то тяжелое толкнуло в грудь, — толкнуло и ушло, а боль осталась.

На аэродроме Кирилл сел в машину с Джамалом, но в ней было слишком много народу, и говорить было немыслимо. Пока они ходили по заводу, Кирилл пытался протиснуться к хозяину республики, но каждый раз тот был окружен слишком плотным кольцом; Кирилл отстал в какой-то момент и бросился на поиски Хагена.

Но белокурого нибелунга нигде не было: вместо него Кирилл нарвался на камеру CNN.

— Господин Водров, — спросил журналист, — почему так много войск вокруг?

— Учения, — ответил Водров, — по моей личной просьбе мы проводим учения на этом заводе, чтобы показать абсолютное единение Москвы и Торби-калы.

«Он предал меня», — подумал Водров о сыне.

Он лгал, что разошелся с Мурадом, он лгал, что его заставили и принудили, а потом он сел в одну машину с самым главным отморозком республики и поехал с ним стрелять ментов. Наверное, он лгал и насчет Тленкоя. Он хорошо продумал легенду, когда вернулся домой раненый. И Джамалудин на нее купился. Или не купился. Или просто пощадил Кирилла и его беременную жену. Пока Хаген не принес новые доказательства.

«Это наверняка Хаген. Клянусь Аллахом, это он».

Краем глаза Кирилл заметил, что к ним приближаются Джамалудин со свитой. Камера немедленно развернулась к хозяину республики.

— Джамалудин Ахмедович, если в республике все спокойно, зачем здесь столько охраны? — спросил журналист.

— А я их привез переучиваться, — расхохотался Джамал, — а, Шамиль? Пойдешь газ бурить?

Смуглый широколицый Шамиль заулыбался. Оператор крупным планом взял «стечкин» у него на боку.

— Ты что снимаешь, — закричал Джамал оператору, — ты что, оружия не видел? Ты это снимай! Вот это снимай!

Трубы завода горели на солнце, и оператор лихорадочно снимал черноволосого, поджарого как рысь Джамала и увешанных оружием охранников на фоне серебряных куполов реакторов и стальных минаретов ректификационных колонн.

«Я сделал это».

Черт возьми, он сделал это. Он выполнил завещание Заура и выстроил завод. Здесь, в этой земле гор и мечетей, он создал кое-что, что вздымалось выше них. А еще он думал, что он создал нового Алихана. Что он создал мальчика, который хотел жить.

«Что бы сделал Джамал, если бы сын его поступил, как Алихан? Он бы его убил».

— Джамал, — вполголоса сказал Кирилл, — нам надо поговорить. Сию секунду и перед встречей с Забельцыным.

* * *

Они поднялись в кабинет через десять минут. За двойными звуконепроницаемыми дверями прямо на столе лежали штабные карты, и пахло потом и табаком, и, заходя, Кирилл краем глаза заметил в широком предбаннике Забельцына: тот разговаривал с командующим учениями. Сэр Мартин был еще где-то на заводе.

Дверь в кабинет захлопнулась, и Кирилл остался с Джамалудином наедине.

Джамалудин сиял. Он словно помолодел, — впервые после смерти Заура, и он стоял посереди кабинета, высокий, худощавый, в безукоризненной белой рубашке и светлом костюме в тон галстуку, и ничего не было в нем уже от полевого командира, не считая черных мертвых глаз с багровой искрой и ободка разбитых часов возле бриллиантовой запонки на отвороте белого, как пенопласт, рукава.

— Послушай, Джамал, — сказал Кирилл, — у нас есть шанс оставить себе пакет. Но для этого ты должен послушаться меня. Сейчас не время учить сэра Мартина шариату.

— Что?!

Нестерпимая, дикая обида на сына вдруг переполнила Кирилла. Алихан предал не только отца: он предал свой народ. Он больше не был тупым сельским мальчишкой, живушим сплетнями на базаре и бреднями в Интернете. Он был в Вашингтоне и Флориде, Токио и Марселе, он видел мир, он знал, куда ведет дорога, пролегающая вдоль ствола автомата. Она ведет не в Рай, чтобы ни говорили там фанатики всех мастей. Она ведет в кучу дерьма посереди моря крови.

Кирилл открыл рот, чтобы сказать одно, а сказал вдруг совсем другое.

— Где мой сын? — закричал Кирилл.

В глазах Джамала было одно вежливое недоумение.

— Я видел пленку. Это все Хаген? Хаген, да? Он всюду сует свой палаческий нос!

— Про Хагена, — сказал Джамал, — ты будешь мне говорить в его присутствии. Что ты сказал про пакет?

И тут Кирилл вдруг вспомнил историю, которая случилась три месяца назад. Эту историю обсуждали шепотом, потому что Джамал очень не любил, когда ее обсуждали. Какой-то полковник ГИБДД ехал по трассе на служебной машине, и боевики прижали его к обочине и стали по нему стрелять. Они убили водителя и вышли, чтобы добить полковника, а он закатился под машину и начал стрелять в ответ. Он убил двоих и третьего ранил, и когда этого третьего забрали в больницу, то оказалось, что это племянник Джамала — сын его двоюродной сестры.

Джамал был в это время в хадже, и глава МВД решил выслужиться перед хозяином республики; он уволил полковника и завел на него уголовное дело по стрельбе по прохожим. Джамал вернулся через два дня. Он поехал в больницу и поговорил с племянником. А потом он вынул пистолет и выстрелил ему в лоб.

— Отдай мне сына, — сказал Кирилл, — и я назову тебе убийцу Заура.

— Что?! Что?!!

Дверь распахнулась. На пороге стоял улыбающийся Забельцын.

* * *

Кирилл отшатнулся к окну, и в ту же секунду за плечом Забельцына возникл сэр Мартин. Кабинет вдруг заполнился шумом и голосами свиты.

Забельцын улыбнулся и подошел к круглому столу, заваленному штабными картами, и Марк Сорока с угодливым полупоклоном протянул ему кожаный кейс с компьютером и бумагами. Сэр Мартин сел за стол.

Кирилл понял, что судьба республики лежит на этом столе.

В голове его паровой молот заколачивал гвозди. Белое солнце било сквозь бронированные окна, и со стены в глаза Кириллу смотрел трехметровый портрет Заура. Все решалось здесь и сейчас, а Алихана в этот момент, возможно, убивали, где-нибудь в подвале резиденции.

«Джамал, Джамал, я построил тебе завод, а ты убил моего сына».

Свита уже текла из комнаты.

— Шамиль! — вдруг позвал Забельцын.

Шамиль Салимханов остановился у выхода, и вместе с ним остановился его брат Магомед-Салих. Три недели назад Магомед-Салих возглавил личную охрану Джамала.

— Шамиль, — насмешливо спросил Забельцын, — ты и вправду готов пойти в буровики?

— Все лучше делать дырки в земле, чем в людях, — ослепительно улыбнулся Шамиль.

Джамал и Магомед-Салих расхохотались. Забельцын засмеялся тоже, хлопнул обоих братьев по плечу, и сказал, обращаясь к сэру Мартину.

— Sir Martin! You should invite these two to London. They say they'd rather drill holes in earth than in people[1].

Сэр Мартин расхохотался тоже. Последний оставшийся в кабинете телеоператор снимал, как завороженный.

Потом Шамиль положил телеоператору руку на плечо и повел его прочь, и через секунду дверь за свитой захлопнулась. Хозяева остались вчетвером.

* * *

Заразительная английская улыбка сползла с лица сэра Мартина, как кожица с обваренного лука, и оно вдруг сделалось квадратным и строгим, как топорик. Его светло-серый однотонный галстук был заколот плоской платиновой булавкой, и от него, как всегда, пахло одеколоном, Западом и успехом.

— Господин Забельцын, — без предисловий сказал сэр Мартин, — Navalis Avaria is on the verge of bankrupcy and this republic is on the verge of war. Your government has not carried out a single promise. What I need right now, right here, is for Mr. Kemirov to be appointed as president and for your troops to leave this republic immediately after these so-called military exercises. Otherwise I shall stop the project.[2]

---

[1] Сэр Мартин, вы должны пригласить этих двоих в Лондон. Они говорят, что лучше будут делать дырки в земле, чем в людях. *(англ.)*.

[2] Навалис Авария — на грани банкротства, а республика — на грани войны. Ваше правительство не выполнило ни единого своего обещания. Мне нужно, чтобы господин Кемиров, немедленно, сейчас, был назначен президентом, и чтобы войска покинули республику после так называемых учений. Иначе я останавливаю проект. *(англ.)*.

Забельцын пожал плечами и молча вынул из портфеля бумагу. Бумага была украшена гербом России и печатью, и слева вверху на ней был исходящий номер. Забельцын не выпустил документ из рук, а так и продолжал держать его двумя пальцами, словно морковку, перегнувшись через стол.

— Что это? — спросил сэр Мартин.

— Указ о назначении Джамала президентом, — ответил Кирилл.

Сэр Мартин чуть поднял брови.

Джамалудин вынул из лежавшей рядом с ним папки скрепленную пачку листов и протянул их через стол Забельцыну.

— А это что? — спросил сэр Мартин.

— А это, — сказал Семен Семенович, — свидетельство высокой сознательности и гражданской ответственности частных акционеров «Навалис Авария», которые решили передать компаниям, представляющим российское государство, двадцать пять плюс один процент акций. Из тридцати пяти у нас имеющихся.

Сэр Мартин, высоко подняв брови, взял документы из рук Зfбельцына и принялся их листать.

Согласно договору, блокирующий пакет Navalis Avaria уходил от трех кипрских оффшоров двум небольшим лихтенштейским компаниями, одну из которых звали Zarya, а другую Svetlana. Общая сумма сделки составляла два миллиона долларов, — хорошо, что не два миллиона подсолнечных семечек.

— Cyrill, are you sure that these companies really do represent the Russian state?[1] — спросил сэр Мартин.

— I am sure[2], — ответил Забельцын.

— И в обмен на эти акции вы назначаете Джамала президентом? — уточнил, все так же улыбаясь, сэр Метьюз.

Семен Семенович улыбался из кресла, сухой, подтянутый, как швейцарский банкир, в темно-сером костюме и коричневых

---

[1] Кирилл, ты уверен, что эти компании представляют именно государство Российское? (*англ.*).

[2] Я уверен. (*англ.*).

начищенных туфлях, впечатление от которых слегка портили белые носки.

— Not exactly. For this we need another forty percent. From you, Sir Martin.[1]

«Сукин ты сын. Ах ты сукин сын».

— Which means that the state wants thave control[2], — с ледяной улыбкой уточнил англичанин.

Забельцын развел руками и рассмеялся.

Сэр Мартин встал.

— Cyrill, we're leaving. Will you please call the pilots? The negotiations are over. And so is the project[3].

— Вы не закроете проект, сэр Мартин, — голос Забельцына был суше обвинительного заключения.

— Вот как? Почему же?

— Во-первых, в случае вашего отказа глава Navalis Avaria будет объявлен в международный розыск за соучастие в терактах.

— Вот как? И каких именно?

Семен Семенович протянул сэру Мартину толстую папку с прилепленным скотчем диском.

— Я имею в виду захват российской парламентской делегации на Красном склоне. Господин Водров принимал в нем основополагающее участие. Это именно он привел террористов на Красный Склон.

— И кто были террористы? — нахмурясь, спросил сэр Мартин.

— Джамал Кемиров.

— Кирилл, это правда?

— Конечно, правда. И главная причина их трогательной боевой дружбы, — отозвался Забельцын.

Сэр Мартин, чуть подняв брови, вопросительно посмотрел на главу своей дочерней компании.

---

[1] Не совсем так. Для этого нам нужно еще 40%. От вас, сэр Мартин. (*англ.*).

[2] То есть государству нужен контрольный пакет. (*англ.*).

[3] Кирилл, мы улетаем немедленно. Позвони пилотам. Переговоры окончены, а равно и проект. (*англ.*).

— Семен Семенович, — улыбнулся Кирилл, — ну почему бы вам тогда не рассказать все до конца? Причина, по которой мы (Кирилл выделил это «мы» так, что, пиши он мелком на школьной доске, мелок наверняка бы раскрошился) взяли в заложники делегацию, заключалась в том, что тот человек, который ее возглавлял, отдал приказ о взрыве роддома в Бештое. Вздумаете рассказать, что я международный террорист, — а я расскажу, что Россия сама взрывает у себя роддома.

Сэр Мартин молчал. Было видно, что он подсчитывал финансовые последствия того, что глава его дочерней компании будет объявлен международным террористом. Особенно в разгар финансового кризиса. Вряд ли эти последствия сильно смягчались тем, что его компания выстроила завод в стране, где правительство само взрывает роддома.

— Кирилл Водров связан с террористами, — сказал Семен Семенович. — Джамал Кемиров, о назначении которого вы так хлопочете, связан с террристами. И мы, Россия, может отобрать этот завод за одну лишь вашу помощь террористам.

— Господина Кемирова, — возразил сэр Мартин, — довольно легко обвинить в Гааге за бесчеловечные методы борьбы с террористами. Но вот в связях с ними его обвинить трудно.

— Вы еще не забыли этих двух очаровательных парней, — спросил Семен Семенович, — которых вы только что пообещали переучить на буровиков?

— И?

Забельцын достал из кожаной папки еще два листка.

— Они в международном розыске уже три года. Один из них убил полпреда Российской Федерации, и оба — бывшего главу АТЦ. Сейчас один из них возглавляет ОМОН республики, а другой — личную охрану Джамала.

Сэр Мартин молча глядел на отпечатанные типографским способом листовки с портретами Салиха и Шамиля. Конечно, текст под фотографиями был на русском, но сэр Мартин без труда мог догадаться о его содержании, потому что кроме русского слова «разыскивается», на портретах было еще проставлено цифрами: «$1.000.000». Это были очень большие деньги, и Джамал их, разумеется, выплатил. По республике злословили, что он выплатил Салиху миллион за поимку Шамиля, и Шамилю — миллион за поимку Салиха.

— Переведи своему англичанину, — сказал Джамал, — что я не сдаю тех, кто поклялся мне в верности.

— These men went over to our side and betrayed a dozen of rebels[1], — перевел Кирилл.

Тогда Семен Семенович перевернул экран бывшего с ним ноутбука, и на экран выплыла та запись, которой Кирилл боялся больше всего.

— And whom did your son betray? Hey, Cyril, can you explain what is your son doing here next to the most dangerous terrorist in the republic and blowing off cop's heads?[2]

Лицо Кирилла стало белым, как мел.

— Hey, Cyril, — мягко молвил сэр Мартин, — there's something to explain[3].

— He... he does not shoot, — забормотал Кирилл, — he's just driving... This guy, Murad, they are from the same village. It's a trap, he's just... They do these things! What would you do if you sat in a car and your friend shoots a cop?[4]

На лице сэра Мартина отразилось сомнение. Чувствовалось, что ему трудно представить в своих друзьях человека, который высунется из машины и застрелит копа.

— Постой, Семен Семеныч, — встрепенулся Джамалудин, — откуда ты взял эту запись?

---

[1] Эти люди перешли на нашу сторону и сдали добрую дюжину мятежников. (англ.).

[2] А кого сдал твой сын? Эй, Кирилл, как ты объяснишь, что делает твой сын, если он вместе с самым разыскиваемым террористом в республике стреляет по полицейским? (*англ.*).

[3] Да, Кирилл, тут есть чего объяснять. (*англ.*).

[4] Он... но он же не стреляет... он просто за рулем... Этот парень, Мурад, они из одной деревни.. Это ловушка, он просто... Они так делают! Ну что вы будете делать, если вы сидите в машине, а тут ваш друг высунулся и убил копа? (*англ.*).

— Работаем, — коротко сказал Семен Семенович.

— Это не запись, — сказал Джамал, — это подстава. Мы поймали парня, который там был. Они потребовали у Алика помощи. Тот их послал. Тогда Мурад выстрелили в мента, и эта запись есть только у меня и у Алихана. Больше ни у кого во всем мире этой записи не было.

Худые пальцы Забельцына замерли над клавиатурой. Кирилл, ошеломленный, привстав, переводил взгляд с Забельцына на Джамала. Ему понадобилось несколько мгновений на то, чтобы осознать, что именно сказал Джамал. Потом он вскочил. Остатки рассудка вылетели из него, как пробка из бутылки, он схватил Забельцына за широкий галстук, наклонился над ним и заорал:

— Где мой сын?

— Кирилл! — гаркнул Джамал.

Водрову казалось, что он летит в пропасть, и пропасть была без дна, а тело вдруг стало легким и сильным, и рука сама метнулась к поясу, почти привычным жестом выдергивая «стечкин».

— Ублюдок, — заорал Кирилл, — куда ты дел Алихана?

Губы Семен Семеновича прыгали.

— Джамал, — сказал он, — отзови твоего щенка. Что он лает, когда рядом взрослый пес?

Джамалудин Кемиров даже не шевельнулся.

— He stole my son, — сообщил Кирилл, — he's sixteen, he's ill, he spent his summer in Switzerland, and he disappeared when he came back to Moscow. That's what they do. They steal people. They plant weapons. They frame...[1]

— Cyril, — сказал сэр Мартин, — you would sound a lot more convincing withaut this gun in your hand[2].

---

[1] Он украл моего сына. Моему сыну шестнадцать лет, и он болен, он провел все лето в Швейцарии, он пропал, когда вернулся в Москву. Вот что они делают. Они крадут людей. Они подбрасывают им оружие. Они стряпают дела... *(англ.)*.

[2] Кирилл, эта речь звучала бы куда убедительней, если бы у тебя в руках не было пистолета. (*англ.*).

На столе зазвонил селектор. Джамалудин наклонился и с размаху прихлопнул его рукой.

— Звони в Москву и отпусти Алихана, — закричал Кирилл, — или, клянусь Аллахом, я нажму на курок.

— Не нажмешь, — ответил Забельцын, — пудель не станет волком.

Кирилл молча выстрелил. Первая пуля прошила жидкокристаллический экран, и тот мигнул и погас. Вторая пуля ушла в пачку документов, прошила их насквозь и впилилась в стеклянную поверхность стола; третьего выстрела стол не выдержал, пошел трещинами и разломился на два стеклянных ломтя, роняя карандаши, бумаги, чашки с кофе. Севрский фарфор разлетался по полу вместе со стеклянной шрапнелью.

Сэр Мартин с грохотом вскочил со стула.

— You are fired, — заорал англичанин, — and the project is over[1].

— It is not over, — сказал Семен Семенович, — you may be interested to learn that Vneshtorgbank has bought out Navalis debts, some 5.5 bn US dollars, worth including a 3.5 bn dollar syndicated credit that is due for repayment in two weeks. We can refinance it; or we can say "pay us". These are the hard times, Sir Martin, and your company is overleveraged and overexposed, and you will never, never find 3.5 bn in two weeks that will follow the arrest of your manager on proven terrorist charges. The control over this plant is a very moderate price for saving your own hide. For otherwise you'll loose not just the plant. You'll loose all your company.[2]

---

[1] Ты уволен к черту! — заорал англичанин, — а проект закрыт! (англ.).

[2] Проект не закрыт. Вам, может быть, интересно будет узнать, сэр Мартин, что Внешэкономбанк Российской Федерации выкупил долги компании «Навалис» на общую сумму в пять с половиной миллиардов долларов, включая синдицированный кредит в три с половиной миллиарда долларов, срок погашения которого наступает через две недели. Мы можем пролонгировать этот кредит — а можем настоять на его погашении. В эти тяжелые времена финансового кризиса ваша компания оказалась перекредитована, сэр Мартин, и вы

Кирилл был так ошарашен, что чуть не выпустил из рук пистолет. Джамал побледнел от бешенства. Хозяин республики знал семь языков, включая чеченский, арабский, турецкий, абхазский и даргинский, но его познания в английском были равны нулю, и никто ему не переводил.

— Что ты сказал? — потребовал он у Семена Семеновича, но тот только улыбнулся и продолжил:

— You have no choice. You'll sink under the double weight of debts and scandals. How shall we name the new company? Navalis VEB? Or Navalis Russia? What if I am appointed the head of the council of directors? Will you be my CEO? Or shall I call somebody from Shell?[1]

Сэр Мартин молчал несколько секунд.

— Why in God's name did you buy out the debts, instead of duying this fucking plant? I would have sold it at half price![2]

— Because the debts were paid for by Russia and the plant will go personally to Mr. Zabyeltsyn[3], — ответил Кирилл.

— Хорошо, — кивнул сэр Мартин.

— Мой сын, — сказал Кирилл.

— Джамал, уйми этого идиота!

— Мой сын, — повторил Кирилл.

— У меня нет твоего сына!

никогда, нигде не найдете три с половиной миллиарда в течение двух недель, особенно если я арестую вашего топ-менеджера. Контрольный пакет пусть даже очень хорошего химзавода — это немного за спасение вашей шкуры, сэр Мартин. Потому что иначе вы потеряете не завод. Вы потеряете всю Navalis. *(англ.)*.

[1] У вас нет выхода, долги и скандал вас прикончат. Как нам назвать новую компанию, сэр Мартин? Navalis VEB? Или Navalis Russia? Если я стану председателем совета директоров, вы пойдете ко мне управляющим директором? Или мне лучше пригласить кого-то из «Шелла»? *(англ.)*.

[2] — А какого черта вы скупали мои долги, вместо того, чтобы купить сам завод? Я бы продал его дешевле. *(англ.)*.

[3] Потому что долги скупала Россия, а завод достанется лично Забельцыну. (*англ.*).

— Мой сын, — в третий раз повторил Кирилл, — или сделки не будет. Я вам сорву ее, всем троим.

— Он сбежал! — заорал Забельцын.

— Что?!

— Клянусь тебе, Кирилл, он сбежал из этого чертова аэропорта, когда Марк приехал, он уже сбежал, позови Марка, он скажет то же самое...

Забельцын остановился, увидев, как смертельно побледнело лицо Кирилла.

— Твой помощник Марк Сорока поехал арестовывать моего сына, и теперь ты заявляешь, что он сбежал? — тихо спросил Кирилл, и от тона его по позвоночнику Забельцына пробежали мурашки.

— Да о чем вы тут терли? — заорал Джамал.

Дверь распахнулась. На пороге ее стоял Магомед-Салих.

— Джамал, — сказал Магомед-Салих, — в Тленкое зачистка.

— Потом, — ответил Джамалудин.

— Там куча трупов, Джамал. Они застрелили имама, а потом какой-то солдат бросил на пол Коран и начал его топтать, а когда люди на них бросились, они открыли огонь по толпе. Они бегают по дворам и кидают в дома гранаты. Лихой докладывает, что он убил Булавди.

Джамалудин встал и шагнул к Семену Семеновичу.

— Это бред какой-то, — начал Забельцын, — надо разобраться, что происходит.

— Поехали, — сказал Джамалудин.

— Куда?

— Разбираться.

Семен Семенович побледнел.

— Я не отвечаю...

— Ты слишком за много не отвечаешь. За Алихана ты не отвечаешь, за Тленкой не отвечаешь, если ты ни за что не отвечаешь, на хрен нам отдавать тебе контрольный пакет? Поехали.

Семен Семенович несколько секунд колебался, переводя взгляд с убийцы полпреда РФ на худощавого, гибкого как рысь Джамалудина.

— Поехали, — сказал Забельцын.

— Джамал, — громко проговорил Кирилл по-аварски, — гьес рехсарав чи ккола дур вац чIварав чи. Сон дихъе кьураб кассеталда бахъун ьугоан дос чIвадарухъан багIаразул дова жаниса къватIве виччазавураб куц[1].

Джамал застыл, как будто кто-то нажал на кнопку «стоп». Через секунду губы его шевельнулись, и Кирилл услышал ответный приказ:

— Отвези англичанина в аэропорт.

Джамал повернулся и вышел из кабинета, и вслед за ним, с секундным колебанием, вышел Забельцын, — туда, где бритые затылки спецназовцев торчали из камуфляжа, как подберезовики из лесной травы.

Кирилл молча, без сил, опустился в кресло. Пистолет по-прежнему болтался в его руке, и весь пол кабинета был усеян стеклянной требухой и разлетевшимися бумагами с печатями кипрских оффшорок и шапками администрации президента.

Сэр Мартин встал за его плечом.

— Cyril, — сказал сэр Мартин, — я не привык, чтобы мои менеджеры захватывали правительственные делегации. Я не привык, чтобы на деловых переговорах мои менеджеры вытаскивали стволы. Ты бы действительно в него выстрелил?

Кирилл молчал.

«Джамал бы выстрелил. Еще никто не слышал, чтобы Джамал сказал: «я тебя убью» и не нажал курок».

— Я предупреждал вас, сэр Мартин, — сказал Кирилл, — что все республики Северного Кавказа несут серьезные инвестиционные риски.

Сэр Мартин помолчал и ответил:

— Я не думаю, что ваша проблема — это Кавказ. Ваша проблема — это злая воля. Злая воля, ограниченная лишь трусостью и жадностью.

---

[1] Тот, кого он назвал — убил твоего брата. Я вчера получил пленку, на которой он вызволяет убийцу у «красных». *(англ.)*.

* * *

Гора, где сидел Булавди, была в пяти километрах от села. Булавди не знал, что там происходит, но стрельба гуляла по ущелью туда-сюда, и Булавди казалось, что каждая пуля, выпущенная в селе, попала в его сердце.

Ади подошел к амиру, присел на корточки и спросил:

– Я думаю, что в селе до захода солнца сегодня будет вырыто много могил. Что мы скажем людям?

– Мы скажем, что их убили русские свиньи, – ответил Булавди.

– А что мы скажем Аллаху, если Джамал не появится?

– Что они стали шахидами, – ответил Булавди.

* * *

Сэр Мартин поехал в аэропорт сразу, а Кирилл подъехал туда через полчаса.

Оцепление стояло как на параде. Над БТРами, у которых остановился джип Кирилла, был виден фронтон нового аэровокзала с огромным портретом Джамалудина, и белый самолет с красным хвостом и красной же надписью «Навалис».

Кирилл выскочил из машины и помог выбраться жене. Она даже не успела переодеться, на ней было ее любимое домашнее платье, длинное, красное, в крупных белых цветах, и белый платок, полностью скрывавший волосы, и солдаты, сидевшие на БТРе, вдруг рассмеялись и отпустили в ее адрес какую-то пьяную шутку. Шахид помог бабушке Айсет и стал вытаскивать чемоданы.

Хас-Магомед стоял, чуть напружившись и глядя на солдат черными злыми глазенками, а Саид-Эмин вдруг прижался к Кириллу и задрожал. Кирилл вдруг понял, что дети уже видели это: БТРы, перепуганных и оттого агрессивных солдат, грязные шутки из линии оцепления, только тогда рядом не было красно-белого самолета, и улететь было некуда.

В вип-зале было прохладно и пусто, и только компания из трех офицеров пела за столиком в холле пьяную песню.

— Эй, телка! Тебе говорят! Подь сюда! — закричал один из них, обращаясь к Диане.

«Спокойно, — сказал сам себе Кирилл, — это не оккупанты. Это армия, которая пришла меня защищать. Это моя армия».

— Папа, ты летишь с нами? — спросил Саид-Эмин.

Кирилл присел на корточки перед ребенком и улыбнулся:

— Нет. Шахид летит.

Когда он выпрямился, из-за стойки регистрации показались трое спецназовцев и штатский с паспортами в руках. Кирилл принял его за пограничника.

— Кирилл Владимирович Водров? — сказал штатский.

— Да.

— Вы задержаны при попытке незаконно скрыться от следствия с территории Российской Федерации.

Кирилл шагнул вбок, заслоняя собой Диану, — и в ту же секунду его сбили с ног. Чей-то сапог вдавил его шею в холодный гранит, голову окунули в мешок, — а еще через полминуты закованного в наручники президента Navalis Avaria протащили служебным коридором и швырнули, как куль, в пахнушее кожей нутро бронированного автомобиля.

Завизжала об асфальт резина, — машины развернулись и выскочили с территории аэропорта.

* * *

Машина ехала недолго — минут десять. Кирилла вытащили и повели коридорами. Хлопнула дверь: его усадили, мешок сдернули.

Он сидел в длинном кабинете с полами, крашеными масляной краской. Прямо перед ним на трех ножках растопырилась телекамера, за ней улыбался особенной, полубезумной улыбкой премьер Христофор Мао. На белой его рубашке ярким пятном выделялась огромная, из красного дерева, словно сделанная под охотничье ружье кобура. Слева, там, где обычно сидит следователь, сидел начальник УФСБ по республике генерал Шеболев.

А справа от Мао сидела беременная Диана, и тут же, рядком — двое его младших сыновей и молодой Шахид. Правая, единственная рука Шахида была скована с правой же, единственной рукой Хас-Магомеда. Когда Кирилл увидел жену, ему показалось, будто из тела его вынули все кости, и обмякшее мясо ссыпается горкой на стул.

Христофор Мао вынул из бывшей при нем папки листок и лаконично сказал:

— Подписывай.

Кирилл пожал плечами и стал читать. Ему понадобилось несколько секунд, чтобы понять, что он читает договор, согласно которому «Навалис» продает Российской Федерации акции «Навалис Авария» за двадцать три миллиона долларов.

— Это не имеет никакой юридической силы, — сообщил Кирилл Христофору Мао.

— Подписывай, — отозвался Мао.

— Сначала вы отпустите мою жену и детей. Всех, включая Алихана, — сказал Кирилл.

Вместо ответа Мао вынул из своей лакированной кобуры «стечкин», приставил его к затылку Шахида и выстрелил. Кровь и ошметки мозга брызнули в лицо Кириллу.

Время замерло.

Его постоянный охранник, двадцатидвухлетний парень, который был с ним весь последний год, который водил одной рукой его машину и подавал одной рукой ему пальто, который играл с Хас-Магомедом и учил Алихана стрелять, парень, который прошел Красный Склон и десятки спецопераций, — без звука повалился лицом на стол, даже не успев понять, что произошло, — и Хас-Магомеда, скованного с ним, бросило вперед. Глаза мальчика отчаянно заморгали, губы задергались, — но он не проронил ни слова, выпрямился и застыл, а Диана обреченно закрыла глаза.

Мао повернулся, и на этот раз ствол в его руке уперся в лоб Дианы.

— Подписывай, — повторил Мао. — Если ты не подпишешь через секунду, я нажму на курок.

Кирилл молча взял ручку и поставил свою подпись.

— Хорошо. Теперь это.

Перед Кириллом лег бланк протокола допроса, — совершенно пустой, если не считать двух абзацев, согласно которым Кириллу, оказывается, разъяснили его гражданские права и подписку о неразглашении.

Кирилл подписался и под протоколом.

— Хорошо. А теперь озвучь свои показания на камеру.

Генерал Шеболев улыбнулся безразличной улыбкой и поставил перед Кириллом пушистый узконаправленный микрофон.

Кирилл в ошеломлении уставился на пустой лист перед ним.

— Смелее, Кирилл Владимирович, ты же уже все подписал. Рассказывай, будь как дома.

Кирилл молчал. Шахид лежал с развороченным затылком, по столу тек темный ручей крови, и мир сузился до отверстия в пистолетном стволе, приставленном к голове его беременной жены. Ничто больше не имело значения. Ничто вообще не имело значения.

Генерал Шеболев грузно поднялся со своего места, подошел к Кириллу сзади и, перегнувшись, принялся вытирать каким-то несвежим платком мелкие серые брызги с лица Кирилла.

— Мне кажется, Кириллу Владимировичу будет проще, — промурлыкал генерал на ухо пленнику, — если я буду задавать ему вопросы.

— Пусть отвечает на вопросы, — сказал Мао, — но учти, Кирилл, что я знаю все. И если я увижу, что ты врешь, я нажму на курок.

— Когда вас впервые завербовало ЦРУ, Кирилл Владимирович? — спросил генерал Шеболев.

Кирилл молчал. Крупный пот выступил на его лице. Мальчики сидели совершенно неподвижно. Губы Дианы беззвучно перебирали молитву.

— Еще во время работы в ООН, — подсказал Христофор Мао, — они завербовали его на его пристрастии к мальчикам. Он регулярно сливал информацию о планах России и получал за это от двухсот до четырехсот тысяч долларов в месяц.

— Еще во время работы в ООН, — покорно повторил Кирилл. — Я получал за каждое сообщение от двухсот до четырехсот тысяч долларов. В месяц. Они завербовали меня на мальчиках.

— В чем состояли планы твоих кураторов на Кавказе? — спросил генерал Шеболев.

— Они планировали создать Кавказский Халифат со столицей в Торби-кале, а финансировать теракты, необходимые для его создания, должен был химзавод, — любезно улыбаясь, поведал Мао.

«Ты сошел с ума, придурок. Хорошо, ты заберешь у меня завод. Но где, черт возьми, ты возьмешь даже не деньги — а технологии на его достройку?»

— Мы планировали создать Кавказский халифат со столицей в Торби-кале, — повторил Кирилл, — а финансировать теракты, необходимые для его создания, должен был построенный мной химзавод.

— Почему ты приказал Булавди убить Джамалудина Кемирова? — спросил генерал Шеболев.

— Мы убили Заура, потому что он был верен России; Джамал узнал, кто убил Заура, нужно было устранить и его, — улыбнулся Мао.

«Аллах Акбар. Если ты планируешь показать эту пленку Джамалу, то ты совсем рехнулся».

— Мы убили Заура, потому что он был верен России; Джамал узнал, кто убил Заура, нужно было устранить и его.

Шеболев протянул через стол руку и выключил камеру. Мао хрипло рассмеялся и повернулся к начальнику УФСБ.

— Ты слышал, — закричал Мао, — он сам признался! Вот — вот их истинное лицо! Я... я превратил эту республику в рай! Я сделал здесь жизнь лучше, чем на Западе! Я построил этот завод! Я построил тридцать школ! Двадцать больниц! И я не дам боевикам! Оторвать! Короче, шайтанам оторвать от России!

Мао перегнулся через стол к начальнику УФСБ. Глаза его горели суетливым безумием.

— Ты знаешь, на ком он женился? — сказал Мао, — она была снайперша. Террористка. Она стреляла в наших солдат. Мы взяли ее с поличным. Кирилл, она тебе рассказывала, как спасла свою жизнь? Она рассказывала, как отсасывала у меня? Она...

Мао не договорил. Кирилл перескочил через стол и бросился на премьера. Он поддел его ботинком под подбородок, еще когда стоял на столе, а потом спрыгнул вниз и изо всей силы скованными руками ударил его по затылку. Мао упал; в ту же секунду к Кириллу подскочил генерал Шеболев и схватил его за локти. Дверь отворилась: внутрь влетели двое охранников, и один них коротко и профессионально ткнул Кирилла дубинкой в солнечное сплетение.

Кирилл упал и попытался встать, и тут же его ударили снова, на этот раз по почкам. Мао, с искаженным лицом, уже поднимался на ноги. Кирилл молча вцепился ему зубами в ляжку. Мао ударил его сверху, по затылку, а потом добавил коленом по губам, и когда Кирилл упал, на него налетели сразу трое, и принялись избивать, сладострастно, с присвистом, и последней мыслью Водрова перед тем, как мир потух, словно разбитая лампочка, было: «Сукин сын, я тебя убью».

* * *

Незадолго до полудня Хаген Хазенштайн подъехал к роскошному дому уполномоченного по правам человека Наби Набиева, расположенному в городе Шамхальске.

Хаген Хазенштайн приехал просить у Наби прощения.

По правде говоря, он вовсе не намеревался извитяться перед Наби. Но накануне вечером Джамал отстранил его от операции и вместо этого приказал ехать к Наби. Джамал сказал:

— Ты поедешь к нему и скажешь, что снимаешь с него косяк. Ты скажешь, что мы знаем, что этот банк взял Христофор Мао, и что весь разговор будет между Христофором и мной. Ты скажешь, что к Наби у нас нет претензийй.

Вот Хаген подъехал к дому Наби, а это был не один дом, а сразу пять. Там жили двое братьев Наби и еще кое-какие родственники. Все эти пять домов стояли в одном переулке, и ход к переулку был перегорожен шлагбаумом.

Так получилось, что в то самое время, когда Хаген подъехал к шлагбауму, из дома выезжал троюродный племянник Наби. Он тоже работал в опрокинувшемся банке главой отдела потребительского кредитования, и в это утро он был немножечко не в себе. По правде говоря, он хорошо вма-зался.

Вот этот племянник остановился у шлагбаума, когда с той стороны подъехал Хаген, а Хаген в это время вышел из машины и набрал номер Наби.

Племянник Наби увидел Хагена, и это ему очень-то не понравилось. Он был на стрелке на стадионе и еще не забыл, как люди Хагена ломали им ребра.

— Эй, какого хрена ты приперся? — закричал племянник Наби.

Хагену такое приветствие было не по душе, но ведь Джамалудин прислал его на мир, а не на разборку, и он сдержался и ответил:

— Я приехал к Наби. Прикажи-ка поднять шлагбаум.

Племянник Наби повернулся к охранникам и сказал:

— Вышвырните его вон.

Эти слова понравились Хагену еще меньше, чем прежние, но ведь Джамалудин прислал его на мир, а не разборку, и поэтому Хаген сдержался и ответил:

— Ехал бы ты себе, Абубакар. Мы с Наби поговорим без тебя.

Эти вежливые слова возмутили племянника Наби. Он схватил с обочины камень и поднял руку, чтобы запустить этим камнем в фару Хагену. Но Хагену вовсе не хотелось, чтобы по его фарам кто-то кидался камнями. Он перескочил через шлагбаум и выбил из рук племянника камень. Камень он отбросил в сторону, а племянника он слегка толкнул, так, что тот улетел в кусты. Конечно, Хаген одной рукой мог пришибить его на месте, но он помнил, что Джамал послал его мириться, и понимал, что ему будет трудно примириться с Наби, пришибив его племянника.

После этого Хаген повернулся, чтобы идти к своей машине, но тут он услышал крик:

– Стой!

Он повернул голову и увидел племянника Наби, который стоял возле кустов и целился в него из пистолета.

У Хагена на пистолеты был безусловный рефлекс. Он развернулся, и еще раньше, чем он закончил разворот, он выхватил «стечкин» и выстрелил. Первая пуля вошла племяннику точно в лоб, а вторая пуля вошла точно в первую.

После этого Хаген опустил пистолет и увидел, что на него смотрит Наби Набиев. Уполномоченный по правам человека, которого предупредила охрана, как раз вышел из дома навстречу Хагену, и он, конечно, не ожидал увидеть то, что он увидел. Хаген понял, что помириться с Наби в сложившихся обстоятельствах вряд ли получится, вскочил в джип и уехал.

Тут надо сказать, что пистолет у племянника Наби был с резиновыми пулями: но Хаген-то этого не знал.

* * *

В двенадцать часов три минуты сработала рация, и ровно через сорок секунд Булавди Хаджиев увидел вылетевший из-за поворота кортеж. Три «мерса» и микроавтобус.

Рука Булавди легла на кнопку.

И в это мгновение с другой стороны селя из-за широких камней взмыл стрелок с гранатометом. Булавди, несомненно, заметил бы его раньше, но вышло так, что этот человек и его люди подошли к месту засады с другой стороны просеки, оставленной селем, и так как они были люди тоже бывалые, они шли осторожно и миновали дозор, выставленный Булавди, и бойцы не видели их до последней секунды, – а стрелок не видел его и сейчас, поскольку Булавди лежал в своем укрывище уже несколько часов.

Булавди мгновенно узнал человека. Это был Дауд Казиханов. В ту же секунду Ади выпустил по поднявшемуся человеку короткую очередь из трех пуль.

Ади промахнулся. Дауд повернулся к ним, и секунду Булавди смотрел прямо в раздвинутую пасть «Мухи». Краем глаза Булавди видел, как головная машина поравнялась с фугасом.

Он не успевал сделать ничего.

Булавди нажал на кнопку.

Мгновением раньше, чем во взрывной машинке замкнулись контакты, водитель головного «мерса» резко нажал на газ. Шеститонная машина рванулась вперед, словно из катапульты.

В ту же секунду раздалась новая очередь. Строчка пуль прошила Дауда, он подломился, рухнул и выстрелил.

Граната разорвалась о ствол дерева в пяти метрах от Булавди. По ушам ударило кувалдой, сверху посыпались иглы и щепки.

Фугас взорвался точно под вторым «мерсом», и через секунду в огненный шар влетела третья машина.

Справа от Булавди что-то сверкнуло, микроавтобус распух в желтый оранжевый шар, и покатился вперед, роняя куски железа и ломти жареной человечины. Это стрелял младший брат Ади. По плану он должен был подбить замыкающую машину, и он выполнял план. Скорее всего, он даже не понял, что там за пальба слева.

С другого края каменной реки ударил автомат, кто-то вскрикнул, пуля прошла у уха Булавди, он перекатился, схватил автомат и выстрелил. К расселине выскочили еще двое моджахедов, и стали стрелять длинными очередями.

Дауда на камнях уже не было.

«Мерс» и микроавтобус пылали. Второй «мерс» тоже горел, но он стоял на обочине, и из него катился черноволосый человек в пестром горном камуфляже.

Последняя уцелевшая машина кортежа уже летела по нижней петле серпантина. Ей оставалось двести метров до кустов и неровных камней. Булавди схватил лежавшую рядом «Муху», прицелился и выстрелил.

Граната влетела в багажник «мерседеса» и через мгновение разорвалась прямо в салоне. Стекла так и брызнули, как лужа, по которой попало камнем. От удара по касательной машину развернуло, и Булавди увидел, как бронированный «мерседес» кормой завис над пропастью, взорвался и рухнул вниз.

Снизу ударил автомат. Это наверняка были братья Салимхановы. Больше всего на свете, после Джамала, Булавди хотелось достать этих двоих. Но он не знал, какого черта в лесу потерял Дауд, и как быстро к федералам придет подкрепление.

— Уходим, — крикнул Булавди.

ГЛАВА ЧЕТЫРНАДЦАТАЯ

Легко в бою

Хаген Хазенштайн был очень расстроен тем, как обернулось дело в Шамхальске. Ведь Джамал послал его мириться с Наби, и такого еще не было, чтобы Хаген ослушался прямого приказа Джамала.

Хаген понимал, что Джамал будет не очень-то доволен тем, как обернулось дело с примирением. К тому же на пути в Шамхальск Хаген насчитал восемь федеральных постов, и что-то подсказывало начальнику АТЦ, что он выбрал не самое подходящее время для того, чтобы застрелить человека.

У Хагена был очень приметный белый «порше-кайенн», и он понимал, что этот «порше» наверняка попадется, как сом в сетку. Он бы не удивился, если бы федералы получили приказ не задержать его, а расстрелять. У Хагена даже родилась мысль вернуться обратно и подстрелить Наби, но это вряд ли бы было просто сделать. Если бы он хотел застрелить Наби, нажимать на курок надо было сразу после племянника.

Поразмыслив, Хаген заехал на своем белом «порше» в лес и позвонил оттуда на «Снегирь». Ребята со «Снегиря» сразу уяснили, в чем дело. Они взяли такой же белый «порше», сели на него и поехали в Шамхальск кружной дорогой через Зеленый Мысок. Хаген дал им подробные инструкции, и на первом же блокпосту на выезде из Торби-калы они нарочно остановились так, чтобы привлечь к себе внимание. Они немного пособачились с блокпостом, и кончилось тем, что на блокпосту с них содрали штраф и даже выписали квитанцию, в которой указали время и номер машины.

Ребята объехали по перевалу Шамхальск и поехали на «порше» в Торби-калу, и как и следовало ожидать, их тут же остановили. Их вытряхнули из машины и положили лицами в грязь, а вскоре к ним подъехал Наби с отрядом спецназа, пнул того, который был повыше, и черные волосы которого были скрыты под десантным беретом, и сказал:

— Ну все, Ариец, ты сядешь на двадцать лет.

Задержанный поднял голову, и Наби увидел, что это не Хаген.

— Эй, а куда вы дели Арийца? — закричал Наби.

— Мы не видели Арийца, — ответил боец.

— Или ты расскажешь мне, куда ты дел Арийца, — закричал Наби, — или ты сядешь на десять лет, как соучастник убийства моего племянника! Потому что ты сидел в этом «порше», когда его расстреливали, и вся моя охрана это подтвердит!

— Как это я мог убивать твоего племянника, — ответил боец, — если полчаса назад меня взяли на Тройке?

Патрульные вытащили у него документы и побежали по рации пробивать номер; Наби стал совать им деньги, чтобы забрать бойцов и обменять их потом на Хагена, но федералы прогнали его прочь.

Что же касается Хагена, то он подождал звонка, пересел на пригнанный знакомым черный «мерс», да и поехал себе тихонечко на «Снегирь». На всякий случай он выключил телефон, чтобы до него нельзя было дозвониться. Хаген понимал, что он провалил поручение Джамала помириться с Наби, и ему не очень-то хотелось попадаться на глаза хозяину республики.

Вот он проехал через один пост к Торби-кале, а потом через

второй, а потом он увидел два БТРа, стоящие конусом возле дороги, и солдат возле БТРа махнул ему «тормози».

Хаген затормозил и увидел, что у БТРа стоит полковник Аргунов, и, видимо, дело было серьезным, коль скоро Аргунова сняли с учений и бросили на поиски главы АТЦ. Тут Хаген вспомнил, что, хотя он поменял машину, он не поменял сотовый, и ему стало досадно, что он прокололся на такой глупости. Ведь он много раз сам брал террористов по сотовым, но мог ли он догадаться, что дело обстоит так серьезно!

Хаген вылез из машины, поднял руки и сказал:

— Послушай, Валера, клянусь Аллахом, я поехал мириться. Этот придурок вытащил ствол первый. Он был под кайфом.

Аргунов не улыбался, и «стечкин» в его руках глядел прямо в голову Хагену.

— Ариец, — сказал Аргунов, — у нас проблемы. У всех проблемы. Пятнадцать минут назад в Тленкойском ущелье взорвали кортеж. Погибли все. Командующий СКВО. Забельцын. И твой Джамал.

* * *

Через пять минут после известия о расстреле кортежа премьер республики Христофор Мао, к которому, как к главе Штаба заслонных и защитных операций, перешло фактическое командование войсками, издал приказ.

В связи с оперативными данными о готовящемся нападении боевиков две роты 692-го мотострелкового полка получила приказ выдвинуться в район поселка Чельты на северной окраине Торби-калы и блокировать там базу ОМОН МВД республики.

Две роты 142-го полка получили приказ занять позиции на юго-западе города Бештоя и охранять там базу АТЦ «Снегирь».

Для упреждения новых атак террористов Христофор Мао приказал взять под контроль телевидение, Дом Правительства, аэропорт, морской и железнодорожный вокзалы.

* * *

Когда танки подполковника Донгаря вышли к Дому на Холме, площадь была пуста. Только в середине ее плясал фонтан, да с фронтона Драмтеатра на подполковника глядел огромный портрет Джамалудина Кемирова.

Так как никаких признаков сопротивления не было, подполковник оставил бронетехнику на площади, и его солдаты пошли в столовую есть. Через пятнадцать минут десантники, высадившиеся с катеров, взяли под контроль телевидение и порт.

* * *

Сразу после того, как Христофор Мао получил известие о том, что войска полностью заняли город, он вызвал к себе Магомед-Расула Кемирова.

Грузный пятидесятилетний человек, потерявший полгода назад старшего брата, и полчаса назад — младшего, был совершенно раздавлен. Неровными мелкими шажками шел он по кабинету, заваленному картами и затоптанному сапогами; Христофор вскочил ему навстречу. Магомед-Расул дрожащими руками зашарил в кармане, ища баночку с валидолом, а потом пошатнулся, упал на грудь новому хозяину республики и зарыдал.

— Шайтаны! — всхлипывал Магомед-Расул, — нелюди! Шайтаны из людей!

Христофор обнимал его бережно, как старого ребенка, а потом, когда слезы немного поутихли, усадил за стол, принес воды, чтобы запить таблетку, и сказал:

— Магомед-Расул Ахмедович, я хочу, чтобы наш разговор оставался в тайне. Это секретная информация, и мы пока не можем ее разглашать. Но есть все основания полагать, что заказчиком убийства вашего брата был Кирилл Водров. Джамал принял решение национализировать завод, а западные спецслужбы были категорически против.

— Аллах милостивый, — прошептал Магомед-Расул, — я же предупреждал!

Слезы сочувствия брызнули из глаз Христофора, и они зарыдали, обнявшись.

* * *

В то время, как Христофор Мао совместно скорбел с братом покойника, «мерс» с полковником Аргуновым и новым командиром ОМОНа Аламбеком Арсхановым подъехал к КПП базы «Алмаз». С собой они предусмотрительно взяли пять БТРов.

Аргунов вышел из машины, пнул ногой в гулко загудевшие ворота, и заорал что мочи:

— Чего спрятались? Открывай!

Ворота открылись, и «уазик» с двумя людьми заехал на территорию базы. Плац был пуст. Под огромным навесом поблескивали белые «десятки».

— Построение! — заорал Арсханов, — один, два, три, четыре, пять...

Две дежурные полуроты построились мгновенно.

— Слушай сюда, — заорал Арсханов, — Джамал убит. Его убили трое — Черный Булавди, Салих и Шамиль! Смерть предателям! Слава героям! У вас теперь новый начальник — я!

Бойцы стояли, не шевелясь. Аламбека они знали хорошо. Аламбек был замом Ташова, и многие ожидали, что именно он после Ташова возглавит ОМОН; когда начальником ОМОНа стал Шамиль, Аламбек швырнул на стол заявление об отставке. Еще все знали, что у Аламбека была невеста, с которой они друг в друге души не чаяли, и эту-то невесту четвертой женой забрал себе Джамал.

— Смирр-на! — заорал Аламбек.

Люди щелкнули каблуками и вытянулись.

— Отомстим за Джамала! — заорал Аламбек.

— За Джамала!

— Аллаху акбар!

— Аллаху акбар!

— Слушай мою команду, — заорал Аламбек, — всем собраться на базе! Возможны новые нападения боевиков! Сидеть здесь, на провокации не поддаваться!

Секунду Аргунову казалось, что бойцы сейчас кинутся на них обоих. Но военная выучка была слишком сильна. Каждый из этих ребят привык, что за него думает командир. Раньше командиром был Ташов. Потом — Шамиль, а теперь вот — Аламбек. Джамал превратил своих головозеров в регулярную часть, и теперь ему приходилось за это расплачиваться.

— Воль-но!

* * *

Ровно в час тридцать минут все три республиканских телеканала, чьи камеры собрались на заводе для трансляции торжественной церемонии открытия, показали в прямом эфире открытое заседание правительства.

Первым на заседании выступал новый командир ОМОНа Аламбек Арсханов. Он поклялся, что найдет и покарает убийц Джамала. Вторым на совещании выступал Магомед-Расул Кемиров. Он сказал, что боевики убили двух его братьев, и теперь Христофор ему вместо брата.

Третьим на совещании выступал мэр Торби-калы Гаджимурад Чарахов. Гаджимурад был один из самых верных Джамалу людей, и поэтому многие удивились, когда Гаджимурад предложил создать Чрезвычайный комитет для борьбы с террористами.

— От имени всего нашего народа заявляю, — сказал мэр Торби-калы, — только вы, Христофор Анатольевич, можете спасти республику в эти трудные минуты! Только вы должны возглавить этот Комитет!

* * *

Когда заседание кончилось, Христофор Мао выгнал из бывшего кабинета Водрова всех этих шавок и заперся наедине с телевизором.

За окном золотое солнце победы играло и пело на серебряных трубах завода, и огромный, в полтора человеческих роста черноволосый Джамалудин смотрел с висящего в комнате портрета на телевизор, который наконец-то показывал Мао.

— Слышишь, сукин сын, — сказал Христофор, — слышишь, как они хвалят меня?

Черноволосый человек молчал. Ведь он был мертв.

— Знаешь, в чем твоя ошибка? — продолжал Христофор, — ты убил их души. Ты вынул из них совесть, а вложил в них страх. Тебя не стало, а страх остался. И хозяин этого страха теперь я.

Христофор Мао засмеялся.

Вся власть Джамалудина растаяла, как дым, — она обрушилась, как обрушивается под силой тяжести огромная, хрустальная, с тысячами подвесок и сотнями рожков люстра, висящая на одном гвозде. Гвоздь выдернули — и люстра рухнула.

Джамал Кемиров попал в собственную ловушку. Он думал, что может делать все, но то, что делал Джамал, не было государством. Одни боялись его, другие любили его, третьи были у него в заложниках, — но они клялись лично ему, и боялись лично его, и когда Джамала не стало, небоскреб страха, возведенный им на фундаменте личных тюрем и личных клятв верности, рассыпался в прах.

Все эти убийцы, все эти негодяи, все эти лизоблюды, которых он лишил души и совести, превратил в своих рабов, в целователей сапога, — все они лишились опоры и теперь искали новый сапог, который они готовы были целовать, лишь бы остаться в живых, и сохранить свои дома, подаренные Джамалом, «лексусы», подаренные Джамалом, и даже иногда жен, на которых он их женил.

— Твой Кирилл, — заорал Христофор, — пел, как соловей! Если бы я приказал ему отсосать, он бы отсосал! Они все клялись, что готовы умереть за тебя! Они строились по приказу твоего девятилетнего сосунка! Теперь они будут клясться, что готовы умереть за меня! Ты слышишь?

Из телевизора донесс гром аплодисментов.

— Ты слышишь?! — заорал Христофор.

Черный горец молчал.

Христофор схватил портрет и дернул вниз. Тот не упал. Христофор дернул сильней, но, видимо, портрет был как-то очень уж хорошо приколочен. Христофор дернул снова — и тут огромный холст в деревянной раме свалился, с грохотом, прямо на голову главе Чрезвычайного комитета, опрокинув плазменный экран компьютера и малахитовую вазочку с карандашами.

Мао вскинул руку и разорвал холст. Он рвал его с треском, вылупляясь из картины, как цыпленок из скорлупы, заколотил золоченой рамой о наборный паркет, а потом он выхватил пистолет и стал стрелять.

— Российские войска полностью контролируют город, — сказал Христофор Мао в телевизоре, — все попытки террористов дестабилизировать ситуацию провалились. От имени России заявляю: всем, кто захочет ввергнуть нас в кровь и хаос, будет дан беспощадный ответ.

— Да здравствует Мао! — кричали депутаты.

Картинка показывала танки, застывшие на площади, и полковника Лихого, рассказывавшего о героическом бое в селе Тленкой. Ошметки портрета разлетались по полу, и простреленные глаза Джамала, черные с искрой, превращались в дырки в холсте.

Черный портрет лежал ничком на ковре, и Мао в остервенении топтал его ногами.

Это была полная, сокрушительная победа.

Безумец тот, кто сражается с государством.

* * *

Граната, ударившая в «мерс», была рассчитана на объемный взрыв, мгновенно повышающий температуру и давление в замнутом пространстве. Ударь она в танк — и все пассажиры сварились бы. Ударь она в БТР, — и у пассажиров бы лопнули уши, и белки глаз спеклись бы, как яйца в духовке.

Но она ударила в специально сконструированный «мерс», — датчики, реагировавшие на повышение давления, сработали тут же, и стекла машины вылетели наружу, — не от взрыва, а до взрыва. Вместо стекол упали специальные занавески.

Граната вошла в багажник по касательной; машину развернуло кормой вбок. Джамал ударил по тормозам, и в эту секунду багажник «мерса» смахнул ограждение, корма зависла над пропастью, и машина обрушилась вниз. Ускорение бросило Джамалудина затылком на подголовник; из бардачка выстрелила фронтальная подушка. Другая выскочила из-под ног, фиксируя положение коленей, и тут же выстрелили подушки с боков.

Еще через мгновение багажник ударился о каменный скол скалы. Сидящему сзади охраннику мгновенно переломало шею; Джамал потерял сознание.

Он очнулся через секунду; перед глазами была белая пелена мешка. Машина скользила, как сани, по широкому каменному желобу, прорезанному в мясе горы сошедшим года два назад селем. Тормозные шланги были порваны, управлять ей было нельзя, да и как? Ведь машина не ехала, а летела, а рулей высоты у нее не было.

Еще через несколько секунд «мерс» долетел до края расщелины, его подкинуло, как траплином, перегородившим устье огромным камнем, и «мерс», взмыв в воздух, плюхнулся всеми четырьмя колесами вниз в неправдоподобно гладкое, изумрудного цвета озеро.

В древности считалось, что у этого озера нет дна.

Джамалудин слышал, что двадцать лет назад на озеро приехала группа геологов, и дно они, конечно, нашли, но где они его нашли и сколько до него было тонуть, Джамалудин не помнил и выяснять не собирался.

Прозрачная вода мгновенно хлынула вглубь салона; «шестисотый» «мерс» с броней четвертой степени защиты тонул, как падал. Пока Джамалудин выпутывался из подушек, машина ушла вниз на добрый десяток метров. Откуда-то с заднего сиденья в воду тянулись красные струйки. Джамалудин мельком подумал о том, что от «альфовцев», наверное, остался один фарш.

Джамалудин выхватил нож, обрезая воздушные мешки, — и тут, повернувшись вправо, увидел Забельцына.

Глаза всемогущего «серого кардинала» Кремля были широко раскрыты: вода была хрустальной, и видно было как через стекло. Подушка перед ним сдулась; широкий ремень перепоясывал грудь. Забельцын шарил левой рукой, но ремень не расстегивался, и развороченная машина камнем шла ко дну.

Забельцын глядел на горца, и в глазах его не было даже мольбы, — одно глухое отчаяние. Джамалудин перегнулся через «торпеду» и перехватил руку Забельцына. Пальцы его шевелились, пытаясь расстегнуть ремень, и Джамалудин скорее понял, чем увидел, что Семен Семенович тычется не в защелку ремня, а в рукоять засунутого рядом с ней «стечкина». Джамал отщелкнул ремень и сунул в карман «стечкин». Потом он схватил чиновника за волосы и поволок за собой.

Легкие разрывало; в ушах звенело. Джамалудину казалось, что они всплывают из бездны, а Забельцын вдруг еще начал брыкаться и биться, и Джамал из последних сил прижал его к себе и сдавил, потому что легче волочить неподвижное бревно, чем вырывающегося черта.

Потом наверху, сквозь пленку воды, брызнуло солнце. Джамалудин внезапно выскочил в верхний мир, полный бликов солнца и гуляющих по ущелью выстрелов. Берег был в десяти метрах. Озеро уходило вниз почти отвесно. Над берегом нависал каменный козырек, и возле него, булыжниками помельче, рассыпалось устье селя. Джамалудин выполз под козырек и вытащил русского. Тот было закопошился, но горец воткнул его головой в камень и прохрипел:

— Лежи.

Забельцын затих. Наверху, над дорогой, поднимались клубы дыма. Там постреливало и потрескивало, словно неосторожная хозяйка пролила масло из сковороды на огонь.

Потом стрельба кончилась.

Семен Семенович перевернулся и сел. Лицо его было цвета отменного севрского фарфора. Он сидел и глядел, как по озеру расползается пленка бензина, а потом он хихикнул и сказал:

— Я живой.

Он засмеялся, громче и еще раз громче, и Джамалудин заткнул ему рот рукой, чиновник фыркнул и умолк. Вода ручьем бежала с белой рубашки Джамала, в галстуке запуталась какая-то водоросль. Щегольский бежевый пиджак остался в воде, и там же погибла правая туфля. Джамалудин снял с себя левую туфлю и носки, размахнулся и забросил их в озеро.

— Пошли, — сказал он, передергивая «стечкин» и протягивая левую руку Забельцыну.

* * *

В четырнадцать часов пять минут на трассе «Торби-кала-Бештой» «Урал» с солдатами попал в засаду, выставленную боевиками. Еще через десять минут было получено известие, что на въезде в село Ахмадкала расположился фальшивый блокпост. Пост остановил на въезде новенький «мерс» и заявил, что в село нельзя. «Как нельзя?» — возмутился пассажир и вытащил корочку республиканской прокуратуры. После этого пассажиру выстрелили в лоб, а водителя отпустили.

Премьер Христофор Мао не сомневался, что теракты будут.

Недобитые гады, которые хотели расчленить республику, еще прятались по углам. Дерзкие вылазки боевиков как нельзя лучше свидетельствовали о наличии масштабного плана, — плана, который удалось сорвать одним точечным превентивным ударом.

Премьер республики Христофор Мао отдал войскам приказ сурово покарать эти вылазки.

143-му мотострелковому полку, тому самому, который должен был, по плану учений, преградить войскам сопредельного государства путь на Бештой, был отдан приказ развернуться и занять город, чтобы предотвратить дальнейшие террористические вылазки. Дальнобойная артиллерия, включая установки «Град», получила приказ развернуться на позициях, и теперь ее стволы глядели в сторону Бештоя, чтобы в случае надобности поддержать солдат огнем.

Авиация и вертолеты получили приказ произвести разведку горно-лесистой местности, выявляя и уничтожая места скопления боевиков.

ОМОН, которым теперь командовал Аламбек Арсханов, получил приказ выдвинуться к Куршинскому тоннелю и поддержать спецназ ГРУ.

* * *

Сель, прорезавший в скалах узкую длинную рану, оставил в своем ложе неровные каменные глыбы, и подниматься по ним было так же легко, как по гигантской лестнице. Редко-редко Джамалу приходилось взбираться на особенно большой валун и втаскивать Забельцына за собой. Семен Семенович содрогнулся, представив, что было бы, если бы на одном из этих каменных порогов машина перевернулась. От них остался бы фарш. Особенно в бронированном седане, который не сминается и не гасит энергию удара.

Наверху две машины выгорели до тла, а микроавтобус еще чадил. Железо и человечина были разбросаны прямо по асфальту. У обочины лежал чей-то труп. Он совершенно обгорел, и сквозь полопавшуюся, как у печеной картошки, кожуру кожи, было видно красное вздувшееся мясо.

Под скалой, совершенно ошеломленный, сидел помощник Забельцына Марк Сорока, и рядом с ним лежал ботинок в камуфляже, а из ботинка торчала обгорелая нога.

Семен Семенович молча смотрел на этот ботинок и вдруг понял, что это могла быть его нога. Черт побери, они выжили. Они выжили в машине, в салоне которой разорвалась граната и которая слетела с горного серпантина в бездонное озеро. Они выжили. Этот Джамал был заговоренный.

Вдали послышался рокот вертолета. Забельцын с облегчением поднял голову, — и тут же Джамал схватил его за шиворот и поволок к другому краю дороги, за которым, отороченный белым, поросшим мхом камнем, карабкался вверх плотный колючий лес.

— Быстро, быстро! — орал Джамал.

— Но это же наш вертолет! — закричал Забельцын.

Джамал подпихнул его: сверху протянулась рука в камуфляже, она ухватила Забельцына за запястье и втянула в кусты, через мгновение рядом с ним, непонятно как, оказался Марк Сорока, а потом Джамал схватил Забельцына снова, и они побежали, задыхаясь, по мелкому лесу. Вокруг вставали каменные сосцы гор, и лучи солнца сверкали сквозь резную листву деревьев, как трассирующие пули, и рокот вертолета становился все громче и громче, Джамал толкнул Забельцына куда-то под камень и упал рядом сам, и в следующую секунду где-то над их головами с визгом сорвались с направляющих и полетели к земле реактивные НУРСы.

«Господи боже ты мой! Они охотятся на боевиков!»

Марка нигде не было видно, Джамал лежал рядом, и внизу по склону, метрах в сорока, дальнозоркий Забельцын увидел человека в камуфляже. Он лежал ничком, раскинув руки, и рядом с ним лежал пустой железный кокон от «мухи».

«Мух» в кортеже не было ни у кого. Значит, это был боевик. Они лежали на том самом месте, с которого стреляли боевики, и, может быть, укрытие, которое выбрал Джамал, было то самое, в котором пять минут назад лежали люди Булавди.

Человек, лежавший ничком, пошевелился и застонал, и Забельцын с ужасом увидел, как его толстые короткие пальцы скребут землю. «А если он сейчас очнется?»

— Джамал, — шепотом позвал Забельцын, — Джамал!

Между Забельцыным и боевиком взметнулся ворох огня и земли, потом еще один, и еще, прошивая лес ровной строчкой.

«Господи боже мой. Они думают, что мы сгорели, и все, что шевелится в этом лесу, будет для них мишенью».

Вертолетов вверху было уже два. Грохот НУРСов разрывал уши. Вертолеты не видели их, они просто били в лесу по площадям, но Семену Семеновичу казалось, что каждый НУРС нацелен лично в него.

— Лежи, — прохрипел ему на ухо Джамал.

Семен Семенович Забельцын, по прозвищу Эсэс, человек, имя которого называли с придыханием, а должность — с шепотом, — лежал на брюхе в раскаленном горном лесу в пяти километрах от Старого Тленкоя, и рядом с ним, воткнув его головув колючки и мох, лежал человек, у которого Забельцын только что пытался отнять деньги, честь и власть, а наверху в поисках мишени кружило звено боевых вертолетов, которых он же сам и прислал в эти горы, — ради тех же самых денег и власти.

«Боевики наверняка все снимали, и на этой съемке в нашей машине взрывается граната. А мы улетаем с дороги в горное озеро. Если мое тело найдут в этом озере через две недели, никому даже в голову не прийдет сомневаться, когда и отчего я погиб».

Один из НУРСов разорвался где-то вверху над гребнем, оглушив Забельцына и засыпав его землей и трухой, и через обрушившийся козырек земли Забельцын наконец увидел Марка Сороку. Тот лежал совсем рядом, подле низких, обсыпанных красными ягодами кустов, и рядом, пригнув голову Марка к земле и выбросив вправо руку с зажатым в ней автоматом, лежал начальник личной охраны Джамала, Салих Салимханов. Салих и его брат были единственные два кавказца, которые сели с ними в машины.

«Господи боже ты мой! Этот человек убил полпреда Российской Федерации!»

Вертолеты затихли, Джамал вздернул его на ноги и потащил за собой.

Где-то внизу на дороге послышался визг тормозов и стрельба.

Они бежали, падали и снова бежали, а потом широкая спина Салиха, бежавшего перед ними, исчезла в темной расселине, и через секунду Джамал спрыгнул вниз и дернул Забельцына на себя, — и они очутились в какой-то влажной темноте, усеянной пятнами солнца, потом и пятна исчезли, Джамал вытащил из кармана мобильный телефон, нажал на кнопку и поволок Забельцына вперед, молча, напористо, освещая себе путь еле видимым бликом экрана, — «О Боже, а если боевики оставились здесь растяжку!»

* * *

Однако растяжки не было, или они не задели ее; они бежали какой-то подземной речкой, потом вдоль сгнившей крепи, а потом ссыпались в круглый, как усыпальница, зал. Отовсюду шуршала и капала вода. Черные влажные бока гранита уходили вверх, смыкаясь над ними, словно стены гигантского каменного желудка, далеко вверху сверкал бледный пятачок неба.

Семен Семенович пошатнулся и упал. Ему было мокро и холодно, и тело в невысохшей белой рубашке била крупная дрожь. Ему показалось, что он на секунду потерял сознание, а когда он открыл глаза, он обнаружил, что над ним на коленях стоит Джамалудин. Рубашка его была разорвана, и Семен Семенович, скосив глаза, с изумлением увидел у себя на плече красный мясистый след, формой и размером похожий на лист антурии, и в середине его — круглую дырочку, из которой толчками выливалась кровь.

Джамал стащил с себя галстук и стал перетягивать рану. Забельцын чувствовал не столько боль, сколько слабость. Он даже не мог понять, когда его ранило, и вообще это было как-то неважно.

Джамал закончил перевязку, Забельцын оперся о здоровую руку и приподнялся.

Марк сидел на земле и хлопал глазами совершенно ошеломленный. Салих Салимханов, убийца полпреда российской Федерации, в недавнем прошлом — самый разыскиваемый человек на Кавказе после Булавди, а теперь — начальник личной охраны Джамала, — стоял у входа в пещерку с автоматом в руках, и его брат, Шамиль, тоже был тут же.

Он склонился над неподвижным силуэтом в камуфляже, распростертым на камнях, и Забельцын сначала решил, что это кто-то из «альфовцев», а потом понял, что этот самый боевик, которого он видел на склоне возле пустой «мухи». Тогда этот человек был жив. Наверное, он и сейчас был жив, иначе зачем начальник ОМОНа пер его на себе? Господи боже мой, они скакали по камням, как козы, в полной темноте, рискуя свернуть шею, получить пулю или подорваться на растяжке, а он пер этого быка на себе.

«Кто этот раненый? На чьей стороне Салих и Шамиль? Господи, нас тут не двое русских против трех кавказцев. Джамалудин тут один против двух бывших боевиков, и что взбредет в их волчью голову, не может знать даже он».

Джамалудин присел над раненым и стал его обыскивать. Он вытащил у него из кармана мобильный телефон с вынутой батарейкой, вставил батарейку на место и вызвал на экран список звонков. Шамиль вытянул голову и стал смотреть через плечо Джамала.

И тут Забельцын увидел на поясе боевика кобуру, — рыжую, потертую, с отстегнутой кнопкой, из которой торчала рукоять «стечкина». Он попытался было подняться на ноги, но слабость, вызванная потерей крови, была еще слишком сильна. Семен Семенович понял, что он валялся без сознания не секунду и не две. Может, минуту. Может быть, пять.

Он перекатился к раненому, отстегнул кобуру, и дрожащими пальцами стал вытаскивать пистолет. В это мгновение Джамалудин шагнул вбок, и его каблук вдавил руку Забельцына в каменный пол пещерки. Забельцын выпустил ствол. Джамалудин неторопливо нагнулся и положил его себе в карман.

Забельцыну показалось, что температура в пещере упала на три градуса.

— Послушай, — сказал Забельцын, и голос его, вместо того, чтобы звучать убедительно, звучал жалко, — нам нужно немедленно связаться с Мао. Нужно сообщить, что мы живы.

Джамал вместо ответа протянул ему снятый с раненого мобильник.

— Пожалуйста, — сказал Джамал, — свяжись хоть сейчас. Это заместитель Мао. Начальник РУБОПа Дауд Казиханов.

* * *

Было даже удивительно, что Забельцын не узнал раненого сразу. Он ведь встречал этого смуглого, осанистого здоровяка раз пять или шесть, и этим утром Дауд ждал его на аэродроме, — хотя, конечно, трудно ожидать встретить начальника республиканского РУБОП в глухом горном лесу рядом с «мухой», из которой стреляли по кортежу федералов.

Забельцын взял мобильник и с облечением понял, что покрытия сети здесь нет: каменный свод пещеры экранировал их от любого сигнала, и никто не мог проследить их месторасположение. Он вызвал список звонков, и увидел, что пять последних звонков Дауд сделал на личный телефон Мао.

Джамалудин сел на камень напротив. Он был по-прежнему бос смуглый его профиль в рассеянном свете пещеры казался вырезанным из оникса.

— Я раздавлю Мао, — сообщил Забельцын, — он сядет на двадцать пять лет. Пошли. Марк, вставай. Нам нельзя здесь оставаться.

— Мы не закончили переговоры, — промолвил Джамалудин.

— Потом.

— Сейчас. Я хочу узнать, кто убил моего брата.

— Я не знаю, — ответил Забельцын.

— Я не тебя спрашиваю.

Джамал глядел куда-то за спину Забельцына. Семен Семенович повернулся, и увидел, что в метре от него сидит Марк, а над ним стоит Шамиль, и автомат в руках бывшего боевика упирается помощнику Забельцына в висок.

— Марк, кто убил моего брата? — повторил Джамал.

Рана Забельцына вдруг резко заболела, словно в организме нажали какую-то кнопку.

— Дауд Казиханов, — ответил Марк.

* * *

На мгновение воцарилась тишина, а потом Джамалудин медленно повернулся к высокому, немного грузному человеку в залитом кровью камуфляже. Дауд в это время уже пришел в себя.

Он лежал, чуть тяжело дыша и оглядывая присутствующих влажными черными глазами, от которых, казалось, пахло торфом и сгнившей древесной корой, и Салих, наклонившись над ним, снимал его на камеру мобильного телефона.

— Кто заказал тебе моего брата? — спросил Джамалудин Дауда, — Забельцын или Мао?

Глаза Дауда чуть сузились.

— Он заказал меня первый, — ответил Дауд.

Вокруг Джамалудина, казалось, замерз даже воздух.

— Он заказал меня, — заорал Дауд, — Семен Семенович, они все трое заказали меня. Он, и Джамал, и Махам-Расул, они сначала заказали меня Ташову из-за земли...

— Какой на хрен земли?

— Земли под завод! Ты и Махам-Расул забрали ее даром, и впарили за три миллиона иностранцам, а меня...

— Что ты гонишь? — медленно проговорил Джамалудин, — какие три миллиона? Зачем моему брату три миллиона при проекте в двадцать миллиардов? Мы заплатили тебе эти деньги, этим занимался Махам-Расул...

— Махам-Расул сам сказал мне, что деньги забрал Заур!

Забельцын сидел, привалившись к каменному своду пещеры, и боль пополам с усталостью накрыли его с головой. Братья Салимхановы застыли. Джамалудин молчал несколько секунд, расширившися глазами глядя на Дауда, и Салих успокаивающим жестом положил ему руку на плечо.

— Я убью его, — тихо проговорил Джамалудин, — клянусь Аллахом, я убью его, и не посмотрю, что он мой брат.

Забельцын внезапно глупо хихикнул.

— Вы что, Джамалудин Ахмедович, всерьез считали, что это Кремль убил вашего брата? Какая-то земля, какие-то разводки... Помилуйте, при чем здесь Москва?

Джамалудин перевел взгляд на Марка.

— Когда ты узнал, — спросил он, — что Заура убьют?

— Я не знал, — забормотал помощник Забельцына, — клянусь вам, я не знал... я... я знал, что Максуд получил заказ... от Дауда... Я слушал их... я понимал, что у нас будет крючок... когда будет труп... Я не знал, чей труп!

Вопрос Джамалудина, обращенный к Забельцыну, прозвучал мягко и вкрадчиво:

— А ты когда узнал, кто убийца?

— Да ты что, не понимаешь? — заорал Забельцын, — я не знал! Господи, да я бы им голову оторвал! Мне Заур был живой нужен!

— Как это не знал? — сказал Дауд, — все ты знал. И стряс с меня десятку. Сказал: с тебя двадцатка, иначе я все расскажу Джамалудину.

— Я? Лично?!

— Через Христофора, — ответил Дауд.

И тут раздался полный боли крик, который выглядел бы куда уместней в кабинете или бане, нежели в мокрой пещере в пяти километрах над Старым Тленкоем.

— Как — двадцатку? — заорал Марк, — я просил только пять!

Джамалудин молчал. Забельцын запрокинул голову и вдруг неудержимо, истерически расхохотался.

— Ты... видишь? — вскричал Забельцын, — эти двое... они разводили и тебя и меня. Они стрясли с этого дурака бабло, и даже на это бабло они накололи друг друга...

— Это бабло было для тебя, — заорал Дауд. — Ты дал мне за это орден! Христофор мне так и сказал, после Кремля: это тебе за уничтожение террориста.

— Да Христофор мне *принес* за этот орден! Два лимона!

Джамалудин поднял пистолет. Черный ствол почти касался лба Забельцына, и Семен Семенович по прозвищу Эсэс захлебнулся смехом, побелел и тихо, медленно заговорил:

— Джамалудин Ахмедович, — сказал он, — я вам клянусь, вот вам крест, — тут лицо Джамалудина страшно дернулось, и Забельцын запнулся, поправился и продолжал:

— Клянусь Всевышним, что я не знал... Эти двое... они... они просили у меня деньги для работы с Даудом... Они говорили, что они его завербовали... В целях укрепления вертикали...

— Славная же у вас вертикаль, — отчетливо и тихо сказал Джамалудин.

«Не хуже твоей, — захотелось ответить Забельцыну, — твой брат Магомед-Расул сказал тебе и Зауру, что передал Дауду три миллиона за землю, а сам вместо этого искал киллера, чтобы его убить».

— Какая есть, — отозвался Семен Семенович, — и она великовата для твоего «стечкина».

Черные с багровой искрой глаза Джамалудина глядели на Забельцына по обе стороны ствола, и Семен Семенович с внезапной тоской понял, что это последнее, что он видит в жизни. Он все-таки попался точно так же, как и Углов. Он все-таки погиб в покушении.

— Так что ты там сказал иностранцу? — мягко, вкрадчиво спросил Джамалудин.

— Сказал, что его компания — банкрот. Он тратил слишком много денег на слишком много проектов, и кредиты, которые он не может вернуть, обеспечены акциями, которые сейчас не стоят ничего. Мы выкупили его кредитов на пять с половиной миллиардов долларов, и если мы не пролонгируем их, то он потеряет контроль над компанией. Это ведь частная компания, «Навалис». У сэра Мартина почти восемьдесят процентов акций.

— Двадцать процентов, — сказал Джамалудин.

— Что?!

— Ты заберешь у англичанина те сорок, которые ты хотел, — сказал Джамалудин, — из них половину ты отдашь мне, а другую оставишь себе. Все мои акции останутся при мне. Я получаю контрольный пакет. Англичанину остается блокирующий.

Забельцын медленно кивнул. «Ты вырос, дикарь. Ты очень вырос после Красного Склона».

— Салих, ты все снял? — спросил Джамалудин.

Магомед-Салих кивнул.

— Не выключай телефон.

Джамалудин перевел ствол в сторону, и Марк Сорока мелко вздрогнул.

— Семен Семенович, — закричал он, — но я же... но..

Джамалудин выстрелил. Он выстрелил снова и снова, а потом Шамиль присел у трупа Дауда и стал стаскивать с него ботинки, чтобы Джамал не бегал по горам босиком.

* * *

Было уже около трех часов дня, когда полковник Валерий Аргунов, вместе с новым командиром ОМОНа Аламбеком Арсхановым, вошли в подвал заводоуправления. Там, под охраной двух спецназовцев, сидел глава АТЦ Хаген Хазенштайн. Он сидел, запрокинув голову к стене и закрыв глаза, и если бы не руки, стянутые за спиной, можно было б подумать, что он отдыхает.

— Поехали, — сказал Аргунов, — нам нужна твоя помощь.

Хазенштайн чуть приоткрыл глаза.

— «Снегирь», — объяснил Аргунов, — они отказываются сдаться.

Хаген улыбнулся и снова закрыл глаза.

— Послушай, Ариец, — миролюбиво сказал Аламбек, — мы обыскали твой дом и вынули из подвала человека, который готов дать показания. Еще мы нашли там тридцать восемь единиц незарегистрированного оружия, включая три «Шмеля» и две «Иглы».

— А зубочисток без лицензии ты там не нашел? — лениво процедил Хаген.

— Хаген, — заявил Аргунов, — мы взяли твою жену, твоих детей, и твоих родителей. Ты поедешь с нами и прикажешь «Снегирю» сдаться. Иначе мы разнесем их всех прямой наводкой.

Вся кровь отлила от лица Хагена.

— Я на Красном Склоне не просил от тебя такого, — медленно проговорил он.

— Права она или нет, но это моя страна, — ответил Аргунов.

* * *

Когда Кирилл очнулся, он обнаружил, что лежит на боку, и кляпом упирается в заднее сиденье машины; руки его были связаны за спиной, и там терлись о чей-то мягкий, огромный живот, и даже онемевшие пальцы чувствовали, как в этом животе шевелится новая жизнь.

Кирилл попытался повернуться, но не мог. Он чуть приподнялся на плече, и увидел лобовое стекло далеко впереди и автомат между колен человека на заднем сиденье, а потом этот человек, услышав, как кто-то скребется сзади, перегнулся в просвет между сиденьями, осклабился и помахал Кириллу рукой, в которой он сжимал крупное недоеденное яблоко.

Это был племянник Дауда Казиханова.

Невидимая Диана застонала.

– Кушать хочешь? – спросил племянник, – на, покушай.

Протянул ему огрызок и, когда Кирилл отшатнулся, с улыбкой запустил ему этим огрызком прямо в лицо.

И тут Кирилл понял, куда их везут.

Их везут убивать. Их обоих обвяжут взрывчаткой и подорвут, чтобы зверям было удобней сожрать человечину, и звери подъедят куски его жены и его нерожденных детей, и даже если Джамал узнает, где это случилось – это будет уже все равно. А Мао? А Мао скажет, что Водров сбежал. Вон, у Джамала все убегают. Почему бы не убежать и от Мао?

«Я надеюсь, что тот свет существует, – подумал Кирилл, – потому что я смогу достать тебя только с того света, и клянусь Аллахом, я тебя достану».

Кирилл дернулся снова, но, разумеется, это было бесполезно. Запястья его были намертво стянуты наручниками, а ноги были связаны в двух местах, и у лодыжек, и чуть выше колен. Он напоминал скорее гусеницу в коконе, нежели человека.

Диана за спиной застонала снова. «Господи боже мой, Дауд же не может убить нас просто так. Он не привык убивать тех, с кого можно взять деньги. Он знает, что я заплачу любой выкуп. Джамал даже не предъявит ему, если его люди возьмут деньги и отпустят нас».

«Почему – это – люди – Дауда?»

Машина притормозила. В прорезь между сиденьями Кирилл увидел военный «Урал» и ушастенького солдатика с неловко висящим автоматом. Солдатик склонялся к опущенному стеклу джипа, и скрытый за спинкой водитель показывал ему плотную бордовую книжицу.

В ту же секунду Кирилл изогнулся, как рыбка, поднял ноги и что есть силы ударил в дверцу джипа. Дверца распахнулась, Кирилл покатился вниз. Водитель нажал на газ, машина рванулась, Кирилл вывалился на дорогу, как мешок с картошкой, и тут же патрульный, державший красную книжечку, поднял автомат и высадил очередь по салону.

Джип вильнул и уткнулся бампером в скалу, машину уже поливали, как из лейки, племянник Дауда открыл дверцу, выпал на дорогу и принялся кататься из стороны в сторону, оставляя в пыли длинные красные капли.

Солдатики бежали к джипу. Тот, первый, совсем молоденький, высокий, тощий, с наголо обритой головенкой, рванул на себя водительскую дверцу, и оттуда вывалился труп, похожий на мешок с мясом и пулями. Другой поднял пистолет и выстрелил, добивая племянника Дауда.

Связанную Диану уже тащили наружу. «Я озолочу весь ваш взвод, – подумал Кирилл, – нет, всю вашу роту. Нет, весь батальон...»

Один из бойцов в несколько взмахов перерезал веревки на ногах, а потом наклонился над ним и сорвал пластырь с опухших губ.

– Смотри-ка, кого они везли, – сказал патрульный с сильным чеченским акцентом, – и Кирилл, холодея, глянул в немигающие, совершенно стеклянные, серовато-зеленые глаза Мурада Кахаури.

* * *

А еще через секунду Кирилл увидел Алихана.

Мальчик стоял, в пыли, на дороге, на коленях около связанной сестры, а потом к нему подбежал кто-то еще, и они быстро подняли Диану и поволокли ее за военный грузовик.

Кирилл вскарабкался на ноги и побежал вслед за ними. Мурад что-то предостерегающе закричал, но Кирилл его не слышал. Он забежал за грузовик и увидел, что Диана лежит на траве, в своем красном с крупными цветами платье, и оно задралось у нее на животе, открывая до колена белую длинную ногу, с которой слетела туфля, — а глаза ее открыты, и она пронзительно, страшно кричит.

Кирилл не понимал и не соображал в эту минуту ничего, кроме того, что она была жива.

Он упал на колени перед женой. Алихан, явно растерянный, сидел на корточках, и другие ребята стояли, ошеломленные, вокруг. Краем глаза Кирилл заметил, что все они очень молоды. Им было лет по семнадцать-восемнадцать, так же, как и их российским сверстникам, проходящим службу в армии, и они были в том же неотличимом камуфляже и с бритыми затылками, но, конечно, теперь Кирилл никак не мог принять их за восемнадцатилетних салаг. Слишком хорошо они обращались с оружием, слишком мгновенно они расстреляли джип, — но никто из этих ребят не видел рожающей женщины, а может быть, и с женщиной-то до сих пор не спал.

Руки Кирилла были по-прежнему стянуты сзади.

— Да что ж вы стоите, — заорал он, — помогите ей, у нее схватки!

Он подполз ближе, и тут он увидел, что лицо жены заливает кровь. Тяжелые черные ее волосы были мокры от крови, и над правым глазом вздулось что-то черно-красное, липкое, словно ей на лоб прилепили кусок освежеванного мяса, а левый, с огромным круглым зрачком, глядел на мужа, и она выгнулась дугой и несколько раз ударилась о траву, как выброшенная на берег рыба.

Чья-то рука вцепилась сзади и дернула, Кирилл упал навзничь и увидел над собой Мурада.

— Пусть сдохнет, — сказал Мурад, — пусть сдохнет любая, кто вздумала рожать от кяфира.

Кто-то из пацанов охнул, а Алихан выскочил вперед.

— Что ты сказал? — закричал Алихан, — что ты сказал? Он не кяфир, он принял ислам!

— Он сделал это, чтобы сбить с толку людей, — заорал Мурад, — он ходит в мечеть только затем, чтобы запорошить правоверным глаза. Он — сын Иблиса, который задумал вместе с муртадом Джамалом и евреями из Кремля продать эту землю Америке! Неужели ты не понимаешь это, Алихан?

— Помоги сестре, Алихан! — закричал Кирилл.

Мурад ударил его. Мурад был мастер спорта и профессиональный боксер, и когда Мурад поддел его ботинком под дых, Кирилла отбросило на полметра.

— Он мой! — заорал Мурад, — он мой! Когда ему удалось сбежать от бандитов в аэропорту, он позвонил нашим братьям в Москве. У него не было ни копейки, они украли даже одежду, и он позвонил братьям, и они подобрали и помогли, и мы не побоялись, что он нас выдаст, хотя шайтан Джамал требовал с него это, как плату за жизнь.

«Джамал? Вон оно что! Ах ты сукин сын...»

— Но ведь это придумал не сам Джамал? — голос Мурада звенел, ввинчиваясь в висок, как сверло, — а, кяфир, скажи, ты ведь придумал это вместе со всеми американцами и евреями, которым ты служишь? Ты решил приручить моджахеда, ты решил вынуть из него служенье Аллаху и вложить в него похоть к деньгам, ты и твоя собачья стая хотели завести его душу в ловушку, и тебе это почти удалось!

— Помоги моей жене, — закричал Кирилл.

— Убей его! — орал Мурад, — убей его, и ее, как ты собирался год назад! Ну!

Диана снова пронзительно застонала. Кирилл смотрел на нее и не понимал, что это за красный пузырь над глазом. Он не хотел понимать. Они пережили допрос у Мао. Они спаслись, когда их везли на смерть. Аллах не мог быть так жесток.

Алихан сделал шаг назад и стал над головой Дианы. Ствол его автомата глядел прямо в лоб Мураду Кахаури.

— Ты не тронешь ни ее, — сказал Алихан, — ни моего отца.

— Твоего отца убили в Шатое, — ответил Мурад, — они убивали его три дня, а потом бросили труп собакам. Этот пес тебе не больше отец, чем Иблис!

Алихан передернул затвор. Солнце над ними било по скалам прямой наводкой, от травы шел пряный запах, и затихшая Диана походила на куст огромных красно-белых цветов. «Почему она больше не стонет? Господи, почему?»

— Убей его, убей! — закричал Мурад, — убей свое неверие!

— Опусти оружие, Алихан.

Кирилл в изумлении оглянулся.

В трех метрах от них, на белых камнях, видимо выйдя из леса, стоял Булавди Хаджиев, и стволы в руках окружавших его бойцов смотрели прямо на растерянных мальчишек.

* * *

Булавди молча прошел между замерших подростков, и Кириллу показалось, что на поляну между молодых щенков вышел старый, опытный волк. Он навис над Кириллом, вынул пистолет и сказал:

— Салам алейкум, Камиль. Велика воля Аллаха. Ты хотел купить меня за пять миллионов евро, а теперь, похоже, моя очередь распоряжаться тобой.

Булавди приставил пистолет к наручникам за спиной Кирилла и выстрелил. После второго раза наручники разлетелись, Кирилл рухнул на колени и пополз мимо расступившихся бойцов к Диане.

Она уже лежала, закрыв глаза, и темная лужа под ее виском была такой большой, что сердце Кирилла остановилось. Он схватил ее за голову и принялся целовать, в губы и в мокрые от крови волосы. Кирилл тормошил ее неподвижное тело, и плакал, а потом она открыла глаза, улыбнулась ему и прошептала:

— Мы встретимся в Раю.

Кирилл закричал. Он закричал так, что Булавди беззвучно выругался, и двое бойцов, бывших с ним, побежали вниз, на дорогу, чтобы их всех тут не застали врасплох и не перестреляли, как курей, а Кирилл упал на тело жены и стал лихорадочно щупать пульс. Жилка на мраморном виске уже не билась, и теперь, вблизи, было видно, что это, над правым глазом, никакая не нашлепка и не ссадина, а маленький развороченный кратер, в глубине которого ворочается розовый пузырь, и этот кратер был такой же бездонный, как небо у них над головами, — бесцветное выгоревшее небо, подпертое рыжими рожками гор.

А потом Кирилл положил руку ей на живот и почувствовал, что под его ладонью что-то шевельнулось.

Алихан поднял его под мышки и потащил прочь.

— Она жива! — закричал Кирилл.

Булавди присел на корточки перед женщиной. Он щупал ее, быстро, профессионально, как врач, а потом рывком разодрал красное с крупными цветами платье. Кто-то из бойцов отвернулся.

Булавди стал на одно колено, вытащил из-за шнурованного ботинка длинный десантный нож, и приставил его острие к вздувшемуся белому животу.

— Нет, — заорал Кирилл, — не надо!

— Алихан, помоги мне, — приказал Булавди.

Кирилл пополз вперед, к Диане, кто-то из взрослых бойцов навалился на него, всем телом, Кирилл закашлялся и зарыдал, и в этот миг Булавди быстрым, уверенным движением рассек живот мертвой роженицы. А еще через несколько мгновений Кирилл услышал в наступившей тишине захлебывающийся плач новорожденного ребенка.

* * *

Все диктатуры на свете со времени изобретения телевизора полагают, что нет такой глупости, которую нельзя внушить народу, если повторять ее долго в эфире.

И это в общем-то правильно, потому что черт знает чему может поверить народ, если это сказано с мерцающего экрана. Он способен поверить, что покупать надо непременно «Пепси-колу», а голосовать непременно за Пупкина, что на Марсе есть жизнь и что на Марсе нет жизни, и что правительство укрепило вертикаль власти и восстановило величие России, — и разве что про цены он неспособен поверить, что они падают, если они растут.

Но так уж устроен человек, что еще больше, чем тому, что говорят с мерцающего экрана, он верит тому, что сказали ему в семье, или в кругу друзей, или по телефону.

Так вышло, что учения были в пятницу, а в этот день вся республика собиралась на пятничную молитву, и многие разъезжались по родным селам, чтобы молиться с братьями, и с дядьями, и всем сельским джамаатом.

В некоторых мечетях во время молитвы делали шесть ракатов, а в некоторых — два, и те, в которых делали шесть, очень не любили тех, которые делали два, и это дело выросло в постоянные препирательства между людьми Джамалудина и теми, кто делал два раката, потому что тех, кто делал два, Джамал называл ваххабистами и шайтанами, а тех, кто делал шесть, ваххабисты называли мунафиками и язычниками.

Но в этот день после джумы во всех мечетях, — и в тех, которые делали два, и в тех, которые делали шесть, взрослые мужчины выходили на площадь и становились в кружок. Старики говорили с молодыми, а молодые — со стариками, одни садились на корточки, а другие вставали с колен, и они показывали друг другу по телефону трупы женщин, убитых в Тленкое и танки у Дома на Холме, — и к четырем часам дня не было ни одного человека, который пришел на пятничную молитву и не посмотрел эти записи.

А на пятничную молитву ходили все мужчины республики, способные держать оружие.

* * *

Они выбрались из пещеры через полчаса.

Солнце сверкало в раскаленном небе, как золотой желток посереди скворчащей яичницы, внизу тянулись выгоревшие горы и острые кости скал, и далеко-далеко, километрах в трех, Семен Семенович увидел военную колонну. С такого расстояния бронетранспортеры казались кусочками жженого сахара, облепленного муравьями.

С той стороны хребта в небо поднимался хвост легкого серого дыма. Джамал тронул его за плечо, показал на дым и сказал:

— Тленкой.

Забельцын содрогнулся, представив себе, что сейчас творится в селе. «Неужели мы пойдем туда?».

Но Джамалудину видимо хотелось в Тленкой не больше кремлевского чиновника; он раздумал идти в родное село Булавди, или не хотел прежде времени попадаться на глаза людей Мао. Как бы то ни было, Тленкой этим днем был предоставлен своей судьбе — и полковнику Александру Лихому.

Они стали спускаться вниз — мимо выжженных, скорчившихся, словно в печке, деревьев, по земле, усеянной колючками и мелкими катышками помета, и минут через сорок поворот горы привел их к старой кошаре.

От кошары вдаль убегали столбы, давно лишившиеся проводов, крепкий старик метал мелкое сухое сено в старые «жигули» с прицепом. Джамал и Забельцын слегка отстали, а Шамиль и Салих побежали к старику. Завидев вооруженных людей, старик заметался, но потом, поняв, что это не русские, приветственно замахал рукой. Шамиль немного поговорил со стариком и сунул ему что-то в руку, а потом он отцепил прицеп и подогнал машину туда, где стояли Джамал с Забельцыным.

Джамалудин сел за руль.

Когда они тронулись, Джамалудин включил старенькое раздолбанное радио.

— Наши войска полностью контролируют республику, — сказало радио голосом Христофора Мао, — в городе все спокойно. Все, кто думал, что им удастся расколоть Россию, потрепели позорное положение и разбежались по норам, как трусы.

* * *

Первые неприятности начались после четырех. Полковник Аргунов, который в этот момент находился в районе базы АТЦ, услышал по рации, что танковый батальон, занявший Дом на Холме, подвергся обстрелу.

Командир полка просил подкрепление. Аругнов счел комполка паникером.

В горах бегали хорошо, если три сотни человек, и девяносто процентов их времени уходило на то, чтобы обеспечить себя макаронами и жильем, не говоря уже об оружии. Булавди мог уничтожить кортеж или заскочить в село, — но окружить танковый батальон посередине города Булавди было явно не по силам.

По рации передали, что на подмогу танковой бригаде выдвигаются два батальона под командованием отлично зарекомендовавшего себя в Тленкое полковника Лихого.

Еще через пятнадцать минут Аргунов услышал, что боевики окружили телестудию.

* * *

Сэр Мартин Мэтьюз не сразу улетел из Торби-калы. Он ждал на аэродроме полчаса; потом другие полчаса, а потом третьи. В трубке Кирилла непонятно шуршало, и вместо слов было только чье-то странное, вкрадчивое дыханье. Потом трубку выключили совсем.

Потом на борт самолета поднялся офицер ФСБ и предложил сэру Мартину покинуть или борт, или Торби-калу. Сэр Мартин предпочел последнее.

Через десять минут после взлета он услышал о гибели Джамала. Еще через три часа телекамера CNN, которая приехала в республику на открытие завода, показала танки, горящие у Дома Правительства.

К тому времени, когда самолет сэра Мартина сел в аэропорту Биггин Хилл, акции компании «Навалис» снова сняли с торгов.

* * *

Когда полковник Лихой получил команду на выдвижение к Дому на Холме, перед тем, как послать туда батальоны, решил выдвинуть вперед разведку. Он посмотрел на карту и передал приказ двум БМП, которые стояли на набережной в трех километрах от места обстрела.

У БМП сверху есть такая решеточка, а под ней — система охлаждения. Об эту решеточку солдаты часто вытирают ноги, прежде чем забраться в БМП, а так как грязь забивает систему охлаждения, мотор клинит. Так получилось, что одна из БМП застряла у скверика на улице Дальней, а вторая БМП, которой командовал сержат Зыков, пошла вперед.

На карте, которая была у сержанта, набережная шла прямо до Дома на Холме, но когда сержант поехал так, как указывала карта, он уперся в тупик с особняком. Охрана особняка была настроена не очень вежливо, и сержант Зыков вызвал по рации подкрепление, потому что у него в БМП даже не было боекомплекта, а были только учебные заряды, но подкрепление не пришло.

Сержант развернулся и поехал направо, как указывала карта, но там вместо улицы был бетонный забор. Сержант поехал прямо через забор; тот повалился, и сержант оказался на людном рынке. Женщины с визгом разбегались от его машины; под колесами БМП захрустели коробки с кефиром.

Сержанту было неудобно давить товар, и он остановился, а люди вокруг БМП стали в плотную стену. Сержант снова вызвал подкрепление, но он не мог объяснить, где стоит его машина, а подкрепление не могло объяснить, где стоит подкрепление.

БМП снова пошла вперед, и люди расступились. Когда они расступились, сержант с облегчением увидел, что у дальнего конца рынка стоит «порше-кайенн» с милицейскими номерами. Потом дверца «порше» отворилась, из нее вышел подросток с трубой на плече и выстрелил.

Зыков был еще жив, когда подростки вытащили его из-под развороченного железа. Они отрезали ему уши, а потом нос, а потом они спустили с него штаны и занялись остальным.

Потом они привязали обнаженный труп к «порше» с милицейскими номерами, и поволокли его за собой на веревке, стреляя вверх из открытых окон машины, и громко крича, что это свинья из того подразделения, которое устроило резню в Тленкое.

Зыков не был в Тленкое, но этим ребятам, как и полковнику Лихому, было совершенно все равно.

* * *

Дорога сначала петляла по ущелью, потом между садов и полей, и к некоторой даже досаде Забельцына нигде на дороге не было и следа российских танков.

Они словно растворились в бескрайних складках горного одеяла, смятого Аллахом впопыхах и брошенного на эту пропитанную солнцем и воздухом землю; один раз Забельцын заметил вдали стайку вертолетов.

Когда они выехали на шоссе, справа от них оказалась маленькая бензозаправка с пристроенной к ней молельной комнатой. Джамалудин и Шамиль вышли помолиться, а Магомед-Салих вышел из машины и стал около дверцы Семена Семеновича.

Рядом притормозила серебристая «десятка», и из нее выбрались два парня с гранатометами.

– Салам, Салих! – вскричал один из парней, – ты не видел тут какого-нибудь русского танка?

– Зачем тебе танк? – спросил Магомед-Салих.

– Э! Я слыхал, что Мурад обещал по три тысячи долларов за каждый подбитый танк, а Булавди обещал пять! Как ты думаешь, кто из них более правильный мусульманин?

– Я думаю, что у них фальшивые доллары, Умар, – ответил Магомед-Салих.

Умар пожал плечами и сказал:

– Ну так что ж фальшивые. За три фальшивых один настоящий дают. А там, в Торби-кале, этих танков как блох на псе! Если постараться, к вечеру можно сколотить на «мерседес»!

– А если он тебя подстрелит, Умар? – спросил Магомед-Салих.

— Так что же? Я попаду в рай.

В эту минуту из молельного домика вышли Джамалудин и Шамиль. Умар посмотрел на них и потерял дар речи.

— Вах, Джамал! — закричал он, — по ящику передавали, что тебя убили! Если ты воскрес, ты управился даже быстрее, чем ихний пророк Иса!

— Езжай за нами, — сказал Джамалудин, — и прекрати нести чепуху. А если нам понадобится бить русские танки, я заплачу за каждый по десятке.

Радио в машине хрипнуло и сказало:

— Войска 43-й дивизии одерживают убедительную победу над деморализованным, разбитым, остервенело сражающимся противником.

* * *

Когда связь с Зыковым прервалась, ротный доложил командиру батальона, что сержант Зыкова погиб, обороняясь от превосходящих сил противника.

Командир батальона вышел на связь с комполка и доложил, что подразделение сержанта Зыкова вело неравный бой, сдерживая натиск ста пятидесяти боевиков.

Комполка вышел на связь с командиром усиленной полковой группы полковником Лихим и доложил, что двадцать три человека под командованием сержанта Зыкова погибли, но остановили пять сотен боевиков, рвавшихся в центр города.

Полковник Лихой вышел на связь с премьером Мао и доложил, что люди под его командованием проявляют чудеса храбрости, и БМП сержанта Зыков рассеяла полуторатысячную толпу озверевших боевиков, вооруженных М-16 и гранатометами западного образца.

Полковник Лихой хорошо знал первое стратегическое правило: если наших бьют, значит, враг обладает подавляющим преимуществом.

* * *

Три танка под командованием майора Градова вошли в село Ахмад-кала, по настоянию командования, сообщившего об уничтожении боевиками блокпоста на въезде в село.

Блокпост уже потух, а боевиков не было.

Танки поехали по главной улице; стрелок, высунувшись из люка, время от времени постреливал из КПВТ.

Минут через пять майор встретил сопротивление: из-за какого-то сарая танки обстреляли из стрелкового оружия. Майор приказал дать задний ход, и из-за сарая выскочили пятеро подростков. Они бежали на танки и кричали «Аллах акбар!».

Майор приказал еще раз сдать назад, и танк выстрелил. Сарай как языком слизнуло. Что же касается щенков, от них не осталось даже автоматов.

Майор скомандовал: «Вперед» и продолжил обход села.

* * *

Полковник Аргунов и командир АТЦ Хаген Хазенштайн подъехали к базе «Снегирь» около половины четвертого. Над воротами базы развевался российский триколор. С Хагена сняли наручники и дали ему рацию, но нельзя сказать, чтобы с ним обращались, как со свободным человеком.

Человека, который командовал бойцами, звали Мурад, а позывной его был «Ноль-третий». На просьбу открыть ворота база огрызнулась автоматным огнем.

Аргунов предложил «Ноль-третьему» сдаться, на что «Ноль-третий» возразил, что он и так на стороне федералов. Тогда Аргунов сказал, что шлепнет Хагена, на что «Ноль-третий» возразил:

— Покажите его мне. Я сам его шлепну.

К этому времени база была окружена двойным кольцом оцепления и шестью танками. Аргунов приказал соорудить перед танками укрытия и выставить посты на дороге от базы. Отогнать оцепление и уничтожить базу одним-единственным залпом «Урагана» с ближней высотки было несложно, но Аргунов не стал этого делать.

Ведь над воротами базы висел российский флаг, а с технической точки зрения разницы между тем, где сидят триста бойцов АТЦ, не было. Главное было, чтобы они не бегали по городу.

* * *

В четыре часа сорок минут командир танкового батальона майор Донгарь в Доме на Холме спросил, когда подойдет обещанная помощь. Полковник Лихой ответил, что она будет вот-вот.

Командир сказал, что боевики заманили его в ловушку и расстреливают его со всех сторон. Он сказал, что они дали танкам зайти на заранее пристрелянные позиции, а потом сомкнули кольцо.

Полковник Лихой заявил штабу, что он с тяжелыми боями прорывается к центру города.

На самом деле полковник Лихой даже не тронулся с места. Большая часть его солдат была безнадежно пьяна, и Лихому, который уже начал обмывать звездочки за утреннюю операцию, вовсе не улыбалось идти навстречу тем пятистам вооруженных до зубов боевикам, которые расстреляли Зыкова.

* * *

Новое заседание правительства началось в пять часов вечера. Многие министры за это время как-то поуезжали с завода, и на заседании оказалось всего пять членов правительства. Зато на нем было семь телекамер.

— Российские войска, — сказал премьер Мао, — проявляют чудеса храбрости, сражаясь с остервенелым противником. Террористы и сепаратисты несут тяжелые потери. Утром в селе Тленкой группа полковника Лихого ликвидировала банду из шестидесяти человек. А уже через три часа двадцати три бойца под командованием сержанта Зыкова в течение двух часов вела неравный бой против полутора тысяч оголтелых головорезов, рвавшихся в город на поддержку своим окруженным и деморализованным сообщникам! Зыков погиб, но боевики рассеялись и не смогли прорваться в город!

Все зааплодировали, а уполномоченный по правам человека Наби Набиев вскочил с места и закричал:

— Еще надо установить, откуда в городе взялись полторы тысячи боевиков!

— Точно так! — закричал его племянник, — все происходящее доказывает, что мы имеем дело с тщательно подготовленным, заранее спланированным вторжением, которое невозможно без длительной финансовой и технической подпитки из-за рубежа!

— Наш народ сделает все, — вскричал Магомед-Расул Кемиров, — чтобы дать отпор вашингтонскому обкому!

— Э, что там вашингтонский обком, у нас есть предатели и поближе, — заявил Наби Набиев, — вон, возьмите Хагена. Если он со своим народом, почему его люди до сих пор сидят на «Снегире»? Что это за история, что они его не слушаются?

Взоры всех присутствующих оборотились белокурому красавцу в камуфляже, мрачно стоявшему рядом с полковником Аргуновым. Он не выглядел пленником; руки его были свободны, но оператор местных «Вестей» немедленно опустил камеру, чтобы показать зрителям пустую кобуру у него на боку.

— В самом деле, — сказал Христофор Мао, — Хаген Альфредович, ваши бойцы не должны отсиживаться в казармах. Пусть выходят и исполняют свой долг.

Хаген неторопливо расстегнул ширинку и извлек их нее внушительных размеров член.

— Сначала отсоси у меня, — сказал белокурый эсэсовец.

* * *

Кирилл очнулся на заднем сиденьи машины. Это был раздолбанный «москвич» с тонированными стеклами: он полз по бугристой улице вдоль мелкой, заросшей камышом речки, и за рулем был Булавди. На переднем сиденье что-то пищало.

Машина закатилась во двор, Булавди хлопнул дверью и вышел. Квохтали куры и слышались мужские голоса. Двор был очень просторный, с гаражом, покрытым сверкающим шифером, и судя по речке, они были где-то в равнинной части республики: в Шамхальске, а может, на севере Торби-калы.

В машине бормотало радио. Оно говорило о каком-то теракте.

Кирилл не очень понял, о чем речь, открыл дверь и вышел из машины. Руки его были свободны, и охранника рядом не было. Люди во дворе проводили Кирилла настороженным взглядом, но никто из них ничего не сказал, когда Кирилл, пригнувшись, шагнул в распахнутую дверь беленого домика.

В гостиной на столе лежала всякая снасть для убийства, и тут же, посереди, была разостлана пеленка, и в эту пеленку Булавди заворачивал красный копощащийся комок. Кирилл смотрел на этот комок и понимал только то, что этот комок убил Диану. Если бы она не была беременна, она наверное б осталась жива.

Мир вокруг был как киноэкран, но фильм, который на нем показывали, не имел ни смысла, ни толку.

Следом за Кириллом в комнату вбежала полногрудая молодая женщина, ахнула, всплеснула руками, стала забирать другого младенца, которого держал Алихан — тот был завернут в камуфляжную куртку.

— Позаботься о них, — сказал Булавди молодой женщине, — отнеси их Гале. У нее должно быть молоко. Помолчал и добавил:

— И не забудь, что они мне троюродные племянники.

— Отвезите их в резиденцию, — сказал Кирилл, — Джамалу.

Все обернулись на звук его голоса, а Булавди поднял голову и сказал:

— Джамал мертв.

Булавди помолчал и сказал:

— Это сделал Мао. Это все знают. Он устроил резню в Тленкое, чтобы заманить туда Джамала.

«Он врет, — равнодушно подумал Кирилл, — это он убил Джамала. Он врет, потому что ему выгодней говорить, что это сделали русские».

— Отвези детей в больницу. К Джабраилу Алиеву, — сказал Кирилл.

Он подошел к столу и увидел, что за пеленками лежит карта Торби-калы. Разноцветные булавки отмечали блокпосты и скопления бронетехники. Рядом с картой лежала «Муха» со сдвинутыми трубами. Красный комок стал махать ручками, как будто пытаясь дотянуться до оружия, и люди вокруг одобрительно засмеялись, а женщина поскорее подхватила и унесла младенца.

Кирилл сунул руку во внутренний карман пиджака и вынул бывший там бумажник. Когда он открыл бумажник, он увидел, что наличных денег там больше нет, а вот кредитки остались. Это его не очень-то огорчило, потому что та карточка, по которой он намеревался расплатиться с Мао, по-прежнему лежала в бумажнике.

Кирилл сдернул карту со стола, и булавки так и посыпались вниз. Стоявшие в комнате люди молча наблюдали за тем, что он делает. Краем глаза Кирилл заметил Алихана: он стоял за плечом Булавди, и тут же был молодой Мурад и еще кое-какие люди из тех, кто считал, что во всем виноваты Америка и проклятый Запад. Было даже странно, что эти люди не могут найти общий язык с Христофором Мао, потому что Мао тоже был уверен, что во всем виновата Америка.

Они вообще совпадали с точностью до знака, Мурад и Нао, с той только разницей, что Мурад умел умирать за свою паранойю, а Христофор умел за нее только убивать.

Кирилл перевернул карту, и оборотная ее сторона, как и ожидал Кирилл, была белой. Кирилл взял валявшийся тут же фломастер и начал чертить ту самую схему, которую год назад он увидел на стене лондонского офиса.

Он чертил блок за блоком, связанные технологическими цепочками, и в некоторых квадратах он писал «аммиак» и «метан», а в некоторых он писал химические формулы.

В комнате тоже приглушенно работало радио, и пока Кирилл рисовал, радио успело сообщить, что приказом председателя правительства генерала-лейтенанта Христофора Мао на всей территории республики вводится режим контртеррористической операции.

Кирилл нарисовал последний квадрат, поднял голову и спросил:

— Что ты собираешься делать с Мао?

— Ничего, — ответил Булавди, — Мао сидит на заводе. Это полторы тысячи солдат, БТРы, ОМОН и «Альфа». А ваши танки бегают по городу ну прямо как зайки.

Кирилл обвел жирным красным фломастером квадратики с надписью: «этилен» и «пропилен».

— Знаешь, что это такое? — спросил Кирилл.

Булавди пожал плечами.

— Отрава, что ли?

— Нет. Это всего лишь газ, который хорошо горит, и, так как он тяжелый, в отличие от метана или водорода, он образует газовоздушную смесь, которая, по сути, является вакуумной бомбой. Это промежуточный химический продукт для изготовления полиэтилена и полипропилена, и он хранится на моем заводе в емкостях по пять тысяч тонн под давлением в пятьсот атмосфер. Если мы проделаем в емкости дырку, не взрывая ее, он вытечет наружу. Если через двадцать минут после того, как он вытечет, мы подорвем инициирующий заряд, то от полутора тысяч солдат ничего не останется.

Командиры переглянулись между собой. Булавди усмехнулся в седеющую растрепанную бородку, поправил висевший у него на плече автомат:

— Я не охотник до дурацких выдумок.

Голос русского был ледяным:

— Если бы ты не бросил университет, Булавди, и отучился бы хоть пару курсов, ты бы услышал, что на свете есть вещи посерьезней рогатки у тебя на плече.

Кто-то хихикнул, а лицо Булавди медленно налилось красным, и он проговорил:

— Если ты не врешь, мы взорвемся вместе с ними.

— Ты боишься умереть? Тогда я возьму с собой тех, кто не боится.

Булавди молчал несколько мгновений. По дороге они обсуждали, что сделать с этим человеком: пристрелить на месте или потребовать выкуп; он был русский, подстилка Джамала, иностранец с виллой в Кенсингтоне и яхтой на Мальдивах, — а теперь он стоял, и командовал им! Им, амиром Восточного Фронта! И он вел себя так, как будто для него ничего не существовало на свете, кроме погибшей жены, и полторы тысячи дохлых солдат Русни были для этого человека не очень большая плата для того, чтобы добраться до убийцы Дианы.

Радио щелкнуло, хрипнуло и сказало голосом Мао:

— Я не дам ввергнуть республику в кровь и хаос!

Водров даже не улыбнулся. Булавди глянул в глаза русского и с изумлением обнаружил, что они совершенно стеклянные.

Маленький Алихан стоял теперь за плечом Водрова.

— Как ты думаешь, брат, — мягко сказал Булавди, — когда начнется война?

Кирилл поднял глаза на круглое блюдце часов, висевших над стареньким советским сервантом, и совершенно серьезно ответил:

— Через два часа, если мы поторопимся.

* * *

Две роты ОМОНа под командованием Аламбека Арсханова выдвинулись к Куршинскому тоннелю в рекордные сроки; со всех сторон приходили известия о перестрелках, и их постоянно подгоняли по рации. Прямой связи омоновцев со спецназом ГРУ, стоявшим под Куршами, не было, однако Аламбек полагал, что спецназовцы знают, что он идет к ним на подмогу.

* * *

Спецназовцы майора Зверева высадились на верхнюю площадку над Куршинским тоннелем около двух часов дня. Когда они планировали высадку, предполагалось, что это будут учения, и что по плану учений к ним вскоре подойдет бронетехника из Бештоя-10, а когда высадка пошла, оказалось, что это война, и бронетехника ушла на зачистку Ахмадкалы. Звереву пообещали, что ему пришлют подмогу, но подмога не шла и не шла, а вместо нее приходили сообщения о перестрелках и засадах.

Горы в этих местах шли отвесно, далеко вверху, в колодце скал, голубело небо, и в тоннеле с разрушенным до скалы асфальтом — кап-кап — словно едкий сок гор, капала вниз вода. Майор ругался по-черному. Три дня назад, еще в мирное время, в этом самом тоннеле местные остановили и разграбили военный «Урал», по горам эхом гуляли перестрелки, в учениях участвовали десять тысяч человек, а он, майор Зверев, стоял тут, в стратегической точке, соединяющей равнину и горы, и у него была рота спецназа — тридцать два бойца, — боеприпасы на пятнадцать минут боя, и связь, которая не работала на дне каменного гроба.

Майор Зверев выставил блокпост у въезда в тоннель, и другой, на смотровой площадке над горой, и он чувствовал себя, как пельмень на тарелке. Он слышал, что здешние горы пронизаны сетью пещер, и очень боялся, что боевики пройдут сквозь пещеры и ударят через тоннель ему в тыл.

Боевики показались в шестнадцать сорок, — шесть БТРов, впереди которых летел черный открытый «хаммер». Сначала Зверев увидел столб пыли и решил, что это российская колонна, но потом он увидел за рулем «хаммера» человека с бородой, похожей на спутанную мочалку, и бойцов в зеленых повязках, облепивших БТРы.

Ровно об этом его и предупреждали все эти дни. О том, что у боевиков есть поддержка из-за границы, обмундирование и бронетехника. И о том, что регулярные части этой долбаной республики могут перейти на их сторону. Эта колонна была не меньше той, на которую напоролся в Торби-кале взвод Зыкова.

— «Семьсот пятый», огонь! — скомандовал майор.

ПТУР, пущенный с навершия горы, подбросил в воздух головной «хаммер». Колонна встала. Бойцы посыпались с брони, и раньше, чем они успели рассредоточиться, один из разведчиков подбил БТР в конце колонны, и тот взвился в воздух жирным черным пламенем.

* * *

Аламбек Арсханов, без пяти минут час как начальник ОМОНа, лежал навзничь в выжженной траве на правом склоне ущелья, и над собой он видел горящий БТР, а за ним — черную воронку тоннеля, из которой вспыхивали светлячки выстрелов. Левой руки у Алабека не было, из продранного бока текла кровь, правой рукой Аламбек сжимал рацию и орал по-аварски:

— Мочи их, сук! Аллаху Акбар!

* * *

Сборы заняли почти два часа. Сложность заключалась в изготовлении заряда. Кирилл сказал, что им нужно проделать дыру в обоих резервуарах, одновременно и в течение нескольких секунд после проникновения в систему безопасности, но так, чтобы газ, который вырвется из хранилища под давлением в пятьсот атмосфер, не взорвался и не загорелся.

Мурад фыркнул и сказал, что это все глупость и трата времени моджахедов. Булавди подумал и сказал, что на занятиях в ФСБ их учили делать водяной заряд, для тех случаев, когда надо разнести что-нибудь и не устроить при этом взрыва.

— И часто ты его применял? — спросил Мурад.

— Никогда, — ответил Булавди.

Они вдвоем с Кириллом набили пластитом старый водопроводный шланг, а потом разрезали старую автомобильную камеру на две половинки. Один из концов завулканизировали тут же, под навесом, а потом изолированную взрывчатку вставили в получившийся рукав. Булавди воткнул в шланг взрыватель и залил его мгновенным клеем. Потом половинку камеры наполнили водой и тоже завулканизировали.

Часа через полтора Кирилл отошел покурить. Он сначала нервно затягивался во дворе, а потом распахнул калитку и стал в воротах. Булавди подошел и стал рядом с ним. По улице шли двое подростков, один тащил на плече ПЗРК.

— Салам Алейкум, — вежливо сказал один из подростков, — вы не знаете, где тут русские танки?

— У Дома на Холме, — ответил Булавди, — а зачем тебе это бревно?

— Это не бревно, а «Игла», — гордо ответил мальчишка.

— У этой твоей «Иглы», — сказал Булавди, — спереди должен быть такой носик. Она без этого носика не летает, а лежит он отдельно, в трех ящиках, в одном «игла», в другом носик, а в третьем ножки.

— Вах, Асхаб, — закричал подросток, — ты не помнишь, куда могли подеваться ящики с носиками?

Кирилл докурил сигарету и зашел в дом. Там Алихан и Мурад возились с рацией. У ребят была подрывная машинка, переделанная из радиостанции «Кенвуд», и Булавди хотел, чтобы оба взрывателя сработали одновременно.

Кирилл пошел вымыться и переодеться.

В шесть часов вечера Кирилл сошел в прихожую. Он больше не походил на растерзанного, убитого горем человека. В маленьком зеркале, на которое были налеплены строчки из Корана, отражался худощавый сорокалетний человек в летнем костюме и ослепительно белой рубашке, с ранними морщинами на высоком лбу и совершенно стеклянными серовато-зелеными глазами. Кирилл сунул документы во внутренний карман пиджака, взял рацию и вышел во двор.

Во дворе, на капоте черного свежевымытого «мерса», сидел Алихан. Издали он по-прежнему ужасно походил на солдата-первогодка, с обритым затылком и тонкой цыплячьей шеей.

Они молча обнялись, и Кирилл вспомнил, как он устроил самому могущественному акционеру Кремля истерику из-за сына. Еще сегодня утром это было очень важно, подставили Алихана или нет, потому что Мурад подставлял людей с такой же легкостью, как Христофор. В этом было еще одно сходство между ними. Теперь это совершенно не имело значения.

— Уходи, — сказал Кирилл, — и позаботься о братьях. Сегодня в городе будет такой бардак, что легко можно уцелеть. Саид-Эмин и Хас-Магомед сидят в управлении ФСБ, и я думаю, что к ночи всех заключенных выпустят. Я не думаю, что их осмелятся расстрелять.

Алихан посмотрел на него и долго ничего не отвечал, а потом вдруг переменился в лице, соскользнул с машины, и побежал за угол. Когда Кирилл побежал за ним, он увидел, что Алихан стоит, перегнувшись, и его долго, мучительно рвет какой-то зеленоватой слизью.

Кирилл помог сыну привести себя в порядок и спросил:

— Ты болен?

Алихан кивнул.

— Тогда пойди переоденься. Там на кровати лежит одежда для тебя. Тебе-то нечего ехать на завод в камуфляже.

Алихан кивнул и ушел, а Кирилл так и остался во дворе, прислонив лоб к холодному камню и закрыв глаза.

* * *

Камера CNN, приехавшая на открытие завода, поехала к Дому на Холме, и именно эта камера сняла БТРы, горевшие на площади. Потом корреспондент убежал куда-то в подвал, и время от времени связывался со своими зарубежными хозяевами по телефону, а потом и связь прервалась; сотовая упала, рации подыхали, и из всех средств коммуникации, которые были в республике, остался только проклятый зарубежный телеканал, который раз за разом гонял картинку горевших на площади БТРов.

Полковник Лихой смотрел на эту картинку, и кислый страх комом поднимался к горлу.

Боевики заманили их в ловушку. Они расступились перед танками Донгаря и открыли проход, а потом они сомкнули кольцо окружения и методично расстреливали федералов.

Ему и его танкам надо было идти туда, и сквозь этот ад невозможно было прорваться без артподготовки. Артподготовка была единственным выходом. Она превращала ловушку, расставленную федеральным войскам, в ловушку, в которую попали бы сами боевики.

Полковник Лихой подозвал адьютанта и приказал соединить его с командиром 291-го самоходного артиллерийского полка 20-й мотострелковой дивизии, установки которого стояли на Шамхальских высотах в семи километрах от Торби-калы.

— Для обеспечения быстро прорыва и в целях минимизации потерь наших войск, приказываю: по позициям противника, окружившего Дом Правительства — огонь!

* * *

Была уже половина восьмого, когда полковник Аргунов снова подъехал к «Снегирю».

Черный «мерс», который он забрал у Хагена, прошел по дороге вверх и затормозил за танками. Стемнело, небо было все обметано звездами, и далеко внизу, в городе, светились окна и пожары. Недалеко от того места, где они остановились, валялся серебристый «крузер» с номерами АТЦ. Можно было сказать, что он валялся колесами вверх, если бы от колес что-то осталось.

Аргунов выпрыгнул из машины, и его бойцы открыли багажник и достали из него Хагена и его сына.

— Папа, — сказал сын Хагена, — я не чувствую рук.

— Ничего, — отозвался Хаген, — это потому, что они уже в раю.

Аргунов ничего на это не возразил, а только покосился на пленника и нажал на кнопку рации.

— Эй, «Ноль третий», — сказал Аргунов, — у меня тут твой командир.

Он поднес рацию Хагену, но тот только улыбнулся и покачал головой.

— Послушай, Хаген, — сказал Аргунов, — ты сегодня оскорбил премьера республики в прямом эфире. Я не могу гарантировать тебе свободу. Но если твои люди не сдадутся через пять минут, я застрелю твоего мальчишку на твоих глазах. Потом мы расстреляем твоих людей, а потом тебя.

— Дай мне помолиться перед смертью, — сказал Хаген.

Аргунов, подумав, кивнул, и Хаген отошел немного от своего «мерса» и оборотился спиной к базе. А сын его стал за ним. Ему было всего одиннадцать лет, и он был очень испуган.

Вот Хаген сказал первый ракат и встал с колен, и тут Аргунов увидел, что ворота базы ползут в сторону.

Ариец тоже услышал этот звук, но он не вздрогнул и не обернулся, пока не закончил молитву, а потом он встал, повернул голову, и сказал:

— Трусы.

В открытые ворота въехал сначала один БТР, потом другой, а потом Аргунов пинком загнал Хагена в машину и тоже въехал на территорию базы.

Плац был освещен одной луной, и по бокам его коробочкой тянулись невысокие казармы. Слева стояли машины бойцов, в основном «жигули» и старенькие иномарки. Плац был абсолютно пуст, если ни считать худого человека с рацией, сидевшего на крыльце одной из казарм.

Аргунов подошел к нему и спросил:

— Ты «Ноль-третий?»

— Ну.

— А где все?

Парень пожал плечами и показал в ночную тьму, туда, где за стеной в ущелье шумела горная река.

Аргунов почувствовал какое-то усталое бешенство. Они опоздали. Пока они миндальничали с противником, тот ждал только ночи, чтобы утечь. В городе прибавилось на триста бойцов, и Аргунов прекрасно понимал, что такое в условиях партизанской городской войны — триста обученных бойцов с гранатометами.

Бойцов, которые говорят своим детям, что руки у них уже в раю.

Молча, не говоря ни слова, Аргунов взвел курок и приставил пистолет ко лбу стоящего у машины Хагена. Ариец осклабился и плюнул ему в лицо.

И в эту секунду небо над их головами стал из черного — серебряным; на горке, где стояли системы залпового огня, бухнуло и заухало, на миг Аргунову показалось, что солнце восходит на севере.

Аргунов в ошеломлении задрал голову, наблюдая, как через пол-неба протянулись пылающие струны, и со склона, на котором располагалась база, ему были хорошо видны красные вспышки огня на месте разрывающихся снарядов. Этого не могло быть; они били прямо по Торби-кале! В этом городе было полно детей и женщин; из этого города никто не выезжал, и — да боже ж мой, он еще вчера шел по центральной площади, и посереди ее бил фонтан, а вокруг, визжа, бегали дети, и молодые парочки, тайком обжимаясь, сидели на гранитных плитах и смотрели на малиновое полотнище воды.

И вот теперь по этой площади, где еще утром кишели дети, — били установки залпового огня; и с одной стороны этой площади стояли сверкающие многоквартирные дома, а с другой — с другой был Дом на Холме.

В воротах показался спецназовец и заорал:

— У боевиков артиллерия!

Аргунов схватил рацию, и на пустынном плацу защелкал и захрипел голос нового командующего операцией:

— Повторяю, — кричал Христофор Мао, — «Град» бьет со «Снегиря». Повторяю — со «Снегиря». Они перешли на сторону боевиков!

— Мы под огнем! — надрывался кто-то, из Дома на Холме, — «Змейка», я «Змейка», у них артиллерия!

— Уничтожить «Снегирь»!

— «Седьмой», — заорал Аргунов, — я «Свободный», отставить! Я «Свободный», я на «Снегире»! Тут никого нет, повторяю, база пуста.

— Ты кто, б... такой, чтобы меня учить, — услышал Аргунов в рацию, — ты кто тут?

Хаген расхохотался.

Небо на западе стало цвета вишни — это работала гаубица. Сквозь треск рации неслось что-то невообразимое.

— Уходим, — внезапно заорал Аргунов.

Головной БТР вылетел из ворот базы вслед за черным «мерсом». Машина еще не успела скрыться за поворотом, когда метрах в ста от нее лег первый снаряд.

* * *

Когда «шестерка» с Джамалудином за рулем въехала в город, уже темнело. Они заезжали со стороны поселка Нахаловка, и Забельцын с изумлением увидел, что в поселке кипит жизнь: по улицам тащили сумки из магазина, туда и сюда сновали машины.

Между Нахаловкой и собственно Торби-калой всегда был огромный рынок. Народу была тьма, на импровизированной трибуне что-то орали.

— Вот народ! — сказал Джамалудин, прислушавшись, — и здесь норовит урвать!

— А что они требуют? — спросил Семен Семенович.

— Да выдать оружие.

— И что, выдадут? — с беспокойством спросил Семен Семенович, хотя ответ на этот вопрос был, увы, очевиден.

— Ха! — презрительно сказал Джамал, — держи карман шире. Придется им свое брать.

Перестрелка стала слышна, только когда они подъехали к Дому на Холме. «Калашников» постукивал, как кастаньеты, словно в воздухе над площадью танцевали фламенко, и каблуки под черно-красными развевающимися юбками трещали, — так-так, так-так, так-так. «По кому они стреляют? — подумал Забельцын, — если это боевики стреляют по нашим, то почему наши не отвечают? Там же танки?»

На темнеющих улицах было пустынно: ни федералов, ни боевиков, только какая-то бабка в платке продавала пирожки. Джамал не поехал на площадь, а свернул, не доезжая метров триста, и бросил машину во дворе нового многоквартирного дома.

Джамал прислушался и вошел в подъезд, а потом они на лифте доехали до одиннадцатого этажа. Пока они ехали на лифте, в стенку дома оглушительно бухнуло, свет мигнул и зажегся снова, и лифт поехал дальше. За стенкой застучало: так-так, так-так.

У лифта стоял парень в камуфляже, и при виде Джамала челюсть у него отвисла, а при виде Семена Семеновича вид у него и вовсе сделался такой, как будто ему в пасть загнали невидимый и очень крупный грейпфрут.

Дверь в квартиру была распахнута настежь, полутемная гостиная сразу за ней была освещена одними красными сполохами. В гостиной собрались человек восемь, все вооруженные, и большая их часть сидела у окон, у которых были выбиты стекла и спущены жалюзи, и постреливала вниз, а хозяин квартиры, в тапочках и камуфляже, сидел за столом и пил кофе. Около хозяина лежала парочка пустых «мух».

— Салам, Нажуд, — сказал Джамал, — когда я услышал, что на площади стреляют, я так и подумал, что ты в такой день будешь дома.

Нажуд поднял глаза и поставил кофе на место. Люди у окна тоже прекратили стрельбу.

— Ваалейкум ассалам, Джамалудин, — воскликнул изумленный хозяин квартиры, — но они сказали, что ты мертв!

Джамалудин, не отвечая, раздвинул жалюзи и приложил к ним глаз. Дом, в который они зашли, был самый что ни на есть элитный в Торби-кале. Площадь перед Домом на Холме была видна из квартиры как на ладони. Это был такой козырный дом, что в его гостиной можно было палить вниз из «мухи», не рискуя свариться, если, конечно, открыть дверь на лестничную клетку.

Огромная площадь была ярко освещена. По периметру ее, уцелев удивительным капризом случая, на высоких чугунных полукружьях горели белые фонари, между ними перемигивались праздничные гирлянды, и сполохи разноцветного света били вверх от огромных прожекторов, подсвечивая струи плескавшегося посереди площади фонтана. Около фонтана горела бронетехника, и под белыми лунами фонарей на брусчатке лежали неподвижные кучки в камуфляже.

Семен Семенович выглянул в окно и выругался сквозь зубы.

— Господи боже мой! — сказал Семен Семенович, — Джамал, скомандуй им перестать.

— Э! — сказал Джамалудин, — я здесь не командую. И никто не командует.

Словно в ответ на эти слова бухнуло, с крыши дома напротив плеснул язык пламени, косо пущенная граната пролетела мимо танка и влепилась в один из фонарей. Жутко грохнуло; фонарь хряснулся о брусчатку, рассыпался искрами и погас, и вместе с ним погасла вся левая сторона площади. Бронетехника и прожекторы продолжали гореть. Фонтан, следуя заданной кем-то программе, сменил ритм, струи воды слились в сплошное полотнище, и на этом полотнище выплыла удивительной красоты горянка в белом платье, и принялась плясать над пылающей бронетехникой.

Рация, стоявшая на столе, крякнула, щелкнула и сказала удивительно спокойным голосом:

— Пятый, пятый, я седьмой! Вы когда будете? У меня гости со всех сторон. Повторяю, я в полном окружении.

— Седьмой, я пятый. Подмога вот-вот. Держитесь.

Джамал поднял брови и спросил:

— Где эта подмога?

— Нигде. Они это уже второй час говорят.

— Седьмой, я пятый, — повторила рация. — Мы будем с минуты на минуту.

— Поехали, — сказал Джамал Нажуду, — нам надо в Штаб.

И в эту секунду оно началось.

Черное небо вдруг стало алым. Фонтан мигнул и угас; по ушам Забельцына ударило кувалдой, и когда через секунду Забельцын очнулся, он увидел, что лежит лицом вниз, в какой-то белой трухе, а вместо потолка над ним — белое пылающее небо.

Грохнуло так, что снова заложило уши, никакого фонтана уже не было и в помине, площадь была — сплошное море огня и рвущихся боезапасов, и из Дома на Холме вырывались пятиметровые языки пламени.

– Пятый, пятый, у них «град!» – заорала чудом уцелевшая рация

– Что ты делаешь, сука! Ты по своим бьешь!

Забельцын хотел было вскочить, но тело его не слушалось. Раздался новый залп, снаряд разорвался где-то близко, руки и ноги стали ватными, и все желания исчезли, кроме желания немедленно, каким угодно способом, оказаться далеко от этого страшного места, в которое через секунду вот-вот ударит снаряд.

Вокруг был огонь и дым. Хозяин квартиры, Нажуд, валялся, нанизанный на куски перекрытий, и из его горящей кожи торчали страшные зубья ребер. Пуленепробиваемое стекло лежало на полу скомканной кучкой, пол обрывался в пропасть, и у самого края этой пропасти лежал ботинок с торчащей из него окровавленной костью.

Ударило снова; Забельцын упал за кучу щебня, которая только что была квартирой, сверху сыпались сор, штукатурка и балки. Забельцын взвизгнул и побежал. Он летел в кромешной тьме по лестнице вниз, кто-то сбил его с ног, он упал и покатился по ступеням, вылетел во двор и снова упал, и когда он через несколько секунд очнулся, он обнаружил, что лежит у кирпичной стены; в пяти метрах горели чьи-то «жигули», трехэтажный дом с той стороны двора был рассечен, как ножом, и как Забельцын попал под эту стену и что это за стена, он, убей Господь, не помнил.

Он поднялся и увидел прямо перед собой перепуганного солдатика с автоматом и в камуфляже. На рукаве у солдатика была белая повязка. Автомат смотрел прямо в голову Забельцына.

– Я Забельцын, – заорал Семен Семенович.

– А я Иванов, – ответил солдат и нажал на курок.

Чья-то пуля ударила солдата в висок, и очередь ушла вверх, а когда солдат упал, Забельцын увидел посереди освещенного пламенем двора черный, весь облепленный какими-то коробочками танк.

Танк выстрелил. Забельцына шваркнуло оземь ударной волной, и он видел, как в створе выстрела мгновенно сгорают силуэты людей.

Когда Забельцын приподнялся, танк был уже совсем близко. Пушка его развернулась с непостижимой быстротой, и долю мгновения Семену Семеновичу казалось, что он смотрит в черную блестящую бесконечность, из которой, вращаясь, вылетает новый снаряд.

Потом откуда-то слева выметнулся Джамал, с короткой крупной трубой в руках. Двор за его спиной на мгновение окутался языком пламени, и «карандаш», — двойной кумулятивный заряд, первая часть которого подрывала активную броню, а вторая собственно прожигала башню, — влепился в гроздья облепивших танк «мыльниц».

Забельцын упал в канавку, в какие-то давние помои, пахшие кошками и помидорами.

Несколько мгновений ничего не происходило, а потом танк разорвало пополам. Башню откинуло с такой силой, что она перевернулась и шлепнулась на горевшие рядом «жигули», в танке, как фейерверк, рвался боезапас, Забельцын порскнул, как заяц, упал, снова вскочил, а еще через секунду его схватили чьи-то руки и втянули за кучу мусора, еще недавно бывшую стеной элитного дома.

Горело небо, земля и стены. Забельцын лежал, уткнувшись носом в чьи-то кишки. Из разорванного водопровода бок обварила струя кипятка. Забельцын покатился по земле, и пока он катился, он увидел, что танков посереди двора уже два, и оба они пылают, и с одного из танков в траву сыпятся горящие фигурки в камуфляже, и по ним в упор работает автомат.

Пахло горящей сталью и паленой человечиной.

Кто-то схватил Забельцына за шиворот и снова поволок в укрытие, Забельцын упал, перевернулся и подтянул ноги к животу, и когда он перевернулся, он увидел, что над ним, прямо на гребне обрушившейся стены, черным силуэтом на фоне багрового неба, стоит какой-то мальчишка, и ствол прыгает в его руках.

— Шайтан, — орал мальчишка, — ты шайтан! Ты предал нас всех! Русня взорвала роддом и убила твоего брата, а если они велят отсосать тебе, ты отсосешь!

Короткая очередь срубила мальчишку, он упал, и когда он упал, Забельцын увидел за спиной мальчишки Шамиля.

Забельцын приподнялся и повернул голову, и только тут понял, что мальчишка обращался не к нему. Над ним стоял Джамал. Рубашка на нем превратилась в лохмотья, и на левой его руке плясали желтым и красным бриллианты в часах, разбитых пять лет назад при штурме роддома.

Джамал стоял совершенно неподвижно, а потом во двор задом, по пылающим костям людей и танков, влетел совершенно неуместный в этом разгроме, чистый, без единой царапины, сверкающе-белый «лексус».

— Валим, — заорал Джамал.

* * *

Когда они выехали из дома, было еще светло.

Привокзальный рынок кипел народом. Люди оборачивались и смотрели на черный начальственный «мерс», за которым шел армейский «ГАЗ» с солдатами. Кирилл с беспокойством подумал, что будет довольно глупо, если кто-то из свежих защитников независимости угостит их из «Иглы», у которой в конце концов отыщется носик.

За хлопотами они забыли поесть, и «мерс» ненадолго остановился у маленького кафе. Боец, сидевший рядом с Алиханом на переднем сиденье, вышел, и вскоре вернулся в машину с двумя бутылками минералки и двумя пакетами с хлебом и мясом.

— Денег не стали с нас брать. Говорят, садака, — растерянно сказал боец.

— Поешь, — сказал Булавди Кириллу.

Кирилл покачал головой, но Булавди вложил в его руки теплую, только что из печки лепешку, и Кирилл понял, что это такая же, как те, что пекла Диана. Кирилл вдруг разрыдался, и, к его удивлению, никто из чеченцев, сидевших в машине, не стал смеяться. Булавди положил ему руку на плечо, и Кирилл плакал, уткнувшись носом в пропахший потом камуфляж, а когда поднял голову, город уже кончился, и они были на шоссе.

Кирилл ожидал, что их будут останавливать на блокпостах, но блокпостов больше не было. Солдаты куда-то делись, и дорога была совершенно пустой. Солнце валилось куда-то за жерло гор, запад пылал вишневым и алым.

Казалось совершенно невероятным, что они едут на войну тем же маршрутом, которыми Кирилл ежедневно ездил на работу.

На Торбикалинском круге, на северо-западном выезде из города, им наконец встретились следы войны: у покинутого поста ГИБДД стояла раздавленная «девятка», и рядом с ней — три сгоревших «Урала». Кирилл вспомнил, что «Уралы» сгорели еще утром. Один из них наехал на «девятку», и их окружили плотным кольцом, а потом кто-то в толпе то ли расстрелял, то ли поджег головную машину.

Трупов в этой истории не было, но Кирилл вспомнил, как отчаянно бранился Хаген, которому пришлось со своими бойцами растаскивать толпу и солдат. Кирилл подумал, что Хаген тоже наверняка погибнет, если он до сих пор на заводе, и снова ничего не шевельнулось в душе.

Если бы там, на заводе, сидел Ташов, Кирилл бы по крайней мере постарался его предупредить.

«С кем она будет в Раю? Со мной или с Ташовом?»

Они выбирались из города в объезд Малиновки, где, как сказали, было много танков, и когда они выехали на приморское шоссе, уже совсем стемнело. Вдоль дороги стояли низкие кусты и похожие на зубила БТРы.

— А что такое костный мозг? — вдруг спросил Булавди.

— Ну... это кровь. Просто очень яркая кровь.

— И как его берут?

— Вот здесь. Из бедра. А можно выгнать его в кровь специальными препаратами, а потом осадить. А потом его просто вводят в вену.

— То есть что — Алихану можно просто перелить мою кровь?

— Нет, ему нельзя просто перелить кровь. Надо сначала убить опухоль. У него злокачественная опухоль, просто она жидкая и растворена в крови. А чтобы убить опухоль, нужно убить Алихана. Потом надо сделать так, чтобы опухоль осталась мертвой, а человек ожил.

— А если убьют, костный мозг погибает сразу? — спросил Булавди.

— Нет. Если человек убит в бою, мозг можно забрать до тех пор, пока не начнется образование трупного яда.

Булавди хмыкнул.

— Я смотрю, ты проверял.

— Конечно проверял, — рассеянно ответил Кирилл.

* * *

Черный «мерс» с полковником Аргуновым влетел в заводские ворота в половине восьмого. Машин местной элиты на площадке уже не было. Вместо них стояли два танка. На клумбу, засаженную цветами в тон российскому флагу, кто-то загнал БМП.

В кабинете управляющего компанией шло совещание.

Во главе стола сидел Христофор Мао, и Аргунову сразу бросилось в глаза, что за его спиной больше нет ни портрета Джамала, ни портрета Заура.

— Нас предали, — орал Мао, — у них есть все! Гранатометы, БТРы, даже артиллерия!

— Только после пяти часов ожесточенных боев и мощной артподготовки нам удалось прорваться на помощь нашим частям возле Дома на Холме, — заорал Лихой.

— Мы сражаемся не с боевиками! — кричал Мао, — мы сражаемся с настоящей армией! Армией, которая уничтожила наших солдат артиллерийским огнем! Как вы могли проморгать это? А? Как?

Мао обращался к начальнику УФСБ республики, и тот стоял, потупив глаза.

— Отряд сержанта Зыкова напоролся на две тысячи боевиков! В Куршах были три тысячи! Они спустились с гор и ударили нам в тыл! Это международный заговор!

— Какой к черту заговор, — заорал Аргунов. — Где ты видел в горах три тысячи боевиков? Да ты представляешь, сколько они насрут на тропе? Мы их с трех километров унюхаем!

В кабинете воцарилась мертвая тишина, и в этой тишине Мао поднял голову.

— Кто это? — сказал новый хозяин республики, и его голос звучал странным, звенящим фальцетом. — Что это?

— Никаких трех тысяч боевиков в городе нет, — спокойно ответил полковник Аргунов. — Ни один из отрядов боевиков не в состоянии провести крупную войсковую операцию. Если люди, которыми никто не командует, и которые в большинстве своем обладают нулевой выучкой, посмотрели по телевизору, где стоят наши танки, и стянулись к ним пострелять из автоматов, это еще не повод обзывать это кольцом окружения и сносить город артиллерийским огнем.

Кто-то из генералов рассмеялся. Пылающее небо в телевизоре мигнуло и сменилось лицом Христофора Мао.

Жуткая улыбка перекосила рот нового хозяина республики. Он неторопливо выбрался из-за стола и подошел к Аргунову. Полковник ждал. Мао вдруг стал говорить тихо-тихо, чуть вытягивая голову и, казалось, заглядывая собеседнику под веки.

— То, что все здесь в республике делались на иностранные деньги, — сказал Мао, — это факт. Этот завод делался на иностранные деньги. Это медицинский факт. И ваши сведения о боевиках, полковник, давно устарели. Подразделения АТЦ встали на сторону боевиков. Иностранные наемники, завезенные в горы, сражаются вместе с боевиками. О каких двух сотнях боевиков вы можете говорить, когда наши войска, — наши войска! — в центре города были заманены в ловушку. Когда по ним работал «Град» со «Снегиря»!

— Да? — сказал Аргунов, — а по кому работала артподготовка Лихого?

— По боевикам, — отчеканил Мао, — после того, как международные террористы, щедро снабжаемые иностранной военщиной, стерли с лица земли Дом Правительства и оборонявшие его войска, мы нанесли сокрушительный ответный удар. Мощным ударом мы прорвали кольцо окружения, вышли на помощь нашим силам, зажатым в ловушке, перемалываемым беспощадным огнем!

«Господи боже мой, — подумал Аргунов, — да он верит в то, что говорит».

— Я был на «Снегире», — ответил Аргунов. — Я видел все. Наши «Грады» стреляли по Дому на Холме, потому что те, кого ты посылал на выручку Донгарю, испугались идти в город и решили уничтожить и своих, и чужих.

— Арестуйте его, — распорядился Мао, — он подкуплен террористами.

— Твой «Град» стреляли по Дому на Холме. И по мне.

Аргунов в ошеломлении обернулся.

На пороге комнаты стоял Семен Забельцын.

* * *

В то, что Забельцын подбывал под огнем системы залпового огня, или в аду, или в каком-то другом похожем местечке, поверить было несложно. Светлый костюм превратился в лохмотья; русые волосы слиплись в колтун, и руки его были по локоть в крови, а брюки — по колено в солярке, грязи и моче, и когда Забельцын сделал шаг в комнату, за его спиной Аргунов увидел стремительный силуэт Джамала.

Джамалудин подошел к Мао, размахнулся, и засадил ему кулаком в челюсть. Мао рухнул, и Джамал ударил его снова, носком ботинка по почкам.

— Джамал, — закричал Мао, — не надо! Я все расскажу! Ты знаешь, кто убил Заура? Ты знаешь, кто приказал начать эту войну? Ты...

Грохнул выстрел. Аргунов оглянулся и увидел, что генералы вокруг стола стоят, словно пленка, которая застыла на «стоп», а Семен Семенович опускает руку с маленьким игрушечным «марголиным», который, похоже, был у него с собой все время.

Аргунов поднял глаза и вдруг встретился взглядом с Джамалудином. Мгновение хозяин республики и полковник «Альфы» смотрели зрачок в зрачок, и Аргунов понимал, что взгляд его — как взгляд служебного пса, который все понимает и ничего не может сказать. Потом Джамалудин повернулся к Хагену, который стоял со стянутыми руками между двух безмолвных «альфовцев», и один из «альфовцев» вложил в руки Джамалу ключи от наручников.

И в ту же секунду, словно эхо от выстрела, этажом ниже завыла сирена, сигнализируя о несанкционированном доступе в систему безопасности завода.

* * *

Была уже половина восьмого, когда черный начальственный «мерс» остановился у второй проходной, которую охранял местный ОМОН совместно с контрактниками 694-го полка.

Тонированное стекло «мерса» попозло вниз, и подошедший к нему капитан Аслан Ибрагимов увидел за рулем Алихана Водрова. Сзади сидел сам Кирилл Владимирович. Он, как всегда, был в деловом костюме, и от него приятно пахло дорогим одеколоном.

Аслан работал в ОМОНе сначала при Ташове, потом при Аламбеке, потом при Шамиле, а теперь снова при Аламбеке. Он хорошо знал Водрова, а пару раз даже его возил. С момента известия о теракте Аслан Ибрагимов был очень растерян. Все говорили, что в республике начинается война, а Аслан до сих пор не знал на какой он, Аслан, стороне.

Он очень обрадовался Водрову и хотел разъяснить этот вопрос у него, но тот только зыркнул глазами и показал на «ГАЗ» у себя за спиной.

— Это со мной, — сказал Водров, — на усиление. Пропусти.

Аслан крикнул, чтобы ворота отворили, и «мерс», за которым ехал «ГАЗ» с бритыми молодыми солдатиками, проехал внутрь. В глубине машины, за Водровым, Аслан заметил обвешанного оружием охранника.

Сержант внутренних войск, стоявший вместе с Ибрагимовым в этот день в карауле, махнул рукой, и пареньки из его взвода бросились отворять внутренний шлагбаум, который перегораживал въезд метрах в пяти от ворот.

ГАЗ беспрепятственно въехал внутрь.

* * *

Уже стемнело, но двор заводоуправления был ярко освещен чугунного литья фонарями, и когда Кирилл повернул голову влево, он увидел там кучки людей между БТРов и даже танков.

Кирилл увидел, что только спецназа там человек пятьдесят, и понял, что он правильно рассчитал: в одиночку он никогда не прорвался бы через всех этих людей к Христофору Мао.

«Мерс» мягко миновал асфальтовую дорожку, которая вела к заводоуправлению, и через мгновение круглая морда «ГАЗа» заслонила двор от глаз Кирилла.

Через двести метров Алихан притормозил, Булавди поднес к губам в рацию, и несколько человек перепрыгнули за борт и пошли в сторону, туда, где за зарослями ежевики тонул в темноте фундамент разрушенного эллинга.

— А как там Москва? — сказал Булавди, — сильно изменилась?

— Не знаю, — отозвался Кирилл.

Ущербная луна выплывала из облаков, натянутых тонкими нитями между рогами гор; казалось, что нити эти складываются в сверкающие арабские письмена, в гигантскую паутину, которую ткет серебрянный паук месяца.

— Я ведь учился на юридическом, — сказал Булавди, — целый год отучился. На пятерки сессию сдал. Ты как думаешь, мне еще не поздно пойти учиться?

— Поздновато, — отозвался Кирилл.

Трубопроводы бежали вдоль дороги, и серебряная их обмотка сверкала в свете раскосых фар «мерса». Они походили на алюминиевые кишки, выпущенные наружу.

— Да и чему там учиться? — согласился Булавди, — ширк все это. И законы ваши, и демократия ваша — ширк. Где в Коране есть о демократии?

— Там и о кварках ничего нет, — заметил Кирилл.

— Я так думаю, — помолчав, сказал Булавди, — что исламское государство — это тоже неправильно. Государства вообще не должно быть. Как это — исламское — государство? Это все равно как исламская демократия. Государства вообще не должно быть, а должен быть Аллах. Люди должны жить с Аллахом в сердце.

Они свернули не сразу, а доехали до моря и только там свернули налево, чтобы заехать к резервуарам с другой стороны.

У резервуара на взгорке стояли два спецназовца. Они насторожились, увидев выходящих из темноты людей, но когда они увидели, что это директор завода с каким-то мальчишкой и охранниками, они подтянулись и отдали честь. Кирилл и Булавди подошли к ним почти вплотную, и Булавди дважды выстрелил из пистолета с глушителем.

Ребята уже вытаскивали из багажника «мерса» черный рукав со взрывчаткой. Он изгибался и бился в их руках, как короткая змея.

Кирилл поднялся к самому резервуару и поднес к глазам прибор ночного видения. Он правильно все рассчитал. Заводоуправление и резервуары образовывали равнобедренный треугольник, и по прямой с того места, где он стоял, до здания было метров четыреста. В бинокль Кирилл отчетливо видел номера бронированного «мерса», стоящего прямо у зеленоватых в свете прибора дверей. Это был «мерс» Христофора Мао, и рядом с ним стоял джип охраны, и тут же — служебный джип начальника УФСБ.

За тройным слоем БТРов, танков и «Альфы» «товарищ Ахилл» мог не бояться жалкой кучки мелких боевиков. «Товарищ Ахилл» думал, что его никто не достанет. Особенно те, кого он отправил на тот свет.

Кирилл подошел к считывающему устройству, защищенному от дождя пластиковым колпачком, провел карточкой и набрал четырехзначный код. Никто и не подумал пока отменять директорский допуск. Христофор Мао этим не озаботился, а остальные сотрудники завода были еще не в курсе, что управляющий директор Navalis Avaria продал республику международным террористам и их заграничным покровителям.

Алихан и еще один парень уже прилаживали взрывчатку к сверкающей новенькой емкости.

Кирилл сбежал с холма и сел в «мерс». Теперь у них было совсем мало времени — если кто-то в диспетчерской поймет, что происходит.

Емкость с пропиленом стояла в трехстах метрах. Никаких постов рядом не было.

Кирилл разблокировал вентиль, закрутил его и обернулся к Булавди. Его люди уже закрепили заряд на второй емкости. С расстояния в десять метров черная камера казалась гигантской пиявкой на сверкающей под луной коже.

Рация в руках Кирилла хрипнула и сказала голосом Алихана.

— У нас все готово.

Между резервуарами шла временная дорога, — не дорога, а полосы засохшей рубчатой грязи, выдавленные бульдозерами и Камазами, и эта дорога кончалась кучей строительного мусора, из которой торчали железные прутья и обломки бетонных плит. Эта куча была идеальным укрытием.

Они зашли за эту кучу, и Булавди нажал на кнопку.

Хлопки зарядов были неожиданно глухими; Кирилл не был уверен, хватит ли взрыву силы, но через мгновение он услышал тихий и страшный свист.

Луна светила хорошо, а фонари — еще лучше, и почти сразу Кирилл увидел, как с крыльца заводоуправления выскакивают люди, как «Альфа» приходит в движение, и как серебристые джипы, один за другим, срываются с места.

Кирилл упал за толстый бетонный блок, лежавший тут же рядом, на земле, а потом приподнял голову и увидел, что машины Мао остались на месте. Кирилл был уверен, что так оно и будет. Христофор был слишком большой трус, чтобы покинуть в такой момент стены здания.

«Товарищ Ахилл» слишком плохо знал завод, который он собирался захватить.

Засада спряталась так хорошо, что даже Кирилл не понял, откуда они стреляли, но джипы буквально изрешетило в куски. Один, головной, слетел с дороги и тут же загорелся, а из другого в кусты покатились фигурки людей. Разницы, в общем, не было, умрут эти люди от пуль или нет, потому что через пять минут, там, на дороге, будет ад.

«Интересно, это «Альфа» или Хаген?» — подумал Кирилл.

Справа, оттуда, где обзор закрывал огромный серебряный барабан, тоже донеслась перестрелка.

«Ну вот и все, — подумал Кирилл, — я не уйду отсюда».

Не то чтобы он всерьез думал, что ему удастся уйти.

С вала, на котором лежал Кирилл, открывался великолепный вид. Почти круглая, с мелкой выемкой луна висела в легкой паутине облаков, обсыпая мир серебряной пылью, трубопроводы сверкали в ночи чудной арабской вязью, где-то вдали, над невидимым отсюда городом висело вишневое зарево, и на самом кончике темной горы, как на острие рога, блистало в свете луны имя Аллаха.

Завод перед церемонией тщательно прибрали. Даже в ночи Кирилл видел побеленные стволы деревьев и светоотражающую разметку вдоль дорожек, и издали БТРы и танки у главных ворот казались безобидными зелеными жуками. Установки сплетались между собой серебряными пальцами труб, и чуть вперед и слева, из гигантской емкости, в которой хранился этилен, через невидимую дырочку, под давлением в пятьсот атмосфер, выплывали в воздух тонны невидимого и в общем-то неядовитого вещества. Такой же невидимый водопад начинался за его спиной.

Он, Кирилл Водров, совершил невозможное. За год и за три миллиарда долларов он построил в этой стране две очереди сверхсовременного химического производства. Две очереди завода, который мог достичь капитализации в двадцать миллиардов долларов.

«Это самый дорогой фугас, который когда-либо проектировали в истории, — холодно подумал Кирилл, — но твоя задница, товарищ Ахилл, стоит каждый цент из этих двадцати миллиардов. Я бы заплатил и сто».

Выстрелы затрещали вновь, между кустами на дулах автоматов плясали короткие желтые огоньки.

«Идиоты. Еще две минуты, и любой выстрел послужит детонатором стационарной вакуумной бомбы, крупнее которой еще не построил никто».

Ему было совершенно не жалко завода. Завод все равно будет уничтожен в предстоящей войне. Только такой дурак, как Мао, может не понимать, что после того, как убили Джамала и долбанули по городу артиллерией, война начнется обязательно. Наверное, она бы началась сегодня ночью. А так она начнется через две минуты.

«Семен Семенович, ты был прав. Ученый пудель не станет волком. Но пудель отмочит такое, до чего волк не додумается».

Кирилл обернулся и вдруг увидел на залитом луной склоне маленькую фигурку в черном свитере, бежавшую от соседнего резервуара. Фигурка помахала рукой, и Кирилл понял, что Алихан не хочет умирать отдельно от отца. Он возил сына по континентам и странам, он показывал ему Рим и Бангкок, он думал, что это он научит чеченского мальчика жить, а вышло, что это чеченский мальчик научил его умирать.

БТРы у ворот вдруг зашевелились, один попер, сверкая фарами, прямо по полю. Они не понимали, что сделать уже ничего нельзя.

Кирилл лежал в самом центре бомбы, и воздух вокруг него быстро превращался во взрывчатку. В метре от него лежал Мурад Мелхетинец, и глаз его был прижат к оптическому ночному прицелу.

— Это воля Аллаха, — хрипло сказал Мурад, — что ты построил этот завод. Ибо ныне он превратится в первый камень в здании Эмирата Кавказ. «Рад, что я не увижу конца постройки».

Алихан был метрах в двадцати от них, когда рация в руке Кирилла ожила, и голос Аргунова закричал:

— Кирилл, сукин сын! Ты что делаешь, ... твою мать? Ты ох...ел?

Ребята из серебряного «лендкрузера», кажется, все-таки умудрились остаться в живых, и теперь они палили откуда-то из кустов в мальчишек Мурада. Огоньки на концах их автоматов были крошечными, как пламя от спичек. Кирилл вдруг вспомнил другой склон, и облитый светом полдень, когда он, вжавшись в верхушку горы, слушал кастаньеты выстрелов, и думал, что его сейчас убьют, — а после этого раздался звонок Джамала. Джамал больше не позвонит.

«Джамал, Джамал, кто я был для тебя? Брат? Иностранец? Кяфир?»

— Я ох...ел, — сообщил Кирилл в рацию, — вы убили Диану. Вы убили Заура. Вы убили Джамала. За все надо платить, полковник. И мне плевать, кто заплатит.

В тридцати метрах от Кирилла из-за кустов вынырнул журавлиный силуэт в высоких шнурованных берцах и перетянутом ремнем камуфляже, и знакомый командирский голос с металлическим отливом согласных закричал:

— Я жив, Кирилл. А китайчонок мертв!

Кирилл молча, почти в упор, выстрелил в затылок Мураду. Он был уверен, что выстрел вызовет детонацию, но, видимо, концентрация газа в воздухе была еще недостаточно велика, или он скатывался вниз с холма. Кирилл повернулся и увидел, что Булавди стоит, облитый луной и бликами от серебряных труб, метрах в семи, за кучей, и автомат в руках командующего Восточным Фронтом разворачивается к нему дулом. В пятнадцати метрах, чуть ниже по склону, стоял Алихан. Он тоже видел людей, выбегающих из-за кустов.

Лицо Алихана было сосредоточенно-спокойным, как на стрельбище, и «стечкин», который он сжал обеими руками, описывал в ночи безукоризненную сверкающую дугу.

— Алик! Нет! — заорал Кирилл.

Алихан выстрелил. Пуля ударила Булавди в плечо, он пошатнулся и упал на одно колено. Короткая очередь прошла мимо Кирилла, Булавди осклабился и снова поднял автомат. Алихан выстрелил снова. На этот раз пуля толкнула Булавди в спину, он выронил автомат и тут же полез куда-то вбок.

Кирилл бросился к Булавди. Тот уже вытащил из куртки что-то темное, маленькое, слишком маленькое, чтобы взорвать всех вокруг, вполне достаточное, чтобы подорвать самому, но раньше, чем Булавди вытащил чеку, Кирилл зажал его пальцы обеими руками, и они покатились по ночной росистой траве.

Булавди ударил его кулаком в лицо, один раз, и другой, он был невероятно силен, несмотря на две попавшие в него пули, но Кирилл так и не разжал рук. Вокруг них гремели выстрелы и к ним бежали люди, а они катались возле газового водопада, беззвучно скатывавшегося вниз с холма, водопада, который вот-вот должен был превратить все вокруг в одну огромную вакуумную бомбу. Булавди ударил Кирилла коленом, а потом рука его внезапно нырнула вниз, за ножом, и Кирилл, каким-то чудом угадав это движение, не разжимая рук, вцепился зубами ему в запястье.

В следующую секунду чей-то приклад врезал Булавди по голове. Боевик обмяк; сильные руки подхватили Кирилла и потащили его прочь. «Хаттабка», с непотревоженной чекой, покатилась в ночь, и кто-то из бойцов проворно подобрал ее и сунул в карман. Краем глаза Кирилл заметил Алихана. Тот лежал ничком, и Аргунов сидел на нем верхом и крутил руки.

Булавди зашевелился снова, и Кирилл увидел, что над ним, расставив ноги, стоит Джамалудин. В его руках была, казалось, все та же самая СВД, что и год назад на горном склоне у кладбища, и яркая луна делила лицо Джамала на две части: матово-бледный профиль и черные провалы глаз. Джамал что-то неразборчиво закричал и приставил ствол снайперки к слабо копошащемуся боевику. Булавди лежал, запрокинув голову, и на лице его было выражение дикого, неописуемого блаженства.

– Джамал! – закричал Кирилл, – ты обещал!

Джамалудин взвел курок.

Кирилл вырвался, кто-то подставил ему подножку, Кирилл упал и рухнул на колени у ног Джамалудина.

– Не стреляй! Мы все взорвемся!

Джамалудин перевел взгляд. Губы его перекосились, и он изо всей силы ударил Кирилла в зубы горным ботинком. Кирилла отшвырнуло на метр, он снова встал на четвереньки, пополз к Джамалу и обхватил его ногу. Высокий шнурованный ботинок был в грязи и какой-то свежей слизи, и Кирилл прижался головой к этому ботинку и начал его целовать.

— Джамал, — кричал Кирилл, — ты обещал! Ты поклялся Аллахом!

* * *

Спустя две недели Кирилл Водров сидел в коридоре РДКБ перед запертой дверью бокса. Он был небрит, и от него ощутимо попахивало, — что было понятно, ибо эти две недели он совсем не следил за собой.

За стеклянным иллюминатором, в стерильном боксе, лежал Алихан, и он тоже был мертв. Мертв, как Диана. Чтобы убить раковую опухоль, нужно убить человека вместе с ней. Потом опухоль остается убитой, а человек воскресает.

Если на то будет воля Аллаха.

Алихан лежал в боксе, и Кирилл сидел под дверью и глядел на беленые стены коридора. Иногда врачи отводили его помыться или поесть. Один раз к Кириллу пришли следователи; они были очень вежливы.

— Извините, Кирилл Владимирович, но мы должны снять показания не только с боевиков, но и с их заложников, — сказал один из следователей.

— Каких заложников? — спросил Кирилл.

Следователи переглянулись и побыстрее убрались.

Потом приезжали Штрассмайер и Джамалудин. Им нужна была подпись Кирилла, как главы «Навалис Авария», под какими-то документами, и Кирилл расписался везде, где ему поставили галочки. Тогда в первый раз Кирилл узнал, что он, оказывается, еще глава «Навалис Авария». Вероятно, это как-то сочеталось со странным предположением следователей.

Потом Джамалудин приехал один и спросил, как назвать детей. Он сказал, что дети чувствуют себя хорошо, и что им нашли кормилицу, соседку из Тленкоя, которая во время зачистки потеряла трехмесячного ребенка. Но детей как-то надо было назвать, потому что врачи ошиблись, и близнецы оказались разнояйцевые. Один был мальчик, а другая — девочка. «Мы их пока зовем Заур и Диана», — сказал Джамалудин.

Кирилл мутно поглядел на него и ответил:

— Алихан — это все, что осталось у меня от Дианы.

Это был довольно странный ответ для отца двоих новорожденных детей.

Чаще всего Кирилл общался со своими приемными сыновьями. Саид-Эмин и Хас-Магомед были в клинике постоянно, и так как Хас-Магомед был почти взрослый, то именно он кормил Кирилла и отводил его молиться. Кирилл и Хас-Магомед говорили только по-чеченски, что было, конечно, странно, потому что Кирилл не так уж хорошо знал чеченский. Но многие замечали в эти дни, что он гораздо охотней говорил на чеченском, чем на любом другом языке.

Пару раз врачи, пытаясь его отвлечь, приносили ему газеты с рассказом о событиях в республике, и из газет Кирилл узнал, что 6 октября в Торби-кале был подавлен ваххабитский мятеж. Заговорщики устроили покушение на высокопоставленного представителя Кремля, расстреляли двадцать восемь военнослужащих и сожгли в городе три БТРа.

Официальные лица также категорически отвергали слухи о том, что заговорищики планировали взорвать химзавод. «Такого рода провокационные домыслы имеют только одну цель — дестабилизировать обстановку в регионе», — приводили газеты слова нового президента республики Джамалудина Кемирова, сказанные в Лондоне во время встречи с банками-кредиторами проекта. «Их распускают идеологи экстремистов и их прихвостни. Тем, кто не может успокоиться, давно пора понять, что наша республика — часть России, и закон для нас все. Я готов умереть за закон».

Это случилось на двадцать первую ночь. Кирилл сидел, как обычно, на жесткой кушеточке напротив бокса, и коридор больницы был наполнен тяжелым, запыленным светом круглых фонарей, как бы сочащимся с ветвей и листвы шуршащих за окнами лип, когда дверь в коридоре скрипнула и на потертый линолеум ступила Диана.

Она была точно такая, как на свадьбе, в белой подвенечной фате и со счастливым, улыбающимся лицом, и только живот ее был взбухший, как ягода, с созревающей в нем новой жизнью. Диана улыбнулась и села рядом с ним, а он взял ее руку и положил голову ей на живот.

— Ну вот, — сказал Кирилл, — а они врали, будто ты умерла. Булавди хотел распороть тебе живот. Ублюдок. Шайтан.

Тут Кирилл поднял голову и увидел, что Диана не одна. За ее спиной, положив ей руки на плечи, стоял Ташов, и в глубине коридора Кирилл заметил силуэт в камуфляже, казавшийся непомерно широким в груди из-за стволов и обойм в кармашках разгрузки. Это был Булавди, но совсем не такой Булавди, которого Кирилл видел три недели назад. Он был в виде большой зелено-коричневой птицы.

Ташов улыбнулся Кириллу и сказал:

— Я же тебе говорил, что в Раю все будет по-другому и в Раю у нас будут дети.

Диана поднялась, и Кирилл увидел по одну ее руку Ташова, а по другую — Алихана. Птица в камуфляже поднялась и тяжело хлопнула крыльями, и от них в воздухе повисла широкая светлая полоса. По этой полосе и пошла Диана.

Кирилл побежал вслед за ними.

— А я? — закричал Кирилл, — возьмите меня!

Но как он ни бежал, расстояние между ними не сокращалось, и они все шли и шли по золотой нити моста, Кирилл понял, куда они идут, и закричал:

— Алик! Стой!

Он вцепился в рукав мальчика и потянул его за собой, и в этот миг Диана обернулась. Она по-прежнему была в белом подвенечном платье, но чрево ее было разорвано, и мраморное лицо пошло синими трупными пятнами. Кирилл потянул, и рука мальчика оторвалась легко, как у давно разложившегося трупа. Кирилл бросил эту руку и вцепился в другую, и в этот момент Булавди ударил его прикладом. Кирилл отпихнул Булавди и снова вцепился в мальчика, но руки его прошли сквозь тело, как сквозь воду, и Кирилл зачерпывал его горстями, а все никак не зачерпывалось.

— Алик! Алик! — захлебывался криком Кирилл.

Он ловил его, а мальчик таял между его пальцами, и с ним таяло бледное мраморное лицо Дианы.

— Мы встретимся в Раю, — сказала Диана.

Кирилл открыл глаза и проснулся.

Он лежал, навзничь, на узком диванчике в коридоре, и у него в ногах сидел Джамалудин. Он был в сером костюме из лучшего английского мериноса, и в белой рубашке со бежевым галстуком, такой же аккуратный, как на фотографии во время встречи с инвесторами, и Кирилл вспомнил, что после этой встречи с инвесторами Джамал убил Магомед-Расула.

Кириллу рассказал об этом Хас-Магомед, а тому Хаген. Джамал приехал с самолета прямо в резиденцию, где его брат сидел под домашним арестом, и собрал самых доверенных своих командиров. Он сказал, что поклялся убить всех, кто виновен в смерти Заура, и что Заура похитили из-за Магомед-Расула в первый раз и убили во второй. «Я твой старший брат, — сказал Магомед-Расул, — это не по шариату!» — «Я здесь шариат», — отозвался Джамалудин.

— Булавди умер, — сказал Джамалудин.

Кирилл молча глядел на него. Тело его, под одеждой, было липким и мокрым от пота. На полу коридора таяла золотая дорожка.

— Сдох сегодня в Бурденко, — сказал Джамал, — врачи сказали — смерть мозга. Как собака сдох. Следователи расстроились.

«Они все умерли, — с беспощадной ясностью понял Кирилл, — Диана. Ташов. Алихан. Они пришли за ним и увели его за собой».

— Он был здесь, — сказал Кирилл.

— Кто?

— Булавди. Такая... птица... в камуфляже.

И Кирилл показал руками, какого размера была птица. Это Джамалудину явно не понравилось. Он нахмурился и сказал:

— Какая птица? Что ты мелешь?

Кирилл встал с кушетки и пошел к боксам. Он шел, ни мгновенья не сомневаясь, что он там увидет. Они пришли за Алиханом и забрали его.

Кириллу казалось, будто он идет не по коридору, а по золотому мосту. У бокса стояли несколько врачей, спиной к нему, и Кирилл остановился и вдруг стал оседать на пол, как будто в теле у него не осталось костей, а потом один из врачей оглянулся, и Кирилл увидел, что он улыбается до ушей.

— Поздравляю, Кирилл Владимирович, — сказал врач.

Кирилл подбежал и заглянул в окошечко, и увидел, что у Алихана открыты глаза. Он глядел, не веря себе, а Алихан хлопнул ресницами, раз, и другой, а Кирилл стоял, и слезы катились по его щекам.

— Алик, — закричал Кирилл, — ты слышишь меня?

Мальчик улыбнулся.

— Он не слышит, Кирилл Владимирович. Все нормально. Пляшите.

Кирилл повернулся и сделал шаг. Он пошел по коридору, быстрой, вертящейся походкой, как будто собирался плясать лезгинку, той же самой, какой Булавди ходил вокруг подбитого БТРа, он шептал что-то себе под нос, и кружился все быстрее, и врачи, столпившиеся у бокса, с недоумением смотрели, как растрепанный, русоволосый, давно небритый человек с усталыми светло-зелеными глазами и широкими славянскими скулами, крича, вертится по коридору.

Кирилл делал зикр.

* * *

Спустя два дня новый президент республики Северная Авария-Дарго Джамалудин Кемиров и новый руководитель Объединенной службы безопасности Семен Семенович Забельцын встретились в Кремле с главой России и доложили ему об успехах в борьбе с терроризмом.

Семен Семенович отчитался о ходе следствия по мятежу 6 октября. Он предложил наградить звездой Героя России семьдесят три участника тех героических событий, включая сержанта Зыкова, чей взвод героически сдерживал атаку бесчисленных полчищ боевиков; полковника Лихого, блестяще отработавшего операцию в селе Тленкой, Джамалудина Кемирова, Хаген Хазенштайна, и, конечно, покойного премьера республики Христофора Мао, возглавившего сопротивление боевикам в тот самый момент, когда, казалось, все уже было потеряно.

Джамалудин Кемиров всецело поддержал его предложение и, в свою очередь, заявил, что назовет одну из улиц Торби-калы в честь покойного премьера.

Протокольная съемка закончилась, Кемиров покинул кабинет, и Семен Семенович вынул из бывшего с ним портфеля стопку бумаг.

— Вот это, — сказал Семен Семенович, — договор о переуступке акций. Новые компании зарегистрированы в Швейцарии, и бенефициарами являются люди, которым можно верить, как самим себе. Мы можем быть уверены, что доходы с этих компаний не пойдут на святые цели. На укрепление вертикали власти. Но, к сожалению, из-за всех этих событий нам удалось договориться только о десяти процентах.

СОДЕРЖАНИЕ

Часть первая

ИНВЕСТОР 9

ГЛАВА ПЕРВАЯ
Возвращение *9*

ГЛАВА ВТОРАЯ
Особенности национальной демократии *48*

ГЛАВА ТРЕТЬЯ
Личное дело Хагена *88*

ГЛАВА ЧЕТВЕРТАЯ
Белая Речка *119*

ГЛАВА ПЯТАЯ
О пользе борьбы с терроризмом *156*

ГЛАВА ШЕСТАЯ
Рокировочка *178*

ГЛАВА СЕДЬМАЯ
Пир победителей *194*

Часть вторая

ДИКТАТОР 219

ГЛАВА ВОСЬМАЯ
Новые правила *219*

ГЛАВА ДЕВЯТАЯ
День рождения премьера *257*

ГЛАВА ДЕСЯТАЯ
Весна *292*

ГЛАВА ОДИННАДЦАТАЯ
Новый инвестор *338*

Часть третья

ТЕРРОРИСТ 377

ГЛАВА ДВЕНАДЦАТАЯ

Переговорный процесс *377*

ГЛАВА ТРИНАДЦАТАЯ

Тяжело в ученье *414*

ГЛАВА ЧЕТЫРНАДЦАТАЯ

Легко в бою *469*

Литературно-художественное издание

Латынина Юлия Леонидовна

Не время для славы
Издано в авторской редакции

Ответственный редактор *И.Н. Архарова*
Технический редактор *Т.П. Тимошина*
Корректор *И.Н. Мокина*

ООО «Издательство АСТ»
141100, РФ, Московская обл., г. Щелково, ул. Заречная, д. 96

ООО «Издательство Астрель»
129085, г. Москва, пр-д Ольминского, д.3а
www.ast.ru
E-mail: astpub@aha.ru

Вся информация о книгах и авторах
Издательской группы «АСТ» на сайте:
www.ast.ru

По вопросам оптовой покупки книг
Издательской группы «АСТ»
обращаться по адресу:
г. Москва , Звездный бульвар, 21 (7 этаж)
Тел.: 615-01-01, 232-17-16

Заказ по почте:
123022, Москва, а/я 71, «Книга – почтой»,
или на сайте shop.avanta.ru

Издано при участии ООО «Харвест».
ЛИ № 02330/0150205 от 30.04.2004.
Республика Беларусь, 220013, Минск, ул. Кульман,
д. 1, корп. 3, эт. 4, к. 42.
E-mail редакции: harvest@anitex.by

ОАО «Полиграфкомбинат им. Я. Коласа».
ЛП № 02330/0056617 от 27.03.2004.
Республика Беларусь, 220600, Минск, ул. Красная, 23.

РЕГИОНЫ:

- Архангельск, 103-й квартал, ул. Садовая, д. 18, т. (8182) 65-00-95
- Белгород, Народный б-р, д. 82, т. (4722) 32-53-26
- Владимир, ул. Дворянская, д. 10, т. (4922) 42-06-59
- Волгоград, ул. Мира, д. 11, т. (8442) 33-13-19
- Екатеринбург, ул. Сулимова, д. 50, ТРК «Парк Хаус», т. (343) 216-55-02
- Ижевск, ул. Автозаводская, д. 3а, ТРЦ «Столица», т. (3412) 90-38-31
- Калининград, ул. Карла Маркса, д. 18, т. (4012) 71-85-64
- Краснодар, ул. Дзержинского, д. 100, ТЦ «Красная площадь», т. (861) 210-41-60
- Красноярск, пр-т Мира, д. 91, т. (3912) 23-17-65
- Курган, ул. Гоголя, д. 55, т. (3522) 43-39-29
- Курск, ул. Радищева, д. 86, т. (4712) 56-70-74
- Курск, ул. Ленина, д. 11, т. (4712) 70-18-42
- Липецк, пл. Коммунальная, д. 3, т. (4742) 22-27-16
- Мурманск, пр-т Ленина, д. 53, т. (8152) 47-20-43
- Новосибирск, ул. Ватутина, д. 107, ТЦ «Мега», т. (383) 230-12-91
- Пенза, ул. Московская, д. 83, ТЦ «Пассаж», т. (8412) 20-80-35
- Пермь, ул. Революции, д. 60/1, ТЦ «7 пятниц», т. (342) 233-40-49
- Ростов-на-Дону, Новочеркасское ш., д. 33, ТЦ «Мега», т. (863) 265-83-34
- Рязань, Первомайский пр-т, д. 70, корп. 1, ТЦ «Виктория Плаза», т. (4912) 95-72-11
- Самара, ул. Дыбенко, д. 30, ТЦ «Космопорт», т. 8-908-374-19-60
- Санкт-Петербург, Гражданский пр-т, д. 41, ТЦ «Академический», т. (812) 380-17-84
- Санкт-Петербург, ул. Чернышевская, д. 11/57, т. (812) 273-44-13
- Санкт-Петербург, Лиговский пр-т, д. 185, т. (812) 766-22-88
- Тверь, ул. Советская, д. 7, т. (4822) 34-53-11
- Тольятти, ул. Ленинградская, д. 55, т. (8482) 28-37-68
- Тула, ул. Первомайская, д. 12, т. (4872) 31-09-22
- Тула, пр-т Ленина, д. 18, т. (4872) 36-29-22
- Тюмень, ул. М.Горького, д. 44, стр. 4, ТРЦ «Гудвин», т. (3452) 79-05-13
- Уфа, пр. Октября, д.26-40, ТРЦ «Семья», т. (3472)293-62-88
- Чебоксары, ТЦ «Мега Молл», ул. Калинина, д. 105а, т. (8352) 28-12-59
- Череповец, Советский пр-т, д. 88а, т. (8202) 53-61-22
- Ярославль, ул. Свободы, д. 12, т. (4852) 72-86-61

Широкий ассортимент электронных и аудиокниг
ИГ АСТ Вы можете найти на сайте www.elkniga.ru

Заказывайте книги почтой в любом уголке России
123022, Москва, а/я 71 «Книги – почтой»
или на сайте: shop.avanta.ru

Курьерская доставка по Москве и ближайшему Подмосковью:
Тел/факс: +7(495)259-60-44, 259-41-71

Приобретайте в Интернете на сайте: www.ozon.ru

Издательская группа АСТ www.ast.ru
129085, Москва, Звездный бульвар, д. 21, 7-й этаж
Информация по оптовым закупкам: (495) 615-01-01, факс 615-51-10
E-mail: zakaz@ast.ru